pp. 333-360 s'omettraient facilement...

HISTOIRE D'UNE LANGUE :
LE FRANÇAIS

DU MÊME AUTEUR :

Le parler arabe des juifs d'Alger, Paris, Champion, 1912, 559 pages.

Le système verbal sémitique et l'expression du temps, thèse de doctorat ès lettres, Paris, Ernest Leroux, 1924, 319 pages.

Langues chamito-sémitiques, 70 pages, dans *Les langues du monde*, sous la direction de A. Meillet et Marcel Cohen, Paris, Champion, 1924. Nouvelle édition. C.N.R.S., 1952, 1.296 pages, 18 cartes.

Instructions d'enquête linguistique, Paris, Institut d'ethnologie (Palais de Chaillot), 1928. (Nouvelle édition, 1950, 143 pages.)

Traité de langue amharique (Abyssinie), Paris, Institut d'ethnologie, 1936, 444 pages, 33 tableaux.

Le français en 1700 d'après le témoignage de Gile Vaudelin, Paris, Champion, 1946, 92 pages, 6 planches.

Essai comparatif sur la phonétique et le vocabulaire du chamito-sémitique, Paris, Champion, 1947, 256 pages.

Linguistique et matérialisme dialectique, Gap, Ophrys, 1948, 20 pages.

Grammaire française en quelques pages, Paris, Istra, 1948, 51 pages, 2ᵉ édition, Sédes, 1966, 83 p.

Pour le renouveau de l'enseignement, Gap. Ophrys, 1949, 97 pages.

Le langage (structure et évolution), Paris, Editions sociales, 1950, 144 pages, épuisé.

Regards sur la langue française, Paris, Sédes, 1950, 142 pages.

L'écriture, Editions sociales, 1953, 130 pages.

Grammaire et style, Editions sociales, 1954, 258 pages.

Cinquante années de recherches (recueil publié par ses amis), Imprimerie nationale, 1955, 387 pages.

Pour une sociologie du langage, Albin Michel, 1956, 376 pages.

La grande invention de l'écriture et son évolution, Paris, Imprimerie nationale, 1958, texte 471 pages, documentation et index 228 pages, 97 planches.

Notes de méthode pour l'histoire du français, Editions en langues étrangères, Moscou, 1958, 98 pages.

Le subjonctif en français contemporain, Sédes, 1960, 2ᵉ édit., 1965, 296 p.

Etudes sur le langage de l'enfant (en collaboration), Editions du Scarabée, 1962, 195 pages.

Nouveaux regards sur la langue française, Editions sociales, 1963, 320 pages.

Encore des regards sur la langue française, Editions sociales, 1966, 310 pages.

Toujours des regards sur la langue française, Editions sociales, à paraître.

Toujours des regards sur la langue française, Editions sociales, 1970, 352 pages.

Une fois de plus des regards sur la langue française, Editions sociales, 1972, 368 pages.

MARCEL COHEN

Directeur d'études à l'Ecole des Hautes-Etudes

HISTOIRE D'UNE LANGUE :
LE FRANÇAIS

(des lointaines origines à nos jours)

QUATRIÈME ÉDITION
REVUE ET MISE A JOUR

1973

ÉDITIONS SOCIALES

146, rue du Fg. Poissonnière, Paris-10

Service de vente : 24, rue Racine, Paris-6

Dès le début, une malédiction pèse sur « l'esprit », celle d'être « entaché » d'une matière qui se présente ici sous forme de couches d'air agitées, de sons, en un mot sous forme du langage. Le langage est aussi vieux que la conscience, — le langage *est* la conscience réelle, pratique, existant aussi pour d'autres hommes, existant donc alors seulement pour moi-même aussi et, tout comme la conscience, le langage n'apparaît qu'avec le besoin, la nécessité du commerce avec d'autres hommes.

Qu'[un tel] parle allemand et non français, ce n'est pas le genre qui en est responsable, mais bien les circonstances. Le langage a d'ailleurs perdu le caractère de phénomène naturel dans toutes les langues modernes hautement développées; ou bien c'est le résultat de l'histoire de l'évolution du langage à partir des matériaux de base comme pour les langues romanes et germaniques, ou du croisement et du mélange des nationalités comme pour l'anglais, ou encore celui de la fusion des dialectes, qui donne une langue nationale dans le cadre d'une nation, fusion linguistique reposant sur la fusion économique et politique. Il va de soi que les individus contrôleront un jour totalement ce produit du genre comme les autres.

Karl Marx — Friedrich Engels :
L'Idéologie allemande, p. 59 et pp.
468-469. Editions sociales, 1968.

HISTOIRE D'UNE LANGUE : LE FRANÇAIS

PRÉAMBULE

On parle français en France.

Tout le monde ?

Non, il y a bien quelques vieux qui ne savent que leur patois.

Et les autres Français, ils ne parlent que français ?

Non pas, beaucoup parlent plus souvent un patois campagnard qui ressemble plus ou moins à du français sans en être, ou bien breton, ou bien basque, ou bien alsacien, que sais-je encore.

Et il n'y a qu'en France qu'on parle français ?

Mais non, il y a aussi une partie de la Belgique, et de la Suisse, du Canada, et autres territoires d'outre-mer...

Ah ! Et a-t-on toujours parlé français en France ?

Point. Les Gaulois parlaient gaulois, les Romains qui les ont soumis et colonisés parlaient latin, les Francs qui sont venus ensuite parlaient une langue germanique.

Et où parlait-on le français, alors ?

Le français n'existait pas.

Mais comment s'est-il fait ?

Par transformation du latin dans la société qui est devenue la société française.

Et le latin, a-t-il toujours existé ?

Lui aussi s'est formé par transformation d'une autre langue qui existait en un temps plus ancien.

Où cette langue s'est-elle parlée ?

Bien difficile de le dire précisément; on ne l'écrivait pas; il n'est pas resté de témoignages sur l'histoire de ce temps-là.

C'est si naturel de parler; on ne se rappelle même pas l'avoir appris, en même temps qu'on apprenait à marcher, à manger sans aide, à jouer toutes sortes de jeux; et pourtant que de questions, dès qu'on y réfléchit. Il y a tant de langages différents, comme il y a tant de vêtures, de coutumes, de croyances différentes.

Peut-on trouver des explications à tout ça ?

Il faut y tâcher. La science doit s'attaquer à tous les problèmes. Mais la science du langage, la linguistique, est encore bien jeune, en face de problèmes bien difficiles. Elle peut au moins commencer à poser ces problèmes. à en classer les données. Elle explore pour les décrire les langages divers de tous les groupes d'hommes; elle essaye de voir quels sont ceux qui portent les traces d'une origine commune; elle étudie les transformations de ceux dont on peut suivre l'histoire; elle cherche à définir la structure des systèmes d'expression; elle pense à scruter les rapports entre les types de sociétés et le fonctionnement des langages.

Le français est une langue de civilisation dont on connaît assez bien l'état présent, l'histoire, les origines. C'est un bon sujet d'observation. Connaître les grandes lignes de son histoire est utile pour tous ceux qui s'intéressent à la science des sociétés.

NOTE SUR LA CONFECTION
ET SUR L'USAGE DU LIVRE

En 1947 (pour la première édition).

Cet ouvrage résumé — mise au point de cours professés à l'Université ouvrière de Paris de 1933 à 1938 — est destiné à donner aux lecteurs un aperçu du développement de la langue française et, à son propos, des questions linguistiques en général.

Pour l'étude, il faut se reporter aux ouvrages indiqués dans les références. Presque tous les ouvrages importants et qui n'ont pas vieilli ont été cités; les bibliographies qu'ils contiennent permettent de se reporter aux autres, notamment à ceux qui ne sont pas écrits en français.

Quelques ouvrages non linguistiques, mais qui éclairent les sujets traités, ont été cités à propos de divers chapitres ou paragraphes particuliers. Quelques phrases importantes de certains ouvrages ont été reproduites.

Ces références groupées ont permis d'éviter de mettre aucune note en bas de page au cours du livre.

L'index permet de rechercher les noms propres, les termes techniques, les notions diverses. Il a été fait aussi soigneusement que possible pour la commodité du lecteur. En conséquence, les renvois dans le texte, d'un chapitre à un autre, ont été réduits au minimum.

On trouvera page 40 et chapitre VI les indications sur l'écriture phonétique.

Quelques lecteurs trouveront certains chapitres ou paragraphes trop ardus; qu'ils les passent, du moins dans une première lecture. Certains auront peut-être avantage à lire d'abord le « coup d'œil d'ensemble » de la fin et même à le relire de temps en temps, s'ils craignent de perdre le fil.

L'ouvrage a été rédigé en des périodes de vacances, à Fressines (Deux-Sèvres), à Pâques et en juillet-août 1938, pour la fin à Viroflay (Yvelines) en décembre et en janvier 1939.

Le manuscrit a été lu par Charles Bruneau, professeur d'histoire de la langue française à la Sorbonne, que je remercie pour son contrôle et ses informations complémentaires. Je remercie aussi

les diverses autres personnes dont les observations et renseignements ont rendu plus fructueuses mes révisions : la première a
eu lieu en 1939, et la dernière en 1945 avant l'envoi à l'impression.

Les textes courts qui ont été insérés à la fin de divers chapitres
ont été choisis de manière à jalonner l'histoire des formes, de
l'orthographe, du style, de la versification. Peu nombreux, très
brefs, et pas toujours pris parmi les plus beaux passages des
auteurs auxquels ils sont empruntés, ils ne constituent aucunement
une revue de la grande littérature française; c'est la lecture de
beaucoup d'ouvrages entiers qui peut seule donner une idée des
ressources artistiques de la langue.

En 1950.

Le livre ayant dû être réimprimé, le texte a subi une toilette,
avec l'élimination de quelques inadvertances de détail; quelques
menues additions ont été faites, en partie grâce à des renseignements dus à des lecteurs.

En 1965.

L'édition de 1950 s'est trouvée épuisée en 1959. C'est en mars
1963 que le travail de mise au point pour une nouvelle édition a
été entrepris.

Il s'est montré nécessaire d'étoffer pour la première partie du
20° siècle les pages du chapitre XIV concernant la littérature, en
reproduisant des textes plus abondants.

Le chapitre XV présentant un tableau du français vers 1940
a été remplacé par un chapitre nouveau, donnant d'abord la physionomie de la période 1939-1965 à tous les points de vue utiles,
puis un essai de tableau de la langue contemporaine.

La rédaction était menée à son terme pour l'essentiel en octobre
1963. Mais le travail de documentation s'est prolongé ensuite,
pendant l'année 1964, avec un effort soutenu pour mettre la bibliographie à jour.

La mise au net, par suite de traverses variées, n'a été achevée
qu'en juin 1965. Pour la suite voir p. 411.

On ne trouvera dans le texte de ce livre ni passé simple (défini),
ni imparfait et plus-que-parfait du subjonctif. Conformément à la
pratique adoptée dès 1903 par Antoine Meillet, j'ai employé le
passé composé (indéfini) pour relater la suite des événements.
Cette pratique n'a pas paru choquante : aucun critique n'a fait de
remarque à son sujet.

PREMIÈRE PARTIE

AVANT LE FRANÇAIS

Dans certaines langues (en Afrique du Sud), des claquements de langue ou de lèvres (terme technique : _clic_) concourent à la formation des consonnes.

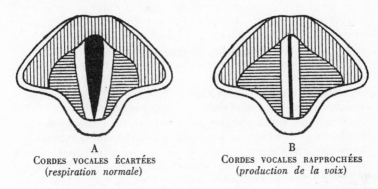

A
CORDES VOCALES ÉCARTÉES
(*respiration normale*)

B
CORDES VOCALES RAPPROCHÉES
(*production de la voix*)

FIG. 1. — COUPE DU LARYNX.

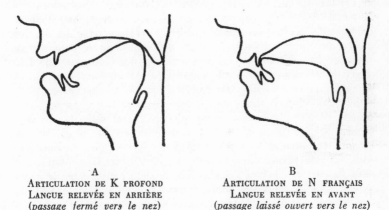

A
ARTICULATION DE K PROFOND
LANGUE RELEVÉE EN ARRIÈRE
(*passage fermé vers le nez*)

B
ARTICULATION DE N FRANÇAIS
LANGUE RELEVÉE EN AVANT
(*passage laissé ouvert vers le nez*)

FIG. 2. — POSITION DE LA LANGUE ET DU VOILE DU PALAIS.

Il y a une partie du langage qui se voit et ne s'entend pas : les gestes accompagnent plus ou moins la parole, et la remplacent quelquefois. Il est probable que dans toutes les sociétés primitives ils ont eu plus d'importance que maintenant. Et actuellement encore

2

ils jouent un assez grand rôle. C'est ce qu'on appelle la mimique :
mouvements des mains, des bras, des épaules, de la tête entière,
contractions du visage. Autant de signes qui servent ou aident à
la compréhension.

2. Langage, pensée et société

C'est le cerveau qui commande la fonction du langage. Sans le
développement du cerveau humain, plus précisément de ses lobes
frontaux, il n'y aurait pas plus de langage que de pensée consciente.
Inutile de se demander si la pensée a priorité sur le langage, ou
inversement. Les deux ont évolué de pair. En fait, toute pensée
claire se formule pour nous en phrases et en mots; le langage
intérieur, qui se déroule quand nous pensons, ou quand nous lisons,
sans mouvoir les organes de la parole, comporte les mêmes mots
que nous pouvons faire entendre par notre bouche, ou entendre de
la bouche des autres. Il ne s'ensuit pas que le développement de
la pensée soit borné par les ressources des langages actuellement
connus; des moyens nouveaux peuvent se réaliser pour des besoins
nouveaux; aussi voit-on les langues de civilisation se pourvoir au
cours de leur développement de ressources qui manquent aux langages de sociétés moins développées (par exemple pour exprimer les
grands nombres, les rapports de temps, certaines abstractions).
   La question de l'origine du langage n'existe pas comme problème
à part. Il n'y a qu'une question globale : c'est celle du développement spécial de l'homme dans l'ensemble animal, avec son cerveau exceptionnel et les fonctions qui en résultent sans pouvoir être
séparées : la pensée sous l'aspect de l'intelligence raisonnante et
sous l'aspect de l'art, et l'expression de cette pensée dans le cadre
social. Mais les linguistes peuvent essayer de se représenter plus ou
moins quels ont été les plus anciens types de cette expression.
   Grâce à son intelligence développée, l'homme sait combiner et
fabriquer, de sa main, des outils simples ou des instruments qui
augmentent considérablement la puissance de cette main ou la remplacent en multipliant les ressources de son corps. Le langage, technique du corps , peut aussi être considéré comme un outil, produit
d'une série d'inventions, grande invention au total. C'est l'instrument qui permet de concerter le travail et les entreprises de groupe,
d'assurer à la fois la continuité et les initiatives dans toutes les rela-

tions entre les hommes; c'est la plus universelle des institutions, qui conditionne les autres. Mais à son tour le langage dépend, dans son fonctionnement, des conditions sociales.

En particulier il y a lieu d'observer que chaque homme pouvant participer, en même temps, ou successivement, à divers ensembles sociaux peut aussi acquérir plusieurs langages.

3. L'étude scientifique du langage

La linguistique est multiple comme son objet même ainsi qu'on peut le voir au cours du présent ouvrage.

La linguistique historique étudie les évolutions, en s'aidant de la méthode comparative.

La linguistique descriptive s'occupe des divers aspects du langage dans les états de langue successifs, avec des dénominations différentes.

La phonétique décrit les articulations des phonèmes; la phonologie étudie leurs groupements en systèmes plus ou moins équilibrés.

L'étude morphologique et syntaxique porte sur le fonctionnement grammatical : constitution et rôle des formes, agencement de la phrase.

La stylistique étudie celle-ci au point de vue de l'expression, esthétique ou non.

L'étude du lexique relève de la lexicographie et de la lexicologie. La sémantique (du grec *sêma* 'signe') s'occupe spécialement du sens des mots.

La linguistique sociologique ou sociolinguistique cherche à reconnaître les rapports des faits de la langue avec d'autres faits sociaux. Dans toutes ses divisions la linguistique s'aide de plus en plus de statistiques; elle se fait quantitative et mathématique.

CHAPITRE II

LES FAMILLES DE LANGUES
ET L'ORIGINE INDO-EUROPÉENNE DU LATIN

Le français a été produit par une transformation du latin. Le latin a été une langue importante de la famille indo-européenne. Qu'est-ce à dire ? Prenons les choses de loin.

1. L'espèce humaine et les familles de langues

On sait que l'espèce humaine provient par évolution d'une autre sorte de mammifères; on ne sait pas au juste à quelle division du genre des primates (encore représenté par les singes et divers animaux voisins) on doit rapporter son origine. Les anthropologistes ne peuvent pas encore décider si l'évolution a produit plusieurs fois d'abord des êtres intermédiaires tels que le pithécanthrope dont on connaît quelques restes fossiles, puis des hommes proprement dits, ou si tous les hommes proviennent d'une seule souche. Toujours est-il que malgré la diversité des tailles, des couleurs de peau et d'yeux, de la couleur et de la nature des cheveux et des poils et de bien d'autres détails, les hommes — comme les chiens — ne sont qu'une espèce fondamentalement une et sont aptes à se croiser entre eux et à faire société entre eux (voir Références pp. 422-423).

En ce qui concerne le langage, la même question se pose que pour la constitution de l'espèce. On ne peut pas encore décider si le langage ne s'est formé qu'une fois et s'est différencié ensuite en des quantités de parlers, avec les divisions de l'humanité, ou s'il s'est formé plusieurs fois en divers lieux, comme il est probable. Toujours est-il que malgré la diversité des langues tous les hommes sont aptes à apprendre les langages les uns des autres, soit individuellement, soit par groupes.

Dans la multitude des variétés humaines et des langages on peut reconnaître des groupements.

Dans divers coins de la terre, des populations, généralement restées peu nombreuses, présentent un type assez homogène pour qu'on ait le droit de parler de race sensiblement pure, par exemple chez les Australiens; toutefois il est impossible de savoir si ces populations proviennent entièrement de quelques ancêtres de même type ou si l'uniformité relative s'est établie après coup, dans des groupes d'origine mélangée, au cours d'une très longue période d'isolement, par la dominance devenue héréditaire de certains traits. D'autre part, on peut établir de larges divisions entre les hommes : blancs, jaunes, noirs; mais il faut se souvenir qu'à l'intérieur de ces vastes divisions il y a une grande diversité.

Les véritables divisions qu'on observe normalement sont celles de populations plus ou moins nombreuses et plus ou moins cohérentes où on discerne les traces de toutes sortes de mélanges, mais où domine pourtant un certain type. Ainsi, on reconnaît grossièrement un Chinois, un Japonais, un Indien, un nègre africain, un peau-rouge, un Scandinave, un Méditerranéen. La totalité d'une de ces divisions ou une portion de l'une d'entre elles ou la réunion de plusieurs d'entre elles, suivant le cas, peuvent constituer un *peuple* ou une *nation,* à type physique plus ou moins mélangé. C'est ainsi qu'on parlera de Chinois, de Japonais, d'Indiens, (comme dit ci-dessus) ou encore d'Arabes, d'Espagnols, de Français, d'Allemands, etc.

Quant aux langues, on reconnaît facilement que certaines se ressemblent beaucoup entre elles; leur parenté, c'est-à-dire leur origine commune, saute aux yeux; ainsi lorsqu'il s'agit des langues romanes issues du latin, ou des langues sémitiques (hébreu, arabe, etc.). Pour d'autres, la parenté, plus lointaine, n'apparaît que par une étude faite au moyen de la méthode comparative; c'est elle qui permet de discerner et d'étudier en tant qu'ensembles des familles de langues, comme la famille indo-européenne dont il va être question en détail, ou la famille ouralienne (finno-ougrien et samoyède), ou la famille malayo-polynésienne qui couvre l'ensemble de l'Océanie (avec peut-être l'Australie) et Madagascar.

Des travaux ultérieurs permettront certainement de reconnaître des groupements qui n'apparaissent pas encore, de préciser des connexions qui sont dès maintenant soit admises soit entr'aperçues, mais qui ne sont pas encore étudiées dans le détail ou pas encore solidement établies. Les difficultés sont grandes, parce que toutes les langues se modifient plus ou moins vite, de manière à pouvoir devenir méconnaissables quelquefois en quelques siècles ou au moins en quelques millénaires (petite période dans l'histoire de l'humanité), enfin parce que beaucoup ont disparu sans laisser de traces; il sied donc d'être prudent et de ne jamais émettre de conclusions qui dépassent les faits méthodiquement reconnus.

Dès maintenant les classements faits aussi bien dans les groupes humains que dans les langues qu'ils parlent permettent certaines constatations.

D'abord il résulte de ce qui est dit ci-dessus que l'idée de race est pratiquement sans valeur. Ce qui importe essentiellement, ce sont les populations groupées par l'unité des conditions de vie, surtout les agrégats plus ou moins restreints ou étendus qui constituent les peuples ou ethnies, avec leurs mélanges de types physiques d'origines diverses, qui tendent à se fondre dans de nouveaux types par la communauté d'existence.

Ensuite on voit que les langues se transportent au gré des mouvements de population, des migrations, des conquêtes et des colonisations. Alors que les pertes de vies humaines au cours des disettes, des déplacements, des batailles, des massacres de vaincus n'aboutissent qu'exceptionnellement à l'anéantissement de populations entières, beaucoup de langues disparaissent, recouvertes par les langues importées en tel ou tel point, ou au contraire abandonnées par des nouveaux venus au profit de la langue d'un pays envahi.

Il n'y a donc pas de coïncidence entre 'races' et 'familles de langues'. C'est seulement faute d'avoir de meilleurs instruments de classement, et à titre d'indice de vie commune pendant d'assez longues périodes, qu'il arrive que l'on confonde quelquefois pour certaines populations le classement racial ou ethnique présumé et le classement linguistique, par exemple si on appelle 'Germains' les gens de langue germanique ou 'Slaves' les gens de langue slave. En réalité, il s'agit plutôt de communautés de civilisation.

Néanmoins, en faisant l'histoire des langues, il faut avoir égard aux caractères du 'matériel humain'.

Sans doute les conditions économiques, les nécessités de la subsistance dans des conditions physiques déterminées (sol, eaux, climat et changements de climat) sont à la base du brassage presque continuel de l'humanité et des types de sociétés qui s'établissent en chaque lieu, avec leurs expressions techniques, juridiques, religieuses et intellectuelles. Mais on ne saurait tout expliquer directement par là, en chaque lieu et à chaque moment. Il faut tenir compte des événements historiques en eux-mêmes, de l'origine des populations, de l'origine des langues qu'elles parlent.

Les types physiques plus ou moins unifiés comportent probablement de très menues particularités anatomiques dans la constitution des organes, et physiologiques, dans leur fonctionnement, que la science commence à peine à connaître. Ces détails sont sans doute en partie au moins responsables de particularités phonétiques de chaque langue. De même le 'tempérament' et les habitudes de pensée interviennent sans doute dans les caractères des moyens d'expression qui constituent les phrases. Ces caractères phonétiques et grammaticaux ne s'abolissent pas entièrement quand une population change de langue pour une raison quelconque, mais ils subsistent plus ou moins dans la nouvelle langue adoptée. C'est ce qui fait qu'une langue transportée en dehors de sa région d'origine sur un terrain antérieurement occupé par une autre langue a plus de chances de se modifier relativement vite de façon profonde et dans un sens déterminé; on parle alors d'une influence du *substrat* linguistique ou d'interférences entre la langue d'abord établie et la langue ensuite importée.

2. La reconnaissance des familles de langues et la méthode comparative

Les linguistes sont arrivés à reconnaître la parenté de diverses langues d'Europe et d'Asie qui, malgré leurs diversités et leur caractère 'étranger' les unes par rapport aux autres, ont en commun l'aspect général phonétique, l'essentiel des fonctions grammaticales et une grande partie du vocabulaire. Le procédé technique de l'étude est la comparaison de détail appliquée pour chaque groupe de langages à la forme la plus ancienne qui ait été conservée, quand on a des documents écrits. Ce procédé permet aux spécialistes de reconnaître l'identité foncière de mots qui sont souvent très différents (voir le tableau de la p. 25); inversement on reconnaît l'origine différente de mots qui se ressemblent (comme le français *feu* et l'allemand *feuer*, de même sens, mais de racines différentes).

On ne s'étonnera pas que cette technique soit jeune et date seulement du grand développement des sciences modernes, en particulier des sciences naturelles et historiques (à partir du début du 19° siècle).

Comme toutes les sciences, la linguistique met en lumière des principes généraux de classement des phénomènes et de leurs changements.

attention ! Ainsi, on peut parler d'une <u>tendance au moindre effort</u>, qui a partout, lorsque les circonstances y sont favorables, des effets analogues. Par exemple, les consonnes placées entre deux voyelles (terme technique : intervocaliques) sont souvent sujettes à l'affaiblissement et même à la disparition. Ceci peut se préciser ainsi : puisque les voyelles se prononcent à bouche ouverte et qu'une consonne demande une fermeture en un point quelconque de la bouche, une certaine paresse à opérer le mouvement de fermeture entre deux mouvements d'ouverture tend à rendre ce mouvement de fermeture moins efficace : au lieu d'une fermeture complète on se contente d'un rétrécissement, au lieu d'un rétrécissement on laisse un large passage. De même, la partie terminale des mots peut être affaiblie parce que l'effort fait pour articuler le début d'un mot a épuisé l'énergie mise à le prononcer.

D'autre part, on conçoit que l'effet doive être le même, sauf accidents particuliers, pour toute consonne ou voyelle déterminée placée dans la même situation, quel que soit le sens du mot où elle figure. Aussi doit-on constater des correspondances phonétiques pareilles pour de grandes séries de mots des langues parentes entre elles. C'est ce qu'on a appelé la constance des lois phonétiques.

Par ailleurs, on doit constater que ces modifications, qui se produisent de manière systématique à l'intérieur d'une langue donnée à un moment donné, ne sont pas semblables pour la masse des différents groupes humains à divers moments; sans quoi une langue ne se diversifierait pas en beaucoup d'autres langues, comme il arrive constamment. Ainsi, les transformations des consonnes et voyelles sont variées; l'affaiblissement des consonnes entre voyelles ne se produit pas partout, loin de là, et parfois le moindre effort dans des conditions déterminées aboutit non à un affaiblissement mais à un renforcement rendant les distinctions plus nettes; quelquefois c'est le début du mot et non la fin qui est débile, etc.

En comparant entre elles des séries de mots de différentes langues, et en tenant compte des modifications qui ont pu se produire en raison de certaines applications particulières des modes de transformation reconnus, il arrive qu'on aperçoive l'identité ancienne de mots et de phonèmes devenus différents et qu'on puisse remonter ainsi à des formes communes initiales. C'est ainsi qu'on parvient à reconnaître et définir des familles de langues, même lorsqu'elles ne proviennent pas d'une langue historiquement connue.

3. Application de la méthode comparative à la reconstitution de l'indo-européen

Voici un tableau montrant des exemples concrets pris à différents groupes de la famille indo-européenne.

La deuxième colonne (mots précédés d'un astérisque) contient les formes reconstituées par approximation pour ce qu'on appelle par convention l'indo-européen (ensemble ancien non directement attesté qui est à l'origine du développement des langues indo-européennes).

Les caractères employés sont ceux qui servent à l'orthographe des anciennes langues, ou à la transcription usuelle chez les savants pour les écritures non latines.

Certains des mots cités ne diffèrent pas seulement par le traitement phonétique propre à chaque groupe, mais aussi par des détails de formation.

Le celtique est représenté par le vieil-irlandais, le germanique par le gotique, le slave par le vieux-slave.

	INDO-EUROPÉEN	SANSKRIT	GREC	LATIN	CELTIQUE	GERMANIQUE	SLAVE
cinq	* penkʷe	pañca	pente	quinque	coic	fimf	pęti
six	* sweks	sas	heks	sex	se	saihs	sěsti
cent	⁺ kmtom	çatam	he-katon	centum	cět	hund	süto
père	* pəter	pitar	pater	pater	athir	fadar	
porc, sanglier	* sū	su	hüs	sūs	hweh	sū	swi(nija)
je cuis	* pekʷo	pacā(mi)	pesso	coquo	pobi	kochu (emprunté au latin)	pekǫ

Le commentaire de ce simple tableau demanderait un long développement. Disons seulement que la vraisemblance et l'expérience
qu'on a par les langues dont on peut suivre entièrement l'histoire
(par exemple les langues romanes issues du latin) font admettre
que les consonnes les plus solides et les plus complètes sont celles
qui appartenaient aux plus anciens états des langues considérées et
à la langue commune qui a donné naissance aux langues parentes.
Ainsi lorsqu'on trouve *h* correspondant à *s*, on admet que *s* représente l'état le plus ancien et que *h* est un affaiblissement secondaire.

La comparaison ne porte pas seulement sur les mots entiers et
sur les phonèmes qui les composent, mais aussi sur les procédés
grammaticaux.

Voici un tableau de deux formes du verbe 'être' :

	Sanskrit	Grec	Latin	Celtique	Germanique	Slave
il est	*asti*	*esti*	*est*	*is*	*ist*	*jestŭ*
ils sont	*santi*	*eisi*	*sunt*	*it*	*sind*	*sotu*

On peut conclure de ce tableau que l'indo-européen caractérisait
la 3° personne du singulier par un *t* final suivi d'une voyelle, et
que la 3° personne du pluriel avait la même terminaison précédée
d'une consonne nasale *n*. D'autre part, le radical n'avait pas le
même état au singulier et au pluriel (singulier * *es*, pluriel * *s*).

Que ces exemples suffisent ici. Disons seulement que les compa-
ratistes se sont efforcés de reconstituer ainsi toutes les parties de
l'indo-européen, de manière à faciliter la comparaison entre elles
de toutes les langues indo-européennes connues, en les rapportant
à un terme commun. De manière aussi à prolonger dans le passé
leur histoire par une courte préhistoire.

On peut donc conclure qu'il a existé il y a plus de 3.000 ans
(4.000 serait dans une bonne vraisemblance) une langue relativement unifiée, ou au moins un groupe de dialectes proches entre eux,
constituant l'indo-européen avant sa dispersion, parlé par un
peuple à civilisation commune, qui ne possédait pas l'écriture.

On ne sait pas où vivait ce peuple, ni quelle était sa composition
ethnique. Il s'agissait presque sûrement de Blancs. On croit savoir,

d'après leur vocabulaire et d'après les circonstances historiques
postérieures, qu'ils possédaient des techniques relativement avan-
cées pour le temps, qu'ils connaissaient l'agriculture. La plus
grande vraisemblance est que leur centre d'expansion s'est situé
dans les grandes plaines entre Europe occidentale et Asie, peut-être
du côté du nord de la mer Noire. Le nom conventionnel d'indo-
européen (les Allemands disent indo-germanique) réunit les deux
extrémités du domaine où ils ont agi par la suite; le nom 'aryen'
qu'on a aussi employé et qui a fait par la suite la fortune que l'on
sait ne désigne proprement que les plus orientaux de ces éléments
(Iran, Inde, etc.), et c'est pourquoi les linguistes l'ont généralement
abandonné.

4. Destinée de la famille indo-européenne

L'examen de la répartition des diverses langues indo-européennes
permet, à défaut d'autres témoignages, d'obtenir une vue sur
l'expansion des hommes qui parlaient l'indo-européen. Des groupes
migrateurs plus ou moins nombreux et entreprenants de ces gens
se sont répandus peu à peu, soit dans des endroits peu ou pas
habités, soit par invasions plus ou moins violentes de pays peuplés,
par établissements coloniaux, dans presque toute l'Europe et sur
une partie de l'Asie. Ils se sont rencontrés sans doute avec des gens
moins civilisés qu'eux, mais aussi avec des gens plus civilisés, et
se sont plus ou moins fondus avec eux en de nouvelles nations.

On ne sait presque rien du détail de ces migrations. Il est impossible de déterminer les origines ethniques dans chaque domaine.

Au cours de leurs déplacements, certaines bandes d'Indo-Européens ont abandonné leurs langages pour en accepter d'autres.
Mais nombre d'entre eux ont, au contraire, imposé leur langue aux
populations conquises ou envahies plus ou moins pacifiquement.

Les langages indo-européens ainsi dispersés ont pris des aspects
très variés, encore que leur appartenance commune soit restée
reconnaissable comme il a été dit ci-dessus. Le seul fait que le
peuple se dispersait en groupes désormais isolés — et souvent à leur
tour en guerre les uns avec les autres — aurait sans doute suffi à
provoquer les évolutions divergentes. Elles ont été poussées plus
loin par l'action des substrats différents.

Ainsi s'est manifesté dans l'indo-européen un mouvement de
différenciation comme on en observe très souvent dans l'histoire des

langues. Ce mouvement s'est continué dans chacun des groupes différenciés, qui se sont morcelés à leur tour en beaucoup de dialectes légèrement différents ou même en langues véritablement distinctes. Mais, comme il arrive aussi très fréquemment, là où se sont constitués des conglomérats territoriaux à civilisation unifiée, la tendance antagoniste s'est fait jour : certaines langues se sont répandues aux dépens des dialectes locaux et des langues de petites nations, par un mouvement secondaire d'*unification*. (Pour le latin, voir chap. III.)

Nous avons dit qu'au cours de leurs voyages d'expansion des Indo-Européens se sont rencontrés avec des peuples dont la civilisation était plus avancée que la leur. Les foyers de civilisation dont les plus anciens monuments et objets fabriqués en métal ou en poterie peuvent être datés de — 5.000 ans environ et les écritures de — 3.000 étaient l'Egypte, la Mésopotamie et peut-être aussi l'ancien domaine de l'Indus récemment découvert et d'autres encore. Ce sont d'autres foyers apparemment moins anciens qui, situés dans les îles et sur les bords orientaux de la Méditerranée, ont eu le plus d'importance pour le contact avec les Indo-Européens : civilisation crétoise, chypriote, phénicienne, et des civilisations encore mal connues d'Asie Mineure, dont certaines avaient peut-être une origine caucasienne. C'est là que vers la fin du — 2ᵉ millénaire une partie des Indo-Européens a appris les techniques les plus perfectionnées et les arts les plus raffinés.

Pour les Grecs de langue indo-européenne l'emploi d'écritures d'origine égéenne a été partiel et non prolongé au cours du — 2ᵉ et du — 1ᵉʳ millénaire. C'est vers le — 9ᵉ siècle qu'ils ont reçu l'écriture du sémitique occidental, née au cours du — 2ᵉ millénaire (utilisée d'autre part par les Phéniciens, etc.). Ils ont mis au point le système alphabétique à consonnes et voyelles qui est le nôtre et l'ont répandu dans leur voisinage.

5. Les divisions de l'indo-européen

La carte de la page suivante montre la répartition connue des langues indo-européennes en Europe et en Asie.

Il faut y ajouter pour l'époque moderne depuis le 16ᵉ siècle les domaines américains de l'espagnol (Amérique du Sud et Amérique centrale, du portugais (Brésil), du français (partie du Canada et

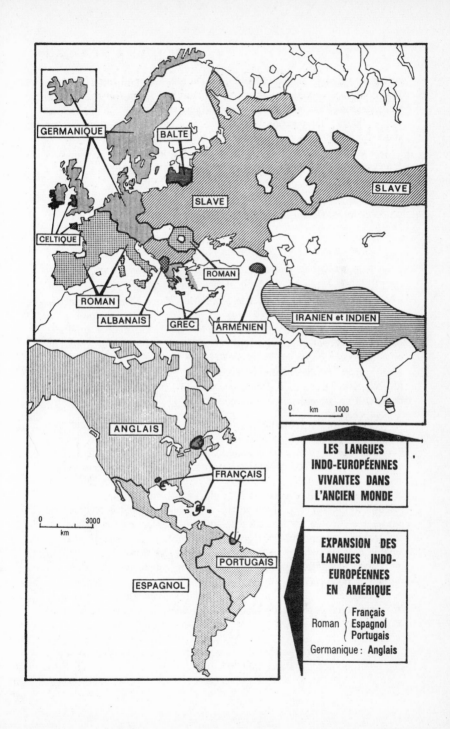

GERMANIQUE

BALTE

SLAVE

SLAVE

CELTIQUE

ROMAN

ROMAN

ALBANAIS

GREC

ARMÉNIEN

IRANIEN et INDIEN

0   km   1000

ANGLAIS

FRANÇAIS

0   3000
     km

PORTUGAIS

ESPAGNOL

LES LANGUES
INDO-EUROPÉENNES
VIVANTES DANS
L'ANCIEN MONDE

EXPANSION DES
LANGUES INDO-
EUROPÉENNES
EN AMÉRIQUE

Roman ⎰ Français
       ⎱ Espagnol
         Portugais

Germanique : Anglais

quelques régions des Etats-Unis), de l'anglais (Etats-Unis, Canada);
des domaines anglais en Afrique du Sud, en Australie et en Nouvelle-Zélande; les domaines néerlandais en Afrique du Sud et un
peu ailleurs; l'expansion du russe en Asie et celle du français
dans les territoires d'outre-mer, surtout africains.

Les parties blanches sur la carte montrent les régions où actuellement sont parlées des langues non indo-européennes.

Voici quelques indications succinctes au sujet des onze principaux groupes reconnus de l'indo-européen.

1° INDO-IRANIEN. — Deux sous-groupes proches entre eux.

a) *Indo-aryen.* — Langues de l'Inde septentrionale et d'une partie
de l'Inde méridionale, où les Indo-Européens blancs se sont mélangés à d'autres éléments, d'où la peau foncée des Hindous. Une langue littéraire ancienne qui sert encore de langue savante dans
l'Inde moderne est le sanskrit. Elle a été écrite, depuis quelques
siècles avant notre ère dans une écriture assez pratique que l'on
considère généralement comme dérivée d'un aspect de l'écriture
sémitique. C'est la reconnaissance de la parenté du sanskrit avec
le grec et le latin qui a donné occasion à l'essor de la linguistique
comparative ou grammaire comparée.

b) *Iranien.* — Langues de la région iranienne ('Iran' est une
forme du nom des Aryens). Anciennement, le vieux-perse, écrit à
l'époque des anciens rois (dynastie achéménide fondée par Darius
en — 521), dans un syllabaire original, avec des caractères représentant à la fois une consonne et une voyelle, composés de 'clous'
et non de traits droits, sur le type de l'ancienne écriture mésopotamienne (cunéiforme). Littérature religieuse du zoroastrisme en
caractères dérivés de l'écriture sémitique araméenne (la langue de
ces textes est appelée avestique). Continuation de cette littérature
sous le nom de pehlevi. A partir de la conquête islamique, le persan
(écrit en caractères arabes sémitiques) de même que l'afghan ou
pouchtou plus à l'est.

La langue éteinte des anciens Scythes faisait partie de ce groupe;
un reste d'un parler sans doute voisin se trouve chez les Ossètes
dans le Caucase.

2° GREC. — Langue de la Grèce continentale, des îles voisines,
des colonies grecques en Asie Mineure, en Italie du Sud, en Sar-

daigne et en divers points des côtes de la Méditerranée (ainsi Marseille). Divisée en dialectes, assez proches entre eux, dont plusieurs ont été abondamment écrits, à partir des — 7ᵉ et — 6ᵉ siècles au moyen de l'écriture dont il est question ci-dessus p. 28); inscriptions et nombreuses œuvres littéraires. A partir de l'époque d'Alexandre et de la constitution de son empire (fin du — 4ᵉ siècle), unification de la langue sous la forme de la *koynè* ou langue 'commune', ayant la plupart des caractères du dialecte athénien qui était celui des plus belles œuvres. A cette époque, expansion qui a fait disparaître diverses langues dans la péninsule balkanique et en Asie Mineure et a fait du grec une grande langue de relation pour des peuples d'autres langues dans tout le Proche-Orient. A l'époque moderne, le grec, sensiblement évolué, continue à se parler et à s'écrire en Grèce et chez les Grecs émigrés. Mais dans l'usage populaire de la Grèce il s'est à nouveau morcelé en parlers locaux divergents.

3⁰ ITALIQUE. — Ensemble des langues anciennes de l'Italie, dont le latin est la principale, et langues romanes issues du latin (voir le chapitre III).

4⁰ CELTIQUE. — Groupe proche de l'italique; on joint souvent les deux en un ensemble italo-celtique. Aucune langue littéraire ancienne; le gaulois semble avoir été très peu écrit. Le celtique a survécu dans les îles Britanniques et en Bretagne; l'irlandais a eu une littérature chrétienne à partir du 7ᵉ siècle (caractères latins); il est encore un peu parlé en Irlande et tend à reprendre une certaine vie à cause des circonstances politiques (état irlandais). D'autres parlers subsistent encore au Pays de Galles et un peu en Ecosse; un dialecte britannique a été importé vers les 5ᵉ-6ᵉ siècles en Bretagne rejoignant des restes de gaulois (voir chapitre IV).

5⁰ GERMANIQUE. — Grand groupe de langues dont aucune n'a été écrite avant la christianisation. Le gotique, langue des Gots installés dans la région de l'actuelle Valachie a été écrit (traduction de la Bible par l'évêque Wulfila vers 350) au moyen de caractères grecs adaptés. Au nord, le scandinave a connu une écriture originale (mais probablement dérivée du latin); les runes, qui a servi pauvrement du 3ᵉ au 8ᵉ siècle environ. L'allemand ou haut-allemand a commencé à s'écrire au 8ᵉ siècle, le bas-allemand au 9ᵉ siècle (caractères latins). Le saxon et d'autres dialectes transportés en Angleterre ont contribué à la formation de l'anglais (caractères latins, depuis le 9ᵉ siècle).

On sait le vaste destin de l'allemand devenu la langue commune d'une grande partie du centre de l'Europe (plus de 80 millions d'hommes) avec une littérature abondante. Toutefois, divers dialectes restent parlés dans son domaine officiel ou à côté, spécialement les parlers alémaniques en Suisse et en Alsace et les parlers *platt-deutsch* ou bas-allemand, dans la basse vallée du Rhin. Le *jüdisch-deutsch* ou *yidich* est parlé par des juifs orientaux, notamment en Pologne et en Ukraine, et écrit avec des caractères hébreux.

Le bas-allemand a une double destinée nationale, avec un seul aspect littéraire, en Hollande (sous le nom de hollandais ou néerlandais) et en Belgique (sous le nom de néerlandais ou flamand) ; le flamand du Nord de la France est un prolongement de ce groupe. Le scandinave a maintenant cinq langues écrites, proches entre elles : danois, suédois, norvégien, islandais, féroïen (écriture latine, l'écriture sémitique ayant eu une existence restreinte).

L'anglais a eu une immense fortune. Grande langue de civilisation avec une belle littérature, c'est avec l'appoint américain et le Commonwealth la langue la plus répandue dans le monde, et celle qui sert au plus grand nombre d'hommes, avant le russe et seulement après le chinois et l'ensemble des langues de l'Inde, organes de populations très denses.

6° Baltique. — Petit groupe de langues, resserrées entre le slave et le germanique, qui ont perdu du terrain à l'époque historique (disparition du vieux prussien en Prusse) ; il subsiste le lituanien et le letton, écrits seulement depuis le 16ᵉ siècle en caractères latins.

7° Slave. — Vaste groupe de langues, arrivées tard à l'état écrit et littéraire et relativement peu différentes entre elles. La traduction de la Bible en vieux-bulgare ou slavon date du 9ᵉ siècle ; l'alphabet employé est dérivé de l'écriture grecque, avec des caractères complémentaires (écriture cyrillique). La principale langue slave est le russe (grand-russe), langue maternelle des habitants d'une vaste région, langue seconde ou de relation sur un domaine plus étendu encore et dont la littérature s'est brillamment développée au 19ᵉ siècle. Les autres langues sont le petit-russe ou ukrainien ; le blanc-russe ; le polonais (écrit en caractères latins) ; le tchèque et le slovaque écrits en caractères latins en partie modifiés et les dialectes slovaques voisins ; les langues du sud (yougoslaves), comprenant le bulgare, le serbo-croate (serbe écrit en caractères cyrilliques comme le bulgare, croate écrit en caractères latins comme le tchèque), le slovène (latin) et le macédonien (cyrillique). Ici, comme souvent, la religion a commandé le choix de l'écriture : chez les orthodoxes, cyrillique dérivé du grec, chez les catholiques, l'alphabet latin.

8° Albanais. — Langue isolée, restreinte à un petit domaine, après avoir été sans doute un peu plus étendue (documents à partir du 18ᵉ siècle seulement) ; maintenant en caractères latins.

9° Arménien. — Se trouve isolé comme l'albanais, mais a une littérature importante (à partir du 5ᵉ siècle), avec une écriture spéciale se rattachant en partie à l'écriture grecque.

10° Tokharien. — Langue éteinte, connue seulement par quelques documents écrits en caractères dérivés de ceux qui sont employés dans l'Inde, datant environ du 7ᵉ siècle, et attestant une extension ancienne de l'indo-européen en Asie centrale dans un domaine recouvert ensuite par des langues altaïques (turco-tatares).

11° Hittite. — Langue éteinte du sud de l'Asie Mineure, exhumée grâce à des documents assez nombreux, écrits en partie en écriture cunéiforme mésopotamienne, en partie dans un autre système (hiéroglyphes hittites). C'était la langue d'un pays important, — deuxième millénaire, en Asie Mineure.

Le tableau précédent montre que l'Europe presque entière parle des langues parentes entre elles. Le français, l'espagnol, l'italien (langues romanes), l'anglais et l'allemand (langues germaniques), le russe (langue slave) sont chacun pour leur part des témoins de l'émiettement d'anciennes langues issues de l'indo-européen; chacune de ces langues modernes est devenue à son tour par son extension la langue commune de vastes régions et de millions d'individus et l'organe d'une littérature importante.

Il y a en Europe même quelques autres langues qu'on peut aussi grouper en familles.

Il y a d'assez fortes possibilités pour qu'on puisse réunir en une seule famille les langues non indo-européennes, d'ailleurs diverses, parlées dans la région du Caucase, et le basque, reste probable de l'ancien aquitain dont le domaine était plus étendu. Peut-être pourrait-on y adjoindre l'ancien étrusque, langue de la région de l'Italie qui est actuellement la Toscane, attesté par des documents assez nombreux en écriture très proche de l'écriture latine et qu'on n'a pas encore réussi à comprendre. Il est possible que ces langues soient des 'témoins' d'un domaine autrefois sensiblement continu, disloqué surtout par l'expansion des langues indo-européennes.

D'autres langues attestent une ancienne occupation au nord de l'Europe et des invasions venues de l'est : ce sont le lapon dans la presqu'île scandinave, le finnois en Finlande, l'estonien en Estonie, le hongrois ou magyar en Hongrie, des langues diverses de la Russie et de la Sibérie, comme l'ostiak, le zyriène, le samoyède (famille finno-ougrienne ou ouralienne).

Il paraît établi que cette famille est à grouper elle-même en une plus grande famille (ouralo-altaïque) avec d'autres langues de l'est, le turc, le mongol et le tongouze (qui comprend le mandjou ou mandchou), chez des populations en partie intermédiaires entre Blancs et Jaunes.

Les langues que toutes les précédentes ont comme voisines au sud sont les langues sémitiques (hébreu, arabe, etc.), et leurs parentes de l'Afrique du Nord (ancien égyptien, berbère, langues couchitiques d'Abyssinie) qui constituent la grande famille chamito-sémitique, chez des éléments blancs, en partie de teint plus ou moins brun et franchement foncé dans le sud-est.

Toutes ces familles de langues des gens à peau blanche (avec leurs marges d'autres teintes) ont-elles entre elles une parenté lointaine ? On l'a soupçonné, et divers travaux cherchent à en commencer la démonstration. Mais, en l'état actuel de la science, ce n'est encore qu'une hypothèse non vérifiée.

Cette large revue nous permet de situer le latin, et le français, dans l'ensemble d'une évolution à vastes mouvements et à péripéties variées. Nous pouvons maintenant centrer notre attention sur les mouvements propres à la famille romane où le français a ses proches parentés.

CHAPITRE III

LE LATIN, SA STRUCTURE, SON EXPANSION ET SON MORCELLEMENT

Morcellement et unification. — Le latin, parcelle distincte de l'indo-européen a été, à un moment donné, le langage d'une petite cité; sans changer sensiblement, il est devenu la langue d'un grand empire; puis il s'est morcelé en divers groupes de dialectes parmi lesquels une réunification fractionnée s'est faite en plusieurs grandes langues.

1. Formation et expansion du latin

Des langages indo-européens se répandant en divers points de l'Italie avaient pris la forme de l'italique, divisé lui-même en divers parlers; on connaît par des témoignages anciens certaines langues autres que le latin : l'osque, l'ombrien; d'autres existaient dans les différents petits états rivaux de la Rome naissante (vers — 750). D'autres langues indo-européennes se rencontraient dans le pays : dans le Sud, le grec, dont certains parlers subsistent encore de nos jours à l'état de patois; dans le Nord (Gaule cisalpine) le celtique, apporté par une invasion de Celtes. Au moins une langue non indo-européenne, l'étrusque (voir p. 34), était l'organe d'un état pourvu d'une civilisation originale et assez avancée et a fourni un certain nombre de mots au latin, ainsi *persona*, d'où 'personne'.

En même temps que la puissance de Rome, le latin (ainsi nommé d'après la région du Latium) s'est étendu en quelques siècles sur l'ensemble de la péninsule et des îles voisines, cependant qu'une grande littérature se formait dans cette langue. Quand *élaboration*

l'empire romain a atteint son apogée, dans les premiers siècles de
l'ère chrétienne, le latin s'est étendu sur la plus grande partie de
cet empire : outre l'Italie, la plus grande partie de l'Espagne, de
la Gaule, une partie de l'Afrique du Nord, les régions au Nord
des Balkans. Ceci au moins dans les villes et parmi les classes dirigeantes, et grâce à une circonstance politique, un trait de structure
de la société romaine : les nouvelles possessions étaient largement
assimilées à la métropole. Il ne faut pas croire que toutes les autres
langues aient dès ce moment disparu dans l'empire; l'exemple du
basque encore vivant de nos jours le prouve suffisamment; beaucoup d'autres langages n'ont disparu qu'à la longue, sans que nous
en ayons de témoignage direct, parce qu'ils ne s'écrivaient pas;
aussi bien étaient-ils parlés surtout par des gens qui ne recevaient
pas d'instruction; et ce dernier point est toujours à considérer avec
soin pour tout ce qui concerne les faits antérieurs à l'époque moderne.

L'expansion du latin a rencontré à l'est un obstacle insurmon-
table : la position bien établie du grec, appuyée sur son emploi
comme langue de civilisation, sur les institutions administratives et
intellectuelles des débris de l'empire macédonien d'Alexandre et
de ses successeurs; d'ailleurs l'instruction devait être plus répandue là qu'ailleurs. Cette circonstance linguistique a, du reste, été
une des causes de la scission de l'empire romain en deux tronçons,
avec les deux capitales Rome et Byzance ou Constantinople (en
395).

2. Structure du latin

Il est nécessaire de connaître dans ses grandes lignes le fonctionnement de la langue latine pour comprendre l'histoire de la
formation du français. En comparant le latin, l'ancien français, le
français moderne, on voit comment un système linguistique se
transforme par l'évolution.

Dans l'ensemble, la structure du latin est celle de toutes les anciennes langues indo-européennes connues et représente un type
notablement différent de celui du français.

Notons cependant que le latin était déjà passablement évolué par
rapport à l'indo-européen et n'était pas parmi les langues indo-
européennes conservatrices.

Il semble que d'une manière générale les langues des peuples venus plus tôt à la civilisation évoluent plus rapidement dans certaines directions. Ceci semblerait se vérifier pour les langues modernes. Ainsi l'*anglais et le français se sont débarrassés de certaines formes qui subsistent encore en allemand ou en russe, comme la déclinaison nominale.* Or, on sait que l'état féodal, état archaïque, par rapport à nous, de la société, a subsisté plus longtemps en Allemagne et en Russie qu'en Angleterre et en France. Il est donc tentant de mettre le fait linguistique en rapport avec le fait social. Mais une extrême prudence s'impose dans de pareilles interprétations. Surtout il faut se garder de croire qu'il y ait synchronisme entre l'évolution sociale et le détail de l'évolution des formes grammaticales; le décalage dans le temps semble être normalement assez grand; en tout cas il ne se fait pas de révolution brusque dans le langage comme dans une structure politique. Pour apprécier la valeur des changements, il faudrait pouvoir juger non sur quelques traits particuliers arbitrairement choisis, mais sur l'ensemble des phénomènes, dans une longue courbe d'évolution. Il se peut en effet qu'une langue qui est archaïque par beaucoup de ses traits, et même de ses traits importants, soit au contraire en quelque sorte en avance sur d'autres par certains détails dont l'importance ne se révélera peut-être que dans quelques siècles; c'est peut-être justement le cas de l'allemand ou du russe par rapport au français ou à l'anglais.

a) Phonétique et orthographe. — Le latin était une langue à articulations nettes et sonores, n'ayant que peu de consonnes continues, pas de voyelles à timbre étouffé.

Les consonnes étaient d'abord les *occlusives* suivantes :

> *labiales* (prononcées avec les lèvres), *p, b.*
> *dentales* (produites par la pointe de la langue dans l'avant de la bouche), *t, d.*
> *palatales* (produites par le dos de la langue dans le milieu ou l'arrière de la bouche, appelées souvent improprement gutturales, *k* (écrit *c* ou *k*), *g.*

De plus un *k* accompagné de la semi-voyelle *w* (p. 38), écrit *qu.*

Les consonnes *continues* (*spirantes, fricatives*) étaient (y compris les *nasales*) :

> les *labiales, f, m.*
> les *dentales, s, n, r* (roulé du bout de la langue), *l.*

la *gutturale* (consonne de la gorge), *h*, prononcée à l'origine comme elle l'est actuellement en anglais et en allemand, mais peut-être assez tôt disparue (en terme technique 'amuie' ou 'devenue muette'), comme dans les langues romanes en général.

La consonne *z* (prononcée *dz*, ou comme en français) n'était employée que dans des mots empruntés au grec. C'était aussi dans des emprunts au grec qu'on employait la combinaison *ch* pour représenter le grec *kh* que n'avait pas le latin.

Enfin le lettre *x* servait à écrire la suite *ks*.

De plus, il y avait deux semi-voyelles, c'est-à-dire des sons ayant un caractère intermédiaire entre la force des consonnes et l'ouverture des voyelles, à savoir : la labiale *w* (avec la prononciation de cette lettre en anglais ou de *ou* dans le français « oui ») et la prépalatale ou articulation de l'avant du palais *y* (prononcée comme dans le français « yeux ») ; il n'y avait pas de signe spécial pour ces deux sons ; on écrivait le premier *u* et le second *i*, comme s'ils avaient été des voyelles. Cette notation est conservée dans les exemples cités plus loin (au lieu de l'orthographe par *v* et *j* qui ne date pour le latin que de la fin du 18ᵉ siècle et qu'on trouve dans les livres scolaires).

Les voyelles étaient *a, e, i, o, u* (prononcé comme notre *ou*).

Elles étaient tantôt longues, tantôt brèves. Deux voyelles se suivant pouvaient constituer une diphtongue (ainsi *oe, ae*).

La voyelles *ü* (c'est-à-dire *u* du français) n'existait que dans des mots empruntés au grec ; elle était écrite *y* (d'où le nom d'*i grec* que nous avons conservé).

Il n'y avait pas de voyelles nasales ; quand une consonne nasale suivait une voyelle, toutes deux étaient prononcées séparément ; ainsi *cum* était prononcé comme on prononcerait *koum* en français ; *in* était prononcé comme on prononcerait *ine*, etc.

La prononciation ancienne nous est connue par des témoignages de grammairiens, par des transcriptions en grec et par l'interprétation que donnent les linguistes de certaines formes de l'évolution. Au cours des siècles on en est venu à prononcer le latin autrement sous l'influence des langues parlées, l'usage ecclésiastique et scolaire différant suivant les pays. En 1960 l'emploi de la prononciation restituée à la manière ancienne, a été prescrit dans l'enseignement secondaire français.

L'orthographe latine était bonne dans l'ensemble et était à peu près phonétique, c'est-à-dire que les lettres correspondaient presque toutes chacune à un seul son et que chaque son était noté presque toujours par la même lettre.

Ceci tient à des circonstances heureuses : lorsqu'on a commencé à écrire le latin avec des caractères d'un certain type grec, on a su combiner à neuf l'alphabet nécessaire; d'ailleurs l'alphabet grec emprunté fournissait heureusement à peu près toutes les ressources nécessaires pour noter les sons existant en latin, au moins pour les consonnes.

Ce n'est pas à dire que cette orthographe ait été parfaite. En particulier elle a manqué de lettres spéciales pour distinguer les voyelles longues et les voyelles brèves. Pourtant cette différence était essentielle pour distinguer les sens de certains mots (comme *mălus* 'méchant' et *mālus* 'pommier'), et surtout la valeur de certaines terminaisons grammaticales (voir la déclinaison ci-après p. 43).

D'autre part, la prononciation correcte des voyelles est nécessaire pour faire sentir le rythme des vers latins (dépourvus de rimes) qui consiste essentiellement en successions de syllabes brèves (qui se terminent par une voyelle brève) et de syllabes longues (qui se terminent par une voyelle longue ou par une voyelle quelconque suivie elle-même d'une consonne).

Aussi les grammairiens se sont-ils servis dès l'antiquité de signes spéciaux pour distinguer les 'quantités' des voyelles $\bar{a}$ long, $\bar{\imath}$ long, $\breve{\imath}$ bref, $\breve{a}$ bref.

La connaissance de ces quantités est nécessaire pour expliquer l'évolution phonétique des langues romanes.

Au cours de l'histoire du latin, comme il arrive presque toujours pour les langues écrites, l'évolution de la langue n'a pas été suivie par une transformation de l'orthographe. Ainsi, à l'époque impériale, beaucoup de nasales n'étaient pas prononcées en fin de mot ou même à la fin d'une syllabe intérieure; de même *s* était affaibli en fin de mot. Si des grammairiens romains n'avaient pas parlé de ces faits, nous serions mal instruits sur l'origine de certains traits des langues romanes.

La question de l'orthographe, abordée ici pour le latin, se pose à chaque instant dans l'étude de l'histoire des langues, comme dans la pratique. Toutes les orthographes nationales sont plus ou moins mauvaises (celle du français est détestable) et masquent l'état phonétique réel des langues. Pour parer à cet inconvénient, comme à celui de la diversité des systèmes d'écriture, les linguistes ont pris l'habitude de se servir d'une écriture phonétique; malheureusement, s'ils sont d'accord en général sur la manière de faire, leur pratique diffère souvent dans le choix de divers signes. Le système qui est défini ci-après avec son application au français ne représente donc dans le détail qu'une réalisation entre autres.

Ce système consiste essentiellement dans une utilisation rationnelle de l'alphabet latin, dans ce qu'il avait à l'origine de conforme au double principe : toujours le même signe pour un son donné, toujours la même valeur pour un signe. Ainsi, on emploie les lettres qui ne prêtent à aucune ambiguïté *p, b, d, k,* etc.; pour les lettres qui ont dans l'orthographe française des valeurs doubles, on choisit la valeur latine ancienne, ainsi *s* toujours comme dans « sage », *u* prononcé comme *ou.*

Comme le latin avait un système phonétique relativement pauvre, auquel le français a ajouté divers éléments, il faut des lettres complémentaires. Celles-ci sont faites au moyen de lettres latines complétées par des signes du genre des accents; autant que possible, on emprunte ces lettres à accents à des orthographes nationales qui les ont adoptées, et on évite avec soin de faire servir une suite de deux lettres (digramme) à noter un son unique. C'est pourquoi précisément on écrit *u* (et non *ou*) comme en espagnol, en italien, en latin (bien prononcé), etc., et pour le son *u* du français on emploie la même lettre avec tréma c'est-à-dire *ü,* suivant un usage allemand. De même au lieu de *ch,* on emploie *s* surmonté d'un petit *v,* c'est-à-dire *š* suivant l'usage du tchèque et du croate. (Ces indications sommaires sont complétées dans la suite).

L'écriture phonétique en caractères latins sert dans l'usage scientifique à transcrire des textes écrits dans d'autres écritures (écritures sémitiques, indiennes, chinois, cyrillique, grec). Elle sert aussi aux linguistes pour noter correctement des mots ou des textes d'une langue parlée quelconque (français compris).

A l'usage pratique elle sert à doter d'une bonne orthographe neuve des langues écrites d'autres systèmes (ainsi latinisation du chinois pour usage pédagogique), ou à fonder l'usage écrit pour des langues qui ne le connaissaient pas (notamment des langues africaines). Dans cet emploi le tracé latin a été remplacé en Union soviétique par un tracé cyrillique.

Un trait important de presque toutes les langues — que ne note usuellement aucune orthographe européenne sauf celle du grec — est l'accent de mot ou accent tonique, qui distingue une syllabe de chaque mot indépendant.

En latin, cet accent se trouvait toujours sur l'avant-dernière syllabe (pénultième) ou sur l'avant-avant-dernière (antépénultième) des mots de plus d'une syllabe; le choix entre ces deux syllabes dépendait de leur quantité.

Il consistait en une élévation de la voix, une modulation sur une note plus haute; c'est ce qu'on appelle un accent de hauteur. Il produisait donc une espèce de chantonnement, non un rythme avec des sortes de choc, comme c'est le cas par exemple de l'italien ou de l'allemand où l'accent est un accent de force (accent d'intensité).

Il s'est produit dans la préhistoire du latin des différences de timbre, c'est-à-dire de qualité, surtout entre certaines voyelles des syllabes initiales ou intérieures, mais c'était indépendamment de l'accent. Ceci doit être dit par contraste avec ce qui est expliqué plus loin sur les effets de l'accent d'intensité dans la constitution progressive du français.

Dès l'antiquité, et d'abord pour le grec, les grammairiens ont pris l'habitude de noter la place de l'accent de mot par des signes au-dessus des voyelles qu'on a nommés précisément 'accents'. Pour le latin il faut ajouter que le début des mots était prononcé avec une force ou une netteté particulière, de sorte que chaque mot indépendant était bien délimité dans la prononciation, ce qui a une importance pour le fonctionnement grammatical.

b) GRAMMAIRE. — Le latin est un bon exemple de ce qu'on appelle une langue à flexion : il fait un usage restreint des petits mots accessoires, n'ayant pas d'articles ni de pronoms sujets accolés au verbe et se passant souvent de prépositions. En revanche les mots principaux, c'est-à-dire les noms (substantifs et adjectifs) et les verbes et d'autre part les pronoms sont pourvus de terminaisons, les signes 'flexionnels', qui s'ajoutent à leur radical en exprimant diverses notions.

Les substantifs ont une déclinaison, c'est-à-dire une variation flexionnelle de la partie finale du mot, qui sert à exprimer d'une part la distinction des nombres (singulier et pluriel) et dans une certaine mesure celle des genres, et, d'autre part, divers rôles du mot dans la phrase. Il n'y a pas d'article.

Les « cas » marqués par la déclinaison sont le nominatif, ou cas sujet; l'accusatif ou cas d'objet direct de verbe et complément de direction ou de relation; le génitif ou cas du complément de nom

(complément d'appartenance, de matière, etc.); le datif ou cas
d'attribution; l'ablatif ou cas de complément d'origine, d'instrument, etc.; enfin le vocatif, qui sert à l'interpellation.

Les marques de ces cas ne sont pas toujours distinctes, soit au
singulier, soit au pluriel; il y a moins de formes, pour un mot
donné, que de cas théoriques. D'autre part, suivant les formes de
radicaux, les terminaisons varient, de sorte qu'on est obligé de distinguer plusieurs déclinaisons. Au point de vue du latin, cette
diversité des déclinaisons, ne correspondant pas à des usages ou
valeurs différents, paraît purement arbitraire. En réalité il s'agit
de très anciennes distinctions qui en indo-européen — ou même en
pré-indo-européen — ont dû avoir une valeur définie. Ceci est instructif. Les langues ont toutes des parties en pleine action et qu'on
peut décrire comme un système ayant un certain ordre logique,
dont on peut avoir plus ou moins clairement conscience. Mais ce
système résulte de l'exercice social de la langue au cours des siècles
et ne se fait pas par des décisions concertées. La tradition impose
toutes sortes de formes héritées qui ne correspondent pas à des
conceptions ou à des mécanismes actuels et qui paraissent proprement capricieuses. Ces caprices, qui dans l'apprentissage de la
grammaire prennent l'aspect des variétés de déclinaison ou de conjugaison et des 'exceptions' plus ou moins étendues, marquent souvent des points faibles dans les « systèmes linguistiques »; la tendance inconsciente à les éliminer peut être une cause de rénovation,
d'accélération dans l'évolution; elle peut contribuer à la naissance
de nouveaux systèmes. Dans cette évolution du matériel de la
langue les conceptions, les idées plus ou moins claires, les habitudes
de pensée d'une société donnée jouent un rôle qui est peut-être le
principal. Mais ces forces ne peuvent s'exercer qu'en utilisant les
matériaux existants, compte tenu de leurs variations phonétiques.
(Sur l'usure de la déclinaison latine et l'usage grandissant des
prépositions qui existaient déjà en latin, voir chapitre VI, grammaire, et chapitre VII.)

Les vocatifs n'ont pas été marqués dans le tableau ci-contre,
parce qu'ils ne sont presque jamais distingués du nominatif; le seul
qui aurait dû figurer est *mūre* ô mur.

Remarquer des doubles emplois de terminaisons, différents dans
chaque colonne; ainsi pour *mūrus* au singulier le datif et l'ablatif
sont pareils; pour *rosa*, c'est le génitif et le datif qui sont pareils;
pour *comes*, au pluriel, c'est le nominatif et l'accusatif; au pluriel,
pour les trois mots, le datif et l'ablatif ne se distinguent pas.

Tableau des principales déclinaisons latines (les voyelles longues sont distinguées par la barre au-dessus).

	SINGULIER		
NOMINATIF.	*mūrus* le mur (sujet)	*rosa* la rose	*comes* le compagnon
ACCUSATIF.	*mūrum* le mur (complément d'objet direct, etc.)	*rosam* la rose	*comitem* le compagnon
GÉNITIF....	*mūrī* du mur	*rosae* de la rose	*comitis* du compagnon
DATIF.....	*mūrō* au mur	*rosae* à la rose	*comitī* au compagnon
ABLATIF...	*mūrō* par le mur à partir du mur, etc.	*rosā* par la rose	*comite* par le compagnon

	PLURIEL		
NOMINATIF.	*mūrī* les murs (sujet)	*rosae* les roses	*comitēs* les compagnons
ACCUSATIF.	*mūrōs* les murs (complément d'objet direct, etc.)	*rosās* les roses	*comitēs* les compagnons
GÉNITIF....	*mūrōrum* des murs	*rosārum* des roses	*comitum* des compagnons
DATIF.....	*mūrīs* aux murs	*rosīs* aux roses	*comitibus* aux compagnons
ABLATIF...	*mūrīs* par les murs	*rosīs* par les roses	*comitibus* par les compagnons

Les adjectifs sont au point de vue de la forme des 'noms' tout comme les 'substantifs'. Ils se déclinent sur les mêmes types. Ces types sont partiellement répartis entre les genres. Pour les deux types les plus usuels, la déclinaison en -*us* est réservée au masculin (ainsi *bonus*, bon), la déclinaison en -*a* au féminin (ainsi *bona*, bonne), tandis que dans les substantifs quelques mots en -*us* sont du féminin et quelques mots en -*a* du masculin. Au contraire pour le type représenté au tableau ci-dessus par *comes*, il n'y a aucun moyen de distinguer le masculin du féminin; ainsi *grandis*, immense (masculin et féminin), *utilis*, utile (masculin et féminin).

Le latin, en plus du masculin et du féminin, avait un autre genre, le neutre, distingué par une déclinaison spéciale aussi bien dans les substantifs que dans les adjectifs.

Déjà en latin la distinction des genres était en grande partie arbitraire, c'est-à-dire que la distinction grammaticale ne correspondait pas clairement à des catégories de sens. Les noms désignant des mâles étaient masculins et les noms désignant des femelles étaient féminins. Mais les noms des animaux, des plantes et des objets et les mots abstraits étaient soit masculins, soit féminins (comme il arrive encore en français), soit neutres.

Exemples de substantifs neutres : *templum*, temple; *cubīle*, lit, *animal*, animal; *cor*, cœur; *iūdicium*, jugement.

Exemples d'adjectifs neutres (accompagnant un substantif neutre): *bonum*, bon, *grande*, immense, *ūtile*, utile.

Les verbes ont une conjugaison, c'est-à-dire que les terminaisons flexionnelles ou désinences y marquent diverses distinctions : la personne, le singulier et le pluriel, les temps et modes, la voix. Les pronoms représentant le sujet ne sont pas normalement employés, de sorte que la distinction des genres n'est pas marquée, même à la 3ᵉ personne. Il n'y a pas de formes composées à l'actif.

Comme les déclinaisons, les conjugaisons comportent divers types.

	Singulier		
1ʳᵉ personne	*amō*, j'aime	*legō*, je lis	*finiō*, je finis
2ᵉ personne	*amās*, tu aimes	*legis*, tu lis	*finīs*, tu finis
3ᵉ personne	*amat*, il, elle aime	*legit*, il, elle lit	*finīt*, il, elle finit

	PLURIEL		
1ʳᵉ personne	*amāmus,* nous aimons	*legimus,* nous lisons	*finīmus,* nous finissons
2ᵉ personne	*amātis,* vous aimez	*legitis,* vous lisez	*finītis,* vous finissez
3ᵉ personne	*amant,* ils, elles aiment	*legunt,* ils, elles lisent	*finiunt,* ils, elles finissent

Le tableau ci-dessus donne les trois principaux types de verbes au présent indicatif actif.

Les désinences personnelles sont les mêmes dans tous les verbes; ce qui varie, c'est la partie terminale avant la désinence et quelquefois le reste du radical; cette dernière distinction est surtout visible en dehors du présent, spécialement à la forme du passé qu'on nomme le parfait (voir ci-après).

Le passif est distingué de l'actif par des terminaisons différentes (ainsi *amor,* je suis aimé; *amāmur,* nous sommes aimés) et par la formation composée de certains temps passés. Le passif est beaucoup moins employé que l'actif. Mais un certain nombre de verbes ont à la fois le sens actif et la forme passive, ainsi *imitor,* j'imite; c'est ce qu'on appelle les verbes déponents. Cette formation n'a pas survécu dans les langues romanes, non plus que le passif du type latin. Les verbes déponents se sont confondus avec les verbes actifs, et le passif simple a été remplacé par le passif composé avec un verbe auxiliaire.

Le système des temps de l'indicatif distingue le passé, le présent, le futur; il comporte symétriquement les trois temps de ce qu'on appelle les aspects : l'*infectum* (non-fait, inaccompli) et le *perfectum* (parfait, accompli).

Ce tableau avec ses traductions est conforme à l'usage réel sauf sur un point : le parfait ne correspond pas seulement au passé composé du français avec sa valeur classique 'j'ai fait' (et la chose reste faite), mais c'est aussi l'équivalent du passé simple ou temps du récit ('je fis'), servant à exprimer un fait passé sans relation avec le présent. (Pour les usages successifs, voir l'index.)

C'est la variété des formations du radical du parfait qui est responsable de la complication de la formation du passé simple ou

	INACCOMPLI
Présent	*amō*, j'aime
Imparfait	*amābam*, j'aimais
Futur	*amābō*, j'aimerai

	ACCOMPLI
Parfait	*amāuī*, j'ai aimé
Plus-que-parfait	*amāueram* (*amaram*), j'avais aimé.
Futur antérieur	*amāuerō* (*amārō*), j'aurai aimé

passé défini en français; ainsi, en face de *legō*, je lis, le latin a
lēgī, je lus, j'ai lu; en face de *faciō*, je fais, *fēcī*, je fis, j'ai fait; en
face de *uīuō*, je vis, *uīxī*, je vécus, j'ai vécu.

Au passif et au déponent, la série du parfait-accompli est composée au moyen du participe passif et du verbe 'être' : *amātus sum*,
j'ai été (je fus) aimé; *amātus eram*, j'avais été aimé; *amātus erō*,
j'aurai été aimé; de même *imitātus sum*, j'ai imité.

Le subjonctif, qui est très employé, sert dans beaucoup de propositions subordonnées, et de plus en proposition principale avec
le sens conditionnel et optatif.

Il a quatre temps :

Présent	*amem*, (que) j'aime, j'aimerais, (si) j'aime
Imparfait	*amārem*, (que) j'aimasse, j'aimerais, (si) j'ai-mais
Passé	*amāuerim* (*amārim*), (que) j'aie aimé, j'ai-merais
Plus-que-parfait ...	*amāuissem* (*amāssem*), (que) j'eusse aimé, (si) j'eusse aimé, j'aurais aimé

Il existe en plus un impératif, avec deux temps, le présent (*amā*, aime) et ce qu'on appelle le futur, qui indique surtout des prescriptions permanentes (*amātō*, aime toujours, tu aimeras).

Il existe aussi un système de formes nominales du verbe (voir tableau ci-dessous).

Tout ce système a été profondément modifié et en partie remplacé, au cours de l'évolution des langues romanes, en particulier du français.

	Infinitif invariable, dit infinitif présent	
	amāre, aimer *legere*, lire	*amārī*, être aimé *legī*, être lu
	Gérondif ou infinitif décliné	
Génitif	*amandī*, d'aimer	
Accusatif	*amandum*, (pour) aimer	
Ablatif	*amandō*, (par le fait d') aimer, en aimant (voir ci-dessous le participe passif futur).	
	Supin ou second infinitif décliné	
Accusatif	*amātum*, (pour) aimer	
Ablatif	*amātū*, (par le fait d')aimer	
	Participes	
Participe présent actif.	*amans* (décliné, avec un génitif *amantis*, etc.), aimant	
Participe passif	*amātus*, aimé	
Participe futur actif. .	*amātūrus*, qui aimera, qui doit aimer	
Participe passé d'obligation (avec idée de futur)	*amandus*, qui doit être aimé (voir ci-dessus le gérondif).	

c) FORMATION DES MOTS. — Le latin avait des mots de toutes longueurs. Mais il faut noter qu'il avait en particulier beaucoup de mots longs.

En effet, les suffixes qui permettaient de former des mots abstraits et des adjectifs étaient souvent de plus d'une syllabe : *itās* (à l'accusatif *-itātem*), ainsi dans *seuēritās*, sévérité; *-itūdō* (à l'accusatif *-itūdinem*), ainsi dans *uicissitūdō* 'vicissitude'; *-ābilis*, ainsi dans *implacābilis*, implacable.

Les radicaux verbaux étaient très souvent augmentés de préfixes (souvent identiques aux prépositions indépendantes) de une ou deux syllabes, et de ces radicaux verbaux augmentés on dérivait de nombreux substantifs. Ainsi, à côté du verbe *facere* 'faire', on trouve *perficere*, parfaire, *perfectio*, accomplissement, *interficere*, mettre à mort, *interfectio*, mise à mort.

d) ORDRE DES MOTS. — L'ordre des mots du latin n'était pas fixé, mais il n'était pas complètement libre en ce sens que certains ordres étaient préférés.

Le verbe se trouve très souvent au bout de la phrase, par exemple dans le dicton *asinus asinum fricat*, l'âne (nominatif), l'âne (accusatif) frotte = l'âne se frotte à l'âne.

Néanmoins, l'ordre peut être différent pour des raisons très diverses et souvent impondérables : ainsi, avec le verbe en tête : *ueniunt Romani* 'les Romains viennent'.

La possibilité d'ordres divers tient essentiellement au fait que les noms ont presque toujours en eux-mêmes la marque de leur rôle, grâce aux désinences qui distinguent habituellement les cas dans les déclinaisons. En conséquence, la place des noms par rapport au verbe n'a jamais un rôle grammatical.

Ainsi on peut dire *Marcus Æmilium amat* ou *Æmilium Marcus amat* ou encore *Marcus amat Æmilium*, *amat Æmilium Marcus*. Le sens est toujours sans doute possible que c'est Marc qui aime Emile, et non le contraire, parce que *Marcus* est le cas-sujet et *Æmilium* le cas-complément.

3. Latin classique et latin vulgaire

La littérature latine qui nous a été conservée ne s'est pas dans l'ensemble développée spontanément, mais surtout comme un reflet de la littérature grecque classique, dont tous les grands auteurs romains ont été nourris. D'autre part on doit noter que les plus anciens textes qui nous ont été conservés, antérieurs à l'influence grecque, étaient des textes juridiques. Avant tout administrateurs et orateurs politiques, tels nous apparaissent les écrivains latins. L'auteur type en latin, le grand classique dont les œuvres ont fixé la langue, est Cicéron, homme politique des derniers temps de la république; son œuvre est surtout celle d'un avocat, d'un orateur parlementaire, d'un théoricien de l'art oratoire. Sous l'empire, les principaux auteurs en prose ont été des historiens, des philosophes moralistes, généralement eux-mêmes grands fonctionnaires ou aristo-crates intellectuels; dans leurs œuvres, les discours écrits, reproduc-tion littéraire de discours officiels ou exercices de rhétorique mora-lisante, tiennent une place considérable. Littérature savante, fermée, essentiellement non populaire. Il en est de même pour la poésie.

Le caractère de cette littérature a eu naturellement une grande influence sur la langue écrite. Deux points sont à marquer surtout.

D'abord le caractère pédant et puriste du vocabulaire : les mots savants, intellectuels y abondent, beaucoup de mots usuels et fami-liers y manquent, et nous seraient inconnus si on n'avait heureuse-ment, à défaut de dictionnaires contemporains, quelques ouvrages techniques, quelques recueils de lettres, les comédies de Plaute (250-184) et de Térence (194-159), et un ou deux romans.

Ensuite, le caractère particulier de la phrase : généralement très longue, abondante en subordonnées et en incidentes. Sans doute, ce n'est pas tout à fait artificiel et ce n'aurait pas été possible si la langue même de la conversation, au moins chez les gens cultivés, n'en avait eu des amorces suffisantes; mais enfin, cette culture de la *période* (complétée par des règles rythmiques bien déterminées pour les fins de phrase) est un trait de littérature savante destinée à un milieu restreint.

Voici une phrase, pas spécialement compliquée, constituant une fin de paragraphe (CICÉRON : *Premier discours contre le conspira-teur Catilina*, chapitre X).

Tantum profeci tum, quum te a consultatu repuli, ut exsul potius tentare quam consul uexare rem publicam posses, atque ut id, quod essei a te scelerate susceptum, latrocinium potius quam bellum nomi-naretur.

Traduction approchée :

Tel est le grand avantage que j'obtins au moment où je t'empê-

chai de devenir consul, de telle sorte qu'il te fût possible seulement
de faire une tentative en tant qu'exilé et non de t'attaquer à la
république avec le titre de consul, et afin que ce qui eût été entrepris criminellement par toi reçût le nom de brigandage et non celui
de guerre.

Ce n'est pas réellement ce latin classique qui a été répandu dans
toute l'Italie, dans toutes les provinces de l'empire, surtout par des
petites gens, des fonctionnaires inférieurs, des soldats et d'anciens
soldats installés comme colons, des colporteurs, etc.

C'est en somme un autre état du latin, mal connu, qu'on dénomme
le latin vulgaire, et auquel on rattache la formation de l'ensemble
des langues romanes. Avec quelques inscriptions vulgaires, la langue des comédies de Plaute donne quelque idée de certaines constructions et du vocabulaire du latin familier. Dans l'ensemble la
grammaire est celle du latin classique; un exposé à grandes lignes
n'a pas à tenir compte des différences de détail. Mais il faudrait
se garder de croire que le latin ait ignoré la différence que nous
connaissons en français entre le langage littéraire et distingué et le
langage familier.

Le *bas latin* est du latin écrit au moyen âge, qui est influencé par
l'usage vulgaire et comprend un certain nombre de mots nouveaux
et de tournures nouvelles (voir pp. 52-54).

4. Les langues romanes

Le latin vulgaire devait prendre dans les diverses provinces et
chez des gens qui — sans doute même en Italie — parlaient encore
souvent d'autres langues, des aspects locaux différents. Ceci même
alors que le latin littéraire faisait office de frein par l'enseignement
dans les écoles, à vrai dire réservées à des milieux restreints. L'évolution a été précipitée par les circonstances politiques et sociales.
Affaiblissement de l'empire, impuissant à contenir sur ses confins
les invasions des Barbares, dislocation interne, division entre Rome
et Constantinople, à partir de 395, puis, peu à peu, morcellement
définitif. En même temps, changements sociaux profonds. D'abord,
expansion du christianisme, religion populaire contribuant à la
ruine de l'ancienne élite et favorisant la montée de nouvelles couches; déclin progressif du système de l'esclavage, ancienne base
économique de la société grecque et romaine, et extension du colo-
nat. Puis apparition, avec les invasions, des nouvelles aristocraties

terriennes, installant petit à petit le système féodal, et son morcellement très poussé.

L'évolution du langage suivant toujours les circonstances sociales, à la période d'unification par le latin, qui avait été celle de la constitution et de la stabilisation de l'empire romain, devait succéder une période de différenciation avec le morcellement de cet empire. D'où la diversité des parlers italiens, sardes, espagnols, catalans, portugais, occitans, français du Nord, réto-romans (rétique, romanche ou ladin en Suisse méridionale, frioulan en Italie du Nord), roumains.

Il n'est pas question ici de suivre par le menu la reconstitution d'unités plus restreintes dans diverses régions, avec les prodromes de la naissance des diverses nations. Sans insister sur les détails, bornons-nous à mentionner que des histoires parallèles à celle de la France et du français se sont poursuivies ailleurs, de sorte que le latin écrit s'est trouvé finalement continué par une série de langues nationales qui sont devenues à leur tour des langues littéraires et ont, chacune dans leur domaine, restreint les autres langages à l'état de patois ou de petites langues régionales. Les grandes langues romanes littéraires issues du latin et par conséquent proches parentes entre elles sont les suivantes, en dehors du français : italien, espagnol, portugais, roumain. (Voir aux références).

Italien. Langue officielle de 53.000.000 d'individus en Italie (en 1965), de plus l'italien est la langue d'un district de la Suisse méridionale (environ 30.000 en 1961).

Il a une expansion au-dehors par des centres d'émigration en groupes en Afrique du Nord, en Amérique du Sud, aux Etats-Unis. Le plus ancien texte date d'environ 900. La littérature italienne a pris son essor à partir du 13° siècle.

L'italien est à base de langage florentin (toscan) et romain. Mais les dialectes provinciaux conservent de l'importance et sont parlés même par les gens cultivés (ainsi le vénitien).

Espagnol. Langue officielle de 30.560.000 individus en Espagne (en 1961).

Mais les dialectes ou langues des provinces autres que la Castille, dont le langage a donné l'espagnol littéraire, conservent une grande importance; il y a notamment une littérature en langues catalane et basque (cette dernière non romane).

L'espagnol a été transplanté en Amérique du Sud et Amérique centrale par la colonisation; c'est la langue officielle de tous les états de cette région sauf le Brésil (au total environ 120 millions d'individus) et c'est effectivement la langue principale ou seconde de la majorité de la population, comprenant de très nombreux métis d'Indiens ou de nègres et des immigrés de divers pays. Des langues indiennes sont néanmoins restées prospères dans l'usage parlé; aucune n'a pris une vraie importance littéraire; elles ont fourni un assez grand nombre de mots à l'espagnol sud-américain. Les premiers textes connus de l'espagnol sont de 1145. La littérature s'est richement développée depuis le 14ᵉ siècle.

Portugais. Langue du Portugal (9.200.000 individus en 1961 et environ 2 millions en Galice [Espagne]. S'est implanté au Brésil dans les mêmes conditions que l'espagnol dans le reste de l'Amérique du Sud (environ 73 millions d'individus en 1961).

Premiers textes écrits en 1192. Littérature importante à partir du 16ᵉ siècle.

Roumain. Implanté par la colonisation romaine dans le nord de la péninsule balkanique. A subsisté malgré les invasions diverses. Est devenu la langue officielle de l'état roumain libéré de la puissance turque, considérablement agrandi après 1918 (environ 18.500.000 individus). La région la plus orientale constitue maintenant la République moldave en U.R.S.S. (3 millions).

Si le roumain n'est pas la langue parlée de diverses minorités de l'état roumain, en revanche le macédo-roumain se rencontre comme langue de petites minorités en différents points des Balkans et le dialecte moldave se prolonge à l'est comme langue d'anciennes colonies en Ukraine.

Textes écrits et début de la littérature dans la seconde moitié du 16ᵉ siècle, d'abord en écriture cyrillique; l'écriture latine l'a remplacée au milieu du 19ᵉ siècle.

Les langues romanes, malgré leur diversité, manifestent toutes des tendances communes. A l'époque moderne, depuis le moment où elles ont développé une littérature, toutes, y compris l'italien héritier sur place du latin, ont un type général commun, celui même qui est étudié ensuite pour le français.

Les savants, pour comprendre l'évolution de toutes ces langues, ont à tâche de se rendre compte de ce qui en a été le point de départ commun (avec des variétés), à savoir le pré-roman ou latin vulgaire du haut moyen âge, très mal connu à travers les documents écrits.

Même pour la prononciation, il y a de grands faits communs : développement de l'accent d'intensité, affaiblissement des anciennes fins de mots, affaiblissement de diverses consonnes entre voyelles et, au contraire, renforcement habituel des semi-voyelles en consonnes fricatives; différence de prononciation des anciens *k* et *g* suivant la voyelle suivante.

Pour la structure grammaticale : disparition de la déclinaison nominale, perte du genre neutre en général (voir Références p. 426), usage de l'article, usage étendu des prépositions; simplification de l'ancienne conjugaison et multiplication des temps composés au moyen d'auxiliaires; ordre fixe des mots.

Tous ces phénomènes avaient plus ou moins leur amorce dans le latin vulgaire plus ancien. Notamment en ce qui concerne la déclinaison nous savons que son caractère était déjà altéré par l'affaiblissement de -*m* et de -*s* final dans la prononciation même des classes cultivées à l'époque impériale.

L'évolution s'est réalisée dans une ambiance commune à tous les peuples considérés. A peu près partout des invasions germaniques se sont produites. D'autre part, le développement de la civilisation s'est fait sensiblement suivant les mêmes étapes sociales et techniques.

La cohérence du monde européen est réelle, et doit se manifester dans les faits linguistiques; cette réalité ne se révèle pas seulement à l'intérieur du groupe roman; on peut la déceler, malgré toutes les divergences, pour les autres groupes issus de l'indo-européen, spécialement en germanique et en slave.

Si donc, dans la suite, nous considérons à part les faits français — il est utile d'observer les évolutions particulières — il ne faut jamais oublier qu'il y aurait intérêt à se reporter pour chacun de ces faits à des ensembles plus larges, afin d'étudier les convergences aussi bien que les discordances.

Dans le tableau général, il faut considérer la place du latin écrit, soit latin classique, soit bas latin tendant à se rapprocher de la langue parlée.

Le latin, qui avait continué à s'enseigner tant bien que mal sous sa forme classique, a passé, dès que l'évolution du latin vulgaire en diverses langues romanes a été nettement caractérisée, à l'état qu'on peut appeler langue de conserve, de préférence au terme généralement employé de langue morte, qui ne s'applique bien qu'aux langues dont la tradition a été interrompue.

Ne servant plus normalement aux communications parlées de la vie courante, il est resté, plus ou moins altéré, à certains moments plus ou moins restauré dans son ancienne correction, la seule langue savante employée pendant de nombreux siècles; seul écrit ou au moins seul écrit de manière massive, il servait au culte catholique, à l'enseignement de tous degrés, à l'administration et notamment à la justice. Ceci non seulement dans les régions de langue romane, mais dans toutes les régions christianisées de langue germanique et partiellement de langue slave (là où le christianisme n'a pas pris la forme orientale dite orthodoxe) et dans le domaine de langue hongroise. Toutes les langues écrites de la religion catholique sont entrées en concurrence avec le latin; cette concurrence a été progressivement victorieuse; en ce qui concerne les langues romanes, c'était une lutte contre la langue même qui leur avait donné naissance; dans le domaine politique, elle a été concomitante avec la naissance des nationalités modernes.

Si la civilisation moderne de l'Europe a, malgré ses divisions en nations rivales, gardé et développé une unité, héritière de la civilisation grecque et latine de l'antiquité sur les rivages de la Méditerranée, il y en a une trace linguistique nette en dehors des ressemblances des types grammaticaux mentionnées ci-dessus : c'est le réemploi par les langues modernes et surtout par les langues romanes d'une grande partie du vocabulaire latin et même, beaucoup plus récemment, du vocabulaire grec, sous forme d'emprunts de mots et de radicaux ou de mots auxiliaires employés par de nouvelles formations. Ainsi, la civilisation européenne, ayant repris une marche spécialement rapide, après une assez longue période de torpeur, puis de lent démarrage, a reçu de la brillante civilisation qui avait pris la forme grecque puis romaine, non seulement des leçons intellectuelles variées, mais les mots mêmes qui avaient servi dans cette civilisation antique à désigner beaucoup d'idées, d'institutions, de techniques. La transfusion massive d'éléments de vocabulaire a été la marque de la transmission discontinue qui s'est réalisée entre deux sommets de la civilisation.

Donc, dans chaque langue romane, il faut considérer d'une part le fonds de la langue, avec sa grammaire typique, façonné au cours d'une lente évolution, et, d'autre part, l'augmentation plus ou moins brusque du vocabulaire par l'apport de mots qui avaient été soustraits à l'évolution naturelle, dans les périodes où les écrits artistiques et techniques ont rapidement augmenté en masse et se sont répandus dans un public plus large.

Résumons maintenant : en une période de mille cinq cents ans environ, sur l'ancien domaine du latin, sont nées puis se sont développées de nouvelles langues littéraires qui ont eu à leur tour une destinée 'impériale'. Faire l'histoire du français en particulier, c'est étudier comment on a passé sur un domaine donné d'une grande langue de civilisation à une autre grande langue de civilisation.

DEUXIÈME PARTIE

L'ANCIEN FRANÇAIS

CHAPITRE IV

LA LENTE FORMATION DE L'ANCIEN FRANÇAIS
DANS LE HAUT MOYEN AGE

Le latin s'est transformé en français sur l'ancien territoire de la Gaule. Cette transformation n'a pas été rapide : la colonisation romaine a commencé dans le sud de la Gaule pendant la seconde moitié du deuxième siècle avant notre ère; le serment de Strasbourg, qui est comme un acte de naissance du français, est de 842. Combien d'événements se sont produits pendant ce millénaire, combien d'actions et de réactions entre les langages comme entre les populations ! Sur la plupart des faits de cette période nous sommes très mal instruits; et nous sommes encore plus ignorants des faits antérieurs, qu'il faut pourtant considérer d'abord.

1. Les langues de la Gaule avant le gaulois

Le territoire de la France, à l'extrémité du cul-de-sac du Vieux monde, a été très anciennement peuplé; ce n'est sans doute pas seulement parce qu'on y a plus fouillé qu'ailleurs qu'on y a trouvé d'assez nombreux ossements de très vieilles populations. Par exemple, après des exemplaires de l'homme de Néanderthal, des vestiges d'un peuple qui semble avoir eu une sorte de capitale aux Eyzies, dans la vallée de la Vézère (Dordogne), autour de — 10.000 et dont on connaît assez bien l'industrie et l'art dits magdaléniens (d'après le nom de la grotte de la Madeleine, dans la Dordogne) ; ces gens-là

semblent avoir été de petits hommes analogues aux Esquimaux
actuels. D'autres ossements trouvés à Grimaldi, près de Monaco,
semblent attester la présence d'hommes analogues à certains éléments actuellement connus dans l'Afrique du Sud (*Bochiman*).

Et il y a eu bien d'autres éléments encore jusqu'au moment où,
après une époque très froide, le climat actuel s'est établi et où la
masse des hommes actuels s'est mise en place dans l'ensemble, on
ne sait ni à quels moments ni par quelles vicissitudes. Dans cette
masse, si on considère le type physique, il y a lieu de distinguer
trois types principaux en France, comme d'ailleurs dans l'ensemble
de l'Europe : au milieu et formant la majorité spécialement dans
les Alpes et dans le Massif central, mais aussi en Bretagne, des
hommes plutôt petits, bruns, à crâne sensiblement rond (brachycéphales) dits hommes du type alpin; au nord par rapport aux
Alpins, des hommes plus grands, plus clairs de cheveux, à crâne
allongé (dolichocéphales), c'est-à-dire des nordiques ou sub-nordiques; au sud et en certains points du Centre, des hommes petits,
très bruns à crâne allongé, des Méditerranéens; toutes les nations
qui se sont constituées successivement dans le territoire de la
future France ont dû comprendre comme la France actuelle des
mélanges de ces éléments.

On ne sait pas quels ont été les constructeurs des monuments
mégalithiques (mot savant composé à l'aide de deux radicaux grecs
et qui veut dire 'en grandes pierres'), les dolmens et menhirs.
Ceux-ci sont abondants en Bretagne (c'est pourquoi on leur donne
ces noms pris au breton, où *men* veut dire 'pierre', *dol* veut dire
'table' et *hir* veut dire 'longue') ; mais ils sont répandus sur tout le
territoire français, et d'autre part connus sur tout le pourtour de
la Méditerranée et jusqu'en Abyssinie.

Les hommes les plus anciens n'ont pas disparu sans laisser des
descendants, par mélange avec les populations qui sont venues par
la suite. Il est possible que certaines racines 'pré-indo-européennes'
soient des vestiges de leurs langues (voir Références p. 428).

Immédiatement avant la période qui est connue par des témoignages historiques, une grande partie du territoire de la France,
au moins dans le Sud-Est, paraît avoir été habitée par un peuple
dont les Romains ont connu les vestiges dans les montagnes au nord
de Gênes et qu'ils appelaient les Ligures; leur langue, sans doute
indo-européenne, serait pauvrement attestée par quelques suffixes
de noms de lieux en -*asc*-, -*osc*-, -*usc*- dans la vallée du Rhône et
dans les Alpes. Pour les Ibères, voir p. 60.

2. Les Gaulois et le celtique

Les gens qui étaient en place au moment où les Romains ont conquis la Gaule, au milieu du 1er siècle avant notre ère étaient relativement des nouveaux venus; néanmoins dans l'ensemble on peut estimer que leur installation, avec des vicissitudes et des agitations diverses, datait de cinq cents ans au moins, certains disent d'un millénaire; leur civilisation avait pu prendre un aspect particulier et stable et marquer profondément le pays.

C'étaient les Gaulois. Ils constituaient la fraction sans doute la plus nombreuse, la mieux fixée au sol du grand peuple celte. D'autres fractions de ce peuple se sont établies dans la vallée du Pô en Italie et en Espagne du Nord (Celtibères) vers le — 4e siècle et sensiblement à la même époque dans la vallée du Danube et sur la rive septentrionale de la mer Noire, dans une partie de l'Asie mineure, dans les Iles Britanniques.

Ils avaient eu une langue commune, apparemment divisée en dialectes comme toute autre et qui devait évoluer de manière différente dans divers pays; ils avaient beaucoup d'éléments de civilisation en commun, et surtout un corps de traditions, de croyances, de rites qu'entretenait partout de la même manière la corporation sacerdotale des Druides. Ils avaient donc une espèce d'unité, quoique sans doute mélangés dans leurs origines et ayant absorbé au cours de leurs déplacements et dans leurs établissements derniers bien des éléments divers. Mais jamais ils n'ont formé un véritable empire, organisé de manière uniforme et réuni sous une autorité et des règles d'administration communes. Aussi, partout où ils ont été en contact avec des civilisations plus cohérentes, plus conscientes d'elles-mêmes, plus capables d'administration, ils ont été plus ou moins vite résorbés, perdant leur langue, leur organisation sociale, leurs noms de tribus, leur religion, leur littérature orale. C'est ce qui s'est passé partout, excepté dans une partie des Iles Britanniques, où notamment la longue indépendance de l'Irlande a permis la mise par écrit et la conservation d'une littérature assez importante en langue celte.

Si donc, dans l'ensemble celte, on envisage à part la Gaule, c'est surtout en raison de son unité géographique, limitée de tous côtés, sauf au nord-est, par des mers ou des montagnes élevées; ce domaine, avec la frontière du Rhin, a eu son unité administrative

après la conquête romaine totale et en gros il a servi plus tard de
cadre à la langue française et à la nation française, avec des variations sur les frontières. Si nous nous plaçons à la date d'environ
un siècle avant notre ère nous voyons que la Gaule est presque tout
entière celtisée. La celtisation a encore quelque peu continué après
la conquête romaine.

Cependant des éléments venus du sud avaient débordé jusqu'à
la Garonne : on admet que les Aquitains qui occupaient le sud-
ouest de la Gaule au moment de la conquête romaine parlaient un
langage non indo-européen, dont le basque est un reste.

Au contraire, à l'est, les Ligures ont dû être rejetés dans les
Alpes, peu après l'arrivée des Gaulois.

Il faut encore considérer un autre élément, dans le sud-est :
Marseille, établissement grec, avait parsemé la côte méditerra-
néenne de ses colonies commerciales, d'Agde à Nice: ne se préoccu-
pant pas de l'intérieur du territoire, elle y agissait cependant de
manière indirecte, par l'introduction de marchandises colportées
par des marchands grecs et orientaux (syriens); alliée assez tôt
avec Rome, c'est son appel au secours contre des attaques celtiques
qui a déclenché la colonisation romaine en Provence, c'est-à-dire
'province' romaine en Gaule, dans la période — 150-120 (époque
de la fondation d'Aix, ville de garnison romaine). Une fois les
Romains installés, la puissance de Marseille s'est éteinte. Les traces
linguistiques de cette puissance sont minimes, presque bornées à
quelques mots locaux des patois de la région; cependant quelques
termes en sont restés au français; ainsi le mot 'dôme' (en grec
'maison'), qui après avoir désigné le toit plat méditerranéen s'est
appliqué à la couverture en coupole.

La Gaule celtique, nous l'avons dit, n'était pas unifiée; elle était
divisée en une multitude de petits peuples autonomes, dont les chefs
choisis parmi la noblesse portaient le titre de 'roi' (en gaulois *rix*,
en latin *rex*). Au temps de César, on en comptait environ 330. Certains étaient, au moins à certains moments, fédérés entre eux. Ces
divisions ont une grande importance parce que, stabilisées pendant
un laps de temps suffisant à l'époque gauloise, elles ont dans l'ensemble subsisté ensuite jusqu'à nos jours dans la géographie de la
France, à travers les administrations et les invasions diverses. Si
on s'en rapporte aux documents de César (historien en même temps
que conquérant) et de quelques autres, on comptait chez les Gaulois
60 divisions principales (grandes tribus ou peuples, en latin *ciuita-
tes* c'est-à-dire en somme 'états'). Les plus petites divisions, nom-
mées d'un mot latinisé *pagi*, d'où les dérivés *paganus*, accusatif

paganum, en français *païen,* et *pagensis,* accusatif *pagensem* qui a donné *pays* d'où est tiré *paysan,* étaient des petits districts, correspondant à des tribus restreintes ou à des subdivisions de grandes tribus, au nombre de 500 environ. Ces gens, dans un pays relativement bien cultivé, au cours d'une période relativement tranquille, s'étaient multipliés au point d'atteindre, d'après les calculs qu'on a cru pouvoir faire, au moins le chiffre de 20 millions (qui sera bien plus tard celui du 18° siècle); mais ce chiffre est contesté.

Une aristocratie terrienne, possédant avec la terre un grand nombre d'esclaves, dominait les hommes libres de moindre condition. Il y avait de très nombreux villages, mal bâtis en huttes de bois ou de torchis à couverture de chaume. Les plus grands établissements constituaient des petites villes, avec des marchés; la plupart étaient situés sur des nœuds de communication (il y avait des chemins sinon des routes, et une navigation fluviale) ou dans des positions stratégiques plus ou moins élevées, avec des fortifications. Beaucoup de ces villes sont encore les villes modernes : ainsi Paris, autrefois Lutèce, capitale des *Parisii,* Bourges, capitale des *Bituriges;* les noms en *-dun* comme *Châteaudun* conservent le souvenir d'anciennes forteresses. Il faut ajouter que beaucoup de noms de rivières sont dus aux Gaulois (alors que d'autres sont plus anciens et non celtiques).

Les Gaulois portaient un costume demandant une façon assez compliquée, avec le pantalon et la blouse, qui a son origine, semble-t-il, dans le nord de l'Europe. Bons métallurgistes, ils avaient, outre les armes, de nombreux ustensiles en métal, notamment des bijoux ou des accessoires de l'habillement comme les 'fibules' (épingles de nourrice) qu'on retrouve dans leurs tombes. Ils faisaient grand usage des chars à quatre roues soit pour les transports, soit pour la guerre; ('char' est un mot celtique); ils faisaient des ponts de bateaux. En relation avec la civilisation grecque, soit par voie directe, soit par l'intermédiaire des Marseillais, ils importaient un certain nombre d'objets de luxe ou d'usage domestique (poteries) ou avaient appris à en fabriquer; ainsi pour la monnaie métallique. Leurs intellectuels ne faisaient pas usage de l'écriture. Cependant quelques noms gaulois ont été conservés écrits sur des objets et on a retrouvé, dans leur langue, quelques comptes de commerçants ou de chefs de travaux (en caractères étrusques, grecs, latins).

3. Romanisation de la Gaule

De — 120 environ à — 50 environ, les Romains ont colonisé
une partie du sud de la Gaule : Provence, Languedoc (région de
Narbonne et de Toulouse, vallée du Rhône), en partie par des expéditions militaires, en partie grâce à des négociations avec diverses
fractions gauloises; d'où la création d'établissements commerciaux,
la fondation ou l'aménagement de villes avec garnisons, théâtres,
bains, temples, écoles, etc., une 'pénétration pacifique', c'est-à-dire
surtout une exploitation commerciale, dirigée vers le reste du pays.
C'est ainsi que déjà existait une Gaule romanisée, portant, au
moins dans ses classes dirigeantes, la toge romaine (le grand man-
teau drapé) par-dessus la tunique, par opposition à la 'Gaule en
pantalon'. (*Gallia braccata*, du mot celtique qui a donné l'ancien
français 'braie', auquel se rattache 'braguette'). Des populations
entières étaient admises au droit de cité romain, c'est-à-dire à la
nationalité romaine. Déjà à ce moment la langue latine devait avoir
profondément pénétré au moins la population urbaine du sud.

Cette situation s'est étendue au reste des territoires gaulois pendant et immédiatement après la véritable guerre de conquête menée
par le général et homme d'état César, en réponse à un massacre de
marchands et à un essai de guerre d'indépendance des Gaulois. Les
grandes dates sont : an — 54, soulèvement concerté; an — 52,
chute d'Alésia où se tenait la principale armée gauloise, avec le
chef principal de la résistance, Vercingétorix, reddition et empri-
sonnement, puis exécution de celui-ci. La soumission générale était
acquise en — 51, et depuis ce moment on peut dire que les Romains
ont tenu et de plus en plus assimilé la Gaule, que la destinée de
celle-ci a été liée à celle de l'état romain, devenu monarchie avec
César lui-même (sans titre souverain) et ses successeurs (Auguste,
premier empereur de — 30 à + 14. Des campagnes partielles ont
cependant eu lieu pendant plus d'un siècle encore, à la suite de
diverses dissidences et même d'une espèce d'assemblée nationale,
en 69, dans la cité des *Remi*, Reims, où cependant la majorité se
décidait pour l'obéissance à Rome. Les Gaulois, devenant de plus
en plus les Gallo-romains, ont dès lors été mêlés aux actes impériaux, militairement sur la frontière pour la résistance aux Germains, et politiquement à l'intérieur; sous l'empereur Claude (14-
37) on note des sénateurs gaulois dans le Sénat de Rome; un édit
de l'empereur Caracalla (211-217) donnant le droit de cité à l'en-

semble de la population libre de l'empire a consacré l'assimilation des Gaulois, entre autres peuples. Dans le détail des façons de vivre, la ressemblance de plus en plus grande entre les mœurs gauloises et les mœurs romaines a dû s'établir progressivement, mais relativement vite.

La disparition de la langue celtique gauloise devant le latin est le meilleur signe de l'assimilation. On n'a guère de témoignages que le gaulois ait été parlé par des groupes nombreux après l'insurrection dite des Bagaudes en 283. Les savants admettent que vers l'an 400 le gaulois était abandonné dans presque toutes les campagnes, au profit du latin vulgaire; on n'en a signalé des traces postérieurement comme langage vivant que sur les frontières de l'est (des coins de Suisse auraient encore parlé gaulois au 5ᵉ siècle). Le breton qui est celtique, n'est pas du gaulois mais du britonique et a été ramené en Bretagne (Armorique) par une invasion postérieure; (voir p. 67) pourtant le succès de cette implantation a été sans doute dû à la persistance de gaulois dans cette région périphérique.

Sans doute, le substrat gaulois n'a pas été sans agir dans la transformation locale du latin (voir p. 109); mais la transmission lexicale au français se limite à un nombre restreint de mots dont les plus importants avaient déjà été empruntés par le latin avant la conquête de la Gaule (voir ci-dessus 'char' p. 61, et la liste p. 65).

Quelles sont les circonstances sociales qui expliquent le changement de langue relativement rapide ? Ce sont avant tout celles dont nous avons parlé, et qui équivalent à la fusion de deux sociétés : où il n'y a plus qu'un groupe social, la tendance est de n'avoir plus qu'une langue. Encore faut-il qu'il n'y ait pas de raisons particulières de résistance d'une langue à une autre.

Une langue peut résister parce qu'elle est l'expression d'une civilisation supérieure, avec une littérature et un enseignement; tel avait été le cas du grec devant le latin; ce n'était pas le cas du gaulois, les Celtes de Gaule étant dans l'ensemble moins pourvus que les Romains en technique et en modes de vie perfectionnés èt surtout n'ayant aucune littérature écrite, aucun enseignement avec des livres.

La résistance peut venir d'une différence de religion : rien dans celle des Celtes ne s'opposait ni à la mythologie romaine (ensemble de dieux figurés à l'image des hommes), ni aux croyances usuelles et règles de vie morale des Romains; aucun fanatisme ne s'opposait de part et d'autre; les druides n'ont pas constitué un centre d'opposition sérieux.

En tout ceci il faut tenir compte du fait que les Celtes et les
Italiotes étaient au point de départ assez proches entre eux et cette
circonstance est à considérer aussi au point de vue linguistique.
Parenté de langues à part, l'essentiel est la multiplicité des contacts à sensible égalité de niveau de civilisation et de condition. Les
contacts incomplets produisent des *sabirs,* langages de communication très réduits; les inégalités trop grandes engendrent l'usage de
langues simplifiées, les *créoles.* En Gaule comme dans le reste de
l'empire, c'est le latin entier qui a été acquis.

Comment dans le détail le passage s'est-il fait en Gaule ? Quels
ont été les agents et les modes de propagation, à partir de l'incompréhension réciproque initiale ?

Pour qu'il y ait passage d'une langue à une autre, il faut que
des individus d'abord, puis des éléments nombreux de la population, apprennent à comprendre et à parler la langue qui était au
début 'étrangère'. Le passage se fait donc au cours d'une période
de 'bilinguisme'.

Les premiers bilingues en Gaule ont dû être, comme ailleurs,
des éléments mobiles par profession, assez peu nombreux : colporteurs, agents de reconnaissance, militaires de postes avancés;
mais ceux-là devaient apprendre la langue du pays plutôt qu'enseigner la leur.

Les principaux contacts des indigènes avec la langue d'importation ont dû se faire dans les centres de population les plus stables;
il faut penser à une grande influence de la vie dans les villes, et à
son contrecoup sur les campagnes environnantes. A la ville, l'administration romaine et ses divers bureaux, la vie municipale avec de
nombreuses fonctions électives, souvent une garnison de soldats
d'origines diverses, ayant le latin pour langue commune; des écoles;
surtout un marché où les paysans viennent rencontrer les citadins
à qui ils vendent leurs produits et où ils ont à traiter de leurs
affaires avec les fonctionnaires. On connaît les grands centres qui
ont subsisté comme Lyon, Vienne, Lutèce (Paris), Poitiers, etc.;
d'autres importants aussi ont disparu par la suite et se retrouvent
quelquefois au hasard de fouilles archéologiques.

A partir du 3ᵉ siècle (du 2ᵉ déjà pour des milieux restreints) la
propagande chrétienne a joué un rôle capital. La nouvelle religion
s'adressait à l'ensemble de la population, aux femmes comme aux
hommes. La langue de la propagande était le latin. Il faut sans
doute se représenter, comme dans toute propagande, des entretiens
particuliers, de grandes assemblées, des centres d'études et, dans
ce cas particulier de la religion, des cérémonies en commun, avec

des participants plus ou moins nombreux. Partout et en chaque occasion, le désir ardent de se faire comprendre, et de comprendre.

La langue gauloise a résisté plus longtemps à la campagne; elle a cependant fini par y céder; mais cette résistance rurale a laissé des reliques dans le vocabulaire français. Dans le nombre, bien petit au total (environ 60 sur les 450 mots gaulois connus) des mots celtiques conservés, la majorité appartient aux termes campagnards, que les citadins ont appris des ruraux sans leur imposer des équivalents latins. Ainsi *bouc, mouton, chêne, bruyère, ruche, chemin, arpent*. D'autres touchent moins directement à la terre, mais encore à la vie des districts ruraux : *vassal, valet*, et encore *cloche* et le verbe *briser*. Il faut ajouter un certain nombre non compté jusqu'à présent de mots qui sont entrés dans le bas latin avant d'être francisés, ainsi *braie*, pièce du moulin à vent (d'où *embrayer*), *garrot, glaner, gobelet, gosier, gouge, marne*, sur lesquels voir les dictionnaires étymologiques. L'influence d'un mot celtique a fait substituer *k* à *t* au début du mot latin *tremere*, d'où le français 'craindre' (voir aux Références et à l'index).

Dès le moment où nous fait parvenir l'achèvement de la romanisation, environ la fin du 4ᵉ siècle, il faut admettre que le latin parlé en Gaule, le gallo-roman, n'était pas un, mais avait de multiples aspects. Les différents centres importants communiquaient sans doute les uns avec les autres au moyen des voies fluviales et des routes, les fameuses voies romaines, dont le réseau était considérable. Mais les communications se faisaient seulement par certains éléments mobiles. La masse des citadins ne voyageait pas, l'ensemble des paysans surtout restait confiné dans de toutes petites localités, ou fréquentait seulement des centres provinciaux, chacun le sien. En gros, l'horizon se bornait aux limites des anciennes 'cités' qui sont devenues dans l'ensemble celles des évêchés chrétiens (tandis que de vastes 'paroisses' coïncidaient sensiblement avec d'anciens 'pays'). Dans ces conditions le langage devenait un peu différent en chaque région. Mais nous n'avons aucun témoignage sur les parlers de cette époque, et nous ne pouvons en juger que par vraisemblance, et en considération de la suite de l'évolution. Il est probable que le latin n'était à ce moment pas encore sensiblement transformé. En tout cas, rien n'indique que les gens aient eu le sentiment de parler autre chose que le latin. Au total, c'est une Gaule romanisée qui allait avoir à subir les grandes invasions germaniques; c'est le gallo-roman qui a résisté victorieusement aux parlers germaniques; mais, en subsistant à travers des siècles de crise, il évoluait sans doute plus rapidement qu'à l'époque précédente.

4. Les envahisseurs germains
et leur romanisation linguistique

C'est au 5° siècle qu'on peut dire que la civilisation antique de type gréco-latin est profondément atteinte; elle va désormais céder lentement au type féodal et chrétien hiérarchisé. Mais ceci ne s'est pas fait sous l'aspect d'une transformation interne, chez des gens en place. L'empire romain affaibli s'est disloqué sous le coup d'invasions. La nouvelle société a pris son aspect et son genre de vie par un compromis et une fusion entre les techniques, les institutions et les croyances romaines et des éléments correspondants chez les envahisseurs. Au total, dans les limites de l'ancien empire romain, le christianisme a subsisté; même il a si largement débordé à l'extérieur qu'il est devenu un des aspects essentiels de toute l'Europe féodale. Quant à la langue, le latin a gardé presque toutes les anciennes positions, mais au prix d'une dislocation en différentes langues nationales qui dans chaque région sont devenues communes aux anciens citoyens et aux envahisseurs.

En ce qui concerne la Gaule romane, il faut envisager une longue période de cinq siècles, au bout de laquelle on trouve un royaume de France, et une langue française.

La Gaule a donc été envahie par des Germains, qui poussés par d'autres déplacements de peuples à l'est de leur domaine, ont émigré par populations entières à la recherche de nouveaux établissements. Crevant la frontière du Rhin, certains ont traversé la Gaule pour aller dans la Péninsule ibérique et même en Afrique du Nord (tandis que d'autres allaient en Italie); certains sont restés en Gaule.

A vrai dire, ces établissements ont commencé dès le 3° siècle, mais assez bien filtrés par l'empire romain encore fort, qui réglait la colonisation et prenait des tribus à sa solde pour en faire un rempart militaire contre de nouveaux assaillants. Les 'Barbares' admis dans l'empire étaient au moins partiellement romanisés au bout d'un certain temps et ont dû largement contribuer plus tard à la romanisation linguistique des nouveaux arrivants. En particulier, c'est de 340 que date l'établissement des Francs Saliens entre Escaut et Meuse (avec le langage qui est devenu le flamand).

A partir de 400, le pouvoir romain est débordé. Dans une large mesure, les populations envahissantes conservent leur indépendance et établissent des états dans diverses régions. Au début du siècle les Romains évacuent la Grande-Bretagne. Après 460, les Burgondes ont un royaume dans le sud-est de la Gaule, les Wisigots (ou 'Gots sages') en ont un dans la Gaule du sud-ouest et en Espagne. Vers la fin du siècle, le roi franc Clovis a étendu son domaine sur la plus grande partie du territoire au nord de la Loire (avec une capitale à Tours); d'une part, il se convertit au christianisme, d'autre part, il reçoit les insignes de consul des mains d'une ambassade venue de l'empire romain d'Orient (Byzance), double fait symbolique de la fusion qui se réalisait entre la société finissante et la société commençante. Au bout de trois longs siècles encore, l'aboutissement de ces événements a été la constitution du grand état de Charlemagne, couronné empereur en 800, avec un domaine en partie roman, en partie germanique. Près d'un demi-siècle après, pour la première fois on peut dire que l'histoire enregistre l'existence d'un roi de France avec Charles le Chauve, petit-fils de Charlemagne, héritier seulement d'une partie de ses états.

Voyons d'abord quelles ont été les pertes territoriales de la Gaule romane à la fois au point de vue politique et linguistique. Sur les coins, peut-on dire, du territoire anciennement romanisé, des invasions massives ont introduit des langues non romanes, qui se sont maintenues jusqu'à nos jours, en dehors du français pendant de longs siècles, plus tard en compagnie du français.

A l'est, on trouve des langages haut-allemands, à savoir le francique ripuaire en Lorraine et un parler des Alamans (Germains ennemis des Francs) en Alsace; au nord-est, le parler bas-allemand des Francs Saliens, en Flandre. Au nord-ouest, des Celtes émigrés de Grande-Bretagne ont répandu leur langage celtique en Bretagne, dans la période du 3ᵉ au 6ᵉ siècle (voir p. 63). Au sud-ouest se rencontre le basque, dans une partie de l'ancien domaine aquitain qu'il paraît avoir reprise au 6ᵉ siècle après un recul antérieur.

Tout ce qui est compris entre ces petits domaines marginaux a gardé un langage roman, sous la forme qui devait être par la suite le français, l'occitan, le catalan ou des dialectes intermédiaires. Il y a donc eu assimilation linguistique des Francs Saliens et Ripuaires, des Burgondes, des Wisigots.

On connaît le résultat, on ne sait rien sur le détail de cette histoire. Les chroniques du temps, en plus ou moins mauvais latin, ne donnent presque pas de renseignements sur les langages. Il faut donc imaginer la manière dont les gens ont conversé entre eux, en tenant compte des quelques faits connus. L'étude des noms de lieux, récente et encore insuffisante, permet de se rendre compte dans une certaine mesure comment les nouveaux se sont établis. La période considérée a vu la décadence des villes, la disparition même d'une partie d'entre elles. C'est dans les campagnes que se sont installés les gens venus précisément en quête de terres à occuper. Dans l'ensemble on aperçoit qu'ils n'ont pas exterminé ni chassé les précédents occupants; ils se sont généralement établis à côté d'eux, dans leurs environs, en mettant en culture de nouvelles terres antérieurement négligées ou recouvertes par la forêt. Dans bien des cas les domaines ont dû s'enchevêtrer, les marchés ont dû être communs, multipliant les contacts.

Contacts continuels aussi, là où un 'chef de guerre' germain devenait 'chef de terre', gardant autour de lui une maison composée surtout de ses congénères, mais gouvernant des agriculteurs aussi bien germains que gallo-romans.

D'autre part c'est dans cette période que paraît un nouveau mode d'établissement, l'abbaye. Le clergé inférieur se recrutait sans doute indifféremment parmi les divers éléments de la population, et ceci est plus vrai encore pour l'ensemble de plus en plus nombreux des moines. Ceux-ci le plus souvent formaient leurs établissements dans des endroits auparavant non peuplés ou peu peuplés. Les frères cultivateurs défrichaient, apparemment avec l'aide de cultivateurs laïcs, tandis que les clercs se livraient à leurs travaux intellectuels. On sait que les abbayes sont devenues très souvent le centre de nouvelles villes, avec un suzerain ecclésiastique. L'abbaye rurale ou citadine devait être un point de mélange des populations. Bien entendu, comme pour la précédente période de romanisation, il faut penser que les Francs et autres Germains, avant d'abandonner leur langage, ont été bilingues. D'autre part, un certain nombre de Gallo-Romans ont appris plus ou moins bien un langage germanique.

En raison de ce contact intime, le français a acquis des éléments phonétiques nouveaux (voir *g* et *h* au chapitre VI) et un stock important de vocabulaire : plus de quatre cents mots d'origine francique flamande ou d'autre origine germanique; un certain nombre d'entre eux d'ailleurs n'ont pas survécu à la période de l'ancien français; mais les subsistants se sont augmentés de dérivés.

Les mots d'origine germanique ou au moins influencés dans leur forme par le germanique désignent naturellement des institutions ou des objets de même origine ou ayant une importance plus grande dans les milieux germaniques. Citons entre autres *marche* et le dérivé *marquis, baron, chambellan, guerre, trêve, fourreau, heaume* (remplacé plus tard par *casque*, emprunté à l'espagnol) *fauteuil, guetter, saisir, garant, épervier,* aussi des termes ruraux : *blé* (peut-être mélangé avec une racine celtique), *jardin* (allemand : *Garten*) et des adjectifs de couleurs et autres : *bleu, brun, sale.* Des Gallo-Romains ont pris des noms germaniques, d'où l'abondance, encore maintenant, de prénoms comme *Louis* (allemand : *Ludwig*) et de noms de famille comme *Garnier* (allemand : *Werner*).

On sait par quelques témoignages que les rois de France, les plus éminents seigneurs de l'aristocratie franque, ont longtemps gardé leur langage germanique : c'était l'idiome 'maternel' de Charlemagne, qui en a ébauché une grammaire. On dit que le premier roi de France qui n'ait pas su le germanique a été Hugues Capet, chef de file d'une dynastie nationale (987).

Derniers envahisseurs s'étant installés sur terre de France (les Arabes refoulés définitivement en 732 n'ayant fait que passer), des Normands, c'est-à-dire 'hommes du nord', se sont établis au début du 10ᵉ siècle dans le pays encore appelé Normandie; ils y ont implanté de nombreux noms de lieux comme Elbeuf ou Caudebec et ont donné au français quelques mots scandinaves, maritimes ou autres *(cingler, havre,* peut-être *joli)* ; mais, bien que du danois ait subsisté à Bayeux jusqu'au 12ᵉ siècle, c'est le français que l'armée de Guillaume le Conquérant transportait en Angleterre dès le 11ᵉ siècle.

5. Premiers témoignages sur le français parlé en face du latin écrit

Malgré la continuité et la lenteur qui sont caractéristiques de l'évolution des langues, on a le droit de dire qu'il y a tel moment ou plutôt telle période où une langue est née. Cette période coïncide avec celle de la formation d'un nouveau groupement important. Ainsi, on constate véritablement la naissance du français au moment où on peut dire que la Gaule n'est plus et que la France commence à exister. Il ne faut toutefois pas en conclure que toute naissance d'une nation s'accompagne de la naissance d'une langue : il suffit de penser à l'anglais aux Etats-Unis d'Amérique, à l'espagnol dans la plupart des pays de l'Amérique centrale et de l'Amérique du Sud, au portugais au Brésil.

Si nous sommes beaucoup moins bien renseignés que nous le souhaiterions, quelques documents nous permettent cependant de nous rendre compte de la prise de conscience du français naissant. En effet, il est essentiel pour dater le début d'une langue de savoir à quel moment les gens qui en ont usé ont eu conscience de ne plus parler la langue ancienne qui avait été celle de leurs ancêtres et à quel moment ils se sont décidés à écrire la langue nouvelle.

Du 5° au 8° siècle, parmi les bouleversements sociaux et les guerres intérieures, le niveau des études avait beaucoup baissé partout en Gaule; les écoles civiles semblent avoir été tout à fait ruinées dans les villes; le clergé est devenu de plus en plus ignorant d'une manière générale et a, en particulier, perdu le contact avec le latin classique, ce à quoi contribuait une espèce d'horreur pour la littérature païenne.

C'est le latin toutefois qui continue à être employé exclusivement pour tous les écrits (chroniques, documents juridiques, etc.); mais ce latin est devenu de plus en plus incorrect et reflète dans une certaine mesure l'évolution qui s'est produite.

Dans cette période, des clercs ont éprouvé le besoin de mettre par écrit l'explication de certains mots latins littéraires, en particulier de la Bible, en latin plus courant ou en langue parlée romane ou germanique. On a retrouvé certains recueils de gloses du 7° et du 8° siècle.

Charlemagne, qui prétendait restaurer l'empire d'Occident, était choqué par la décadence de l'étude du latin, langue impériale; il a travaillé, suivant une voie ouverte par son père Pépin, à en restaurer l'enseignement, en rétablissant la correction grammaticale par un retour aux auteurs anciens et en éliminant les orthographes qui reflétaient la prononciation de son temps. Son principal assesseur était un savant religieux anglais, Alcuin, et on nomme le travail de restitution fait à ce moment 'renaissance carolingienne' ou 'renaissance d'Alcuin' (autour de 790).

C'était une consécration de l'usage du latin comme langue écrite, à l'exclusion des langues parlées, romane ou germanique. La direction ainsi donnée, d'une main vigoureuse, a persisté longtemps — des siècles — dans l'enseignement et l'administration.

Mais, par contrecoup, les mesures prises faisaient apparaître plus clairement combien la langue parlée s'était éloignée du latin, combien celui-ci, lorsqu'il était employé correctement, était incompréhensible à la population non instruite.

Ceci était nuisible pour l'instruction religieuse du public. Cette difficulté avait déjà été sentie avant l'époque carolingienne, puisque

les chroniques nous apprennent que saint Eloi, évêque de Noyon de
641 à 660, prêchait en langue vulgaire. Mais c'était une initiative
individuelle, qui avait été remarquée. Vingt ans après la réforme
de Charlemagne, une résolution de concile (Tours, 813) recom-
mande officiellement au clergé de prêcher dans la langue parlée
romane ou germanique. Une cinquantaine d'années après, le roi
Charles le Chauve a prescrit aux évêques de faire connaître ses
ordonnances au peuple dans sa langue.

Dès lors, le latin étant définitivement langue savante, c'est le
français de plus en plus cultivé qui est devenu l'organe distingué
et littéraire. C'est lui dont nous avons à suivre l'histoire; d'abord
restreint à un petit domaine royal, il a fini par devenir la langue
nationale dont nous usons.

6. Les serments de Strasbourg
et les plus anciens textes littéraires du français

C'est au début du règne de Charles le Chauve que se situe un
texte continu qui est le premier monument connu du plus ancien
français écrit, en même temps qu'une sorte d'acte de naissance d'un
royaume de France.

Voici, en bref, ce que raconte le chroniqueur Nithard, lui-même
petit-fils de l'empereur, écrivant en latin : trois petits-fils de Charlemagne devaient partager l'empire; l'un, Charles, devait garder le
domaine proprement franc; le second, Louis, devait régner sur la
région germanique; le troisième, Lothaire, était destiné à régir un
domaine intermédiaire, de la région wallonne à l'Italie; mais il y
avait lutte entre ce Lothaire, qui aurait voulu garder le tout, et ses
deux frères; ceux-ci avaient décidé de s'allier solennellement entre
eux; leurs armées étaient rassemblées près de Strasbourg; le texte
d'un engagement d'alliance et d'assistance avait été établi en deux
langues, la langue romane et la langue germanique, et comportait
deux parties : la première était destinée à être prononcée par les
chefs, la seconde par les armées elles-mêmes. Charles le Chauve a
prononcé la formule germanique devant les soldats de son frère
qui ont répondu dans la même langue, et c'est Louis le Germanique
qui a prononcé la formule romane devant les soldats français qui
ont à leur tour récité leur partie dans la même langue. C'est ce qu'on
appelle les *Serments de Strasbourg*, prononcés en 842. Vu l'impor-

tance attribuée, à juste titre, à la teneur de ces actes officiels, le chroniqueur les a donnés dans les deux langues parlées, et non en latin ; il a donc livré à la postérité à la fois le plus ancien texte qu'on puisse appeler du français et un des plus anciens textes du haut-allemand.

Ainsi, un événement politique important est devenu aussi un événement linguistique.

Les faits politiques qui ont suivi sont les suivants : Lothaire, impuissant contre ses deux frères réunis, a dû se contenter de la part prévue, avec le titre d'empereur (traité de Verdun, 843). L'état-tampon entre France et Allemagne n'a pas survécu très longtemps, non plus d'ailleurs que la dynastie carolingienne en France ; cependant, la période de transition n'a pas duré moins d'un siècle et demi. Aù cours de cette période se situe l'établissement des Normands en Normandie et leur romanisation progressive.

C'est de ce temps aussi que datent les premiers monuments littéraires conservés du français, qui sont de petits poèmes religieux dus à des clercs, mais destinés à l'édification des fidèles (*poème sur sainte Eulalie*, 29 vers, vers 880 ; la *Passion du Christ*, 129 strophes de 4 vers ; la *Vie de saint Léger*, 40 strophes de 6 vers). En dehors de ces pièces en vers, on n'a conservé que des notes pour un sermon consacré à Jonas, partie en latin, partie en français, et quelques gloses dans les manuscrits latins (voir aux *Références*).

PREMIÈRE PHRASE du texte du *Serment* prononcé par Louis le Germanique, avec une traduction mot pour mot. Le texte est tel que le lisent les romanistes pour la résolution des nombreuses abréviations graphiques (sigles) du manuscrit ; mais les *u* y sont conservés, sans aucun usage du moderne *v* (Voir F. BRUNOT : *Histoire de la langue française*, tome I, p. 143). Cette observation vaut aussi pour les autres textes d'ancien français.

Prendre garde, pour bien se rendre compte des faits, de lire en articulant séparément toutes les consonnes et voyelles, sans qu'aucune reste muette, ainsi qu'il arrive si souvent dans notre orthographe moderne.

pro	*deo*	*amur*	*et*	*pro*	*Christian*	*poblo*	*et*
pour	de Dieu	amour	et	pour	du chrétien	peuple	et
nostro	*commun*	*saluament*		*d'ist*	*di*	*in*	*auant*
notre	commun	salut (sauvement)		de ce	jour	en	avant
in	*quant*	*deus*	*sauir*	*et*	*podir*	*me*	*dunat*	*si*
pour	autant	Dieu	savoir	et	pouvoir	me	donne	ainsi

saluarai	*eo*	*cist*	*meon*	*fradre*	*Karlo*	*et*	*in*	*aiudha*
sauverai	je	celui-ci	mon	frère	Charles	et	en	aide
et	*in*	*cadhuna*	*cosa*	*si*	*cum*	*om*	*per*	*dreit*	*son*
et	en	chaque	chose	ainsi	comme	on	par	droit	son
fradra	*saluar*	*dift*	*in*	*o*	*quid*	*il*	*mi*	*altresi*	*fazet...*
frère	sauver	doit	en	ce	que	lui	à moi	autre-ainsi	fasse.

Il faudrait de longues explications sur ces quelques lignes pour montrer comme quoi on se trouve ici devant le témoin d'un état de langue intermédiaire presque dans chaque détail entre le latin et le français moderne, toutefois plus près de celui-ci.

Voici, en tout cas, pour qu'on ait sous les yeux à la fois les trois états, une traduction suivie en français et une traduction en latin classique.

Pour l'amour de Dieu et pour le salut commun du peuple chrétien et le nôtre, à partir de ce jour, autant que Dieu m'en donne le savoir et le pouvoir, je soutiendrai mon frère Charles de mon aide et en toute chose, comme on doit justement aider son frère, à condition qu'il m'en fasse autant...

Per Dei amorem et per christiani populi et nostram communem salutem, ab hac die, quantum Deus scire et posse mihi dat, seruabo hunc meum fratrem Carolum et ope mea et in quacumque re, ut quilibet fratrem suum seruare iure debet, dummodo mihi idem faciat...

Pour l'essentiel du détail (transformation des consonnes et voyelles, affaiblissement des finales des mots, usage de la déclinaison à deux cas, absence d'article, etc.), se reporter au chapitre VI.

Toutefois quelque chose de plus doit être dit ici. Si le texte du *Serment* et ceux des autres textes de l'époque carolingienne ont presque toutes les caractéristiques de l'ancien français dans sa belle période littéraire, il faut pourtant tenir compte de l'évolution qui s'est produite pendant deux siècles environ (850-1050), à un moment où la langue n'était fixée par aucun usage littéraire.

On peut noter ici la conservation de sons qui ont disparu au cours de l'histoire de l'ancien français. Ainsi, un ancien *t* du latin placé entre deux voyelles est écrit *dh* (pour représenter ce qu'on appelle l'interdentale sonore, son de *th* anglais doux), par exemple dans *aiudha*, plus tard *aiue*, refait ultérieurement en *aide*.

Dans le même mot on doit faire attention à la finale -*a*, qui paraît
plutôt latine que française. On ne sait si celui qui a écrit le texte
entendait vraiment un *a* ou quelque chose d'intermédiaire entre *a*
et *e* (analogue à *é*) ou enfin un *e* à timbre sourd analogue au nôtre
qu'il ne savait comment noter, puisqu'il n'avait sans doute aucun
exemple antérieur d'un emploi de l'écriture latine pour écrire le
français, en tout cas pas d'usage établi. La seconde supposition,
parmi les trois, est peut-être la plus vraisemblable, et expliquerait
l'hésitation qui a fait écrire une fois *fradre*, une fois *fradra*. (Dans
ce dernier mot aussi le *d* qui représentait un *t* ancien devait disparaître au cours de l'histoire de l'ancien français.)

Ainsi, nous sommes arrivés au moment où on peut dire vraiment
que le français est né, nous avons jeté les yeux sur la pièce qui peut
être considérée comme en quelque sorte son acte de naissance. Nous
allons pouvoir étudier son développement et d'abord la première
période, celle de l'ancien français.

Seulement, avons-nous bien le droit de parler de 'français' ?
Nous avons dit (voir p. 65), que ce n'était pas un seul langage,
mais une foule de langages légèrement différents qui constituait sur
l'ancien sol gaulois le produit de la transformation du latin; c'est
un fait qu'il ne faut pas perdre de vue. Toutefois, c'est un seul langage qui est devenu finalement le français écrit, langue nationale.
Or, ce langage a été celui de la région principale au point de vue
politique, le domaine royal, avec la cour du roi, ses villes de résidence et la principale d'entre elles, finalement restée la seule, Paris.

Le texte du *Serment de Strasbourg* provient précisément du milieu royal; sans doute ne représentait-il pas exactement le langage
maternel de tous les éléments de l'armée; il était au moins le langage familier à tous les vassaux proches du roi. Le document peut
donc être dit vraiment du français. (On trouve ce nom appliqué à
la langue dès le 12ᵉ siècle.)

Et ici commence, en plus de l'histoire interne de l'évolution du
français, une double histoire qu'il faut suivre constamment si on
veut réellement se rendre compte des faits : lutte du français contre
les autres langages parlés en France; et lutte du français écrit contre
le latin qui a longtemps subsisté pour certains usages et dont les
positions ont été enlevées une à une (en dehors de l'usage religieux
où il subsiste encore dans le culte catholique).

CHAPITRE V

L'ANCIEN FRANÇAIS ET LA PÉRIODE FÉODALE
(du 11ᵉ au 13ᵉ siècle)

Un état de langue, un état de société. La chronologie invite à les étudier conjointement, et en fait il y a parallélisme entre la floraison de la littérature en ancien français et le développement de toutes sortes d'autres faits sociaux, dans une certaine stabilité d'ensemble.

1. L'idée de moyen âge; limites du moyen âge

Moyen âge, n'est-ce pas une époque de transition ? Epoque obscure aussi où les lumières intellectuelles s'éteignent plus ou moins entre deux périodes de civilisation brillante, où la vie est plus ou moins mal assurée, où les progrès matériels ne se font guère. Ces définitions conviennent bien à la période troublée où s'est lentement aboli le type de la société antique du 6° au 9° siècle, mais non à la suite.

En effet, longtemps les historiens ont considéré, surtout par ignorance, que tout ce qu'ils appelaient le moyen âge dans l'histoire de la civilisation occidentale s'étendait, comme une période obscure, entre la civilisation antique et la civilisation moderne commençant peu avant la Renaissance. Cette vue est maintenant rectifiée; on sait que la société féodale mérite d'être considérée en elle-même, comme un type spécialement bien organisé et brillant à beaucoup d'égards. Toutefois, les termes de 'moyen âge' et de 'médiéval' ont été conservés par la plupart des auteurs pour la période féodale; nous évitons d'en user ainsi dans le présent livre; mais il faut savoir que l'emploi en est encore courant.

Autre chose : où marquer la coupure entre des périodes qui s'enchevêtrent plus ou moins ? Nous dirons que le 9ᵉ et le 10ᵉ siècles forment la transition entre le moyen âge véritable et la période féodale proprement dite.

Il a été question ci-dessus (p. 70) de la réforme et du renouveau des études sous Charlemagne; d'autres institutions ont au moins commencé à s'organiser pendant son règne; des progrès matériels aussi datent probablement de ce moment, mais là-dessus on est mal renseigné.

La période qui suit le traité de Verdun de 843 est déjà celle d'une royauté française, d'un nouveau cadre de vie en France.

Le 10ᵉ siècle a été un moment de profonde transformation, où on peut situer entre autres la fin de l'esclavage personnel, alors que s'était établi le servage à la terre. C'est aussi le moment de l'introduction de certaines techniques (ainsi l'attelage avec collier d'épaule) et de l'extension de certaines autres comme le moulin à eau, connu depuis le quatrième siècle, alors que le moulin à vent date de la fin du douzième.

Néanmoins le grand essor de la littérature et des arts ne date que du 11ᵉ siècle, de même que l'établissement de nouvelles institutions sociales, sans doute les premiers débuts d'ateliers mécaniques collectifs.

Un événement politique peut servir de coupure, encore qu'il n'ait pas apparu comme une nouveauté aux contemporains : déjà au cours du 10ᵉ siècle, trois princes de la famille des Capétiens avaient alterné sur le trône de France avec les derniers Carolingiens; néanmoins, l'élection d'Hugues Capet, par les grands feudataires, vers la fin de ce siècle (en 987) est importante, parce qu'après lui la royauté devait rester constamment dans sa famille, et se préparer lentement à devenir assez puissante pour mettre fin au régime féodal dont nous allons maintenant nous occuper.

2. La société féodale et les patois

Les grandes caractéristiques du régime féodal sont la dispersion et la hiérarchie, du roi au serf.

L'établissement humain caractéristique de cette époque est l'enceinte fortifiée : château fort qui peut abriter tous les habitants du ou des villages voisins, abbaye jouant le même rôle, petit bourg. Chacun est vassal de quelqu'un.

Les paysans, serfs et vilains francs (ceux-ci devenus beaucoup plus nombreux au 13ᵉ siècle par l'émancipation presque généralisée des serfs), les valets armés ou soldats de carrière obéissent au petit seigneur local.

Celui-ci rend hommage à un plus puissant. Les grands feudataires, dont la puissance suzeraine s'étend sur une province, se reconnaissent eux-mêmes vassaux d'un prince souverain : roi de France, roi d'Angleterre, empereur du Saint Empire romain-germanique (qui perpétue un titre ancien dans l'organisation nouvelle). Les abbés, les évêques, généralement choisis parmi les rejetons de la noblesse, sont, eux aussi, des seigneurs féodaux. Les classes sont rigoureusement séparées par la naissance : on ne devient pas noble, on l'est héréditairement.

Dans les villes même, qui échappent en partie à l'emprise féodale, avec l'institution des communes, les corporations ont leur stricte hiérarchie avec maîtres et compagnons, et les bourgeois sont exclus de la noblesse.

Les unités nationales que nous connaissons, et qu'inconsciemment nous projetons dans le passé, n'existaient pas. Un vassal du roi de France ayant conquis l'Angleterre en 1066 y a acquis une royauté, tout en gardant des vassaux en France, et ceci a été en partie l'occasion de guerres interminables. D'autres provinces de langue romane étaient de l'obédience de l'empereur germanique.

La fabrication des objets nécessaires était familiale ou tout au plus locale, dans les bourgs et les villes. Le commerce de circulation, dans l'insécurité générale, n'existait presque pas.

Sur tous ces faits, voir les réserves nécessaires dans les paragraphes suivants : la royauté, l'église, chacune pour leur part et à leur manière, étaient des forces de liaison et d'unification.

Dans ces conditions générales, on est en droit de penser que les divergences qui existaient déjà entre les parlers locaux se sont affirmées et développées dans cette période. On peut se tenir assuré que, dès cette époque, chaque village a eu son parler distinct, chaque ville aussi, chacun ayant ses innovations et ses conservations propres. Il ne faut pourtant pas lier cet état au régime féodal exclusivement. Ayant commencé auparavant, il a subsisté par la suite. De nos jours encore, malgré l'unification française et toutes les facilités de communication, les patois subsistent : sur la plus grande partie du territoire, on trouve des différences nettes entre des villages séparés à peine de quelques centaines de mètres. On sait que les langues non romanes (breton, basque, alsacien, flamand) subsistent aussi, et sont elles-mêmes divisées en parlers locaux; la différenciation naturelle entre groupes humains crée même de nouvelles variétés du français commun (chapitre XV). Mais le fait important est qu'actuellement tous les individus qui ne parlent pas uniquement le français sont des bilingues, sachant le français; à l'époque féodale au contraire, chacun était unilingue et n'usait que de son langage local; ne faisaient exception que les gens instruits ou ceux des couches supérieures qui avaient l'occasion de voyager ou de recevoir des voyageurs, et certains éléments mobiles. Il y avait donc bien un cloisonnement qui a disparu dans la suite, très lentement.

3. Les dialectes

Distinction entre les groupes locaux ne veut pas dire incompréhension entre ces groupes ni absence d'influence des uns sur les autres. Si isolés qu'aient été les châteaux forts avec les villages environnants ou les bourgs fortifiés, il y avait des communications de voisinage on peut dire ancestrales, des attirances aussi vers certains centres, notamment des centres de commerce (marchés) et des centres religieux (pèlerinages, cathédrales diocésaines).

Deux ordres de faits antagonistes se sont révélés à l'exploration linguistique moderne, sur le terrain; l'interprétation pour le passé donne lieu à des discussions.

D'abord, il y a en quelque sorte dégradation insensible d'un parler roman local à l'autre, dans chaque direction qu'on fasse porter l'investigation, de telle manière qu'il est presque partout impossible de marquer une frontière nette entre, par exemple, les parlers du Nord et ceux du Midi. Il y a chevauchement des caractéristiques, de sorte que tel ou tel trait distinctif de l'ensemble méridional (comme par exemple les infinitifs en -ar au lieu de -er) se trouve dans les plus méridionaux des parlers du Nord, (en particulier en franco-provençal) à côté de traits caractéristiques de l'ensemble septentrional qu'on ne trouve jamais dans l'extrême Midi, ainsi š (écrit ch) pour ancien k (écrit c) devant un ancien a. L'inverse — particularités du Nord dans les plus septentrionaux des parlers du Midi — se trouve aussi, naturellement (ainsi des passages de a à é).

D'autre part, si on considère tous les faits phonétiques et autres, on voit que des groupements de certains d'entre eux caractérisent certains ensembles linguistiques, dont les plus réduits correspondent sur le terrain plus ou moins exactement à des diocèses, les plus grands à des provinces. On saisit ainsi, par les faits linguistiques, la trace et les limites de groupes sociaux qui peuvent être très anciens. Il arrive que les limites dialectales aient certains contours compliqués, inattendus si on considère les soi-disant obstacles naturels comme montagnes et rivières : c'est qu'il y a eu, on ne sait généralement pas pour quelles causes, des tracés compliqués des circonscriptions, des débordements d'une vieille population sur une autre. Dans certains cas, on a pu déterminer une relation entre une aire dialectale et les distances maximales où, encore maintenant, les gens se marient habituellement entre eux.

Beaucoup de dialectologues pensent que les limites dialectales étaient autrefois plus nettes, les régions mieux isolées linguistiquement : des mélanges de caractéristiques dialectales résulteraient de contacts postérieurs entre les populations des régions limites.

En tout cas, il est établi que nulle part un parler local n'est un aspect pris sur place par le latin, au cours des siècles, suivant une ligne de transmission simple. Il y a eu à l'origine des centres urbains d'irradiation, d'où le latin, déjà plus ou moins modifié dialectalement, a été projeté dans les campagnes, où il s'est encore différencié par la tendance naturelle au morcellement. Mais les villages ont été ensuite sous l'influence de marchés, de centres religieux, dont le langage a plus ou moins agi en un sens unificateur dans leur périmètre d'action; des influences de grandes villes, qui n'étaient pas toujours les premiers centres régionaux d'irradiation, se sont fait sentir, en partie sous la forme littéraire. Les langages locaux ont donc subi divers croisements d'influences suivant le détail des connexions sociales : on voit le résultat sans pouvoir en reconstituer le détail dans le passé.

La carte de la page 81 montre à la fois les noms qu'ont peut donner aux différents dialectes et leur extension en France et en dehors de France; il doit être bien entendu qu'en Angleterre le français n'a jamais été parlé, soit comme langage unique, soit à côté de l'anglais chez des bilingues, que par la couche gouvernante de la population.

Dans l'ensemble figuré ici, il faut distinguer trois grands groupes. La principale division est bipartite, excluant la région orientale. Au nord, le français au sens large, suivant une ancienne dénomination langue d'*oïl* ou langue d'*oui* (du latin *hoc-ille*). Au sud, les parlers d'*oc* (latin *hoc* avec le même sens 'oui') constituant l'occitan qui a donné son nom à la province du Languedoc, on le nomme souvent provençal, à cause de l'importance de la Provence, et aussi en raison de la renaissance littéraire méridionale sous ce nom au 19ᵉ siècle (avec Mistral et son école; l'occitan correspond à la partie de la Gaule la plus anciennement et profondément romanisée et qui n'a pas fait partie du domaine des Francs; il faut y joindre le district du catalan, à cheval sur les Pyrénées (en France le Roussillon); tout ce domaine a correspondu un moment à la domination wisigote, sans d'ailleurs que celle-ci semble avoir laissé de traces linguistiques directes.

A l'est, un domaine beaucoup moins important, et qui n'intervient pas dans l'histoire littéraire, reçoit le nom mixte, répondant à son caractère intermédiaire, de franco-provençal. Il a correspondu plus ou moins à des possessions des Burgondes, puis à une région où s'exerçait la suzeraineté de l'empereur germanique des temps féodaux; il comprend la région de Lyon (mais non la Bourgogne). Ici non plus on ne discerne pas d'influence germanique spéciale dans le langage; on peut au plus noter que la séparation linguistique correspond à d'anciennes divisions, d'ailleurs mal connues, des populations.

Au reste, il ne faut pas s'exagérer l'immutabilité de ces limites. Les zones d'influence ont souvent chevauché au cours de l'histoire, notamment suivant certaines vicissitudes des luttes féodales, avec des retentissements plus ou moins profonds sur les langues. C'est ainsi qu'à l'ouest la limite entre langue d'oui et langue d'oc semble bien avoir été marquée sensiblement par le cours de la Loire à une période ancienne; mais à l'époque moderne, les parlers du Poitou et de l'Angoumois entre Loire et Garonne se rattachent au Nord et non au Sud.

Ce qui est vrai pour la France, en ce qui concerne les limites dialectales, est vrai aussi pour l'ensemble des parlers romans.

Ainsi, dans l'ensemble, l'occitan se distingue du français par des particularités qu'il a en commun avec des langues plus méridionales encore; ce n'est donc pas du français proprement dit, et le 'substrat' qu'il constitue se reconnaît nettement, chez les gens de langue française de notre époque, par ce qu'on appelle l'accent du Midi (pour lequel il faut d'ailleurs distinguer bien des nuances). Aussi, dans la suite de ce livre, est-il question presque exclusivement du français proprement dit ou français du Nord. Néanmoins,

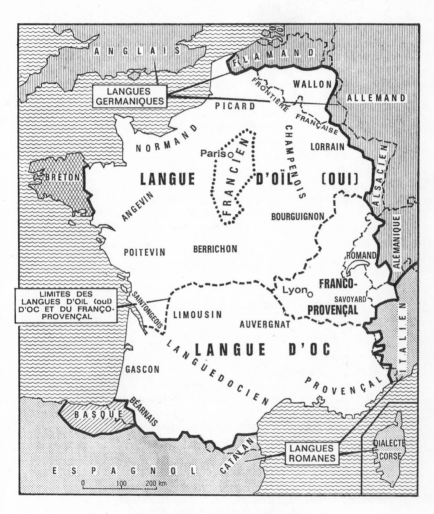

DIALECTES GALLO-ROMANS

divers traits particuliers joignent aussi langue d'oui et langue d'oc, par opposition aux langues telles que l'espagnol ou l'italien, de sorte qu'on a le droit de parler de gallo-roman ou de français au sens large pour l'ensemble du territoire français.

Au total, il n'y a pas de frontières nettes entre des langages parlés ayant même origine dans un passé relativement proche, et contigus sur le terrain. Mais il se constitue une véritable frontière linguistique là où se rencontrent des parlers qui, partis de points plus ou moins éloignés les uns des autres ont fait tache d'huile en s'étendant à la fois comme langue de gouvernement et comme langue écrite faisant l'objet d'un enseignement. C'est ainsi qu'on peut parler des frontières du français, de l'italien, de l'espagnol 'officiels', qui n'empêchent d'ailleurs pas en bien des points l'insensible dégradé des langages parlés comme patois par les ressortissants de ces langues.

Lorsque de telles frontières se sont établies entre grandes langues, on peut'décrire ces langues, leur grammaire codifiée, leur usage littéraire, sans se préoccuper, ou presque, des faits dialectaux.

4. La littérature féodale et les dialectes littéraires français

A l'époque féodale, pas de français écrit enseigné, pas de français officiel imposé par une administration. Aussi se trouve-t-on devant une situation compliquée et floue qu'il est bien difficile de décrire avec précision et courtement. Il faut observer tant bien que mal, au moyen des documents conservés et connus (il en reste certainement encore à découvrir) les prodromes de l'unification ultérieure.

Quelle que soit la diversité des aspects français dans les différents textes connus aux 11° et 12° siècles, déjà il y a une unité fondamentale de l'ancien français littéraire, beaucoup plus resserrée que celle des langages parlés dans l'usage journalier (du moins c'est ce qu'on peut affirmer avec la plus grande vraisemblance), et déjà au 13° siècle l'unification paraît avoir partie gagnée.

Pour la période originelle, il faut se garder de confondre littérature et langue écrite. Tout le haut moyen âge jusqu'au 10° siècle n'a pas plus vécu sans contes, chansons et sans doute longs poèmes que tant de populations d'Afrique dont la littérature n'a été mise par écrit qu'à partir du 19ᵉ siècle, par des voyageurs blancs. Il faut tenir compte des précurseurs ignorés de nous, et qui sans doute de leur vivant n'avaient qu'un rayonnement local restreint. Pour l'épopée qui a reçu le nom de *Chanson de Roland* et pour les chansons de geste en général, nous avons le droit de les dater, en ce qui concerne l'étude de la langue, du moment où nous pouvons soupçonner à divers indices que s'est fixée la teneur du texte, écrit ou non, que reproduit ce manuscrit. Mais, à moins d'avoir une donnée historique sur l'auteur du texte, nous ne pouvons pas dater l'origine vraie de celui-ci à un siècle près.

Nous ne pouvons pas non plus situer dans une province déterminée l'origine d'un poème anonyme. Ce qu'on situe, par la comparaison avec des textes ultérieurs authentiquement provinciaux et même avec des patois modernes, c'est la langue du scribe dont on a conservé le manuscrit. Le langage propre de l'auteur peut avoir été sensiblement différent, et pour diverses œuvres on a des raisons de penser qu'elles ne sont pas nées dans la province qui nous en a conservé une version écrite.

Mais nous parlons ici déjà de provinces et de dialectes, et non de petits patois locaux. En effet, nous n'avons conservé que des œuvres, anonymes ou signées, qui ont eu un retentissement, une expansion. Il faut bien imaginer que leurs auteurs ont composé ces ouvrages pour être compris de gens variés, éloignés de leur petit pays natal, ou qu'à leur défaut d'autres ont fait de leur œuvre une version destinée à une telle publicité. La langue adoptée devait être une langue de relation ou, comme on dit quelquefois, une langue véhiculaire, donc en gros celle de quelque grand centre (ville, ou province de langue plus ou moins unifiée), où déjà s'était fait un certain brassage et mélange de population. Et si des scribes d'autres provinces ont accommodé à leur mode le texte qu'ils mettaient par écrit de mémoire ou sous la dictée, ou en copiant à leur propre usage et à celui d'un public local, ils ne remaniaient pas entièrement le texte en leur parler maternel, mais lui donnaient seulement une teinte provinciale, par des particularités de langue qui étaient pour eux les plus fondamentales. D'où un certain aspect mélangé de la plupart des ouvrages qui nous sont parvenus.

Ainsi, les œuvres pouvaient circuler d'une province à l'autre en étant comprises par les différents publics, au prix d'une accommodation peu importante de la part des récitants ou des scribes, ou au prix d'un assez petit effort de compréhension des auditeurs ou des lecteurs.

Au reste, on doit se dire que tous les dialectes étaient encore sensiblement plus proches du latin qu'ils ne l'ont été dans la suite de l'évolution, et par conséquent aussi moins divergents entre eux. Même, lorsque le français du Nord avait encore un certain nombre de consonnes et de voyelles qui se sont perdues par la suite (surtout les consonnes et les -e en fin de mot), la différence avec le français du Midi n'était pas si éclatante. Quand la littérature méridionale s'est développée, d'abord vers le nord du domaine occitan, elle n'a pas dû paraître fondamentalement étrangère à la littérature septentrionale.

Au total, bien que des philologues éditeurs de textes et les historiens de la langue doivent faire grande attention à l'origine des diverses rédactions et aux écoles littéraires de diverses provinces, on a le droit de parler de la littérature de langue d'oui en ancien français comme d'un tout. Non encore ramassée dans la première période, celle des 11ᵉ et 12ᵉ siècles, elle correspond à une sorte de constellation d'aspects dialectaux (normand, anglo-normand, picard, wallon, lorrain, champenois, francien); mais dès le 13ᵉ siècle le resserrement s'est fait, en faveur du dialecte de l'Ile-de-France.

Quels sont les éléments sociaux de l'unification, dont le reflet est justement l'établissement d'un seul langage littéraire, destiné à être plus tard une seule langue, officielle et enseignée, par-dessus la diversité subsistante des langages locaux ?

Réponse : royauté-église-bourgeoisie.

Le roi de France est le suzerain de tous les grands seigneurs. Il rend la justice entre eux; délibérant avec eux, il peut rendre des ordonnances et prendre des mesures financières pour tout le royaume. Il est le chef militaire s'il s'agit d'expéditions à l'extérieur. Seul, il a un pouvoir consacré par un acte religieux, l'onction du sacre.

L'église est une puissance qui déborde de beaucoup le cadre du royaume de France; mais à l'intérieur du royaume elle a partie liée avec le roi, qu'elle oint à Reims. Elle appuie les mesures générales de la royauté, comme celle-ci protège les membres du clergé. Les fêtes religieuses des églises cathédrales, les grands pèlerinages, à partir de la fin du 11ᵉ siècle les Croisades, ont été des causes de mouvement, donc d'unification, suscitées et entretenues par l'église.

Les villes, après la période désastreuse du haut moyen âge, ont repris leur progression; la bourgeoisie échappe plus ou moins dès cette époque au cadre de l'organisation proprement féodale; elle est souvent liée à l'action de la royauté, même en dehors du domaine propre du roi, où se trouvent des villes peuplées qui prennent une importance particulière comme siège de l'administration royale.

La principale forme du français littéraire, destinée à devenir peu à peu la seule, a donc été la langue de l'Ile-de-France, qu'on est convenu d'appeler le francien. Sa base territoriale étroite a sans doute été Paris, qui a toujours fait partie du domaine royal et qui est devenu de fait la capitale à la fin du 12ᵉ siècle, le roi y ayant son centre judiciaire et sa principale résidence fortifiée (Louvre de Philippe-Auguste) ; l'abbaye de Saint-Denis, à proximité, avait une importance particulière (conservation de l'oriflamme royal, tombeaux des rois de France). Dépassant bientôt le premier en date des centres de haut enseignement qui florissait à Montpellier dès le 12ᵉ siècle, une grande Université se développait à Paris. Mais sous les premiers Capétiens c'était Orléans qui était la principale ville royale et la cour était en déplacements continuels, s'installant pour un temps dans tel palais ou telle abbaye. Il faut compter dès ce moment avec une assez nette unification linguistique de la région principale du domaine royal. Elle s'est sans doute étendue assez tôt au reste de ce domaine (ainsi Bourges) et même aux villes, sinon aux campagnes, des domaines voisins où les parlers n'étaient pas profondément différents du francien : à l'ouest, Blois et Tours, à l'est, Troyes et Reims, ville du sacre.

Mais, bien entendu, il ne s'agit que du langage écrit ou du langage parlé des gens plus ou moins cultivés, en somme des couches supérieures de la population, puisque aussi en Ile-de-France même des patois ont subsisté chez les paysans jusqu'à l'époque moderne.

Autres questions : quels étaient les auteurs d'œuvres littéraires à l'époque féodale, et quel était leur public ? Pour les premiers temps au moins, on est mal renseigné. Mais il faut tenir compte, pour s'imaginer les choses, des conditions connues.

Les cercles où on savait lire et écrire étaient peu nombreux. Toutefois, le clergé séculier et régulier qui recevait une instruction était abondant et se recrutait dans tous les milieux, et il faut y ajouter, assez tôt, un assez grand nombre de fonctionnaires civils. La diffusion des œuvres par écrit était très restreinte : la copie des manuscrits, qui se faisait surtout dans les abbayes, était lente, leur achat était très coûteux. Il en résulte d'ailleurs qu'une partie seulement de la littérature de cette époque nous a été conservée.

Cependant, dès le début de la littérature française écrite, les besoins intellectuels du peuple ont été satisfaits par l'oreille, comme

ils devaient l'être peu après par l'œil au moyen de l'imagerie des
églises.

Le 'jongleur' (du latin *ioculator*, de la même racine que 'jouer'),
poète lui-même ou non, toujours récitant, en même temps que
généralement faiseur de tours, était un personnage ambulant. Sans
doute était-il souvent l'hôte des châteaux; mais là les vassaux
même paysans devaient être plus ou moins rassemblés pour l'entendre. Il faut se le représenter surtout sur les marchés, les parvis
des églises aux jours de fête, et dans les tavernes environnantes. Il
est facile de savoir ce que c'était, car des personnages analogues,
souvent de grand talent, se rencontrent de nos jours sur les marchés
et dans les cafés des grandes villes musulmanes, chantant en vers,
récitant en prose rythmée, mimant en partie des histoires pieuses
ou des contes des Mille et une Nuits.

Personnage mobile, le jongleur devait se joindre aussi aux foules
en déplacement et y avoir son rôle, dans les pèlerinages collectifs,
plus tard dans les cohues des Croisades.

La mobilité des jongleurs, les grands déplacements d'hommes en
foules mélangées d'origines territoriales diverses, ce sont encore
des facteurs d'unification pour la langue littéraire d'abord, ensuite
pour la langue en général.

Et maintenant, une courte revue de la puissante littérature de
l'ancien français, littérature encore restreinte à certains genres,
mais vraiment 'classique' par sa perfection et son abondance dans
ces genres, et par le prestige qu'elle a eu dans toute l'Europe occidentale.

Du 11° siècle on a d'abord, conservée par plusieurs manuscrits
dont le plus ancien est du 12° siècle, une vie de saint en vers, celle
de saint Alexis (sur les textes les plus anciens dus à des clercs, voir
p. 72). Puis, datée dans l'ensemble de la fin du siècle, mais reposant sur des compositions sensiblement plus anciennes, apparaît la
masse des épopées dont la plus connue est la *Chanson de Roland*
(voir un fragment à la fin du chapitre VI). Les rédactions conservées sont dues sans doute à des gens instruits qui en ont plus ou
moins poli et enrichi la langue et la versification, sans parler de la
musique, qui était essentielle, mais un certain caractère de littérature populaire est indéniable. Ce n'est pas par hasard que les premières grandes œuvres sont des poèmes épiques. Tout pleins de
l'esprit de la chevalerie féodale, d'un esprit national aussi, et surtout d'un profond esprit chrétien, c'étaient, à l'usage de toutes les
couches du peuple, des enseignements d'histoire, d'esprit 'civique',

de religion pratique. La forme artistique de poème en faisait une
distraction; elle permettait aussi aux récitants, et en partie aux
auditeurs, de les retenir en mémoire.

La *Chanson de Roland* racontait, de manière altérée et sous une
forme en grande partie légendaire, des faits antérieurs de trois
siècles; mais il s'agissait d'une guerre de Charlemagne contre les
Arabes d'Espagne et c'était tout à fait d'actualité, à l'époque des
petites croisades partielles en Espagne qui ont préludé à la première
grande croisade de la fin du 11ᵉ siècle.

D'autres 'chansons de geste', (c'est-à-dire 'récits chantés de hauts
faits') ont retracé plutôt les vies aventureuses de grands seigneurs
féodaux et notamment leurs luttes contre les souverains. Le poème
de *Tristan et Iseut* a perpétué de vieux souvenirs, et introduit dans
la littérature française le roman d'amour.

Au 12ᵉ siècle est apparu un ensemble littéraire nouveau, avec
des pièces d'auteurs bien déterminés dont on connaît généralement
la vie; c'étaient des poésies d'amour; les auteurs étaient souvent des
grands seigneurs ou des grandes dames cultivés, ou des poètes qui
vivaient à leur cour. Cette poésie a été spécialement florissante dans
le Midi, plus raffiné et de vie plus douce, où les auteurs ont été
dénommés *troubadours* ('trouveurs', 'compositeurs'), nom auquel
correspond en langue d'oui le mot que nous écrivons *trouvère*.
Troubadours et trouvères ont chanté l'amour 'courtois' du cavalier
qui fait pendant des années la 'cour' à la dame de ses pensées. Littérature importante au point de vue social, marquant l'influence dès
cette époque d'une bonne société instruite, en dehors des influences
cléricales. Dans le Midi, ce caractère était d'autant mieux marqué
que l'hérésie 'cathare', ayant succédé dans la région languedo-
cienne à l'ancienne hérésie arienne qui était celle des Wisigots,
s'opposait à l'église catholique. Au début du 13ᵉ siècle, la croisade
des Albigeois, pas décisif dans sa terrible brutalité vers l'unification
religieuse et politique de la France, a ravagé le Midi et restreint
définitivement sa littérature à un rôle local.

Le 'roman courtois' s'est développé avec le grand auteur du
12ᵉ siècle, Chrétien de Troyes; il a abouti, au 13ᵉ siècle, au célèbre
Roman de la rose, plein de subtiles allégories, qui commencent à
faire passer dans la littérature profane des notions empruntées à
l'enseignement scolastique.

Une veine populaire et satirique s'est manifestée au 12ᵉ siècle
dans le *Roman de Renart*, parodie de la vie féodale dont les acteurs
sont des animaux, et dans les 'fableaux' ou 'fabliaux' (forme nor
mano-picarde du mot), récits plaisants en vers.

Une autre forme populaire de littérature est le théâtre, lié à la fois aux cathédrales et aux corporations, sous sa double forme religieuse et comique. Ce théâtre s'est largement développé au 12° et au 13° siècles. Il est attesté en différents endroits, notamment en Angleterre; mais ce n'est pas par hasard que les principales pièces proviennent des grandes communes du Nord, notamment Arras, où se développait la puissance de la grande bourgeoisie naissante (d'où la relative importance du dialecte picard à ce moment).

La prose littéraire fait son apparition au 13° siècle, épisodiquement, dans les parties non rimées de la 'chantefable' d'*Aucassin et Nicolete* (marquées de dialecte picard), mais surtout dans les chroniques ou mémoires imagés de Villehardouin (voir fin du chapitre VI) et de Joinville, guerriers des Croisades et seigneurs instruits. Dans d'autres littératures encore, les premières œuvres en prose ont été des récits historiques mis par écrit par des témoins ou des voyageurs (ainsi dans la Grèce antique et dans l'Abyssinie moderne).

Il est important de noter les premiers documents conservés de l'usage du français dans la vie courante et dans la vie administrative. De la fin du 12° siècle on a retrouvé des correspondances et des actes officiels en français (pour l'occitan on a des actes du 12° siècle). C'est au milieu du 13° siècle (règne de saint Louis) que la chancellerie royale commence à se servir de la langue du roi pour des actes diplomatiques. En 1275 commence la rédaction française des *Chroniques de saint Denis*.

Au 13° siècle apparaissent les premières traductions ou adaptations d'œuvres profanes de la littérature latine ancienne (*Les faits des Romains* vers 1212). Au même moment, premiers ouvrages d'étude de la langue : traités anglo-français par les Anglais, lexique latin-français.

Il est intéressant de noter que, si on laisse de côté les tout premiers textes conservés de l'ancien français, et si on néglige l'activité matérielle des scribes, on peut dire que la caste des 'clercs', ecclésiastiques ou non, a joué un rôle réduit dans le développement de l'ancienne littérature française. Celle-ci a été imprégnée de l'esprit chrétien qui était répandu partout à cette époque et fournissait ce qu'il y avait de plus élevé, de plus général et de moins brutal; mais elle n'était nullement confinée dans un milieu pédant et formaliste. Toutefois les clercs participaient naturellement au mouvement littéraire, mais surtout avec usage du latin (voir § 6 ci-dessous).

5. Le français et les relations internationales
pendant la période féodale

Le domaine de langue française, soit sous l'autorité du roi de France, soit sous celle du roi d'Angleterre, communiquait avec l'extérieur.

La langue française elle-même a été implantée pour un temps dans les domaines normands, puis angevins, d'Italie du Sud et de Sicile (11°-12° siècles), et dans le royaume de Jérusalem (12° siècle).

La langue et la littérature françaises étaient répandues dans le monde catholique en dehors des frontières du français parlé : ainsi des Italiens écrivaient en français, alors que la littérature italienne ne s'était pas encore développée. Dans le Saint-Empire, nombreuses ont été les traductions de l'ancien français en langue germanique. La langue française profitait du rayonnement de l'Université de Paris (voir le paragraphe suivant).

D'autre part, les influences des pays non catholiques, monde byzantin et surtout monde arabe, ont contribué d'une manière puissante à l'essor des techniques et des arts en France, en même temps que de la philosophie et des sciences.

L'architecture du plein cintre, dite romane (10°-12° siècles) est d'origine orientale et l'architecture ogivale, dite gothique, à partir du milieu du 12° siècle, doit en principe à certains détails des constructions arabes ('ogive' est un mot d'origine arabe); mais leur développement a été original ainsi que celui de la sculpture, du vitrail et de la peinture à fresque.

Les Croisades, sous une direction surtout française, ont beaucoup contribué aux contacts entre l'Europe occidentale et le monde arabe et oriental; les Français en ont gardé l'habitude de certains raffinements du costume, du mobilier, de la cuisine; la technique du grand commerce a été aussi influencée. Un des résultats de ces contacts a été l'introduction dans le vocabulaire français d'assez nombreux mots usuels, empruntés à l'arabe directement ou par l'intermédiaire de l'italien ou de l'espagnol : ainsi *jupe* (d'où le dérivé *jupon*), *matelas, sucre, coton, goudron* et le doublet (deux mots distincts de même origine) *chiffre* et *zéro*.

6. Le latin et la littérature latine
pendant la période féodale

Dans tout le domaine catholique, limité au sud par le domaine musulman et à l'est par le domaine byzantin et d'influence byzantine (christianisme dit 'orthodoxe'), le latin, langue du culte, était aussi la langue de l'enseignement, celle de la philosophie et des sciences, celle du droit et, dans une large mesure, aussi de l'administration.

Les clercs de toutes catégories, à fonctions proprement ecclésiastiques ou non, avaient pour langue seconde le latin, plus ou moins altéré dans son usage pour les besoins quotidiens et prononcé, au moins en France, à la française; c'était là un bilinguisme spécial : langue savante et langue vulgaire.

Dans un temps où les nationalités étaient encore mal fixées, et où la prépondérance de l'église se superposait à la fois à la hiérarchie féodale et aux royautés encore peu puissantes, l'usage du latin était l'aspect linguistique de cette puissance 'catholique' (c'est-à-dire en grec 'universelle') internationale.

L'Université de Paris a été la plus importante de cette époque (fondation du collège de Robert Sorbon, 1253); elle attirait des maîtres et étudiants de tous pays, mais la langue de son district, le 'Quartier latin', était effectivement le latin, non le français.

Le latin aussi était la langue de toutes les abbayes, au moins dès qu'il ne s'agissait pas de détails de la vie matérielle. On ne peut pas faire une histoire de la littérature en France sans y faire figurer la littérature latine écrite pendant la période féodale.

La grosse masse comprend les écrits relatifs à la fois à la religion, à la philosophie et aux sciences, où on doit considérer et la transmission directe de la tradition latine et les influences de la philosophie et de la science arabes, héritières elle-mêmes de la civilisation grecque.

En outre, la littérature profane antique a continué plus ou moins à être étudiée, malgré les répugnances religieuses, et quelques reflets s'en trouvent dans la littérature française.

En particulier, il faut tenir compte de la composition de pièces de théâtre latines, à l'usage des étudiants, imitées et inspirées d'écrivains latins.

Ce qui précède concerne des parties non représentées exactement dans la littérature française féodale. Mais il y a aussi un aspect

latin de cette littérature proprement féodale : on a conservé des
textes de chansons de geste et de fableaux en latin.

Ainsi, dans la période du 11ᵉ au 12ᵉ siècle, le français littéraire
qui n'était pas encore définitivement unifié, ni répandu partout en
France, devait en outre partager son rôle avec le latin encore vivace
dans l'usage écrit et auquel de vastes parties des connaissances,
sinon de l'art littéraire, restaient réservées.

L'aspect proprement linguistique de cette situation littéraire est
la présence de nombreux mots 'savants', non hérités, mais empruntés au latin (voir p. 127).

CHAPITRE VI

LA STRUCTURE DE L'ANCIEN FRANÇAIS
ET LES ORIGINES DE SES PRINCIPAUX TRAITS

Considérations préalables

L'ancien français est un état de langue intermédiaire entre le latin dont il représente un stade évolué, et le français moderne qui est un stade postérieur de quelques siècles. C'est le langage de la France du Nord pendant la période féodale.

Peut-on essayer d'expliquer sa prononciation, sa grammaire, ses ressources de style, en rapport avec les traits caractéristiques de la société de ce temps ? Avec l''esprit français' à ce moment de son développement ? Avec l'origine et la constitution physique des gens de cette époque et de ce lieu ? Avec le climat, la nourriture, et les autres conditions de vie ?

Il est vraisemblable qu'il y a de tels rapports, puisque aussi bien le latin a partout évolué autrement; que le français à côté des modifications qui se retrouvent dans toutes les langues romanes, présente ses traits propres (qu'il faut d'ailleurs encore diviser en variétés locales). Peut-être la science linguistique, en se développant, pourra-t-elle plus tard trouver certaines formules de ces rapports, malgré la difficulté qui subsistera toujours pour étudier dans le détail des faits passés incomplètement connus. Mais nous n'en sommes pas là; il ne nous est pas possible d'aborder cette question : pourquoi l'ancien français est-il tel et non autrement ?

Tout au plus pouvons-nous dire que le grand espace de temps qui s'est écoulé sans freinage par l'enseignement entre l'état latin et l'état ancien français, le développement sur un terrain étranger où le latin avait été transplanté, le mélange de populations parlant différentes langues (germanique et gallo-roman) pendant cette période et dans ce pays, expliquent le fait général que le changement a été profond.

Ce qui est important, c'est d'essayer de donner une idée du fonctionnement de cette langue. A cet effet, montrer les différences avec le fonctionnement du latin; montrer aussi comment on peut concevoir que certaines conditions latines ont produit, par suite d'évolutions de type connu, certaines conditions françaises; comment des amorces d'évolution observées en latin 'vulgaire' ont développé leurs conséquences. En somme, reconstituer le 'comment' de l'histoire des sons et des formes, dont le 'pourquoi' ne saurait être étudié en général.

Il est légitime, d'autre part, d'étudier quelles ont été les ressources d'expression de l'ancien français, de chercher à voir à quel stade de formation il correspond comme langue littéraire, comme langue de civilisation, c'est-à-dire non plus quelles sont les formes de la langue, mais quel usage en est fait. En effet, ce n'est pas un patois local que nous envisageons, c'est le français, grande langue, dans un premier état de floraison. Il doit être possible, à cet égard, de donner certaines indications portant surtout sur le maniement de la phrase et sur le vocabulaire.

C'est donc le 'francien', qui est devenu par la suite le français en général, dont les traits principaux sont relevés ci-dessous; cependant quelques indications sont données soit sur d'autres dialectes d'oui, soit sur la langue d'oc, justement pour montrer la diversité des possibilités d'évolution, tout en donnant quelque idée de la variété qui se rencontre dans les textes de la période féodale. Il est tenu compte aussi dans une certaine mesure de l'évolution observable au cours de trois siècles : il ne faudrait pas croire que le français ait été fixé pendant cette période.

L'exposé est extrêmement sommaire et simplifié au possible. C'est utile pour donner en peu de pages une idée d'ensemble assez facilement compréhensible; et il faut bien, dans un exposé de ce genre, écarter autant que possible les questions obscures et controversées. Seulement, il ne faudrait pas que personne vienne à s'imaginer qu'il n'y a pas de telles questions. Au contraire ayez, lecteurs, conscience des difficultés du sujet, de nos ignorances, et des embarras des spécialistes.

1. Orthographe

Nous n'atteignons l'ancien français qu'à travers les documents écrits : il nous faut donc essayer de savoir comment l'écriture y était employée.

La question d'une invention d'écriture ne s'est pas posée pour le français naissant : ceux qui l'ont écrit avaient l'habitude d'écrire le latin, à tel point qu'ils n'ont pas eu l'idée d'employer soit une autre écriture, soit une autre orthographe. Ils n'ont pas eu à faire au début un gros effort; mais le français porte encore de tristes conséquences de ce début trop facile; d'être né dans un milieu cultivé, avec une tradition, a été à certains égards un inconvénient.

L'ancien français a bénéficié au début d'une certaine clarté de l'orthographe latine où les lettres étaient toutes employées pour noter des sons effectivement articulés, sans lettres supplémentaires non prononcées, sauf *h* dont il va être question. Avertissons ici encore une fois que pour comprendre l'état de l'ancien français il faut prononcer toutes les consonnes et toutes les voyelles écrites.

D'autre part, les scribes ont reçu aussi de la tradition latine un moyen, qui n'était pas très bon, de noter des consonnes qui n'existaient pas en latin : c'était d'ajouter à une lettre la lettre *h* qui, ne se prononçant plus en latin, n'avait pas d'autre usage; les Romains avaient employé ce procédé pour écrire en latin des mots pris au grec qui avait un alphabet plus complet : ainsi *ch* transcrivait le grec χ dans un mot comme *character* (notre 'caractère'); cette combinaison a servi à noter en français une consonne que le latin n'avait pas, la chuintante affriquée sourde *č* (*tch*), devenue ensuite la chuintante continue *š* (*ch*) par transformation de *k* (écrit *c*) devant *a*. (Sur *dh*, voir p. 73).

Malheureusement, on n'a pas eu l'idée d'inventer de nouvelles lettres pour distinguer les sons qui, uniques en latin, s'étaient différenciés en français; ainsi *g* tel qu'il est devant *o*, et tel qu'il est devant *i*; *i, u* voyelles d'une part et *i, u* devenus les consonnes *j, v* d'autre part. Du latin aussi on a gardé l'emploi de la seule lettre *e* pour des voyelles qui différaient entre elles.

Par ce manque d'esprit novateur qui tenait, au moins en partie, à la force de l'habitude et de la tradition, l'orthographe française a été viciée dès le début. Discordante par rapport à la prononciation dès les plus anciens textes, elle devait toujours suivre avec grand retard l'évolution phonétique de la langue. Malgré quelques timides améliorations dans des époques de progrès, les inconvénients ont toujours été en s'aggravant.

Il faut tenir compte aussi de certaines habitudes des scribes, héritées en partie de l'antiquité. Emplois 'ornementaux' de certaines lettres, ainsi *v* pour *u* à un début de mot, *y* pour *i* à une fin de mot. Abréviations diverses dont les principales à retenir sont des 'sigles', qui consistent en l'emploi d'une seule lettre pour noter deux sons qui se suivent : *z* pour *ts*, et *x* pour *us* à la fin des mots.

Ajoutons enfin qu'il n'y a pas eu de règles fixes à l'époque féodale : les orthographes varient sensiblement de manuscrit à manuscrit.

2. Prononciation (phonétique)

a) CONSONNES. — Nous commençons par ce qui constitue en quelque sorte l'armature des mots et a subi le moins de changements au cours de l'évolution. Il s'est produit cependant beaucoup de ces changements, presque toujours dans le sens d'un affaiblissement, qui peut aller jusqu'à la disparition. Un fait notable est l'élimination de beaucoup de groupes de consonnes à l'intérieur et à la fin des mots. Les combinaisons qui ont subsisté comprennent une des deux liquides *r, l.*

L'ancien français possédait les consonnes existantes en latin (excepté la combinaison *kw* qui s'est réduite à *k* en francien, voir p. 37).

Donc : les occlusives *p, b; t, d; k, g;* les continues ou spirantes *f, s; m, n; r, l.*

Mais au cours de l'évolution, des transformations nombreuses avaient eu lieu, surtout parce que dans les langues romanes les consonnes ont été sensibles à l'influence des voyelles voisines. Ceci a eu deux conséquences : d'abord les consonnes se sont affaiblies lorsqu'elles se trouvaient entre deux voyelles (souvent aussi lorsqu'elles étaient en fin de syllabe, après une voyelle et devant une autre consonne); ensuite certaines consonnes ont changé de prononciation lorsqu'elles étaient suivies de certaines voyelles (celles de l'avant de la bouche). D'autre part, les semi-voyelles s'étaient au contraire renforcées de manière à devenir de vraies consonnes.

Le résultat final, après certains stades intermédiaires, a été l'acquisition par le français de quelques consonnes 'continues' ou 'spirantes' que le latin n'employait pas : *v, z, š* (que nous écrivons *ch*) et sa correspondante sonore *ž* (que nous écrivons *j* ou *g* suivant le cas). Sur *ñ* (écrit *gn*) et *l* mouillé, voir plus loin, p. 101. Sur des consonnes d'origine germanique, voir *gw* p. 99 et *h* p. 103.

Les pages suivantes montrent les faits de détail principaux.

Il n'est donné en général qu'un exemple pour chaque fait; mais il doit être entendu que, suivant la formule de constance des évolutions phonétiques (voir p. 24), les règles sont valables pour les mots où une consonne ou voyelle donnée se trouve dans une position et dans un entourage donnés, sauf accidents individuels arrivés à certains mots qu'il faut expliquer à part. Par exemple, si nous disons que *k* latin (écrit *c*) est conservé devant les voyelles du fond de la bouche, c'est un fait commun aux mots qui sont en français moderne *corne*, *cœur*, *cour*, etc., et si nous disons que le même *k* est devenu *š* (écrit *ch*) lorsqu'il était devant *a*, c'est vrai à la fois pour *château*, *cheval*, *chèvre*, et d'autres.

(Voir p. 111, pourquoi les mots latins autres que les féminins en -*a* sont cités au cas accusatif et non au cas nominatif que donnent les dictionnaires.)

p latin a été conservé en début de mot et en début de syllabe après consonne : *patrem* (accusatif de *pater*) aboutissant à *père*; *talpa* aboutissant à *taupe*.

Mais entre voyelles *p* est devenu d'abord *b* et a ensuite suivi le sort de *b*, ainsi *ripa* devenu *rive*; de même devant *r* : *capra* devenu *chèvre*.

b latin a été conservé en début de mot et après consonne : *barba* est devenu *barbe*.

Mais entre voyelles un *b* (soit ancien, soit provenant d'un *p*) est devenu *v* en français, alors qu'il est resté *b* en occitan, ainsi *faba* devenu *fève* (et voir *rive* ci-dessus). De même devant *r* : *labra* devenu *lèvre*.

Devant consonne occlusive, *p* s'amuit; ainsi *septem* devenu *set* (auquel on a rajouté plus tard un *p* orthographique, d'où *sept*).

t latin a été conservé en début de mot et après consonne : *testa* 'poterie, pot de terre, calotte crânienne', est devenu *teste*, moderne *tête*. (Ce mot familier a vécu en ancien français à côté de *chef*, provenant du latin *caput* 'tête' où le *p* est devenu *f* et non *v* à cause de sa position finale, et il a fini par le remplacer entièrement vers le 16ᵉ siècle.)

Mais entre voyelles *t* est d'abord devenu *d* et a ensuite suivi le sort de *d*; ainsi *rota* devenu finalement *roue;* de même devant un *r : patrem* devenu finalement *père.*

En finale *t* était conservé après consonne; ainsi *mortem* (accusatif de *mors*), devenu *mort,* où le *t* se prononçait en ancien français. Mais après une voyelle *t* a disparu au cours de la période féodale; on a le droit de supposer qu'il s'est d'abord affaibli dans le son de l'anglais *th* dans *thing* 'chose' (en termes phonétiques : spirante interdentale sourde); ainsi au 10° et même au 12° siècle on rencontre *citet* pour ciuitatem (accusatif de *ciuitas*), plus tard *cite* (écrit de nos jours *cité*) et *aimet* pour *aime* (latin *amat*).

d latin a été conservé en début de mot et après consonne : *durum* (accusatif de *durus*), devenu *dur; tardare* devenu *tarder.*

Entre voyelles *d* (et *t* devenu *d*, voir ci-dessus) s'est affaibli en spirante interdentale sonore (*th* anglais de *this* 'celui-ci', voir ci-dessus p. 73); mais dès le 13° siècle cette consonne s'est amuie, de sorte que par exemple *sudare* est devenu *suer* (tandis que *d* est resté conservé en provençal).

En fin de mot *d* est devenu *t* après consonne; ainsi *grandem* (accusatif de *grandis*) a donné *grant* (écrit aussi *grand* comme la forme moderne). Mais en finale après une voyelle, il a subi le même sort qu'entre voyelles, de sorte que par exemple *nudum* (accusatif de *nudus*) après avoir perdu sa finale -*um* était devenu *nu* dès le 12° siècle.

k latin a subi des traitements assez compliqués, seulement résumés ici.

Au début de mot et après consonne, *k* (généralement écrit *c*) a été conservé s'il était suivi d'une consonne ou d'une voyelle de l'arrière-bouche *o, u* (prononcé comme *ou* du français); cette conservation a persisté même quand *u* est devenu *ü* (*u* du français moderne, c'est-à-dire une voyelle d'avant de la bouche).

Ainsi : latin *cor* est devenu *cuer* (plus tard *cœur*); *cura* est devenu *cure; crudum* (accusatif de *crudus*) est devenu *cru; arcum* (accusatif de *arcus*) est devenu *arc.*

Mais dans les mêmes positions, s'il était suivi de voyelles de l'avant-bouche *i, e,* le *k* s'est avancé lui-même beaucoup dans la bouche, et il est devenu une consonne complexe prononcée à peu près *ts,* qui s'est réduite au 13° siècle à *s.* Noter que le *s* ainsi produit a continué à s'écrire *c* ce qui a causé une des premières confusions dans l'orthographe.

palatalisation [margin annotation]

Ainsi le latin *centum* est devenu *cent*, le latin *cilium* est devenu *cil*, le latin *mercedem* (accusatif de *merces* 'salaire, récompense') est devenu *merci*. Noter qu'en occitan le *c*, devant *i*, est devenu *s* comme en français.

Dans les dialectes normand et picard *k* devant *e*, *i* est devenu un son chuintant : d'abord *č* (en orthographe française *tch*), son qui a subsisté d'autre part en italien, puis *š* (écrit *ch*) ; ainsi le picard dit *merchi*.

Il y a eu encore un troisième traitement, lorsque *k* était suivi de *a*; en effet si dans cette situation le *k* n'a pas été altéré en occitan (sauf dans les parlers les plus septentrionaux), ni en picard et en normand, en francien il est devenu *č* (*tch*), qui est conservé dans des emprunts anglais au français (comme *chimney* 'cheminée'), puis, à partir du 13° siècle, *š* (*ch*) : c'est la principale source des *ch* si abondants en français; ainsi le latin *castellum* est devenu en français *chastel*, puis *château*; le bas-latin *circare* a donné *cerchier* (ou le *š* a influencé le *s* du début, d'où, par le phénomène qu'on appelle une assimilation à distance ou dilation, la forme moderne *chercher*).

Entre voyelles, *k* a disparu devant un *o* ou un *u* : latin *securum* (accusatif de *securus*) est devenu *seur* (*seür*, plus tard *sûr*). Il a subsisté dans certains cas en tant que *y* (latin *pacare* aboutissant à *payer*) ou en tant que *dz* précédé de *y*, réduit au 10° siècle à *z*, tandis que *y* s'alliait à la voyelle précédente dans l'orthographe *is* (exemple : latin *placere* devenu *plaisir*).

Devant consonne et en fin de mot *k* a souvent subi ce même dernier traitement, d'où par exemple *crucem* (accusatif de *crux*) devenu *croiz* (moderne *croix*); dans d'autres cas il est devenu un *y*, joint plus tard à la voyelle précédente en une voyelle unique : latin *fac* est devenu *fai* (moderne *fais*) comme en dehors de la finale *factum* est devenu *fait*. (voir encore p. 101).

g a eu un sort dans l'ensemble parallèle à celui de *k*.

Conservation au début de mot et après consonne devant *o* et *u* : latin *gustare* devenu *gouster* (moderne *goûter*), latin *angustia* devenu *angoisse*.

Devant *e*, *i* et devant *a*, un seul et même traitement : *g* est devenu *ğ* (en orthographe française *dj*), puis, à partir du 13° siècle *ž* (écrit *g* devant *e*). Ainsi latin *gelare* devenu *geler*, latin *gallina* devenu *geline* ('poule' en ancien français), latin *uirga*, devenu *verge*. Devant les autres voyelles, pour éviter la prononciation occlusive, on a écrit en ancien français *i*, avec réalisation graphique *j* (*i* long) à

l'initiale, d'où bas-latin *gamba* donnant *jambe*, latin *galbinus* donnant *jalne*, *jaune*, *gaudium* donnant *joie*.

Ici donc le français a une chuintante, tout comme le normand et
le picard, devant *e*, *i*; mais ceux-ci, ainsi que l'occitan ont gardé *g*
devant *a* d'où normano-picard *gambe*, provençal *gambo*. En occitan,
g devant *e*, *i* a fini par se prononcer *dz*, par exemple dans *gendre*.
La consonne *ž* ainsi apparue en français fait paire avec la chuintante *š* dont elle est la sonore (voir p. 95) : deux consonnes qui
n'existaient pas en latin.

L'emploi persistant de *g* pour *j* devant certaines voyelles est un
des inconvénients de l'orthographe française.

Le français a pourtant des *g* (prononcés comme dans '*gâteau*')
devant *a* ou *e*. Ils proviennent surtout de mots germaniques empruntés, qui avaient une consonne initiale *w*, prononcée sensiblement comme en anglais, consonne qui n'existait pas en gallo-roman
(*u* non syllabique se prononçant *v*, voir p. 102 les semi-voyelles) ;
la prononciation a sans doute été d'abord *gw*, réduit ensuite à *g* :
ainsi ancien français *guarder*, moderne *garder* (comparer allemand
warten) ; ancien français *guere*, moderne *guerre* (allemand *Wehr*,
anglais *war*). On a gardé par la suite l'orthographe *gu* pour éviter
les confusions, devant *e*, *i*.

Par influence des mots d'origine germanique, un *g* a quelquefois
envahi des mots d'origine latine avec initiale *u* (prononcé anciennement *w*, puis *v*), ainsi latin *wastare* est devenu ancien français
guaster, moderne *gâter*. (*angl. waste*)

Dans les dialectes d'oui de l'Est et du Nord (wallon, lorrain,
picard) où la germanisation a été plus durable, *w* est resté; ainsi
warder.

Entre voyelles, *g* a disparu devant *o*, *u*; ainsi le latin *augustum*
(accusatif de *augustus*) altéré en *agustum* est devenu *aoust* (moderne *août*). Mais dans bien des cas il a donné *y*; ainsi *paganum*
(accusatif de *paganus*) est devenu *païen*, *payen*.

Devant consonne, *g* s'est généralement affaibli en un *y* qui s'est
souvent fondu ou combiné avec la voyelle précédente; ainsi latin
nigrum (accusatif de *niger*) a donné *noir*.

f latin a été conservé au début du mot et après consonne : ainsi
ferrum devenu *fer*; *infantem* (accusatif de *infans*) devenu *enfant*.
Il n'y a pas d'exemples suffisants pour indiquer clairement un traitement entre voyelles. (*mais ordinairement, f s'efface.*)

s latin a été conservé sans changement au début du mot et après consonne : ainsi *sal* devient *sel*, *uersare* devenu *verser* (écrit *uerser* en ancien français).

Entre voyelles, *s* est devenu sonore, c'est-à-dire a passé à *z*; mais on a continué à écrire *s*, ce qui reste une des difficultés de l'orthographe française; ainsi latin *rosa*, français *rose*.

Devant consonne, *s* subsistait au début de l'ancien français : latin *costa*, ancien français *coste;* lorsqu'un groupe composé de *s* et d'une autre consonne était au début du mot, il s'était développé une voyelle en tête : latin *stabulum*, ancien français *estable*. Quoique *s* dans cette position ait continué à s'écrire non seulement en ancien français, mais jusqu'au 18° siècle, il semble bien que l'articulation s'en est vite affaiblie et a disparu de bonne heure; on admet qu'à la fin du 13° siècle l'évolution était achevée au moins pour la plupart des mots, de sorte qu'on prononçait comme en français moderne *côte*, *étable*. (Si nous avons en français moderne des *s* devant consonne, c'est dans des anciens mots savants et des mots adoptés postérieurement, ainsi *esprit*, *détester*.)

épenthèse (marginal note)
(anaptyxe) (marginal note)

Au milieu d'un groupe *sr* il s'est développé un *t* ou un *d*, puis *s* s'est amui; ainsi un infinitif *consuere*, après perte des voyelles entre *s* et *r* (voir aux Voyelles) a donné l'ancien français *cousdre*, ensuite *coudre;* le bas-latin *essere* (au lieu du latin ancien *esse*) a donné, après la chute de *e* intérieur, *estre*, ensuite *être*.

épenthèse (marginal note)

m, n. Ces consonnes étaient conservées en général en toutes positions en ancien français. Noter toutefois que *m* final après voyelle était déjà très affaibli en latin post-classique (voir p. 39) et n'est pas représenté dans les langues romanes (sauf quelques exceptions comme *rien* de *rem*); il a donc disparu notamment dans les formes d'accusatif citées ici dans les exemples.

Début du mot : latin *mel*, français *miel; nepotem* (accusatif de *nepos*), français *neveu*.

Après consonne : latin *arma*, français *arme;* latin *ornare*, français *orner*.

Entre voyelles : latin a*marum* (accusatif de *amarus*), français *amer;* latin *flamma*, ancien français (avec *mm* simplifié en *m*) *flame*, moderne *flamme;* latin *luna*, français *lune*.

En fin de mot : latin *famem* (accusatif de *fames*), avec perte de *-em*, français *faim* (avec *m* sans doute prononcé en ancien français), *annum* (accusatif de *annus*), avec simplification de *nn* en *n* et perte de *-um*, français *an* (avec *n* prononcé en ancien français).

Devant consonne : latin *planta*, français *plante* (avec *n* prononcé en ancien français).

Il faut tenir compte à part de certaines combinaisons en groupe. Ainsi *gn* et *ny* (où *y* provenait d'une voyelle en hiatus devenue semi-voyelle) ont donné également une nouvelle consonne *n* palatalisé ou mouillé, écrit phonétiquement *ñ* (comme en espagnol), que l'orthographe française a écrit *gn* et aussi *ign*. Ainsi latin *agnellum* (accusatif de *agnellus*, diminutif de *agnus*) devenu *agneau* et latin *uinea*, passé par un stade *uinya*, puis devenu *vigne*. *vinea* non *vinia*

Lorsqu'une voyelle a disparu de sorte que *m* est venu en contact avec *r* il s'est produit un *b* : ainsi latin *cam(e)ra*, français *chambre*; *épenthèse* de même *nr* est devenu *ndr*, ainsi latin *generum* (accusatif de *gener*), français *gendre*.

r. Cette consonne a subsisté d'une manière générale. Elle devait être en ancien français roulée dans l'avant de la bouche.

Voir divers exemples dans les paragraphes précédents.

Noter que *r* final était partout prononcé en ancien français et que *rr* restait distinct de *r*.

l. Cette consonne a subsisté sans altération au début du mot (ainsi latin *luna*, français *lune*); de même entre voyelles (ainsi latin *mula*, français *mule*); de même encore en finale de mot (ainsi latin *sal*, français *sel*; latin *bellum*, accusatif de *bellus* ancien français *bel*, avec simplification de *ll* en *l*).

Devant consonne, il s'est produit un phénomène qui a eu une grande conséquence pour l'aspect du français : *l* s'est d'abord prononcé dans le fond de la bouche (comme, par exemple, dans l'anglais *all* 'tout' ou le russe *volk* 'loup'; cet *l* dit 'vélaire' est devenu ensuite une semi-voyelle *w*, traitée par la suite comme un *u* (*ou* du français).

Ainsi latin *albam* a abouti à *aube*, par l'intermédiaire *awbe*; latin *illos* est devenu *eus* (moderne *eux*). Après un *e* bref il s'est développé en outre un *a*, de sorte que *bellos* (accusatif pluriel de *bellus*) a donné *beaus* (prononcé *beaws*), moderne *beaux*. Cette évolution paraît avoir commencé avant même le 10ᵉ siècle, et s'être généralisée aux 11ᵉ et 12ᵉ siècles, quoiqu'on rencontre encore *l* écrit (au lieu de *u*) dans des textes du 13ᵉ siècle. *cf aulx*

Lorsque *k* et *g* se trouvaient devant *l* (ailleurs qu'au début du mot), ils sont devenus *y* comme devant une autre consonne, mais en même temps *l* a pris une articulation spéciale, celle de *l* mouillé (*l*) qui s'entend encore de nos jours dans certaines prononciations provinciales du français. (Pour son sort ultérieur, confusion avec *y*, voir à l'index.) Exemples : latin *oculum* devenu *oclu*, français *œil; uigilare* passé à *uiglar* puis *veiller* (comparer italien *vigliar*, où *gli* note *l* mouillé).

Une autre provenance de cet *l* mouillé est le *l* suivi d'un *e* ou d'un *i* devant une autre voyelle écrit *il, ill,* ou *ll* après *i* : ainsi *palea* devenu d'abord * *palya* a donné *paille.*

v et *j* (provenant d'anciennes semi-voyelles). Les voyelles *u* et *i* du latin, lorsqu'elles jouaient le rôle de consonnes, étaient prononcées comme des semi-voyelles *w* et *y*; dans toutes les langues romanes, comme en français elles sont devenues généralement les fricatives *v et j (ž).* Pour les graphies voir les références à l'index.

Donc, en face de la spirante sourde labio-dentale *f* est apparue une spirante sonore *v*; mais celle-ci provient aussi en français d'un affaiblissement de *b*; il y a donc deux sources de *v* en français.

Exemple, à la fois au début du mot et entre voyelles : latin *uiuentem* (accusatif de *uiuens*) a donné (avec un changement de voyelle dans la seconde syllabe) le français *vivant.* Noter que lorsque *v* s'est trouvé en finale de mot il est devenu *f*; ainsi *nouem* a donné le nom de nombre ancien français *nuef*, moderne *neuf.*

L'ancien *y* (écrit *i*) a d'abord été prononcé *dy*, puis *dj* (*ǧ*), enfin *j (ž)*; ceci au début des mots, ainsi latin *iocum* (accusatif de iocus), français *jeu.* Mais il y a d'autres sources du son *ž* en français (voir p. 98). A l'intérieur des mots, *y* était ordinairement joint à une consonne : il a généralement disparu en influençant la consonne voisine (voir ci-dessus, à propos de *l*).

D'autre part, l'ancien français a retrouvé beaucoup de *w* et de *y* par des évolutions variées. Un *u* (prononcé *ou*) ou un *o* placé devant une autre voyelle peut devenir *w* dans certains cas; c'est ce qui se produit par exemple dans le moderne *oui* (prononcé *wi*); en ancien français il y a eu sans doute à un moment la même combinaison dans un mot comme *cuer*, passé depuis à *cœur* (voir ci-dessous, p. 107). Pour *u* prononcé *ü* (c'est-à-dire *u* de l'orthographe française) il était souvent en ancien français en position de semi-voyelle, et il en est resté bien des cas en français moderne; ainsi *puits* a une semi-voyelle de ce genre. C'est d'autre part une espèce de *w* qui a d'abord remplacé *l* devant consonne. De même *i* entre une consonne et une autre voyelle devient usuellement *y*, ainsi dans *bien* (en écriture phonétique *byẽ*); et *y* provient souvent d'autres consonnes altérées.

h. Cette consonne ne se prononçait plus dans le bas-latin lorsqu'il s'est transformé en gallo-roman. Mais les langues germaniques la possèdent, souvent fortement prononcée. L'ancien français a reçu et conservé *h* dans des mots empruntés au germanique, ainsi *hardi, haïr*; ce *h* a même pénétré dans des mots français comme l'usuel *aut* (du latin *altum*, accusatif de *altus*), devenu *haut* à l'imitation du mot germanique qui est en allemand *hoch*, en anglais *high*. Pour la régression de l'articulation de *h* en français moderne et sa survie partielle, voir les références à l'index.

b) VOYELLES ET ACCENT. — Dans toutes les langues romanes, l'accent de mot du latin est devenu un accent d'intensité (voir p. 52) : la syllabe accentuée a été prononcée beaucoup plus fortement que les autres; le résultat a été par contrecoup un affaiblissement de certaines voyelles des autres syllabes, surtout les syllabes de la fin du mot.

Néanmoins, dans l'ensemble des langues romanes, y compris l'occitan, la plupart de ces voyelles sont demeurées. existantes et distinctes entre elles.

En français, au contraire, dès la période de formation (avant les textes de l'ancien français), les altérations sont profondes : la syllabe de début ou initiale étant mise à part, les voyelles des syllabes situées après l'accent ou immédiatement avant ont disparu complètement, ou bien ne sont plus représentées que par *e* neutre ou muet (en notation phonétique *ə*) voyelle de timbre étouffé, peu sonore. Il en est résulté, entre autres choses, un notable raccourcissement de la plupart des mots.

En finale, dans les mots qui étaient accentués sur l'avant-dernière syllabe, la dernière voyelle n'a pas disparu si c'était un *a*, mais elle a été transformée en *ə*, écrit *e*; ainsi *rosa* devenu *rose*.

Les autres voyelles ont disparu, sans être remplacées, lorsqu'il n'y avait qu'une consonne entre elles et la voyelle accentuée; ainsi *manum* est devenu *main*.

Quand il y avait deux ou trois consonnes entre la voyelle accentuée et la voyelle finale, il y a deux cas à distinguer.

En général la voyelle finale (autre que *a*) a disparu comme après une consonne simple; ainsi *fortem* est devenu *fort*. Mais si la dernère consonne est *r* ou *l*, le groupe est suivi d'un *e* (*ə*); ainsi *acrem* est devenu *aigre*.

Dans les mots de trois syllabes qui étaient accentués sur l'avant-avant-dernière syllabe (sur l'antépénultième en termes d'école), la voyelle de l'avant-dernière syllabe a disparu; il s'est produit un groupe de consonnes nouveau, qui suivant sa composition est ou

vΓy. d'appui

N.B.

n'est pas suivi d'un -e à la place de l'ancienne voyelle de la syllabe
finale. Ainsi latin *lacrima*, français *lairme, lerme*, puis *larme*; latin
a*sinum* (accusatif de a*sinus*), ancien français *asne*, moderne *âne*;
latin *uiridem* (accusatif de *uiridis*), français *vert*; même un *a* a disparu dans cette position, ainsi latin *calamum* (accusatif de *cala-
mus*) est devenu *chalme, chaume* (où *u* représente *l*).

Dans les mots de plus de trois syllabes, avant la syllabe accentuée,
les syllabes autres que la première sont traitées comme si elles
étaient finales; leur voyelle disparaît, ou devient *e* si elle était *a*, ou
est remplacée par un *e* pour faciliter la prononciation d'un groupe
de consonnes.

Ainsi latin *liberare* est devenu *livrer*, latin *imperatorem* (accusatif de *imperator*, emprunt ancien) est devenu ancien français *em-
pereor* (moderne *empereur*); latin *sacramentum* est devenu ancien
français *sairement* (moderne *serment*); bas-latin *caprifolium* est
devenu ancien français *chieurefueil*, moderne *chèvrefeuille*.

Les indications résumées qui suivent concernent le timbre des
voyelles conservées, à savoir les voyelles accentuées et les voyelles
de syllabe initiale (non accentuée).

L'évolution du *timbre* des voyelles a été souvent différente suivant leur position dans le mot, et la distribution des consonnes dans
celui-ci.

Outre la distinction entre les syllabes accentuées et les syllabes
non accentuées, il faut distinguer suivant que la voyelle s'est trouvée en ancien français dans la situation que les romanistes, c'est-à-
dire les historiens des langues romanes, ont convenu d'appeler
'libre' ou dans la situation dite de voyelle 'entravée'. Une voyelle
libre est soit en syllabe ouverte, c'est-à-dire terminée par la voyelle
(ainsi *ma-ri*), soit dans une syllabe finale de mot terminée par une
seule consonne qui est maintenant fermée, mais qui était ouverte
en latin (ainsi *mer* qui était en latin *ma-re*). Une voyelle entravée
est en syllabe fermée, (c'est-à-dire terminée par une consonne), qui
s'est trouvée telle soit en latin, soit en très ancien français en dehors
de la finale (à cause de la chute d'une voyelle non accentuée). Ainsi
porte (latin *por-ta*); *mort* (latin *mor-tem*); *asne* (latin *asinum*). Il
faut savoir aussi qu'en latin une consonne suivie de *r* ou *l* comptait avec celui-ci au début de la syllabe suivante et ne fermait pas
la précédente; ainsi on coupait *pa-trem*, avec *a* libre, d'où le français *père*.

D'autre part certaines consonnes ont une influence sur certaines voyelles si celles-ci se trouvent à côté d'elles.

Ces conditions multiples font qu'il est compliqué de comparer l'état de l'ancien français avec l'état latin.

Encore ne peut-on pas comparer directement avec le latin ancien : mais il faut se reporter à un stade intermédiaire. En effet le latin classique possédait relativement peu de timbres vocaliques différents; seulement il les doublait d'une différence de quantité (voir pp. 38-39). Mais la comparaison des langues romanes entre elles force à admettre qu'en latin vulgaire de basse époque, au moment où s'est établi l'accent d'intensité dont il a été question ci-dessus, la différence de quantité pour toutes les voyelles (sauf sans doute pour *a*) s'était muée en différence de timbre, d'où tout un remaniement, avec apparition de timbres nouveaux.

A cette époque, il faut distinguer entre deux espèces d'*e* et deux espèces d'*o*, comme en français moderne : *e* fermé (écrit phonétiquement *ę*) est *l'é*; *e* ouvert (phonétiquement *ę*) est *l'è*; *o* fermé (phonétiquement *ǫ*) est *l'o* de *paume* (prononcé comme en parisien), *o* ouvert (phonétiquement *ǫ*) est *l'o* de *pomme* (prononcé comme en parisien).

Or *ę* du bas-latin vulgaire provenait à la fois de *ē*, de *ǐ* et de *oe*; provenait de *ę* et de *ae*; *ǫ* provenait à la fois de *ō* et de *ŭ*, *ǫ* provenait de *ŏ*.

Les voyelles *a*, *i* (venant de *ī*), *u* (venant de *ū*) gardaient les timbres du latin classique.

C'est donc à cet état qu'il faut comparer l'état de l'ancien français.

Celui-ci a possédé toutes les voyelles du bas latin vulgaire, à l'exception de *u* (*ou* du français), à une certaine époque. De plus, il a acquis les voyelles *ü* (u du français), *ö* (*eu* du français avec la variante *ə*), et toute une série de diphtongues, enfin des voyelles nasales.

Voici maintenant les faits essentiels de l'évolution.

En toute position, la voyelle *u* (voyelle de l'arrière-bouche), provenant de *ū*, est devenue *ü* (voyelle de l'avant-bouche), tout en restant écrite *u* dans l'orthographe, jusqu'à nos jours.

L'*e* neutre (qu'on appelle généralement *e* muet), outre son rôle défini pp. 103-104, représente un *a* de syllabe initiale inaccentuée ouverte après un ancien *k* devenant *š* : il y a dans ce cas influence réciproque de la consonne et de la voyelle; ainsi latin *caballum* (accusatif de *caballus*), français *cheval*. Dans la même position, il représente aussi d'anciens *e* du latin, ainsi latin *uenire*, français *venir*, et quelquefois d'autres voyelles.

Les voyelles de syllabe initiale entravées et quelques-unes non entravées, ainsi que les voyelles accentuées entravées, sont dans l'ensemble conservées en ancien français (et par la suite) telles qu'à l'époque antérieure.

Exemples : latin *uilla*, ancien français *uile*, moderne *ville*; latin *ferrum*, français *fer*; latin *maritum* (accusatif de *maritus*), français *mari*. (Pour *cheval* voir ci-dessous.) Latin *portare* français *porter*.

Cependant les *o* entravés accentués, dans leur majorité, certains *ǫ* de syllabe initiale et même des *o* de syllabe initiale, après avoir été tous *o* au 11ᵉ siècle, du moins suivant l'orthographe, sont devenus *u* et pour noter cette voyelle on trouve à partir du 13ᵉ siècle l'orthographe *ou* (sans doute d'après des diphtongues de prononciation analogue, voir ci-dessous). Ainsi bas latin *cortem* (accusatif de *cortis*) ancien français *cort*, puis *court*, moderne *cour*; latin *guta*, ancien français *gote*, *goute* moderne *goutte*; latin *tormentum*, ancien français *torment*, puis *tourment*; latin *corona*, ancien français *corone*, puis *courone*, moderne *couronne*. Vu le traitement phonétique non constant, et comme la prononciation a manifestement hésité longtemps, ce point a embarrassé les scribes et les grammairiens jusqu'au moment où le français s'est fixé (au cours du 17ᵉ siècle) — et maintenant embarrasse les historiens de la langue.

Les voyelles accentuées libres se sont en majorité altérées. La voyelle *a* est devenue *e*, traitement cararctéristique du français qui n'existe pas en occitan (ni en franco-provençal sauf après une palatale) : ainsi *mare*, français *mer*, occitan *mar*, latin *matrem* (accusatif de *mater*), français *mère*, occitan *madre* devant une consonne qui s'est amuie, cette voyelle a passé à *e*, ainsi latin *portatum*, français *porté*.

Les *e* et les *o* se sont diphtongués, c'est-à-dire que leur début ou leur fin devenait une semi-voyelle.

Un *ę* est devenu *ie* (*ye*). Ainsi *ferum* (accusatif de *ferus*), français *fier*.

Un *ę* est devenu d'abord *ei* (*ey*), puis au cours du 12ᵉ siècle *oi* (prononcé sans doute d'abord *oy*, puis *oe*, *we*, ainsi latin *fidem* (devenu *fedem*) ancien français *fei*, puis *foi*. C'est une des sources de la diphtongue écrite *oi* si usuelle en français, et dont la prononciation a varié plusieurs fois.

Un *ǫ* est devenu d'abord *uo*, puis *ue* (prononcé *ue* ou *üe* ?) qui vers le 13° siècle cède à *eu* dont on peut croire que dès ce moment la prononciation n'était plus diphtonguée, mais réduite à la voyelle *ö* (*e* 'arrondi'), c'est-à-dire la prononciation moderne. Ainsi latin *nouem,* ancien français *nuef,* puis *neuf.*

Un *o* est d'abord devenu *ow* (écrit *ou*), puis sans doute *u* (écrit *ou* et *o*); puis une diphtongue ou voyelle écrite *eu* se trouve déjà au 12° siècle, orthographe conservée en français moderne avec la prononciation *ö* (comme pour la voyelle précédente). Ainsi latin *florem* (accusatif de *flos*), ancien français *flour, flor* (aussi *flur*), puis *fleur.*

Sans entrer dans les détails, il faut mentionner le rôle important de la semi-voyelle *y,* dont les origines sont variées, à la fois consonantiques (altération de *k, g*) et vocaliques (ancien *i* en hiatus en latin); *y* s'est combiné avec différentes voyelles quelquefois en même temps qu'avec des consonnes, en déviant plus ou moins leur évolution; l'aboutissement a été sans doute d'abord les diphtongues, mais ensuite partiellement des voyelles simples.

Exemples : latin *rationem* (accusatif de *ratio*) est devenu *raison* dès l'ancien français; latin *factum* est devenu *fait.* L'évolution de la prononciation paraît avoir été : *ay,* puis *ęy,* puis réduction à *ę.* Au 11° siècle on trouve déjà parfois un *e* pour un ancien *ai*; ainsi on écrit généralement *mes,* provenant du latin *magis,* moderne *mais.* Le fait que l'orthographe *ai* n'a pas disparu, alors que la prononciation *ę* se généralisait, a fourni une expression graphique pour *e* ouvert (*è* moderne), dans un temps où les accents n'existaient pas.

Latin *uocem* (accusatif de *uox*) est devenu *uoiz* (prononcé sans doute *voyz*) en ancien français, moderne *voix.* angl. voice

La diphtongue *oi* de cette origine a eu les mêmes destinées que celle, dont il a été question ci-dessus (issue de *ę*).

Un autre fait important est l'apparition des voyelles nasales devant les consonnes nasales, qui restaient prononcées. Par l'étude des assonances (rimes ne tenant pas compte des consonnes finales) on a essayé de dater approximativement les phénomènes qui ont eu lieu pendant la période de l'ancien français.

Dès le 11° siècle, *a* entravé par *m, n* semble avoir été nasalisé *ã,* (le trait tordu pour indiquer la nasalité d'une voyelle est emprunté par les phonéticiens au portugais); ainsi *grant* (prononcé *grãnt*), *flame* (prononcé *flãme*).

Lorsque *a* était libre et suivi par un simple *n* ou *m*, il s'était produit, en passant par *ay*, une diphtongue *ey*, nasalisée en *ẽy* (qu'on a continué à écrire avec *a*); ainsi *faim* (prononcé *fẽym*), *laine* (prononcé *lẽyne*). Avec *y* précédent on aboutit à *ẽ* écrit *en* (ainsi *moyen*).

Dès le 11ᵉ siècle également *e* (*ę* ou *ę̣*) entravé, après avoir passé par *ẽ* (prononcé comme dans *rien*), qui est encore conservé de nos jours en picard et en wallon, s'était confondu en timbre avec *a* nasalisé en *ã*; mais l'orthographe a conservé *e*, d où l'équivalence *an* et *en* dont nous souffrons encore : ainsi *vent* prononcé *vãnt*; *femme*, du latin *femina*, prononcé *fãme*.

Quant au *e libre*, il est diphtongué en *ey* devant nasale comme ailleurs, cette diphtongue s'est nasalisée (sans passer à *oy*), ce qui a donné les mots en *-ein* comme '*plein*' prononcé *plẽyn* en ancien français.

Mais *ę* (*e* ouvert) libre devant nasale, passé à *ye* comme ailleurs, ne s'est nasalisé qu'au 13ᵉ siècle, d'où *bien*, prononcé à cette époque *byẽn*.

Entre temps, au 12ᵉ siècle, *o* fermé ou ouvert, en toute position devant *n* ou *m*, s'est nasalisé en *ó* (orthographiquement *on*); ainsi *don* (prononcé *dón*) *bone*, moderne *bonne* (prononcé *bóne*).

De la même époque date la diphtongue *wẽ* (orthographique *oin*) pour *o* devant *ñ* suivi de *ɔ*; ainsi latin *cuneum*, ancien français *coing* (prononcé *kwẽñ*), moderne *coin*.

Mais en ancien français *i* et *u* n'ont pas été nasalisés.

c) Influences étrangères et caractéristiques générales de la prononciation. — Arrêtons ici notre revue des ressources phonétiques de l'ancien français et des cheminements qui y ont conduit.

Peut-on attribuer certains phénomènes à des conditions déterminées par le terroir linguistique et les mouvements connus de population ?

Les nombreuses altérations de consonnes, allant souvent jusqu'à la disparition, ont des analogues dans les langues celtiques; il est vraisemblable que, si ces phénomènes sont plus poussés en français qu'ailleurs dans les langues romanes, l'influence du substrat celtique y est pour quelque chose, sinon pour beaucoup. Si l'occitan ne présente pas les mêmes altérations, ce serait dû à une celtisation moins complète et à la romanisation plus ancienne et plus profonde.

Pour les voyelles, on est dans l'embarras. La prononciation *ü* pour ancien *u* est, parmi les langues romanes, propre au domaine gallo-roman (langue d'oui sauf certains points à l'est et langue d'oc) ; on l'a souvent attribuée, à cause de cette localisation, au substrat celtique. Mais *ü* joue un grand rôle en dehors du roman dans une partie du germanique. D'autre part, on ne doit pas le considérer seul : en effet la voyelle *ö* avec sa double prononciation (ouverte pour *e* neutre et *eu* de *heure,* fermée pour *eu* de *peu*) fait partie de la même série phonétique (voyelles moyennes, de l'avant de la bouche avec avancement des lèvres), et joue aussi un rôle en germanique. Aussi s'est-on demandé s'il ne fallait pas considérer pour ces faits, dans une partie du roman et du germanique à la fois, un substrat préceltique et prégermanique.

La nasalisation des voyelles est une caractéristique du français, mais c'est aussi un fait connu en celtique. On la retrouve, avec une prononciation un peu différente, en portugais, où l'influence partielle d'un substrat celtique n'est pas exclue.

Les grands effets de l'accentuation (disparition des voyelles après et avant l'accent) ont quelquefois été attribués à l'influence germanique, plus particulièrement francique, bas-allemande. De même certaines diphtongaisons. Mais l'ensemble des altérations n'est pas de type germanique.

Si *w* germanique a été retenu dans des mots d'emprunt, c'est en le modifiant et *h,* emprunté aussi, ne devait avoir qu'une existence limitée (voir ci-dessus p. 102).

Donc, pour toutes les altérations profondes, il faut plutôt se rapporter au celtique, mais ne pas être trop affirmatif.

Ceci dit, il est surtout intéressant de jeter un coup d'œil d'ensemble sur l'état de l'ancien français, en se reportant mentalement au latin et au français moderne.

Il y a lieu de remarquer que l'ensemble des articulations de l'ancien français comparées à celles du latin montre un report très net vers l'avant de la bouche : la langue agit beaucoup plus de la pointe ou près de la pointe, et les lèvres sont plus souvent en action, aussi bien pour les voyelles que pour les consonnes. Ainsi, devant les voyelles qui ne sont pas d'arrière, *k* et *g* sont remplacés par *s, š* et *ž* : or *s* est dental, *š* et *ž* sont prépalataux et en outre comportent (en français) un avancement net des lèvres. La voyelle *ü* (remplaçant *u*) est prononcée à l'avant (comme *i*) avec un avancement des lèvres, de même *ö.* La voyelle *a* est souvent avancée en *ę* et *ẹ.* L'élément *y,* si important, est de l'avant de la bouche ; *w,* important aussi quoique moins, est d'arrière pour la langue, mais d'avant pour les lèvres, et d'ailleurs les plus anciens *w,* devenant *v,* ont perdu contact avec l'arrière du palais.

On ne peut échapper à l'impression que l'ancien français avait une prononciation relativement molle et relativement compliquée, mais d'ailleurs en progrès vers la solidité et la simplicité si on considère les détails d'évolution du 11ᵉ au 13ᵉ siècle. Aussi c'est plutôt l'état du 11ᵉ siècle qui est caractérisé ici.

Donc des débris de consonnes, en voie de disparition (interdentales) ; d'autres consonnes à articulation complexe (comme *ts, tš*) ; d'autre part, en compensation de la perte d'anciens groupes, beaucoup de groupes de consonnes nouveaux apparus par suite de pertes de voyelles, mais en partie déjà en voie de réduction soit à l'intérieur des mots, soit à la rencontre de deux mots ; voyelles nombreuses à deux articulations conjuguées, les diphtongues (quelquefois à trois articulations : triphtongues), à prononciation mal fixée et en voie d'évolution rapide ; de nombreux hiatus où la voyelle faible *ə* (*e* neutre) devait tendre à se fondre avec la voyelle subséquente ou à s'effacer devant elle. Le tout devait faire un effet assez estompé, avec des sons peu éclatants et une allure, sans doute, doucement modulée.

D'autre part, l'accent de mot était probablement sensiblement mieux frappé qu'en français moderne, et chaque mot autonome devait avoir le sien ; la place était toujours sur la dernière syllabe pleine du mot ; celle-ci était toutefois souvent suivie d'une petite syllabe avec voyelle *e* neutre. (Donc à peu près comme en français moderne parlé par des gens du Midi.)

3. Grammaire (morphologie et syntaxe)

a) SUBSTANTIF, ADJECTIF, ARTICLE, PRONOM. — La déclinaison latine à cinq ou six cas a disparu dans toutes les langues romanes. En français, pendant le haut moyen âge, elle s'était transformée en une déclinaison à deux cas. Au cours de l'évolution de l'ancien français, cette déclinaison à son tour a montré des signes de faiblesse ; elle était irrégulière par exemple en anglo-normand dès le 12ᵉ siècle ; très atteinte au 13ᵉ siècle, elle ne subsistait plus guère en francien, semble-t-il, que par une volonté des clercs qui écrivaient, ce qui était une des premières manifestations de l'influence de l'instruction sur la langue française ; d'autre part, elle était encore vivace en lorrain et en wallon. On a pu se demander si la conservation d'une déclinaison en ancien français ne provenait pas d'une influence du francique : l'allemand a encore une déclinaison de nos jours. La conservation plus durable dans les dialectes de l'Est serait favorable à cette idée; elle est néanmoins douteuse.

Nous allons donner des notions sur la déclinaison telle qu'elle pouvait être employée régulièrement aux 11ᵉ et 12ᵉ siècles. Rappelons que la déclinaison a pour caractéristique de marquer, par les finales des mots déclinés, à la fois les fonctions (cas), les nombres et quelquefois les genres.

Dans la réduction de la déclinaison latine, il faut tenir compte de deux ordres de circonstances : l'évolution phonétique et l'usage des cas et des prépositions.

Dans tous les mots (ils étaient la majorité) qui avaient le même nombre de syllabes à presque tous les cas de leur déclinaison, les cas sont devenus ou ont tendu à devenir peu distincts par l'affaiblissement des finales vocaliques, désormais plus ou moins indifférenciées. En français, ces voyelles ont toutes disparu ou se sont réduites à -e, qui peut représenter des voyelles diverses; de plus les seules consonnes finales de désinences casuelles, -m et -s, étaient affaiblies au point de disparaître même chez les gens cultivés à l'époque impériale; seul -s a subsisté pour certaines terminaisons en français (et en espagnol, mais pas dans la même mesure) par une influence plus ou moins scolaire (voir p. 39); on pense que ce sont surtout des maîtres d'origine grecque, auxquels le latin distingué n'était pas naturel, qui ont enseigné l'articulation de -s final. C'est précisément au moyen de cet -s que s'est constituée la déclinaison française.

La forme de l'accusatif a subsisté finalement et non celle du nominatif, lorsque l'opposition des deux cas a disparu; c'est pourquoi on marque en général que les mots français viennent des accusatifs latins. (Pour les anciens féminins en -a au singulier, c'est indifférent.)

En général, les formes françaises reproduisent celles des formes latines qui se sont conservées, avec leur variété, puisque le latin avait plusieurs types de déclinaison, et avec leurs irrégularités et dissymétries. Les déclinaisons, quoique simplifiées, apparaissent donc comme capricieuses. (Sur quelques normalisations, voir plus loin.)

Voici ce qu'ont donné les mots latins déclinés à la p. 43, en y ajoutant l'article de l'ancien français; déjà cet article était employé dans l'ensemble comme en français moderne, ce qui était une grande innovation par rapport au latin.

	SINGULIER		
Cas sujet	li murs	la rose	li cuens
Cas régime ...	lo, le mur	la rose	lo, le comte (ou cunte)

	PLURIEL		
Cas sujet	li mur	les roses	li comtes
Cas régime ...	les murs	les roses	les comtes

Le 'comte' était un 'compagnon' du roi. (Voir p. 43.)

Le cas sujet correspond au nominatif du latin pour la forme et pour l'emploi (sujet, attribut, et aussi vocatif).

Pour la forme, le cas régime correspond en général à l'ancien accusatif, avec lequel d'ailleurs d'autres cas ont pu se confondre par simple évolution phonétique. Pour l'emploi, il correspond à tous les autres cas, avec cette restriction importante que pour le complément de nom (ancien génitif sans préposition) il est accompagné de la préposition de, sauf avec les désignations de personnes; que pour le complément d'attribution (ancien datif sans préposition) il est presque toujours accompagné de la préposition à (latin ad) également quand il ne s'agit pas de personnes et que pour tous les compléments circonstanciels (ancien ablatif avec ou sans préposition) il est presque toujours accompagné d'une préposition, variable suivant les sens. Donc, employé sans préposition, il a deux sortes de valeur : 1° objet direct de verbe (ancien emploi de l'accusatif pour un nom quelconque); 2° complément de nom et complément d'attribution pour les mots désignant des personnes (anciens emplois du génitif et du datif). (Voir les textes à la fin du chapitre et chapitre VII, 5, b.)

Le génitif pluriel des types murus et rosa ne pouvait pas se confondre phonétiquement avec l'accusatif, ayant une syllabe de plus; en fait il s'est maintenu plus longtemps distinct que les autres génitifs; on en a des exemples en ancien français, et il est resté en français moderne, à titre de vestiges, dans le pronom leur qui provient du latin illorum 'de ceux-là, d'eux' et 'la Chandeleur' (festa cande-

cf. 'hôtel-Dieu'

× _Bons fut li secles al tens anciénur (Alexis 1)_

larum) 'fête des chandelles'; mais il a cédé à la force de nivellement.

L'article ne peut pas s'expliquer par l'évolution phonétique normale, telle qu'elle s'applique en général aux noms et aux verbes. C'est un fait connu par de nombreux exemples de beaucoup de langues que des mots ayant un rôle spécial, généralement des mots accessoires ou 'outils grammaticaux', échappent aux règles communes, soit par des altérations, soit par des conservations exceptionnelles. Les deux à la fois se trouvent pour l'article de l'ancien français. Il provient des latins *ille* 'ce, celui-là', *illa* 'cette, celle-là' *illud* 'cela, celui-là' (neutre); mais comme il était toujours collé à un nom, sans avoir un accent séparé, il n'en représente que la seconde syllabe (au contraire les pronoms *il, elle*, représentent le mot entier, voir à la 'conjugaison'). Le cas sujet masculin a une voyelle 'renforcée'; l'accusatif du 11ᵉ siècle *lo* (représentant *illum*) a encore une voyelle exceptionnellement bien conservée, mais dès le 12ᵉ siècle il a reçu la voyelle neutre ou sourde *e*, comme en français moderne; le féminin singulier conserve *a* de manière exceptionnelle, de même que le cas sujet masculin pluriel conserve exceptionnellement *i*. L'autre pluriel *les* a sans doute eu un *e* neutre, qui plus tard s'est prononcé *e* moyen.

Les traitements phonétiques de *mur, murs, rose, roses* (cas régime), *comte, comtes*, sont réguliers; *cuens* est traité comme si la voyelle avait été libre et non entravée (sans doute parce que *e* de *comes* est tombé tardivement, ou par analogie d'un autre mot). Noter que le cas sujet singulier de mots comme *père, frère* est à l'origine sans *s* comme en latin (*pater, frater*).

comes,
comte(m)

Pour le cas sujet féminin pluriel *roses*, c'est une autre affaire. Le nominatif pluriel *rosae* aurait dû perdre sa finale vocalique. A quelle époque a-t-il été unifié avec le cas régime ? On ne sait; c'est peut-être assez ancien. (Voir la note aux *Références*.) Toujours est-il qu'il faut voir là un cas d'analogie, comme nous aurons à en constater beaucoup dans la suite de l'exposé.

Théoriquement, l'évolution phonétique agit comme une force de la nature, aveugle, qui ne tient pas compte des sens des mots ni des valeurs des formes grammaticales. Elle tend notamment à introduire des inégalités et des dissymétries, puisqu'une même consonne ou voyelle évolue de manière différente suivant certains voisinages, suivant la longueur du mot, etc.

D'autre part, certains systèmes de formes, comme la déclinaison latine, par exemple, se sont constitués par une évolution morphologique, en utilisant des matériaux divers de la langue, de manière à aboutir à certains équilibres, non sans discordances variées. Une certaine organisation gouverne — d'une manière inconsciente pour les gens qui usent de la langue — les ensembles de formes, mais il n'y a pas application stricte d'un système logique. Même dans une langue écrite et enseignée, les grammairiens se bornent à reconnaître l'usage, ils ne peuvent pas prendre de décision changeant telle ou telle forme. Les données historiques, en cette matière, dominent entièrement la volonté des hommes.

Mais une de ces données, qui existe partout, est précisément l'obscur sentiment des systèmes, créé ou entretenu par la répétition constante de certains phénomènes, qui sont des oppositions significatives : par exemple, en ancien français, le fait que la plupart des mots féminins sont terminés par -e, mais non les mots masculins en général. Le sentiment d'une règle naît ainsi de la fréquence, soit parce que beaucoup de mots ont les mêmes caractéristiques, soit parce que certains mots présentent certaines caractéristiques sont très souvent employés.

Le sentiment qui se produit ainsi est une force d'innovation par nivellement et régularisation qui contrarie à la fois certains effets brutaux de l'évolution phonétique et certains désordres morphologiques dus à l'utilisation de matériaux divers hérités du passé. Les oppositions significatives les plus fréquentes tendent à s'imposer par contagion aux mots qui ne les avaient pas reçu de l'évolution phonétique et morphologique antérieure. Cette tendance se réalise chaque fois qu'il n'y a pas un barrage constitué par un enseignement généralisé et autoritaire (force de conservation) ; il subsiste néanmoins le plus souvent des exceptions, surtout dans des termes usuels qui s'imposent mieux à la mémoire avec leur forme traditionnelle.

La réalisation du nivellement se fait au moyen de ce que les grammairiens allemands appellent justement la 'contrainte de système' (System-zwang) ; la voie de réalisation est l'analogie : on introduit une forme usuelle, par analogie, au lieu d'une forme moins usuelle. L'analogie opère elle-même de manière apparemment capricieuse, imprévisible et ingouvernable, quelquefois dans de grandes catégories de mots (par exemple, tous les substantifs), quelquefois dans des catégories plus restreintes (par exemple, les substantifs féminins). Tout le monde peut observer à cet égard les enfants qui savent déjà parler, mais qui n'ont pas encore subi la contrainte de l'enseignement verbal (familial) et celle de la société des grandes personnes, avec sa sanction habituelle, le ridicule :

ils subissent la contrainte des systèmes qu'ils arrivent à saisir dans la langue et les généralisent par analogie en supprimant les exceptions. Ainsi les jeunes Français, apprenant une langue — celle de leurs parents — où le pluriel n'est dans la très grande majorité des cas distingué du singulier que par l'article, éliminent les exceptions comme 'cheval-chevaux' en disant 'des chevals' : on dit alors que le pluriel 'chevals' est analogique.

Les phénomènes qu'on observe dans l'évolution des formes grammaticales se réalisent donc en vertu de l'évolution phonétique, malgré l'analogie, soit en dépit des circonstances phonétiques, par l'action de l'analogie, dans une lutte constante entre des forces de différenciation et des forces d'unification ou de simplification.

Revenons à la déclinaison de *rose*; dans la catégorie nombreuse des féminins terminés en ancien français par *-e* (nombreux substantifs et majorité des adjectifs) le singulier n'avait pas d'opposition, de différence, entre le cas sujet et le cas régime.

D'autre part, même au masculin, beaucoup de mots ne faisaient pas de différence au pluriel entre le cas sujet et le cas régime (voir ci-dessus 'comtes') et certains mots féminins usuels étaient de même type dès l'origine (ainsi 'mères'). On peut dire, en gros, que les analogies combinées du féminin singulier et des mots féminins et masculins qui avaient une seule forme au pluriel ont fait éliminer en très ancien français, avant le 10ᵉ siècle, le cas sujet pluriel distinct dans les mots du type de-*rose* et ont généralisé la forme du cas régime.

Le résultat a été qu'en ancien français, si la déclinaison à deux cas a été bien établie pour la majorité des substantifs et adjectifs masculins, surtout au singulier, elle n'existait pas pour les féminins, lesquels n'avaient que la distinction singulier-pluriel (sauf quelques exceptions).

Pendant la période où le système de la déclinaison à deux cas a fonctionné, il a montré sa vitalité en s'étendant par analogie. Ainsi le mot latin *pater* n'avait pas d'*s* au nominatif; l'ancien français a donc eu d'abord *pedre*, ensuite *pere* 'père' au singulier pour les deux cas; mais assez tôt, en tout cas au 12ᵉ siècle, <u>il s'est créé une forme analogique de cas sujet *pedres, peres*.</u>

L'application de certaines règles phonétiques a exagéré la différence entre les formes à *-s* (qui était prononcé dans ce temps, ne l'oublions pas) et les formes sans *-s*. Il s'agit surtout de la simplification des groupes de consonnes par élimination ou transforma-

*Alexis 52: Ço dist li pedres: Filz, quar t'en vas colcer

tion de certaines d'entre elles. Voici les principaux faits dont les conséquences se sont perpétuées dans la suite.

Un *l* s'est 'vocalisé' (voir p. 101) devant *s* : ainsi on a eu *cheuaus* (cas sujet singulier et cas régime pluriel) en face de *cheval* 'cheval' (cas régime singulier et cas sujet pluriel),

Un *f* a disparu dans le groupe *fs*; ainsi on a eu une opposition *bues* (cas sujet singulier et pluriel aux deux cas), en face de *buef*, plus tard *bœuf* (cas régime singulier),

Pour les adjectifs, les plus nombreux de beaucoup étaient du type latin *bonus, bona, bonum*. En ancien français on trouve :

	SINGULIER		
Cas sujet	masculin *bons*	féminin *bone*	neutre *bon*
Cas régime	*bon*	*bone*	*bon*

	PLURIEL	
Cas sujet	masculin *bon*	féminin *bones*
Cas régime	*bons*	*bones*

Le genre neutre existait donc encore dans les adjectifs, alors que dans les substantifs il s'était confondu avec le masculin.

	SINGULIER		
Cas sujet	masculin *granz*	féminin *grant*	neutre *grant*
Cas régime	*grant*	*grant*	*grant*

	PLURIEL	
Cas sujet	masculin *grant*	féminin *granz*	(Dans ces mots
Cas régime	*granz*	*granz*	*-z = ts*).

Les adjectifs du type *grandis* (voir p. 44) étaient devenus dissemblables au masculin et au féminin : en effet, par analogie de ce qui se passait dans les substantifs les plus nombreux et dans les adjectifs du type *bon(s)*, *s* s'était perdu au cas sujet du masculin pluriel et du féminin singulier, d'où le tableau de la p. 116.

Mais l'analogie des féminins les plus fréquents a fait créer de bonne heure une forme *grande* où subsistait le *d* étymologique ; seulement cette forme n'apparaissant qu'irrégulièrement dans les textes ; *grant* (*grand*) du féminin a subsisté encore longtemps dans l'ensemble et est resté en français moderne dans des combinaisons usuelles : 'grand-mère', 'grand-route', 'grand-peine'.

Les pronoms avaient aussi la déclinaison. Pour l'article défini, voir ci-dessus (p. 113) ; pour le pronom personnel, voir ci-dessous à la 'Conjugaison'. Noter que le neutre, transformé en impersonnel, a subsisté dans certains pronoms ; ainsi dans l'interrogatif : *qui* (sujet et régime personnel), mais *quoi* (sujet et régime impersonnel).

Le système de la déclinaison à deux cas, l'évolution phonétique ne s'arrêtant pas et le frein grammatical étant faible pour une langue non encore enseignée, s'est délité dès la période finale de l'ancien français. Néanmoins, il s'est maintenu dans l'ensemble de la littérature française même jusque dans le 14ᵉ siècle, par un début de codification de la langue écrite. Aussi, tout en faisant ici une réserve sur une délimitation trop stricte dans le temps, c'est avec le moyen français que nous étudierons la disparition de ce système caractéristique de l'ancien français.

b) LA CONJUGAISON. — La flexion verbale du latin, c'est-à-dire la distinction de six personnes par des désinences (voyelles et consonnes finales) a subsisté dans l'ensemble des langues romanes. Sa force de persistance a été telle que, lorsque l'usure phonétique a menacé les désinences, celles-ci ont été souvent reconstituées grâce à divers procédés analogiques où les verbes auxiliaires 'être' et 'avoir' ont joué un grand rôle. (Pour l'abandon partiel des désinences après l'ancien français, voir chapitre IX.)

Pourtant le système du verbe a subi un fort remaniement entre la période latine et celle de l'ancien français pour la formation de divers temps et en ce qui concerne l'usage des pronoms joints au verbe.

Dans l'ensemble, l'ancien français présente les formes du latin évoluées phonétiquement, avec relativement peu de remaniements. Dans la conjugaison à l'infinitif en -er, la plus nombreuse, le double fait que l'accent ne se trouvait pas à la même place à toutes les personnes et que les voyelles du français ont évolué de manière très différente suivant qu'elles étaient accentuées ou non a introduit de nouvelles différences entre les personnes, celles-ci non plus dans la fin, mais dans le corps même du mot. Ainsi s'est introduit tout un système de ce qu'on appelle des alternances vocaliques, dont le latin n'usait pas pour distinguer les personnes : par exemple *tu aimes*, mais *vous amez* (voir encore en français moderne le mot 'amant'), *tu trueves* (plus tard *treuves*), mais *vous trouvez; tu paroles* (comme dans le substantif 'parole'), mais *vous parlez*.

Dès l'ancien français, les pronoms sujets de première et deuxième personnes sont généralement employés à côté du verbe; les pronoms de troisième personne ne sont généralement pas employés, notamment dans le cas fréquent où le substantif sujet, après avoir figuré une fois en début de phrase n'est pas répété ensuite, ainsi « l'homme naît, grandit, vieillit »; voir le texte p. 132.

Les pronoms reproduisent les pronoms indépendants du latin, pour la 1ʳᵉ et la 2ᵉ personne, et pour la 3ᵉ personne le démonstratif *ille* (voir p. 113); certains ont des formes accentuées comme sujet autonome ou comme complément avec préposition, au contraire non accentuées et raccourcies comme sujet ou régime (d'objet direct ou d'attribution) joint étroitement au verbe, distinction que n'avait pas le latin :

1ʳᵉ personne. Singulier, sujet : *io* accentué, *ie* non accentué; régime accentué : *mei, moi,* non accentué *me;* pluriel *nos* (ou *nous*) dans tous les cas.

2ᵉ personne. Singulier, sujet : *tu,* régime, *tei, toi* et (inaccentué) *te;* pluriel *vos* (ou *vous*) dans tous les cas.

(On a commencé à employer à l'époque féodale 'vous' au lieu de 'tu' par respect pour une personne, comme déjà dans la Rome impériale; mais cet emploi n'est pas régulier dans les textes.)

3ᵉ personne, avec distinction des genres. Singulier masculin, sujet : *il,* régime accentué *lui,* inaccentué *li* et *lo, le* féminin sujet *ele,* régime accentué *li,* inaccentué, *la;* neutre, sujet *el* (le reste comme le masculin); pluriel, masculin sujet *il* (pareil au singulier); régime accentué *lors, lour* et *els, eus,* inaccentué *les;* féminin *eles* sujet et régime d'objet direct accentué, inaccentué *les* comme au masculin.

De plus il s'est créé un pronom indéterminé *on,* par altération

de *homo* (dont l'accusatif *hominem* a donné 'homme'); on croit
voir dans ce fait une influence germanique (comparer en allemand
man 'on' et *mann* 'homme') mais le contraire est possible.

*cf. nemo,
neminis*

En ce qui concerne les désinences du verbe, pour abréger, nous
ne considérons ici que l'indicatif présent des deux conjugaisons
régulières et un seul exemple des autres verbes. Si on considérait
tous ceux-ci et les formes d'imparfait et de passé simple, on aurait
d'autres faits à observer, mais ils sont du même ordre : beaucoup
d'actions analogiques de détail, mais au total conservation dans
l'ensemble des faits hérités du latin, avec la variété qui en résulte,
d'où la complication de la conjugaison du français encore à
l'époque moderne.

Le présent indicatif des verbes conjugués p. 45, pour le latin est
devenu ce qui suit en ancien français (sans les pronoms).

	SINGULIER		
1ʳᵉ personne	*aim, aime*	*li, lis*	*fenis*
2ᵉ personne	*aimes*	*lis*	*fenis*
3ᵉ personne	*aimet, aime*	*lit*	*fenist*

	PLURIEL		
1ʳᵉ personne	*amons*	*lisons*	*fenissons*
2ᵉ personne	*amez*	*lisez*	*fenissez*
3ᵉ personne	*aiment*	*lisent*	*fenissent*

Dans les verbes en *-er* qui avaient un groupe de consonnes à
seconde consonne *l* ou *r*, la 1ʳᵉ personne du singulier avait un *e*
dès le début; ainsi *tremble*. Par l'analogie de ces verbes et aussi
— sans doute surtout — par l'analogie de la 2ᵉ et de la 3ᵉ personne,
presque tous les verbes du type *aim-* ont pris *-e* final au cours de
l'histoire de l'ancien français.

Pour les autres verbes sans marque de 1ʳᵉ personne, c'est l'analogie des verbes à *-s* final (verbes en *-ir*) qui a joué; d'assez bonne
heure on trouve des formes comme *lis* au lieu de *li*; mais ce phéno-

mène n'était pas généralisé en ancien français. L's des verbes en -*ir*
ne provient pas du latin classique, mais du bas latin où un suffixe
-*sc*- s'est introduit dans une partie des formes de verbes latin à -*i*-
long, d'où par exemple *finisco* au lieu de *finio* 'je finis' (voir p. 44).

Pour -*t* de *aimet*, voir p. 97; il s'est perdu au 12° siècle.

A la première personne du pluriel, -*ons* avec *o* n'est pas régulier
(puisque le latin avait -*amus*, -*imus*), mais sans doute analogique
de *sons* (provenant de *sumus*), forme régulière du verbe 'être';
celle-ci a elle-même, fait paradoxal, cédé sa place à une autre
forme : *somes* (moderne 'sommes'). On trouve d'autres formes dans
les plus anciens textes. (En même temps que l'influence analogique
une labialisation exceptionnelle de la voyelle par *m* n'est pas
exclue.)

A la 2° personne du pluriel, -*z* représentait d'abord *ts*, qui s'est
sans doute assez tôt réduit à *z* devant voyelle d'un mot suivant et
a disparu devant une consonne. La voyelle *e* n'est régulière que
pour les verbes à infinitif en -*er*; elle est analogique de ceux-ci dans
les autres verbes.

De même à la 3° personne du pluriel -*ent* n'est régulier que dans
les verbes en -*er* : c'est encore ici leur analogie qui a agi sur les
autres conjugaisons. (Mais divers dialectes ont au contraire étendu
-*ont* à la conjugaison en -*er*, d'où par exemple 'ils aimont'.)

Il n'y a pas de désinences passives en ancien français. Les verbes
déponents (voir p. 45) s'étaient transformés en verbes actifs, par
simplification analogique. Quant au passif, il est exprimé au moyen
de composés du participe passif (dit participe passé en français) et
du verbe 'être' à tous les temps et modes, comme il l'était déjà en
latin à certains d'entre eux.

Le système des temps et modes s'est modifié dans une certaine
mesure avant l'apparition du français écrit. L'état de l'ancien
français n'est pas très différent du français moderne. On peut donc
ici comparer l'état français en général à l'état latin.

Les modes sont comme en latin l'indicatif, le subjonctif, l'impératif; il s'est ajouté le conditionnel (suppositif), exprimant soit une
action hypothétique conditionnée ou non, soit un souhait, dont le
rôle était joué en latin par des formes du subjonctif.

Pour les temps et les aspects, le tableau est resté fondamentalement le même : distinction, d'une part, du présent, du passé et
du futur; d'autre part, distinction de ce qui est accompli, achevé

et de ce qui ne l'est pas. Toutefois, il y a diverses modifications, comportant une plus grande richesse du français, grâce à l'emploi des temps composés.

Considérons d'abord les formes simples : il y a un seul présent et un seul futur; mais il y a deux passés : le passé simple énonçant simplement un fait, et l'imparfait qui décrit; on peut dire qu'il exprime généralement un 'aspect descriptif'. Les formes composées indiquent à la fois l'aspect accompli et l'antériorité par rapport à un temps donné : passé composé (antériorité par rapport au présent), plus-que-parfait et passé antérieur, le premier correspondant à l'imparfait, le second au passé simple (antériorité par rapport au passé), futur antérieur (antériorité par rapport au futur).

Enumérons maintenant les formes qui existent en ancien français, par comparaison avec celles du latin.

Le présent latin a subsisté à l'indicatif et au subjonctif.

L'imparfait latin a subsisté à l'indicatif. Sa finale a été assez variée dans son traitement phonétique; telle qu'elle s'est établie au 12ᵉ siècle (1ʳᵉ personne, singulier *chanteie*, puis *chantoie*), elle a été influencée par le verbe 'avoir'.

L'imparfait du subjonctif a disparu; il a été remplacé dans ses différents rôles (passé du subjonctif; expression de la condition et du souhait) par l'ancien plus-que-parfait du subjoncitf, dont la forme est liée à celle du passé simple.

Le parfait du latin a subsisté dans le passé simple du français; plus encore que le présent, il se présente avec des aspects variés; pour les verbes en -*er*, la première personne est en ancien français comme en moderne *chantai*.

Le plus-que-parfait de l'indicatif a disparu (sauf l'emploi rare de cette forme en ancien français pour 'être' et 'avoir'), remplacé par une forme composée; celui du subjonctif a subsisté en se substituant à l'imparfait comme il est dit ci-dessus.

Le futur et le futur antérieur de l'indicatif et le passé du subjonctif ont complètement disparu, remplacés par des formes composées, dont certaines se sont soudées en nouvelles formes simples.

Passons aux formes composées qui ont remplacé des formes du latin ou se sont ajoutées à elles.

Il y a deux séries très différentes, générales dans les langues romanes.

La première est composée de l'infinitif et du verbe 'avoir', en

fueram
fueras
etc.

habueram
habueras
etc.

latin *habere;* celui-ci est abrégé et complètement soudé à l'infinitif
de sorte que dès l'ancien français on avait le sentiment qu'il s'agissait d'une série spéciale de désinences et non d'un temps composé.
L'infinitif avec le présent du verbe 'avoir', a donné le futur; ainsi
chanterai, chanteras, chantera, etc., du bas latin *cantare-habeo*
(avec l'ordre le plus habituel des mots, verbe à la fin : 'j'ai à
aimer).

chanter /

L'infinitif avec l'imparfait du verbe 'avoir' (*cantare-habebam*
'j'avais à chanter') a donné le conditionnel (suppositif) du français
(dont la valeur est devenue 'j'aurais à chanter'); ancien français
chantereie, chantereies, chantereiet, etc.

L'autre série consiste dans une alliance du participe passé et de
diverses formes de l'auxiliaire 'avoir' ou de l'auxiliaire 'être'. Ainsi
ont été constitués le passé composé ('j'ai aimé', 'je suis venu'), le
plus-que-parfait ('j'avais aimé', 'j'étais venu'); le passé antérieur
('j'eus aimé', 'je fus venu'); le futur antérieur ('j'aurai aimé', 'je
serai venu'); les deux passés du subjonctif ('(que) j'aie aimé', (que)
j'eusse aimé', '(que) je sois venu', '(que) je fusse venu'), et les
temps surcomposés, qu'on trouve peu dans les textes ('j'ai eu aimé',
'j'avais eu aimé', etc.

En ancien français, dans ces combinaisons, le participe et l'auxiliaire étaient autonomes : les temps composés étaient en formation,
ceci dès le bas latin, et la formation ne s'est achevée que plus tard.
En conséquence, le participe restait presque toujours pleinement
variable, et pouvait être séparé de l'auxiliaire par plusieurs mots
quelconques; ainsi *Guenes li fel at nostre mort jurede* «Ganelon,
le félon, a juré notre mort».

L'emploi des temps dans l'ancien français n'est pas tout à fait
le même que dans le français moderne. Le fait le plus important est
l'emploi très fréquent du passé simple. Il s'emploie assez souvent,
mais surtout pour les verbes 'être' et 'avoir', là où le français moderne emploie la forme descriptive, l'imparfait; ainsi *airs out les
oilz* 'il eut (pour 'il avait') les yeux vairons'. Il en est de même
lorsque ces verbes servent d'auxiliaires; en conséquence le passé
antérieur est souvent employé là où le français moderne use du
plus-que-parfait.

Ce qui frappe le plus lorsqu'on lit les anciens textes, c'est que
l'ancien français littéraire, non encore réglementé et se rapprochant sans doute plus de la conversation libre, emploie souvent côte
à côte dans la même phrase le passé et le présent décrivant des faits

passés (ou 'présent historique'); ainsi *tendror en out, commencet a plorer* 'il en eut pitié, commence à pleurer' (ceci quelquefois en style dramatique).

Il reste à dire un mot des formes non conjuguées. L'infinitif joue un grand rôle en ancien français ayant conservé en général les emplois latins. Toutefois la proposition infinitive à sujet à l'accusatif est sortie de l'usage. D'autre part les futurs et conditionnels dont la formation n'est plus reconnue échappent à la sphère de l'infinitif.

Le participe passé est resté employé comme adjectif, et a étendu son rôle verbal de deux manières : d'abord en servant à constituer toute la conjugaison du passif, ensuite et surtout en devenant 'participe passé' et en servant à constituer tous les temps composés.

Le participe présent est resté en usage comme adjectif. Mais, d'autre part, le supin a disparu et le gérondif s'est confondu phonétiquement avec le participe présent (*amandi, amando, amandum* et *amantem* aboutissaient également à *amant*, plus tard *aimant*); d'où le double rôle du 'participe présent' en français, qui a créé diverses difficultés de syntaxe et d'orthographe (en français moderne 'des enfants aimants', 'les enfants aimant à jouer sont souvent distraits en classe', 'aimant à jouer, ils quittent souvent le travail').

c) ORDRE DES MOTS ET CONSTITUTION DE LA PHRASE. — En ancien français, l'ordre des mots est beaucoup plus libre qu'en français moderne; cette caractéristique du latin a donc été conservée dans une large mesure.

En particulier, le sujet, dont le rôle est marqué le plus souvent par la forme (cas sujet) se déplace facilement par rapport au verbe, ou si on veut, celui-ci par rapport au sujet. Ainsi, les verbes de sens 'dire' sont souvent en tête de phrase : *respont li enfes* 'l'enfant répond'. Peut-être l'emploi de l'ordre 'verbe + sujet' pour exprimer l'interrogation ('vient-il ?') est-il dû à une influence germanique.

Le complément d'objet direct, se distinguant généralement du sujet par sa forme, peut se mettre aussi bien devant le verbe qu'après : *Rollant saisit* « il saisit Roland » (si Roland était sujet, ce serait régulièrement *Rollanz*).

Cependant certains ordres étaient devenus habituels ou même obligatoires.

Ainsi, un adjectif attribut avec le verbe 'être' est de préférence en tête : *grant est la plaigne* « la plaine est grande ». Le français moderne a changé cet ordre.

Le complément de nom sans préposition (cas régime) est toujours après le nom complété : *en l ermitage frère Ogrin* « dans l'ermitage de frère Ogrin ».

germanique? { En prose, au moins, et dans l'ensemble, le verbe était de préférence à la seconde place de la phrase.

L'ancien français faisait usage des propositions subordonnées, introduites au moyen de subjonctions (en grande partie nouvelles) ou de pronoms relatifs, à peu près comme le latin, et comme le français moderne. A cet égard, il n'y a que des détails a remarquer.

Ainsi le subjonctif s'employait couramment après des verbes qui n'impliquent pas une affirmation nette; par exemple *cuide que veritez soit* « il pense que c'est la vérité ».

On peut noter toutefois que l'ancien français, s'il a de nombreuses phrases complexes (avec principale et subordonnée) n'a pas de très longues phrases périodiques.

où en est le rapport? Si l'ancien français littéraire est une langue souple, variée, ne reculant pas devant diverses complications pour exprimer des nuances, il n'y a pas à s'en étonner : les poètes et prosateurs, artistes en littérature, étaient les contemporains des grands artistes qui ont construit et orné les cathédrales et autres édifices.

4. Vocabulaire

Ce sujet ne peut être traité ici que dans ses tout à fait grandes lignes; il pourrait faire à lui seul l'objet d'un livre de même dimension.

Mais indiquons, en touchant quelques points de méthode, pourquoi c'est une matière si compliquée.

Dans une très large mesure, la prononciation et la grammaire d'une langue forment un système impénétrable; elles sont apprises en corps, d'un coup, par les enfants de chaque génération et ne subissent que des changements insensibles et inconscients; la législation ni la mode n'y peuvent changer que des détails infimes. Fait social par excellence, cette partie du langage ne subit pourtant pas directement et immédiatement le contrecoup des événements sociaux, qui ne s'y fait sentir qu'à la longue et d'une manière qu'il est très difficile d'apprécier justement. La seule chose qui se formule clairement, c'est le fait général qu'un système de langue déterminé appartient à un groupe social déterminé. D'où l'opposition des langues nationales. Il peut y avoir substitution de langues, avec diverses conséquences, mais il n'y a mélange d'éléments phonétiques et grammaticaux de langues différentes que rarement et dans une petite mesure lorsqu'il s'agit de groupes nettement séparés. Mais à l'intérieur d'un groupe fortement constitué, des substitutions peuvent se faire par pénétration progressive d'un langage dans un autre; c'est dans l'ensemble le cas du français par rapport aux patois qu'il a fait ou fait encore disparaître.

Pour contraste, dans une large mesure, le vocabulaire est faiblement organisé et pénétrable. Dans un vocabulaire donné, c'est-à-dire dans la masse des mots qui servent à nommer les objets et les idées, à chaque instant des mots peuvent pénétrer individuellement. Tout objet nouveau ou nouvellement connu doit être nommé : or les objets apparaissent individuellement, par invention ou importation; de même certains usages ou certaines institutions. De même encore des idées, des notions abstraites peuvent provenir de réflexions individuelles, ou d'initiatives individuelles dues à des connaissances acquises de l'extérieur. Il y a donc facilement des mélanges de vocabulaires; toutefois, à un moment donné, sauf circonstances exceptionnelles, les éléments extérieurs (emprunts) ou nouveaux (néologismes) restent en nette minorité dans une langue donnée, au moins dans la langue parlée et usuelle.

Un exemple connu d'emprunts abondants est celui de l'anglais : par suite de la conquête franco-normande, le vocabulaire de l'anglais (germanique) a reçu un grand apport de mots français, tout en restant germanique pour les mots fondamentaux de la vie usuelle.

Ici, les réactions sociales sont visibles et immédiates : le prestige de conquérants, le contact étroit avec des voisins, soit par des guerres, soit par des relations commerciales actives, soit par des échanges intellectuels intimes, amènent des emprunts de mots plus ou moins abondants.

L'esprit de groupe agit en cette matière de façon claire. Le fait social qu'on appelle la mode a une influence très grande : des sociétés ouvertes, désireuses de communications en même temps que de nouveauté, acceptent plus volontiers des modes étrangères. Au contraire, la volonté d'un groupe fermé, résolu à une défense intégrale et à un certain isolement, peut amener une résistance aux emprunts : ceux-ci ne peuvent pas être évités entièrement si on accepte les objets et les idées (fût-ce pour les combattre); mais alors les mots étrangers peuvent être traduits au moyen d'éléments indigènes combinés de manière nouvelle (voir ci-dessous pour l'allemand).

Il y a pourtant diverses liaisons entre le caractère phonétique et grammatical des langues et la prolifération du vocabulaire.

Dans une certaine mesure des sons nouveaux peuvent s'acclimater par l'intermédiaire d'emprunts (pour *h* germanique en français voir p. 103).

Des mots disparaissent parce que l'évolution phonétique les a fait devenir trop courts ou se confondre avec des mots d'autre sens, ou les deux à la fois. Ainsi les mots latins *auem* 'oiseau' et *apem* 'abeille' devenant tous deux *e* (*f*) ont été remplacés l'un et l'autre en français par un de leurs dérivés plus longs.

Des mots nouveaux peuvent être plus ou moins facilement créés avec les ressources propres de la langue, suivant que celle-ci use plus ou moins de suffixes de dérivation et de particules préfixées, ou de mots composés de termes entiers. Ainsi la facilité de composition de l'allemand lui a permis de fabriquer beaucoup de mots d'aspect germanique au lieu d'accepter des mots empruntés tout faits, par exemple *Eilzug* 'train de vitesse', au sens de 'express'. Il arrive, lorsque des emprunts nombreux ont pénétré dans une langue, que tel élément commun à plusieurs, ainsi un suffixe ou un préfixe, soit emprunté par lui-même et adapté ensuite à des radicaux indigènes. Ainsi en français -*ard*, d'origine germanique, est employé avec des radicaux latins, comme dans 'criard'.

D'autre part, les vocabulaires sont sous la forme des changements de sens soumis à la force de l'évolution lente. L'étude de ce fait appartient à la partie de la linguistique qu'on appelle la 'sémantique' ou science des significations.

Elle tient compte largement des conditions sociales. Ainsi, des mots se spécialisent dans un milieu donné : par exemple *labourer* vient (par emprunt au 10ᵉ siècle) d'un mot latin voulant dire 'travailler'; son sens d'abord général s'est peu à peu restreint au travail essentiel des paysans; au contraire 'arriver' ('venir à rive') a étendu son sens en passant du langage des marins et des bateliers à celui de tout le monde. Par contrecoup, le français a adopté d'abord 'ouvrer', puis 'travailler' pour le travail non spécialisé et 'aborder' pour l'accostage d'une embarcation; or 'travailler' voulait dire à l'origine 'tourmenter' (au moyen d'un instrument de torture analogue au 'travail' à ferrer les animaux) et 'bord' est un mot germanique.

Que ces exemples suffisent pour montrer l'extrême complication de l'histoire des sens de mots.

D'autres études sont celles de l'origine des mots formant le fond de la langue augmenté des emprunts (étymologie) et celle de la formation des mots nouveaux. Voyons quelques données pour l'état de langue qui nous occupe ici.

L'ancien français avait un vocabulaire riche, propre à décrire avec précision et variété, et à exprimer beaucoup d'idées avec aisance.

La masse du vocabulaire, c'est le vocabulaire latin, dont tous les mots essentiels étaient conservés, avec leur sens, ou à peu près (voir ci-dessus et ci-après quelques exemples des nombreux changements de valeur).

Beaucoup étaient tels que les avait fait l'évolution phonétique régulière; ainsi *bovem* devenu *buef* 'bœuf', et pour citer un mot long et abstrait *amicitatem* devenu *amistié* 'amitié'. D'autres étaient des dérivés qui avaient remplacé des radicaux simples; ainsi *auricula*, diminutif de *aurem*, devenu 'oreille', *cantare* au lieu de *canere*, devenu 'chanter'. Ces deux catégories constituent la masse des mots transmis oralement que les romanistes appellent 'populaires' ou 'hérités' par opposition aux mots 'savants' dont il est question plus loin.

Beaucoup de ces mots ont disparu par la suite au cours de l'histoire du français; il ne faut pas oublier à quel point le vocabulaire (d'origine populaire) de l'ancien français était plus proche du latin classique que ne l'est le vocabulaire moderne, si on considère celui-ci sans les mots 'savants' empruntés au latin. Qu'il suffise de rappeler par exemple : *chef* du latin *caput*, qui a conservé jusqu'au 16ᵉ siècle le sens de 'tête' et qui était employé concurremment avec ce dernier mot (voir p. 96); le verbe très usuel *cuidier*, du latin *cogitare*, disparu en laissant ses emplois à *croire* et *penser*, du fonds latin également, qui tous deux d'ailleurs existaient aussi en ancien français; *gésir*, représentant régulier du latin *iacere* 'être couché, étendu' dont on n'a conservé que quelques formes, comme 'ci-gît' et 'gisant'; *celer*, du latin *celare*, remplacé peu à peu par *cacher*, mais subsistant dans 'déceler', 'recéler'.

D'autres mots provenaient du celtique et beaucoup aussi n'ont pas survécu (ainsi *braies* 'culotte'). De même pour les emprunts

angl. 'breeches, britches'

germaniques. D'autres encore restés plus tard dans la langue étaient d'origine arabe (voir p. 90).

Il faut tenir compte des emprunts du 'francien' à d'autres dialectes gallo-romans et surtout aux parlers d'oc. Ces emprunts ont un caractère spécial, puisque le radical est latin d'un côté comme de l'autre; parfois ils portent sur un détail du mot; ainsi c'est sans doute à l'influence méridionale qu'on doit de dire *amour* avec *-our* et non *-eur* comme dans *douleur.* Les mots venus au français de l'occitan principalement dans la période de l'ancien français, sont au nombre d'environ 400 (c'est-à-dire une quantité presque égale à celle des mots d'origine celtique et germanique réunis); ainsi *abeille, ballade, velours.*

Mais l'influence des langues vivantes sur le lexique n'a que peu d'importance au regard de celle qu'a exercé le latin; c'est elle qui a introduit en français la grande masse des mots savants qui reflète l'action des gens instruits sur le vocabulaire.

Tout d'abord certains mots ont échappé plus ou moins aux règles ordinaires de l'évolution : c'étaient des termes d'église ou d'administration usuels qui ont eu un aspect différent des mots ordinaires. Ainsi quelques-uns ont conservé la voyelle qui suivait la syllabe accentuée et au contraire perdu la consonne de la syllabe finale; ainsi *imaige,* puis *image,* du latin *imaginem*; *prince,* du latin *principem.* Le vieux *aneme,* du latin *anima,* qui avait conservé à la fois la voyelle de deuxième syllabe et l'*m* de la fin, a fini par céder à la forme abrégée *anme* puis *âme.* Inversement le mot *règle,* du latin *regula,* a perdu anciennement la voyelle de deuxième syllabe, mais a conservé le *g* qui avait régulièrement disparu dans la forme populaire de l'ancien français *reille,* laquelle n'a pas survécu dans ce sens, mais a subsisté pour désigner une tringle dans certaines charrues.

Surtout les clercs, écrivant des ouvrages d'édification, le plus souvent traduits du latin, ont transporté avec très peu de modifications en français les mots qui leur manquaient dans le français de la conversation. C'est ainsi que les mots savants, rares dans les textes de littérature profane, ont commencé à se répandre dans les œuvres cléricales. Ils se reconnaissent à la conservation de toutes les voyelles (sauf la plupart des voyelles terminales) et des consonnes entre voyelles ou devant une autre consonne (en groupe) qui sont éliminées dans les mots populaires; aussi ces mots savants sont-ils souvent des mots longs. Exemple : *antiquetet* (plus tard 'antiquité'), *communiquer, figure, nature, paradis, facture.*

La plupart de ces mots, à l'époque de l'ancien français, sont restés cantonnés dans un usage plus ou moins savant; les préfixes et suffixes latins qu'on pouvait y remarquer (ainsi *ad*) ne servaient pas à former de nouveaux mots, au contraire des préfixes et suffixes qui avaient pris une forme populaire, ainsi *a-* (voir ci-après). Le transfert d'éléments de vocabulaire empruntés au latin par la voie écrite n'a pris sa véritable importance qu'à une époque postérieure.

L'ancien français ne s'est pas suffi avec les mots hérités ou empruntés; il a créé un très grand nombre de mots par dérivation, c'est-à-dire en appliquant des suffixes ou préfixes, d'origine latine ou quelquefois germanique, aux mots de toute origine. Un exemple typique : la préposition *à* venue du latin *ad* avec *bandon*, d'origine germanique, a voulu dire à peu près 'à l'écart'; dès le 12ᵉ siècle 'abandon' est devenu un substantif et on a dit *en abandon;* au 13ᵉ siècle le verbe 'abandonner' a été formé et 'abandonnement' est du 13ᵉ siècle, sans compter d'autres dérivés encore.

A côté de l'addition d'un suffixe de dérivation il faut mentionner les réductions au radical, par exemple *appel* de *appeler, bond* de *bondir, départ* de *départir.*

Un autre mode de fabrication repose sur des changements de valeur. On peut citer la curieuse substitution de *renard* (nom propre) à l'ancien *golpil* ou *goupil.*

La langue avait donc les éléments voulus pour continuer à s'enrichir par elle-même si l'histoire n'avait pas tourné autrement, comme le montrent les chapitres suivants, par le foisonnement des éléments savants.

Pour la question des statistiques voir pp. 148 et 217.

5. Versification

Il n'est pas étonnant, puisque l'opposition des voyelles longues et brèves n'a pas subsisté, que le système de la versification latine qui reposait sur cette opposition n'ait pas survécu. Déjà en bas latin des chants d'église à caractère populaire montrent les traits essentiels de la versification postérieure : compte fixe de syllabes, rime.

La poésie de l'ancien français comporte déjà une assez grande variété de formes. Les anciens poèmes épiques sont en général en vers de 10 syllabes (coupés en 4 + 6) ; un grand poème du 12ᵉ siècle, le *Roman d'Alexandre,* a donné le premier modèle connu du vers de 12 syllabes (d'où le nom de celui-ci, *alexandrin*). Les poésies plus légères étaient généralement en vers de 8 syllabes.

Les poètes de l'ancien français pouvaient se contenter de l'assonance, c'est-à-dire de l'identité des dernières voyelles accentuées ; ainsi *norri* ('nourri') assonne avec *gésir* sans tenir compte des consonnes venant avant ou après.

Mais déjà existait la rime véritable, avec concordance à la fois d'une voyelle et d'une consonne au moins.

Voir les fragments de poèmes cités ci-après, pour des assonances ou des rimes. Les assonances ou les rimes ont un aspect différent suivant que la voyelle tonique assonançant ou rimant est la dernière du mot (assonance ou rime masculine) ou qu'elle est suivie d'une voyelle *e* non accentuée qui était articulée en ancien français (assonance ou rime féminine). Souvent les poètes faisaient des strophes entières avec la même assonance ou rime pour tous les vers ; on appelle ces suites des 'laisses'. (Voir le second texte cité ci-dessous.)

Il faut se rappeler que la poésie de ce temps était chantée, avec accompagnement de musique, ou au moins psalmodiée.

TEXTES DU 11ᵉ AU 13ᵉ SIÈCLE [1]

[avec un déplacement pour raison typographique]

Poésie de RUTEBEUF (13ᵉ siècle) B.N., Fonds français 837, f°
309, recto B.

Q' sont mi ami deuenu
Q' iauoie si pres tenu
& tant ame
ie cuit qil sont trop cler seme
j l ne furent pas bien seme
s i sont failli

Traduction

que sont devenus mes amis
que j'avais tellement entourés
et tant aimés?
je trouve qu'ils sont bien clairsemés,
on ne les avait pas bien semés;
ils ont disparu.

1. Dans les textes insérés ici et tous les suivants il n'a pas été possible
d'employer l's long ressemblant à *f* qui a été en usage jusqu'à la fin du
18ᵉ siècle, en dehors des *s* de fins de mots (voir p. 223).
Noter que l'orthographe de l'ancien français était encore jeune : toutes
les lettres doivent être prononcées.
L'emploi des majuscules en début de vers n'est devenu constant qu'à la fin
du 13ᵉ siècle; la première lettre est souvent séparée; l'usage est varié suivant les textes.
La ponctuation était très réduite ou inexistante dans les anciens manuscrits.
Les accents n'étaient pas en usage ni anciennement le point sur l'*i*.
Le *j* et le *v*, de même que *i* et *u* voyelles, étaient écrits généralement *j*
(*i* long) et *v* (*u* pointu) en début de mot; partout ailleurs on écrivait *i* et *u*.
La conjonction *et* était généralement représentée par un petit signe qui
est remplacé ici par & employé plus tard par les imprimeurs.
Il y avait certaines abréviations graphiques (ainsi *p* barré pour *per* et les
voyelles surmontées d'un tilde pour les voyelles nasales); ici seul est reproduit par *q'* le *q* accentué ou barré pour *que* et *qui*.

CHANSON DE ROLAND, vers 2271-2291

Rédaction sans doute de la fin du 11ᵉ siècle; manuscrit du 12ᵉ siècle de provenance anglo-normande, dit d'Oxford.

Halt sunt li pui et mult halt les arbres.
Quatre pirins i ad luisant de marbre.
Sur lerbe uerte li quens Rolant se pasmet.
Vns sarrazins tute veie lesguardet.
Si se feinst mort, si gist entre les altres.
Del sanc luat sun cors & sun uisage.
Me sei en piez & de curre sastet.
Bels fut & furz & de grant uasselage.
Par sun orgoill cumencet mortel rage.
Rolant saisit & sun cors & ses armes.
& dist un mot uencue est li nies carles.
Ceste espee porterai en arabe.
En cel tireuer ¹ li quens sapercut alques.
Co sent Rolant que sespee li tolt.
Vurit les oilz, si li ad dit un mot.
Men escientre tu nies mie des noz.
Tient lolifan que unkes perdre ne volt.
Sil fiere en lelme ki gemet fut a or.
fruisset lacer & la teste & les os.
Amsdous les oilz del chef li ad mis fors.
Ius a ses piez si lad tresturnet mort.

'(il) met soi'

1. Sic pour tirer.

CHRÉTIEN DE TROYES : *Lancelot* (fin du 12ᵉ siècle). Bibliothèque nationale, fonds français 794, folio 29, recto B.

d e lesgarder onques ne fine
m olt antentis & molt li plot
a u plus longuement que il pot
& quant il ne la pot veoir
s i se vost ius lessier cheoir
& trebuchier aval son cors

Traduction

(en partie d'après Bédier)

Hauts sont les monts et très hauts les arbres.
Il y a quatre blocs brillants de marbre.
Sur l'herbe verte le comte Roland se pâme ;
Un Sarrasin toutefois l'épie ;
Il fit le mort, se tint couché entre les autres,
De sang il barbouille son corps et son visage ;
Il se dresse sur ses pieds et se hâte de courir ;
Il fut beau et fort et de grand courage.
Dans son orgueil il entreprend une folie mortelle,
Il porte la main sur le corps et les armes de Roland
Et dit une parole : « Vaincu est le neveu de Charles,
J'emporterai cette épée en Arabie. »
Par cette traction le comte prit un peu conscience,
Roland sent qu'il lui prend son épée.
Il ouvrit les yeux et lui dit une parole :
« Tu n'es pas des nôtres que je sache ! »
Il tient l'olifant [grand cor d'ivoire] qu'il ne voulut jamais perdre
Il l'en frappe sur son casque gemmé, paré d'or,
Il brise l'acier et la tête et les os,
Lui fait jaillir de la tête les deux yeux
Et à ses pieds le renverse mort.

Traduction

il ne cesse un instant de la dévorer des yeux
très absorbé et il prit grand plaisir
aussi longtemps qu'il put.
quand il ne put plus la voir
alors il voulut se laisser choir
et basculer son corps en bas

CHRÉTIEN DE TROYES : *Yvain ou le chevalier au lion,* 12ᵉ siècle (vers 5298 et suivants).

Sous prétexte de peindre dans un roman fantastique des prisonnières gardées par deux génies, le poète a décrit d'authentiques ouvrières dans un atelier de tissage : c'est la première apparition du prolétariat dans la littérature française.

Texte (sauf les *u* au lieu de *v* et *i* au lieu de *j* et la ponctuation) d'après CHRÉTIEN DE TROYES, *Poésies choisies,* par Gustave Cohen, Classiques Larousse, pp. 75-76.

> Toz iorz dras de soie tistrons
> Ne ia n'an serons miauz uestues
> Toz iors serons poures et nues
> & toz iorz fain & soif aurons
> Il tant gaeignier ne saurons,
> Que miauz an aiiens a mangier.
> Del pain auons a grant dangier
> Au main petit & au soir mains
> Que ia de l'ueure de noz mains
> N'aura chascune por son uiure
> Que quatre deniers de la liure.
> & de ce ne poons nos pas
> Assez auoir uiande & dras.
> . . . .
> & nos somes au grant pouerte,
> S'est riches de nostre deserte
> Cil por cui nos nos traueillons.

VILLEHARDOUIN
Début du 13ᵉ siècle.
Extrait de la *Conquête de Constantinople.*

Texte (sauf l'emploi de *u* et non de *v*, de & au lieu de *et*, ainsi que l'absence de certains signes de ponctuation) d'après la *Chrestomathie du Moyen-âge* de G. Paris et Langlois (Hachette), p. 194.

Lors se porpenserent dun mout bon engien quil fermerent tote lost de bones lices & de bons merriens et de bones barres & si en furent mout plus fort & plus seür. Li Grieu lor faisoient si souent assaillies quil nes laissoient reposer; & cil de lost les remetoient ariere mout durement & totes fois quil oissoient fors i perdoient li Grieu.

Traduction

Toujours des draps de soie nous tisserons
et jamais nous n'en serons mieux vêtues;
toujours nous serons pauvres et nues
et toujours faim et soif nous aurons.
Jamais tant gagner nous ne pourrons
que mieux nous en ayons à manger.
Du pain nous avons à grand peine,
le matin peu et le soir moins;
car de l'ouvrage de nos mains
chacune n'aura pour son vivre
que quatre deniers pour la livre [de marchandise travaillée];
et avec cela nous ne pouvons pas
avoir assez de nourriture et d'étoffe.
....
Et nous sommes en grande pauvreté
alors qu'est riche du produit de notre travail
celui pour qui nous, nous nous donnons du mal.

Traduction

Ils (les Croisés) s'avisèrent alors d'un très bon expédient; ils
entourèrent tout le camp de bonnes palissades, de bons poteaux et
de bonnes traverses, et ils en furent beaucoup plus forts et plus en
sûreté. Les Grecs leur faisaient si souvent des attaques qu'ils ne les
laissaient pas en repos; et ceux de l'armée les repoussaient très
rudement, et chaque fois que les Grecs faisaient des sorties, ils y
échouaient.

ROMAN DE LA ROSE (fin du 13ᵉ siècle)
Bibliothèque Nationale, fonds français 1573, folio 159, verso A.

Avant de blâmer l'Homme, Nature loue les animaux.

N e ne me plain des autres bestes.
Cui ie faz anclines les testes.
& regardanz toutes ver tere
C eus ne me murent onques guerre
T outes a ma cordele tirent
& font si con leur pere firent
L i malles vet o sa femele
C i a couple auenant & bele
T uit angendrement & vont ansanble
T outes les foiz que bon leur sanble.

Ni ne me plains des autres bêtes | A qui je rends les têtes in-
clinées | Et toutes regardant vers la terre. | Elles ne me firent jamais
la guerre. | Toutes elles tirent à ma cordelette | Et agissent tout
comme agirent leurs pères. | Le mâle va avec sa femelle, | Ils
forment un couple avenant et beau. | Tous procréent et vont en-
semble | Toutes les fois que bon leur semble. |

ROMAN DE RENART (fin du 13ᵉ siècle)
Bibliothèque Nationale, fonds français 371, folio 27, recto (b).

D ame Hermeline ot la parole
R espond li conme dame fole
j alouse fu & enflamee
q' ses sires lavoit amee
& dist : ne fuce puterie
& mauvestie & lecherie
G rant deshonor & grant putage
F eïstes vos & grant outrage
= quant   Q' ant vos soufrites monbaron
Q' vos bati vostre ort crepon.

Dame Hermeline prit la parole, | Elle lui répond en femme folle; |
elle était jalouse et enflammée | parce que son mari (Hersant) l'avait
possédée. | Et elle dit : ne fut-ce conduite de putain | et mauvaiseté
et dévergondage ? | Un grand déshonneur et une grande putinerie, |
voilà ce que vous avez fait avec grand outrage | quand vous avez
laissé mon mari | vous frotter votre sale croupion. |

TROISIÈME PARTIE

LE MOYEN FRANÇAIS

CHAPITRE VII

LE MOYEN FRANÇAIS ET L'ÉTABLISSEMENT
DE L'ADMINISTRATION ROYALE
(14ᵉ et 15ᵉ siècles)

Le moyen français est celui de l'époque de transition, qui a duré
plus de trois siècles, entre l'ancien français et le français moderne,
avec des transformations, bien moindres que celles qui ont séparé
l'ancien français du latin finissant, moindres même que celles qui
se sont réalisées au cours de l'histoire de l'ancien français. Dans la
marche de l'évolution, on doit situer la fin de l'ancien français
proprement dit au moment où le système de la déclinaison à deux
cas est profondément atteint, c'est-à-dire vers le milieu du 13ᵉ
siècle; le français moderne ne reçoit son acte véritable de naissance qu'à la fin du premier tiers du 17ᵉ siècle, quand les écrivains,
les gens du monde et les grammairiens s'efforcent de fixer l'usage.

Remarquez que déjà les textes du milieu du 14ᵉ siècle nous sont
accessibles sans traduction au prix de quelques annotations.

La première période détachée ici dans un chapitre spécial continue
à bien des égards la dernière partie de la précédente, et il serait
absurde de marquer une coupure absolue. Néanmoins, on peut
encadrer assez exactement dans les deux siècles considérés des événements politiques et sociaux importants et une étape nette de la
transformation de la langue.

1. Etablissement définitif des nationalités occidentales

En France, le rattachement de la Champagne à la couronne date de 1285. De 1285 à 1304, Philippe le Bel a organisé le royaume agrandi.

En (1328) la dynastie des Capétiens a pris fin. A ce moment, les nobles de France en élisant roi non pas un Plantagenet d'Angleterre, mais Philippe de Valois, neveu de Philippe le Bel, ont marqué un esprit de résistance contre la dynastie des rois d'Angleterre, originaires de France, qui y conservaient des domaines et visaient à la royauté. La guerre de Cent ans commencée à ce moment a marqué le lent développement d'un véritable esprit national, tant du côté français (campagnes de Jeanne d'Arc de 1428 à 1431) que du côté anglais.

Noter à ce propos que, dès la seconde moitié du 13ᵉ siècle, l'anglais a reconquis peu à peu la place qu'il avait cédée au français; celui-ci a cessé d'être employé même à la cour d'Angleterre au 15ᵉ siècle, pour ne plus subsister que dans des usages judiciaires — ceci jusqu'au 18ᵉ siècle.

Louis XI, roi de 1461 à 1483, a fini par regrouper sous son autorité directe presque toutes les provinces de France.

Dans la même période, l'Espagne d'une part, le Portugal de l'autre, s'étant constitués en états, commençaient l'expansion coloniale lointaine de l'Europe (découverte de l'Amérique, 1492).

En même temps, l'Europe était coupée du Proche-Orient; les Turcs s'établissaient solidement en Asie mineure et prenaient Constantinople en 1453, mettant fin aux vestiges de l'empire romain d'Orient. D'autre part, le royaume musulman de Grenade tombait en 1492 aux mains de la royauté chrétienne espagnole.

L'Europe occidentale était donc dessinée dans ses grandes lignes modernes : les destinées des diverses langues nationales se sont fixées dans l'ensemble à cette période.

2. L'administration royale et la bourgeoisie parlementaire en France

Le régime féodal était loin d'être aboli au 14ᵉ siècle; les rois de France en entretenaient même un aspect essentiel en créant de grands fiefs pour des membres de leur famille.

Cependant, le travail de centralisation commencé au siècle précédent se poursuivait avec activité et succès. De plus en plus les rois ont affirmé et organisé leur autorité judiciaire et fiscale, aux dépens des puissances du temps féodal : grands seigneurs, y compris les membres du haut clergé, et aussi les villes plus ou moins autonomes (communes). Ils ont agi au moyen de corps administratifs; du début du 14ᵉ siècle datent un Conseil du roi, le Parlement de Paris et des Parlements provinciaux, une Chambre des comptes; vers la même époque ont commencé à fonctionner les états généraux et les états provinciaux, où l'autorité royale prenait contact avec la noblesse, le clergé et la haute bourgeoisie.

C'était cette même haute bourgeoisie en partie instruite dans les universités qui fournissait le personnel de l'appareil administratif, et qui a constitué un corps nombreux de légistes instruits, dont l'importance a été grande dans le développement du français. Cette classe moyenne fournissait à la fois des écrivains et un public. Noter que c'est du règne de Louis XI que date le service des postes.

3. Arts et techniques

Il ne faut pas, naturellement, considérer seulement les fonctionnaires. L'industrie a commencé à se perfectionner à cette époque, où se continuait d'autre part avec activité la construction des grands édifices : cathédrales, palais de justice, palais royaux, palais des grands ministres ou financiers (maisons, à Bourges, de Jacques Cœur qui a vécu de 1395 à 1456).

L'artillerie a transformé les opérations de guerre, diminuant beaucoup l'importance des nobles féodaux, à la fois parce que la cavalerie cuirassée devenait vulnérable et parce que les murailles des châteaux forts pouvaient être démolies par le bombardement. La navigation était améliorée par l'usage du gouvernail moderne et par l'emploi de la boussole à pivot. Un progrès matériel important a été l'habitude de porter du linge blanc sous les habits. C'est le linge qui a fourni la matière première pour la fabrication du papier qui, beaucoup meilleur marché que le parchemin, a permis d'abord de multiplier plus facilement les manuscrits, puis a fourni la matière des livres imprimés (impression de la Bible de Gutenberg, 1455).

Dans la même période se sont répandues, pour les lecteurs à vue

courte ou vieill*l*e, les bésicles ou lunettes (qui avaient apparu à la
fin du 13° siècle). *(pas inventées par Benj. Franklin)*

Un âge nouveau commence, celui où la lecture individuelle dans
les maisons maintenant pourvues de vitres est de plus en plus répandue : les appétits intellectuels d'un public élargi ont appelé les
progrès techniques par lesquels ils ont été satisfaits, puis aiguil-
lonnés et multipliés considérablement.

4. Extension de l'usage du français en France.

Littérature

Dès le 13° siècle, le français proprement dit (francien) avait
pris nettement le pas sur les autres dialectes. Au 14° siècle, peu
d'auteurs connus écrivent encore un français dialectal, tel le chroniqueur Froissart (1338-1404) qui emploie des formes picardes. La
littérature a contribué avec l'administration à répandre la 'langue
du roi' parmi les hautes couches des provinces, surtout dans les
villes.

La période 14°-15° siècles n'a pas vu un développement proprement littéraire aussi important que la grande période précédente.

Néanmoins, l'activité a été grande dans divers genres poétiques,
et surtout dans le théâtre. Le théâtre religieux s'est développé spécialement à la fin du 14° siècle et au début du 15° siècle. Le *Mistère
de la Passion*, d'Arnoul Gréban, date des entours de 1450. Les
clercs de la Basoche ont commencé au début du 15° siècle à jouer
des comédies en français (après en avoir composé en latin). La
célèbre *Farce de maître Pathelin* est de 1464 environ.

Un grand poète parisien, Villon (voir une strophe, p. 154), a
écrit autour de 1460 ses poèmes, échos de sa vie aventureuse et
plutôt crapuleuse, dont il a passé des années en prison. Vers la
même époque, ceux qu'on a appelés les 'rhétoriqueurs' ont versifié
avec toutes sortes de complications et des imitations raffinées des
poètes latins.

Il faut surtout noter le développement des ouvrages en prose. Ils
ne se bornent plus à l'histoire contemporaine, représentée par
Froissart (voir p. 153) et par Commines, l'historien de Louis XI.

Il y a des romans en prose, comme la *Queste du Graal*, reproduisant des thèmes de l'époque féodale légendaire (début du 14°

siècle) et beaucoup d'autres (voir le fragment de Lancelot, p. 153).
En plus de cette littérature prolongeant l'héritage du passé, il s'est développé une littérature d'agrément. Dans les *Cent Nouvelles nouvelles* (d'auteur non connu) se retrouve rajeunie la veine des fableaux. Le léger roman amoureux du *Petit Jehan de Saintré* d'Antoine de la Sale (1398-1462) et le gracieux badinage des *Quinze Joyes de mariage* (1464), peut-être œuvre posthume du même auteur, offrent des modèles d'une prose d'art raffinée (voir p. 154).

La littérature de traductions d'auteurs anciens s'est développée, attestant les gains de l'usage du français sur celui du latin chez les gens instruits, et aussi marquant une certaine indépendance envers l'esprit clérical intolérant; Tite-Live et Aristote d'après la traduction latine ont été mis en faveur en français dans la seconde moitié du 14ᵉ siècle; le grand traducteur a été Nicole Oresme. *(d'Oresme)*

En dehors de la littérature proprement dite, le français gagnait aussi sur le latin. Dès le règne de Philippe le Bel, les deux langues *(1285-1314)* étaient employées concurremment par la chancellerie royale dans les actes. Des droits coutumiers ont été rédigés en français à partir du même moment.

A cette époque commencent à se composer des ouvrages d'enseignement de la langue. Après quelques lexiques réduits, un dictionnaire latin-français le *Catholicon* se répand au 15ᵉ siècle (imprimé en 1498).

Une première grammaire le *Donat français* est écrite en Angleterre dans les premières années du 15ᵉ siècle. Dès le 14ᵉ siècle *L'Art de dicter* d'Eustache Deschamps montre un essai pour prendre conscience de la langue.

Des ouvrages scientifiques ont commencé aussi à s'écrire : dès le 14ᵉ siècle on note par exemple un traité de chirurgie et une petite astronomie.

5. Transformations de la langue aux 14ᵉ et 15ᵉ siècles

a) PRONONCIATION. — Peu de choses à noter pour les consonnes.
C'est probablement surtout dans les derniers temps de l'ancien français ou vers le début du moyen français que les groupes de consonnes se sont simplifiés lorsqu'ils étaient constitués par une consonne finale d'un mot et la consonne initiale d'un autre, qui se prononçait en liaison avec lui. Ainsi on disait isolément *bec*, mais le *be jaune* (d'où nous est resté *béjaune*), et sans doute *be d'oiseau*. Ceci ressortit de la question des liaisons qui a eu tant d'importance par la suite. C'est ainsi que des mots ont eu trois formes :

sis (*six*), prononcé *sis* tout seul, *si* devant consonne (*sü*(*x*) *femmes*)
et *siz* devant voyelle (*siz enfants*). Mais l'orthographe n'a jamais
tenu compte de ces différences.

Noter, d'autre part, que des consonnes qui ne se trouvaient pas
ou qui se trouvaient rarement entre voyelles en ancien français ont
reparu dans cette position en moyen français grâce aux emprunts
latins (voir au *Vocabulaire*); ainsi *ž* écrit *g* dans *fragile; s* dans
facile, avec maintien de l'orthographe latine; *t* dans *natif; d* dans
adorer (qui est déjà du 13e siècle).

Quelques *e* neutres qui se trouvaient entre deux consonnes simples
ont disparu; ainsi *sairement* est devenu *serment*, écrit phonétiquement avec *e*.

Les faits les plus importants concernent les diphtongues et les
voyelles qui se trouvaient en hiatus par suite de la disparition d'une
consonne. Il y a eu des simplifications diverses.

C'est, en gros, du moyen français qu'on peut dater la réduction
de diverses diphtongues. Ainsi *ay* (écrit *ai*) s'est réduit à *ę*, écrit
ai ou *e* (depuis on a gardé cette double notation pour *ę*); par
exemple *frele* pour ancien *fraile*, *mestre* pour ancien *maistre* (plus
tard on est revenu à *ai*, d'où *maître*). C'est à cette époque aussi
qu'ont disparu de nombreux *ie* provenant de *a* au voisinage d'un *y*;
mangier est devenu *manger*, *pechie* est devenu *peche* (*péché*), par
absorption de *i* dans *š, ž*; par analogie *traitier* est devenu *traiter*.
Mais certaines exceptions, mal expliquées, se sont produites, de
sorte qu'on a encore *amitié*, par exemple. Les réductions se sont
pour la plupart achevées au 16e siècle (voir chapitre suivant).

Pour les hiatus, il y a eu généralement élimination de la première
voyelle inaccentuée; ainsi *meur* (*me-ur*) est devenu *mûr; saoul* est
devenu *soûl* (où *a* a été remis par la suite, *saoul*, sans se prononcer); *gaagnier* est devenu *gagner*.

b) GRAMMAIRE.

1° *Forme des noms* (*substantifs et adjectifs*). — Fait capital : la
déclinaison à deux cas a disparu en gros dans la première partie
du moyen français. (L'évolution avait déjà commencé à la fin de
l'ancien français.)

Les conditions de ce phénomène important sont complexes, et
d'ordre varié. Mais il faut noter pour l'ensemble que la déclinaison
à deux cas ne représentait plus qu'un aspect résiduaire de la déclinaison latine; le mouvement de simplification, après un temps
d'arrêt, est arrivé à son aboutissement.

L'usage des prépositions s'était étendu, du latin à l'ancien français, rendant inutiles une partie des cas pour marquer le rôle des
mots. Ainsi déjà en ancien français 'de' servait à marquer très souvent le complément de nom, le cas régime sans préposition ne servant à cet usage qu'avec les noms désignant des personnes, et encore
pas toujours; il a suffi d'étendre l'emploi de la préposition 'de'
aussi aux noms de personnes pour que l'emploi 'génitif' du cas
régime disparaisse. Ainsi, comme on disait (dès le 11ᵉ siècle) *le
roi de Saint-Denis, le col* (cou) *del* (du) *destrier*, on a dit *la mort
du roi, le frère de Jean.*

La déclinaison, en fin de compte, ne distinguait plus, ou plutôt
n'aurait plus distingué si elle avait subsisté, que le sujet et le régime
de verbe (objet direct). Peut-on dire, en simplifiant les choses, que
la perte définitive de la distinction des deux formes a fait que la
place des mots s'est fixée, de manière que le sujet soit reconnu à
sa place avant le verbe, et le complément reconnu à sa place après
le verbe ? Il est plus probable que la tendance à adopter cet ordre a
été concomitante et même en partie antérieure à la perte de la
déclinaison et a contribué pour sa part à cette perte. On n'a pas
assez étudié les détails pour donner des précisions suffisantes sur
la succession des phénomènes; c'est d'ailleurs difficile, car il semble
que divers auteurs (au 13ᵉ siècle et au début du 14ᵉ) employaient
la déclinaison de manière voulue par écrit, alors qu'ils n'en usaient
pas dans leur langage parlé, et même que certains n'en faisaient
qu'un usage orthographique, en mettant des -s sans doute non prononcés au cas sujet du singulier; la preuve en est faite par l'emploi
désordonné et irrégulier de cet -s dans bien des manuscrits, emploi
qui a cessé pratiquement à la fin du 14ᵉ siècle. D'autre part, de nos
jours, on a pu déceler une dernière survivance du cas sujet dans les
adjectifs de certains patois des Alpes (voir p. 153).?

La simplification a dû se faire de manière analogique, en remplaçant par une régularité nouvelle des irrégularités de la flexion.

D'abord, comme on l'a vu, la déclinaison ne fonctionnait pas
pour les nombreux noms féminins. De plus, de nombreux noms
masculins n'avaient pas non plus de distinction entre les deux cas
au pluriel. Enfin, il arrivait que le cas sujet singulier avait seul une
certaine forme qui l'isolait (*cuens* en face de *comte, comtes*). Autant
d'amorces pour le nivellement par voie d'analogie. C'est en fait
d'une manière générale le cas sujet qui a disparu au singulier;
ainsi *murs, bons, cuens*, sont tombés en désuétude. Rarement, le cas
sujet est resté; ainsi *prestre* (de *presbiter*), alors que le régime (et
pluriel) *prouvaire* ne se trouve plus que dans le nom de la 'rue des

Prouvaires' à Paris; d'autres fois, les deux formes ont subsisté avec des sens ou emplois différents : *sire,* conservé comme appellation, était l'ancien cas sujet de *sieur* (voir *monsieur*). Au pluriel, c'est de même le cas sujet qui a disparu, quand il était distinct. Le cas régime, qui est resté, était toujours pourvu de -*s*. Et ici il faut ajouter à ce qui a été dit ci-dessus que c'était bien une faiblesse pour la déclinaison française d'avoir la même forme d'une part pour le sujet singulier et le régime pluriel, d'autre part pour le sujet pluriel et le régime singulier. (Ajouter que l'article défini, qui n'avait pas cet inconvénient, en avait un autre : parité des deux cas sujets, voir p. 113; il a suivi le sort des substantifs et adjectifs.) Se rappeler qu'en ce temps-là -*s* du pluriel était souvent effectivement prononcé (non toutefois devant un mot commençant par une consonne).

Or, il y a une conséquence importante de la perte de la déclinaison, qui d'ailleurs a pu, en tendant à se réaliser, être aussi une des causes de cette perte, c'est que le moyen français a acquis une chose qui manquait au latin : une désinence unique servant clairement à distinguer le pluriel du singulier pour tous les noms. Singulier : *mur, rose, comte;* pluriel : *murs, roses, comtes.*

En même temps, mais avec une moindre régularité (et une moindre nouveauté, car -*a* était bien une marque fréquente et assez nette du féminin en latin), le -*e* final, toujours prononcé à cette époque, s'est affirmé comme une marque de genre, distinguant le féminin du masculin; mais ceci n'a concerné que les adjectifs qui, avec les pronoms, ont souvent pour rôle accessoire de marquer le genre des substantifs dont la forme est indistincte à cet égard (voir *comte, père, sœur*).

C'est à cause de cette tendance à bien marquer le féminin que le type *grande* s'est stabilisé et généralisé, d'où, par exemple, *mortele,* féminin nouveau de *mortel.* Inversement -*e* étymologique peut être supprimé à un masculin, ainsi *subtil* en face du féminin *subtile.*

Noter enfin, en ce qui concerne le genre, qu'à cette époque les adjectifs neutres ne pouvaient plus se distinguer des masculins.

Ainsi, le traitement des noms et adjectifs marque une tendance nette à une uniformité, une régularité plus grande.

2° *Conjugaison.* — Pour les formes, le fait le plus important est aussi un fait d'unification analogique.

Par un changement lent de l'usage, qui s'est poursuivi du 13° jusqu'au 14° siècle, beaucoup d'alternances du radical ont été éliminées, généralement au profit de la voyelle inaccentuée qui était celle de l'infinitif et des deux premières personnes du pluriel; ainsi on a dit *je couvre* (au lieu de *coeuvre*) comme *nous couvrons*; de même *je parle* et non *je parole*; de même encore *je clame* (au lieu de *claime*); au contraire, dans le verbe *aimer*, c'est la voyelle du singulier qui s'est généralisée : *nous aimons* comme *j'aime*.

Mais ce phénomène ne s'est pas entièrement généralisé, de sorte que le français a gardé des exceptions (qui sont des vestiges de l'ancienne règle) comme *je meurs, nous mourons, mourir*.

Au moyen français, l'emploi des temps s'est trié et régularisé, notamment pour l'usage des temps du passé.

Dans une littérature où commence à dominer la prose, prose de récit exact et d'exposition d'idées, on distingue mieux le récit des faits successifs d'une part et la description d'autre part (caractérisée par l'imparfait). Pour les temps composés voir à l'index.

3° *La phrase.* — Le point important est la fixation progressive de l'ordre des mots modernes : sujet, verbe, complément, le complément d'objet n'étant plus distingué que par sa place.

D'autre part, dans les ouvrages savants, on voit la phrase se compliquer de nouvelles subordonnées et il apparaît un reflet de la période latine (voir chapitre VIII).

c) LE VOCABULAIRE SAVANT. — Les faits les plus importants du moyen français concernent l'aspect du lexique.

Le français était de plus en plus répandu en France pour divers usages; le nombre des lecteurs augmentait par rapport à celui des auditeurs d'œuvres littéraires; le français gagnait diverses positions réservées précédemment au latin. Mais, au même moment, le latin avait pris une espèce de revanche sur le français, en envahissant la langue victorieuse. Non seulement, pour des besoins nouveaux, le français a emprunté au latin, mais il a abandonné et remplacé par des mots 'savants' beaucoup de mots qu'il avait hérités du latin par voie naturelle (mots 'populaires') et beaucoup de dérivés qu'il y avait ajoutés pour subvenir à ses besoins d'expression.

Il faut voir dans cette période de l'histoire du vocabulaire l'influence d'un milieu de gens instruits, puissants dans l'appareil de l'état et dans la vie économique de la nation. Ces gens, comme administrateurs, avaient l'habitude d'écrire beaucoup; dans les situations inférieures, ils gagnaient surtout leur vie à des besognes de rédacteurs et d'expéditionnaires. Leurs écrits étaient faits pour être mis aux archives ou transmis, non pour être lus à haute voix.

Il faut penser que ces gens, légistes, clercs de basoche, ignoraient sans doute presque tout de la littérature en ancien français, conservée par de rares manuscrits. Ils devaient de plus avoir un certain mépris pour la langue de tous les jours, langue des ignorants, tandis qu'ils étaient fiers de leur imprégnation latine. Ne se sentant tenus par aucune tradition francaise, ils ont agi de manière indépendante vis-à-vis du passé, et tous de manière concordante, à cause de l'uniformité de leur éducation et de leur genre de vie.

La continuité que nous sommes tentés d'établir dans le passé entre les œuvres littéraires n'existait pas encore, dans une période antérieure à l'imprimerie et sans dictionnaires. Il ne faut donc pas s'étonner que des conditions nouvelles aient amené des innovations massives.

Donc, sans oublier que la langue écrite a toujours été l'instrument des gens au moins un peu instruits et que le vocabulaire de l'ancien français avait déjà admis un nombre notable de mots savants, surtout dans les écrits qui n'avaient pas un usage artistique, c'est de la période du moyen français qu'il faut dater l'envahissement, qui devait se continuer par la suite, du vocabulaire français par le vocabulaire latin (mots complets, suffixes et préfixes).

Le latin ainsi utilisé était d'ailleurs rapproché du français par le fait que la tradition de la prononciation latine était complètement perdue. Ainsi, on prononçait *c* comme *s* devant *i, e*; *u* était prononcé *ü* (comme *u* du français); les voyelles étaient nasalisées devant *n, m,* comme en français; l'accent de mot était mis à la même place qu'en français, sur la dernière ou l'avant-dernière syllabe, jamais sur la précédente. Ainsi *Cicero* n'était pas *Kikero*, mais *Sisero*; *constitutio* n'était pas *konstitutio* mais *kŏstitüsyo*.

On devrait pouvoir sur un tel sujet donner une statistique : tant de mots savants en ancien français, dont tant du 11e, du 12e, du 13e siècle; tant apparus dans les textes du 14e, du 15e, du 16e; tant de mots populaires disparus à tel et tel moment, et les proportions sur le total du lexique connu. Mais les travaux préparatoires sont peu nombreux, et d'ailleurs les textes conservés sont insuffisants pour bien représenter l'usage ancien. On se contentera donc d'exemples caractéristiques, pour montrer des cas divers.

Les mots latins empruntés se sont accommodés à l'état du français au moment où ils y ont passé, en prenant des finales françaises, sans déclinaison en ce qui concerne les noms (voir les exemples ci-dessous). Mais certaines « articulations du discours » et quelques autres termes usuels ont été transférés tels quels du latin scolastique au français, d'où *et cetera, idem, quasi, a fortiori,* etc.

Les substantifs désignant des choses, ou les adjectifs désignant des qualités physiques, les verbes désignant des actions usuelles, autrement dit la plupart des mots concrets, ne sont en général pas empruntés au latin. Ce que celui-ci a fourni, ce sont surtout des mots se rapportant aux idées, et plus ou moins abstraits, pris aux catégories analogues du latin.

Adjectifs :

facile (latin *facilis*), *utile* (latin *utilis*), *fragile* (à côté de *frêle* qui vient du même mot latin *fragilis*), *subtil*, remplaçant *sotil* (latin *subtilis*).

Les mots latins cités ici étaient, au contraire des mots français, accentués sur la première syllabe et le sont encore dans d'autres langues romanes; par exemple, *utile* est très différent dans la prononciation en français et en italien.

Mais de nombreux adjectifs en -*able*, *ible* reproduisent des mots latins en -*abilis*, -*ibilis* (avec conservation de la place de l'accent et chute de *i* entre *b* et *l*), et ces suffixes sont restés productifs en français pour former de nouveaux adjectifs. (Noter que l'adjectif 'stable' est français par sa finale, alors que la forme latine avec *i* est préservée dans le substantif 'stabilité'. *(mais habile)*

Substantifs abstraits :

solidité (latin *soliditas*), *rectitude* (latin *rectutido*), *certitude* (latin *certitudo*), remplaçant *certaineté; fécondation* (latin *fecundatio*). Le suffixe -*(i)té* a servi depuis à former de nouveaux mots en francais. Les nombreux mots empruntés ou créés à suffixes en -*ion* ont implanté dans l'orthographe l'équivalence -*tion*, -*ssion* et -*cion* (phonétiquement -*syõ*).

En dehors des noms abstraits on peut citer *adversaire* qui a remplacé l'ancien *auersier* (latin *aduersarius*).

Verbes :

estimer (latin *aestimare*), remplaçant *esmer* (qui représentait phonétiquement le mot latin); *adhérer* (latin *adhaerere*, remplaçant *aerdre*); *diriger* (latin *dirigere*); *disjoindre* (de *disjungere*), forme latinisée dans son début seulement (au lieu de *desjoindre*, *déjoindre*); *disperser*, dérivé français, d'après *dispersion* (latin *dispersio*) et le participe latin *dispersus*; *méditer* et *préméditer* (latin *meditari* et *praemeditari*); *préférer* (latin *praeferre*). Le préfixe *pré-* est resté un préfixe français.

Il est remarquable que, ainsi qu'on le voit par les exemples ci-dessus, le français n'a pas emprunté au latin écrit seulement des mots, mais qu'il a pris aussi des éléments de mots, suffixes et préfixes, qui ont joué par la suite un rôle dans l'enrichissement du vocabulaire.

Tous les mots cités ci-dessus sont de ceux qui ont survécu et qui du français savant ont passé dans la langue courante, sinon familière.

On a pu remarquer dans la liste des adjectifs le cas de *fragile*, qui n'a pas fait abandonner *frêle*, parce que les sens étaient différents et que les gens qui ont acclimaté *fragile* n'ont pas eu conscience de l'identité d'origine des deux mots. C'est ce qu'on appelle un *doublet*. Le français en a une assez grande quantité : *entier* et *intègre* (de *integrum*); *hostel* (*hôtel*) et *hospital* (*hôpital*) (de *hospitale*); *loyal* et *légal* (de *légalis*), avec *loyauté* et *légalité*; *douer* et *doter* (de *dotare*).

Certains doublets sont restés séparés et ont eu chacun leur famille par dérivation (voir ci-dessus *loyal-légal*).

La situation la plus fréquente est toutefois différente : c'est la présence d'éléments populaires hérités et savants dans une même 'famille de mots' remontant à un seul et même radical latin, de sorte qu'à un mot populaire hérité correspondent des dérivés savants. Ainsi *intégrité* correspond à la fois par ses sens à *entier* et à *intègre*. Le mot populaire *âme* a seul subsisté (aux dépens de la vieille forme *aneme*), mais le verbe est *animer*. L'adjectif correspondant à *œil* est *oculaire*; *tacite* correspond à *se taire*.

Remarquer que la plupart des mots savants sont plus longs que les mots populaires qui presque tous avaient subi une réduction. Ainsi, les mots savants non seulement ont réintroduit en français des combinaisons de consonnes et voyelles que l'évolution avait éliminées ou rendues rares, mais ils ont changé en quelque sorte le rythme de la langue par la multiplication des mots longs.

d) Orthographe latinisante. — L'abondance des mots savants, le sentiment d'intimité entre le latin et le français ont eu une autre conséquence grave, sur l'orthographe. Dans les mots dont l'origine ne pouvait pas faire de doute pour les gens habitués au latin, même alors qu'ils étaient bien éloignés de faire de l'histoire de la langue, les formes latines s'imposaient à la plume.

C'est ainsi qu'on restituait des consonnes doubles latines dans des mots qui les avaient perdues dans la prononciation et dans l'orthographe non pédante de l'ancien français.

Mais ici il faut voir les faits dans leur complexité.

Terre n'avait pas cessé de s'écrire en ancien français, parce que *r* double s'était longtemps prononcé d'une manière spéciale (voir p. 101) ; *belle,* au lieu de *bele,* rappelle le latin *bella,* mais il a accessoirement l'avantage de signaler (dans un temps où les accents n'existaient pas) que le premier *e* n'est pas un *e* neutre) ; *flamme* au lieu de *flame* se rapproche du latin *flamma,* mais aussi permet de noter la nasalité de la voyelle. (C'est ainsi que plus tard on écrira *bonne,* quoique le latin ait *bona* avec *n* simple.)

Pour les voyelles, on a préféré *ai* à *e* lorsque le latin avait *a* ; mais, ici encore, c'était un moyen de noter la prononciation ouverte, ainsi dans *fait* et non plus *fet* ; accessoirement, dans *mais* (latin *magis*), c'était un moyen de distinguer à l'œil ce mot invariable du possessif *mes.*

Il est plus que probable que c'est l'influence du latin qui a fait maintenir *s* devant une consonne alors qu'il ne se prononçait plus (*hostel,* etc.) ; toutefois dans certains cas la présence de *s* pouvait servir, comme les consonnes doubles, à distinguer des voyelles, ainsi l'*e* ouvert dans *fenestre* (= *fenêtre*).

D'autres habitudes graphiques avaient pour but d'éviter des confusions surtout pour la lecture à haute voix des greffiers, en différenciant des mots qui se ressemblaient trop. Ainsi '*ville*' avec les deux *l* du latin était écarté de l'adjectif *vile,* l'ajout de *h* non étymologique distinguait *huis* de *vis, huître* de *vitre* (le *v* initial n'était pas constant) ; le *g* surajouté à *un* (écrit *ung*), non étymologique ni analogique évitait le risque de confusion avec *nu.*

Mais, une fois l'habitude prise (dans un temps où on pouvait de plus en plus lire à voix intérieure, et non à voix haute), d'écrire des consonnes 'pour l'œil', on est allé plus loin : on a restitué dans certains mots des consonnes qui s'étaient transformées et dont l'orthographe avait enregistré la transformation.

Ainsi dès le 15ᵉ siècle on trouve *l* à côté de *u* provenant de *l,* par exemple dans *hault, moult* (voir pp. 101 et 164). De manière analogue, *soz* (du bas latin *subtus*). devenu *souz* (moderne *sous*) se trouve écrit *soubz* d'après le latin *sub* 'sous'.

Ces orthographes compliquées, dont sans doute les « gens du monde » et auteurs n'usaient pas ou usaient moins dans leurs manuscrits et leurs lettres, étaient devenues une partie du 'métier' des rédacteurs, expéditionnaires et copistes. La tendance pédante, et le désir d'avoir une technique propre, ont dû être les causes principales des habitudes prises par ces professionnels. Aussi bien, comme l'orthographe était déjà très compliquée, pour les diverses causes historiques que nous avons signalées à propos des divers phonèmes, l'idée que les lettres devraient représenter le plus simplement possible et toujours de la même manière les sons réellement prononcés ne devait pas se présenter à l'idée des praticiens. Le latinisme dans la graphie, allant de pair avec celui qui marquait le vocabulaire, et en partie la syntaxe, est une explication suffisante. Elle doit faire tomber celle que certains historiens ont cru trouver dans l'intérêt monnayé que les scribes auraient eu à allonger les mots dans des copies payées à la ligne. Ceci dans un temps où les abréviations restaient en plein usage, voir p. 95 et se rappeler que le signe d'addition + est un aboutissement du mot *plus* en graphie rapide et contractée. Ces abréviations devaient passer des manuscrits aux premiers imprimés.

TEXTES DU 14ᵉ ET DU 15ᵉ SIÈCLES

Lancelot en prose, passage correspondant aux vers cités p. 132. Manuscrit d'Oxford, Bibliothèque bodléienne (Rawlinson Q.b.6.) folio 161 c.

... & il esgarde moult doucement tant loing comme il puet veoir, si se tret plus auant a la fenestre, & tret petit & petit tant que est hors jusqu'as cuisses, & tant pense a ce quil esgarde que tout s'en oublie, si que par un pou quil ne chiet.

Et il la contemple très langoureusement, aussi loin que son regard peut porter, et il se penche encore davantage à la fenêtre, et peu à peu il se penche tellement qu'il est à l'extérieur jusqu'aux cuisses. Il s'absorbe tellement dans sa contemplation qu'il s'oublie complètement, de sorte qu'il s'en faut de peu qu'il ne tombe.

FROISSART, *Chroniques*. Seconde moitié du 14ᵉ siècle. D'après la *Chrestomathie* de G. Paris et Langlois, p. 243 (avec *j* et *v* substitués à *i* et *u*, ponctuation ajoutée et *et* en toutes lettres).

Sur le procès d'un trésorier accusé d'extorsions.

Ces nouvelle s'espandirent par la cite de Beziers et en plusieurs lieux, que Bethisach avoit dit et confessé de sa voulenté et sans contrainte quil estoit herites [1] et tenoit et avoit tenu ung long temps l'oppinion des Bougres [2], et que li rois avait dit quil vouloit quil fust ars [3] et pendus. Lors veïssiés [4] parmy Beziers grant foison de peuple resjouï, car trop fort estoit accueillis [5] et haïs. Li dui chevallier qui le demandoient de par le duc de Berry sceurent ces nouvelles, si furent tout esbahi et esmerveillié, et nen sçavoient que supposer.

picardisme

1. hérétique; 2. Bulgares, Cathares; 3. brûlé; 4. eussiez vu; 5. Attaqué.

VILLON, *Ballade des pendus*, 3ᵉ strophe.
Seconde moitié du 15ᵉ siècle. Texte d'après manuscrit B. N., facs.
348, 4°, folio 107 verso.

Ce sont des cadavres de pendus qui parlent.

La pluie nous a buez [1] & lauez
Et le souleil dessechez & noircis
Pies corbeaux nous ont les yeulx cauez [2]
Et arrache la barbe & les sourciz
Jamais nul temps nous ne somes assis [3]
Puis ca puis la comme le vent varie
A son plaisir sans cesse nous charie
Plus becq'tes doiseaux q' dez acouldre -
Ne soiez donc de nostre confrarie
Mais priez Dieu q' tous nous vueille absouldre -

1. Lessivés; 2. Creusés; 3. Tranquilles.

ANTOINE DE LA SALE, *les Quinze-Joyes de Mariage*. Texte de
l'édition princeps du 15ᵉ siècle.

Conclusion de la Quinte Joye de Mariage, p. 43.

Et ainsi demourra en la nasse ou il prent toutes ces penes des sus-
dictes pour ioyes Car sil ny estoit il ne cesseroit iames iusque a
tant quil fust dedens boute au plus parfond & ne vouldroit pas
quil fust autrement Ainsi le bon poure homme vivra en grant che-
tivete & en languissant tousiours Et si sera en nasse & en la nasse
bien fort embarre et miserablement finira ses iours.

CHAPITRE VIII

LE FRANÇAIS AU 16e SIÈCLE. LA RENAISSANCE

Siècle à physionomie très particulière, avec ses transformations sociales et ses bouillonnements d'idées. Il est divisé en deux périodes presque égales dont la seconde est celle des guerres de religion, de l'épanouissement de la nouvelle poésie, des études sur la langue.

Dans la constitution de la langue elle-même, au total non profondément changée, le milieu du siècle marque une coupure.

1. Evénements politiques

Les rois de France, à peine maîtres d'un royaume unifié sous leur administration, ont essayé de se lancer dans les conquêtes extérieures : guerres d'Italie à partir de 1494; rivalité avec Charles-Quint (1500-1558), roi d'Espagne et empereur romain-germanique. Les conquêtes ne sont pas stabilisées, mais les expéditions au-delà des Alpes ont établi à la fin un contact étroit et pacifique entre la France et l'Italie : de nombreux Français ont séjourné en Italie, de nombreux Italiens sont venus vivre en France, surtout à la cour du roi. Pas seulement des princesses amenées par des mariages diplomatiques. comme la reine Catherine de Médicis, mais des artistes et intellectuels comme Léonard de Vinci, véritable prototype des 'géants' de la Renaissance, peintre, ingénieur, etc.

C'était aussi le temps des guerres de religion : contrecoup du mouvement d'idées religieuses appelé la Réforme, en même temps que rivalités de grands seigneurs, dont certains aspiraient au trône de France.

A la fin, les Guise de Lorraine, catholiques, périssent par la main

des serviteurs fidèles des Valois (meurtre d'Henri de Guise et de son
frère le cardinal Louis au château de Blois où se trouvait la cour,
en 1588) ; tout de suite après (1589), lors de l'extinction des Valois,
Henri IV, le premier des Bourbons, d'abord roi de Navarre et chef
des huguenots, se convertit au catholicisme, devient roi de France,
puis met fin aux guerres de religion par l'édit de tolérance, dit édit
de Nantes (1598).

Caractéristiques de ces luttes : sans que l'unité du royaume soit
remise en question, les provinces jouent un rôle important, Paris
est plus ou moins éclipsé. Mais, à la fin, la royauté et la capitale
à la fois retrouvent leur primauté, désormais plus solidement établie.

2. Techniques et évolution sociale

Le 16ᵉ siècle est le moment de la naissance du capitalisme moderne, qui devait mettre trois siècles à grandir d'abord à l'arrière-
plan, avant de s'affirmer et de s'organiser.

L'or arrivé en masse d'Amérique en Espagne a eu une très grande
importance pour toute l'Europe. L'exploitation des pays lointains
s'est développée, toute l'Europe occidentale y a participé dès ce
moment, directement ou indirectement.

Les rapports des classes ont changé alors, particulièrement en
France. La hiérarchie féodale n'a plus été le cadre de la vie sociale,
malgré la persistance des privilèges fiscaux. La bourgeoisie des
villes a pris de plus en plus de place dans l'état. Non seulement de
manière directe, par le développement des conditions de la période
précédente, mais aussi par un biais : la noblesse a cessé d'être une
classe fermée : il y a eu de nombreux anoblis; la haute classe parlementaire est devenue la 'noblesse de robe'; les rois à court d'argent ont vendu des titres nobiliaires à de riches roturiers.

L'instruction, entre temps, s'est de plus en plus répandue dans
les hautes classes et dans une certaine mesure chez les gens de condition modeste. A cet égard, l'expansion de l'imprimerie a été un
événement capital, en multipliant le livre et en le mettant relativement à bon marché.

Pour la grande industrie, se rappeler que la fabrication de la
fonte date de la fin du 15ᵉ et s'est répandue au 16ᵉ siècle. C'est de
cette époque aussi que datent les miroirs de verre, dont le rôle
devait être important dans la vie de société.

3. Renaissance et Réforme

Deux mouvements d'idées importants, qui ont une caractéristique commune : émancipation par rapport au conformisme chrétien catholique des siècles précédents, rupture des liens d'autorité spirituelle, désir de libre examen.

Renaissance, que veut dire ce mot ? En gros, renaissance générale en Europe occidentale des études antiques et de l'art antique, une espèce de reprise de divers traits de la haute civilisation grécolatine, avec des aspects naturellement nouveaux.

Le premier foyer en avait été l'Italie, où il y a eu réellement sur place à partir de la fin du 13ᵉ siècle une résurrection de la culture latine, sous la nouvelle forme italienne. La littérature italienne s'est formée avec un retard net sur la littérature française, mais a atteint tout de suite un point culminant au début du 14ᵉ siècle, avec les poètes (Dante, puis Pétrarque). A la même époque, s'est développé l'art de la peinture, devenue depuis si importante dans notre civilisation; le mouvement, surtout italien d'abord, s'est étendu en France, aux Pays-Bas, en Allemagne, etc. Un nouveau type d'architecture s'est répandu (à Paris, Louvre de Charles IX et de François Iᵉʳ).

Enfin, l'arrivée en masse, après des isolés, des savants de Constantinople, chassés par la conquête turque au milieu du 15ᵉ siècle, pourvus de leur connaissance personnelle du grec ancien et porteurs de manuscrits des grandes œuvres de l'antiquité, a déclenché un renouveau des études encyclopédiques, à côté et indépendamment des universités d'obédience cléricale. Là, se situe plus précisément la renaissance des études et idées grecques.

Cette époque a connu une activité qu'on peut qualifier de merveilleuse. Jamais peut-être des érudits et des artistes en si grand nombre n'ont eu à la fois des connaissances aussi vastes et une force créatrice aussi grande. Temps d'exaltation générale, où certains individus ont atteint une vigueur exceptionnelle d'acquisition, d'examen et de production.

A côté d'un Léonard de Vinci, dont on connaît maintenant surtout la peinture, mais qui a été, entre autres choses, un précurseur de l'aviation par ses études, on peut nommer le célèbre Erasme. Celui-ci, Hollandais, vivant dans un pays dont la langue parlée n'avait pas un grand usage littéraire, s'est exprimé en latin, et était mêlé à tous les grands courants d'idées de l'Europe; en même temps, il travaillait comme correcteur d'une de ces imprimeries des Pays-Bas qui ont eu tant d'importance alors et dans la suite; on le considère comme le type même des humanistes (terme créé au 16ᵉ siècle, conformément à l'emploi fait depuis Cicéron du latin *humanitas* 'instruction, culture générale').

Ici, quelques mots d'explication sur le terme d'*humanisme*, dérivé au 19ᵉ siècle de 'humaniste' (d'abord en allemand sous la forme *Humanismus*). Il s'applique pour le 16ᵉ siècle à un état d'esprit qui voulait à la fois embrasser toutes les connaissances humaines et considérer l'homme en lui-même, avec toutes les ressources possibles de sa destinée, et non pas seulement par rapport au salut de son âme. Là sont l'émancipation et l'élargissement par rapport à l'atmosphère des siècles précédents, où en face de l'ensemble théologique les *studia humanitatis* se bornaient à la rhétorique et à la poésie avec la morale pratique.

Mais l'humanisme de la Renaissance avait ses limites. D'abord, dans son ivresse véritable de renouveau et de nouveauté, il méconnaissait tous les progrès des siècles précédents, leurs arts magnifiques, les aspects 'humains' de l'œuvre poursuivie à divers égards par l'église; c'est de cette époque que datent les idées fausses sur la 'nuit du moyen âge'.

D'autre part, tout en dépassant l'antiquité par de nouveaux progrès des techniques, des sciences et des arts, l'humanisme du 16ᵉ siècle restait borné par l'horizon trop étroit qui avait été celui du monde gréco-latin lui-même, avec sa méconnaissance de tout ce qu'il n'avait pas englobé et remanié. Il est vrai, et c'est très important, que le désir d'étudier la Bible dans son texte premier a fait apprendre l'hébreu et a ouvert la voie à l'orientalisme, conjointement avec certaines autres études sur les christianismes orientaux (ainsi celui d'Ethiopie); néanmoins l'horizon est resté borné à la civilisation occidentale, avec quasi-ignorance des autres.

Disons par anticipation qu'au 17ᵉ siècle, le bouillonnement de la Renaissance une fois calmé et canalisé, l'essentiel de l'humanisme s'est restreint à l'étude de la littérature latine surtout, accessoirement de la grecque, c'est-à-dire des 'humanités', par les membres des classes dirigeantes. Ainsi, l'âge classique a légué au 19ᵉ siècle le 'délicat humaniste', traducteur patient, après des dizaines d'autres, de l'aimable poète latin Horace.

De nos jours, après l'essor des études sur toutes les civilisations anciennes et modernes et dans l'ambiance d'un monde civilisé élargi à tous les continents, le terme d'humanisme a pris des valeurs nouvelles, qui débordent le cadre désormais bien dépassé des idées humanistes de la Renaissance.

La Réforme, mouvement religieux, a été aussi au départ un mouvement individualiste; en effet, les réformateurs de la religion chrétienne ont voulu remonter aux sources de leur religion, les examinant par eux-mêmes et se mettant en face de leur Dieu sans l'intermédiaire de tout l'appareil de l'église catholique. Mais la Réforme a eu bien d'autres aspects. Aspect économique, car les hommes nouveaux ont voulu échapper à l'intense exploitation matérielle que, dans les cadres féodaux, le clergé avait organisée, et qui entachait de corruption ses besognes d'édification et d'enseignement.

Il y a eu un aspect quasi socialiste avec la guerre des Paysans en Allemagne en 1524-1525. Mais aussi esprit national, contre l'église internationale : l'aboutissement a été la création de nouvelles églises nationales, avec l'anglicanisme en Angleterre, le luthéranisme en Allemagne, le calvinisme à Genève, et de nouvelles alliances avec les pouvoirs temporels 'modernes'; ceci avec le complément de féroces intolérances qui n'ont fait que redoubler par opposition celle de l'église catholique. En France, la religion réformée a été finalement vaincue, mais l'église catholique a pris (au 17ᵉ siècle) un aspect national 'gallican', tout en restant un frein au progrès intellectuel.

Si donc l'humanisme, plus ou moins païen d'esprit, a été largement international, la Réforme s'est encadrée dans les divisions nationales.

4. Diffusion du français et littérature

Plusieurs causes pour l'expansion accélérée du français en France au 16ᵉ siècle : autorité toujours renforcée de la royauté; brassage *mélange* de la population mâle par les guerres extérieures et les luttes intérieures; diffusion du livre.

Pour la première fois, une importante ordonnance royale s'occupe de l'usage de la langue. En 1539, l'ordonnance de Villers-Cotterets, de François Iᵉʳ, relative à l'organisation de la justice, a stipulé que, pour éviter des difficultés d'interprétation sur les termes latins, tous arrêts et autres procédures seraient « prononcez, enregistrez

| et déliurez aux parties en langaige maternel françis ». On a discuté pour savoir si le langage 'maternel' admis ne pouvait pas être un langage provincial; ce n'est pas l'interprétation de la plupart des auteurs; en tout cas, le latin était exclu et on peut admettre que la 'langue du roi' seule reconnue officiellement, devait être employée chaque fois que possible.

Le français a gagné d'une autre manière sur le latin : les réformés ont voulu avoir les livres sacrés en français; le Nouveau Testament en français (de Lefèvre d'Etaples) s'est imprimé en 1523, une Bible française (d'Olivetan) en 1535; les Psaumes ont été chantés au culte dans la version française du poète Clément Marot. Le théoricien des protestants français, Calvin, après avoir publié en latin en 1536 son *Institution de la religion chrestienne*, l'a rééditée en français, en 1541, et c'est une des œuvres importantes de ce temps. Mais l'église catholique a résisté, et a même marqué sa répugnance à la lecture de la Bible en français.

La littérature de cette époque a été trop abondante et variée pour se décrire en quelques lignes; mentionnons encore en plus de ceux dont il est question ensuite les noms de Clément Marot, Dorat, Montluc, Lemaire de Belges, Bernard Palissy, Marguerite de Navarre, Agrippa d'Aubigné.

Cette littérature a été moins parisienne qu'à certaines périodes antérieures; mais l'usage du français n'y a que gagné : les auteurs provinciaux usaient du français, plus ou moins enrichi de termes de leurs provinces, mais non d'un langage proprement local.

La grande école poétique de la Pléiade, avec Ronsard (voir p. 171) et ses amis, a fleuri en Touraine, un des plus anciens pays de langue française (où la cour a séjourné souvent à cette époque).

Montaigne, magistrat et lettré bordelais, après avoir pensé à écrire en latin, a donné en français ses *Essais* de philosophie familière et savante, plusieurs fois remaniés et augmentés (voir p. 171).

Rabelais, l'auteur le plus prestigieux de la Renaissance française, né lui-même en Touraine, avait étudié et voyagé un peu partout; c'est du français riche et bigarré qu'il a écrit, mais vraiment du français (voir p. 171). Ses livres de *Gargantua* et *Pantagruel* ont paru en parties détachées. C'étaient des espèces d'encyclopédies polémiques à l'usage d'un public très large, où chacun pouvait prendre sa part, dans les plaisanteries et fables populaires, les blagues d'école, les parodies de poèmes épiques, les transpositions de thèmes antiques, les imitations plaisantes de discours à la manière des pédants d'universités, les théories sur l'éducation et sur la conduite de la société, en donnant le pas, suivant l'humeur, aux grosses joyeusetés ou aux idées sérieuses. Œuvre savante comme il y en a peu, populaire comme on n'en rencontre guère. Il est remarquable qu'il s'agisse d'une œuvre faite pour la lecture individuelle, ce qui supposait un large public, mais contribuait à élargir ce public, dans un temps où le journal n'existait pas — mais où commençait l'almanach.

Il y a eu d'ailleurs à ce moment, à l'usage d'un public de plus en plus cultivé, des écrits polémiques sérieux, une littérature d'idées. A côté de Montaigne et de Calvin, on peut citer le *Contre-Un* de La Boétie (1549), pamphlet d'esprit républicain à l'antique (voir aussi l'œuvre de Du Bellay (p. 163).

Il faut penser encore aux importantes traductions d'auteurs anciens commme le *Plutarque* d'Amyot traduit du grec en 1559, modèle de bonne langue, qui a été très répandu, et a en quelque sorte baigné de nombreux lecteurs dans une ambiance antique.

D'autre part, le grand instrument de diffusion de la langue française qu'avait été le théâtre a subi une éclipse partielle au 16ᵉ siècle. Le rigorisme renouvelé de l'église a eu pour conséquence, en 1548, l'interdiction de représenter des Mystères dans le ressort du Parlement de Paris; toutefois, cette interdiction n'a pas atteint la province, où les représentations ont duré jusqu'à la fin du siècle. La farce populaire, théâtre des foires, a dû lutter aussi contre des oppositions, mais a survécu; il se peut qu'elle ait été souvent de caractère dialectal.

Entre temps sont apparues (au milieu du siècle) la tragédie et la comédie à la manière et en partie sur des sujets de l'antiquité; mais c'était pour un public restreint.

Noter, pour l'histoire extérieure, que les premières émigrations de protestants persécutés en France vers des pays où, au contraire, la Réforme prévalait, a étendu l'influence du français : centre calviniste de Genève, centre calviniste des Pays-Bas.

5. Les études, le latin et le français

Les collèges ont pris au 16ᵉ siècle une extension importante, destinés non plus seulement aux gens de professions intellectuelles, mais aux 'gens du monde' qui pouvaient en payer les frais.

Le cadre en était encore tout latin : le français n'était autorisé que dans les plus petites classes, pour faire des thèmes et des versions; mais ensuite on ne devait plus parler que latin.

11

Le latin enseigné a d'ailleurs subi à cette époque une révision analogue à celle qui avait été faite sous Charlemagne, avec les mêmes conséquences de divorce entre la langue savante ancienne et la langue moderne parlée. On a voulu revenir autant que possible, dans la mesure où on continuait à employer le latin, à la pureté classique. On s'est donc efforcé d'éliminer du latin d'université, de collège et de littérature les mots qui n'avaient pas été employés par les auteurs anciens, dont certains n'étaient que la retransposition en latin de dérivés faits en français avec des éléments latins, d'autres des emprunts variés pour désigner des objets et des notions modernes. D'autre part, sous l'impulsion d'Erasme, on a écarté du latin lu ou parlé quelques-unes des particularités de la prononciation française (par exemple *e* n'était désormais plus prononcé comme *e* neutre, mais comme *é* ou *è*) : réforme encore bien insuffisante et loin d'une prononciation restituée du latin, marquant cependant le sentiment, dont on commençait à prendre conscience, que le latin devait être étudié comme une « langue morte ».

Qu'un seul fait matérialise ici l'extension des études de langues anciennes : de 1529 à 1534 François Ier, influencé par l'helléniste Guillaume Budé, a fondé et organisé l'établissement dit Collège des trois langues, à la fois pour l'étude du latin, du grec et de l'hébreu. Il était extérieur et plutôt opposé à la conservatrice et scolastique Sorbonne, et n'avait pas un point de vue religieux; par un choc en retour de cet esprit moderne dans l'étude de l'antique, c'est dans ce Collège des trois langues (depuis Collège du roi, de nos jours Collège de France) que certains novateurs, dès le 16° siècle, ont professé en français. Pour les conséquences de la connaissance du grec, voir plus loin, p. 169.

Le latin continuait à être la langue de certains écrits littéraires; c'était celle des sciences en général et de la philosophie, en dehors de la philosophie familière à la Montaigne (lequel est d'ailleurs de la fin du siècle). Toutefois, si la médecine proprement dite est restée, spécialement pédante, un rempart du latin, la chirurgie et la pharmacie, exercées par des gens qui n'avaient pas l'éducation universitaire. se sont exprimées en français : le célèbre Ambroise Paré ne savait pas le latin et a écrit en français, et les médecins lui ont intenté un procès à ce propos. Le français a aussi servi à écrire des traités de cosmographie, de chimie, de physique.

En 1539, on a un premier dictionnaire français-latin, dû à Robert Estienne. L'activité de cet imprimeur savant et celle de son fils

Henri ont été importantes dans la Renaissance française, malheureusement rétrograde pour l'orthographe.

Au même moment ont paru les premiers manuels français d'étude sur le français, d'abord un en latin : *In linguam gallicum isagoge* de Sylvius (Jacques Dubois) puis jusqu'à neuf en français (pour certains voir p. 165).

nom, latinisé

L'ouvrage le plus célèbre (qui n'est pas une grammaire) est le livre-manifeste du poète du Bellay (membre de la Pléiade) : *La Deffence et Illustration de la langue francoyse* (1549), où étaient touchées diverses questions intéressant l'usage de la langue.

A la fois progrès dans l'étude du latin et dans celle du français : dans ce temps d'élan et de renouveau, ce n'était pas contradiction, mais complément. Le latin était remis dans sa perspective historique, le français éclairé dans son importance actuelle. Toutefois, le prestige du latin agissait plus aisément que jamais sur des gens mieux instruits en plus grand nombre, et il devait en résulter diverses conséquences pour le maniement de la langue.

6. Le français au 16ᵉ siècle

a) Orthographe. — La question de l'orthographe a eu une spéciale importance au 16ᵉ siècle, aux yeux des contemporains eux-mêmes. C'était le premier siècle de l'imprimerie, le premier aussi des études philologiques.

La nouvelle technique du livre aurait pu, sommes-nous disposés à penser, s'accompagner d'une révision de l'usage de l'écriture, d'une mise au point de l'orthographe.

Mais l'histoire des techniques montre assez souvent que les innovations se font rarement sur tous les plans à la fois : ainsi les premiers wagons mis sur rail au 19ᵉ siècle ont eu figure de diligence. Les premiers imprimeurs, sans doute personnellement en partie d'anciens copistes ou vendeurs de livres écrits à la main, ont gardé d'abord la technique orthographique de leurs prédécesseurs, les légistes et basochiens du 15ᵉ siècle.

D'ailleurs, les érudits se sont trouvés d'accord avec les praticiens. Ils vivaient en quelque sorte à la fois dans leur temps et dans l'antiquité. Si on faisait de l'histoire, les sciences historiques n'étaient pas nées, en particulier pas la grammaire historique, et l'étymologie n'était pas même dans l'enfance. Aussi des idées bizarres sont-elles nées dans des cerveaux de spécialistes obsédés : tel a voulu rattacher le français au grec, tel autre à l'hébreu.

Cependant, le sentiment naturel de la majorité, et même l'opinion clairement exprimée de certains, était l'origine latine du français. De là à rapprocher les mots français le plus possible des mots latins dans l'écriture, il n'y avait qu'un pas pour de véritables bilingues : il avait déjà été fait par les gens du 15° siècle; ceux du 16° ont encore avancé dans le meme sens. C'est ainsi qu'on a multiplié les *l* qui paraissaient « manquer », ainsi dans *aultre* pour *autre*, ou qu'on a rajouté un *c* devant *qu* représentant (assez mal) le même *c* (prononcé *k*) dans un mot comme *magnificque* (emprunté du latin *magnificus*). De même encore *p* dans *temps* (latin *tempus*), *corps* (latin *corpus*), *c* dans *faict* (latin *factum*). Il y a même assez souvent des lettres introduites par de fausses étymologies : *sc* dans *scavoir* (venant du latin *sapere*, mais ayant le sens du latin *scire*), *d* dans *poids* (venant du latin *pensum*, mais ayant le sens du latin *pondus*).

Naturellement, si on lit à haute voix un texte dans l'orthographe du 16° siècle, il faut se garder de faire sonner toutes ces consonnes en surnombre.

Orthographe pour l'esprit : les lettres ajoutées sont un rappel étymologique, un réseau délicat de jonction entre deux états de langue, un ornement intellectuel à l'usage des gens instruits.

Orthographe pour l'œil : lettres qui ne se font point entendre, mais combinaisons de caractères qui flattaient un certain goût ornemental du temps. En effet, à côté des groupes de lettres avec caractères en excès, il faut se rappeler que les impressions et manuscrits (car on continuait à écrire des 'rôles' et pièces diverses) faisaient grand usage des variantes ornementales : ainsi *z* (caractère non employé par ailleurs pour une notation précise) à la fin de certains mots, comme *nez* (qui n'avait jamais eu qu'un *s*), aux 2° personnes du pluriel des verbes (voir pp. 90 et 120), etc.; de même *x* au lieu de *s* à la fin des mots après *u* (*x* ayant autrefois servi à noter *us* (voir p. 95), souvenir dès lors aboli), *y* au lieu de *i* à la fin des mots également.

La question de la difficulté pour apprendre à écrire ne se posait pas, puisque l'orthographe française n'était pas enseignée aux enfants, qui apprenaient à lire sur des livres en latin; d'autre part les adultes étaient libres d'écrire comme ils voulaient, lorsqu'ils n'étaient pas des professionnels; seuls les imprimeurs devaient appliquer l'orthographe.

Cependant, dès la Renaissance, des savants novateurs ont eu la volonté de parer au moins à certains inconvénients de l'orthographe, en faisant appel au principe que les lettres, après tout, ont été inventées pour noter des sons.

Geoffroy Tory, imprimeur, dans son livre intitulé *Champ Fleury* (1529), s'est occupé de la langue, mais surtout de l'écriture, de ses formes et de son emploi. En se gardant d'inventer de nouvelles lettres, il a proposé dans son livre, ou pratiqué dans ses impressions, une meilleure utilisation de celles qui existaient. Le point le plus important est l'emploi de *v* et de *j* : on avait l'habitude (non constante) d'employer *u* pointu (c'est-à-dire *v*) au début des mots (position où se trouve souvent une consonne *v*) et de même *i* long (qui a donné *j*) ; il suffisait de généraliser l'emploi de ces caractères (dits ramistes parce que préconisés par Ramus) même à l'intérieur des mots, quand il s'agissait de consonnes et non de voyelles. D'autre part, la cédille, déjà connue de l'espagnol dans certains emplois, pouvait distinguer *c* prononcé *s* devant *a*, *o*, *u* dans quelques mots (remplaçant l'emploi, capricieux, d'un *e* non prononcé, comme *renonceons*, à côté de *renoncons* pour *renonçons*). Les accents pouvaient distinguer les différents *e* lorsque l'entourage consonantique ne donnait rien à cet égard (voir p. 151). Enfin, l'apostrophe permettait de détacher l'article abrégé des noms commençant par une voyelle. Bien qu'Etienne Dolet ait insisté dans le même sens (*Traité de la ponctuation de la langue françoise plus des accents d'ycelle,* 1540), les milieux savants et les imprimeurs en général ont refusé ces utiles nouveautés, gardant les ambiguïtés, les palliant parfois par des artifices (voir p. 151 et p. 167). La question devait rester ouverte encore au 17ᵉ siècle.

En 1542, le premier vrai grammairien en France, Meigret, s'est mis franchement face au problème dans son *Traité touchant le commun usage de l'écriture.* en proposant une orthographe rationnelle. (Il devait appliquer sa doctrine en 1550 dans son *Tretté de la grammere françoeze.*) Il a failli réussir, ayant d'abord convaincu Ronsard, auteur connu et influent, et certains autres. Mais après des discussions variées et prolongées, Ronsard lui-même ayant abandonné la cause, c'est l'orthographe traditionnelle avec tous ses défauts qui a vaincu, et qui dure encore de nos jours, avec quelques simplifications. De nouveau, en 1562, une orthographe phonetique a été proposée sans plus de succès, par Ramus (La Ramée), le premier humaniste qui ait enseigné en français au Collège du roi.

b) PRONONCIATION. — Au 16ᵉ siècle, l'âge 'grammatical' du français ayant commencé, nous avons des observations des contemporains sur certaines prononciations. Dans certains cas, elles font apparaître que, comme il est naturel, les prononciations étaient différentes suivant les milieux, quelquefois suivant les modes qui se répandaient à l'imitation de tel de ces milieux. Il arrive dès lors que des grammairiens donnent des conseils, en jugeant une prononciation 'meilleure' qu'une autre. Ainsi s'amorce la tendance à une réglementation de la langue qui, s'opposant généralement aux innovations, agit comme un frein sur l'évolution.

N.B.

1° *Consonnes.* — Le 16ᵉ siècle a connu l'affaiblissement progressif des consonnes finales, même lorsqu'elles n'étaient pas suivies d'une autre consonne au début du mot suivant (voir p. 143). On a l'attestation directe que certaines de ces consonnes se sont prononcées d'une manière affaiblie avant de disparaître. (Pour la conservation ou la restitution de certains *r*, voir p. 225.)

L'affaiblissement, qui n'a abouti généralement à la suppression qu'au début du 17ᵉ siècle, portait sur diverses consonnes, dont les plus fréquentes étaient les suivantes :

-s, à la fin de tous les pluriels ;

-r, notamment dans les infinitifs ; c'est alors qu'on a prononcé *-er* comme *é*, dans *aimer*, par exemple ; on prononçait de même *fini* au lieu de *finir*, *savoi* pour *savoir* (aussi *miroi* pour *miroir*). De même, dans les adjectifs : on a dit *menteu* pour *menteur* ; c'était une cause de confusion avec les adjectifs en *-eux* (comme *peureux*) et c'est la principale cause de féminins comme *menteuse*.

-l, dans divers mots ; il est resté muet jusqu'à nous dans *sourcil* par exemple ; au 16ᵉ siècle on a pu dire *mortè* pour *mortel*.

-n, après les voyelles nasales ; ainsi *bien* a tendu à passer de la prononciation *byĕn* à la prononciation *byĕ*.

-t, dans divers mots comme *petit* et en général aux troisièmes personnes du pluriel dans les verbes, notamment dans la finale *-ent*, où l'*n* avait déjà cessé auparavant de se faire entendre, à une époque non déterminée.

A vrai dire, si l'articulation de la consonne était supprimée dans tous ces cas, on doit penser que la place en était tenue par une prolongation de la voyelle, qui s'entend encore aujourd'hui dans des prononciations dialectales pour certaines d'entre elles.

Même ailleurs qu'en finale, *r* était menacé : beaucoup de gens ne le prononçaient pas devant une consonne, ainsi dans *farce* ; dans certains milieux (populaires, semble-t-il, à Paris et dans une partie de la province) on le prononçait *z* entre voyelles ; après la réaction qui a éliminé cette prononciation, il en est resté *chaise* (déjà attesté au 15° siècle) à côté de *chaire*, avec un autre sens.

La lettre *h* a servi à marquer l'hiatus dans certains mots, d'où 'trahir', 'envahir' (mais 'naïf') et 'cahot'.* Dans 'hier', cette lettre n'était pas seulement un rappel étymologique du latin *heri*, mais avertissait de ne pas lire un *j* au début du mot; de manière analogue *uit* ou *vit* (de *octo*) est devenu 'huit', se distinguant ainsi à première vue de 'vit'. *avec développement de 'h aspiré': le huit*

*＊mais
chaos*

2° *Timbre des voyelles.* — C'est au cours du 16° siècle que *i* et *ü* (écrit *u*) se sont nasalisés devant *n* (même en train de disparaître). On a prononcé d'abord des *i* et *ü* nasalisés. Mais bientôt *i* nasalisé s'est confondu avec *e* nasalisé (*ẽ*), et c'est pourquoi nous avons la même voyelle dans *vin, dinde,* que dans *chien, main.* Quant à *ü* nasalisé il a pris le timbre de *ö* (*eu*), d'où la prononciation correcte de *un* avec *ö* nasal *ỏ*.

3° *Diphtongues.* — Les diphtongues à second élément *w* (écrit *u*) étaient prononcées au cours du 16° siècle; mais à la fin du siècle elles s'étaient dans l'ensemble réduites à des voyelles simples. Ainsi *autant* passait de *awtắ* (aoutant en orthographe française) à *otắ* (notre prononciation moderne); *beau* cessait d'avoir à la suite, en une seule syllabe, *e, a* et *w*, pour devenir *bo*. De même *ow* devenait *u* (écrit *ou*), *ew* devenait *ö* (écrit *eu*), par exemple dans *clou, cheveux*. C'est ainsi que les *l* affaiblis en ancien français devant consonne (p. 101) ont fini de se fondre avec une voyelle précédente.

L'ancienne diphtongue *ói* (*oy*) était devenue *wẹ* (prononcée comme *ouais*). Au 16° siècle on a commencé à hésiter, de sorte qu'on prononçait *ẹ* (écrit *ai*) dans certains mots. (Noter que déjà antérieurement *e* s'était stabilisé dans *tonnerre* et *verre*.) La question reste ouverte au 17° siècle; voir le chapitre IX.

4° *Hiatus.* — Le 16° siècle a continué l'élimination de certains hiatus. C'est à cette époque qu'on a cessé de prononcer à part un *e* après une autre voyelle; c'est ainsi que *hardiement* (qui pouvait compter en poésie pour quatre syllabes) est devenu *hardiment;* de même *je prierai* est prononcé avec *i* sans *e*; mais dans ces mots *i* était long.

c) GRAMMAIRE.

1° *Grammaire du nom et du verbe.* — Il n'y a pas de modifications dans les formes. Mais à partir du milieu du siècle, l'usage moderne s'établit, pour le nom avec l'extension nouvelle de l'emploi de l'article (avec les noms abstraits), pour le verbe avec la stabilisation des pronoms sujets de 1ʳᵉ et 2ᵉ personnes.

Noter aussi qu'avec le verbe l'emploi de la négation simple *ne* cède de plus en plus à la négation complexe *ne... pas* ou *point*.

2º*Phrase et style*. — Pour la phrase il faut noter que l'ordre moderne (sujet-verbe-complément) a tendu à se fixer au 16ᵉ siècle.

D'autre part il sied de remarquer que l'imitation du style oratoire latin, de plus en plus étudié par un nombre croissant de gens, a amené beaucoup d'auteurs à user de la phrase prolongée en période; les auteurs médiocres s'y embrouillaient souvent et faisaient des phrases longues et peu claires avec abus fréquent des relatifs. (Voir l'exemple d'Olivier de Serres, p. 171).

Noter aussi les redondances par redoublement d'expression, notamment des épithètes.

d) VOCABULAIRE. — Au 16ᵉ siècle les théoriciens de la langue — souvent écrivains eux-mêmes — ont commencé à s'occuper du choix des mots, des sources d'augmentation du vocabulaire.

1º *Mots provinciaux*. — C'est d'une manière voulue que les poètes de la Pléiade ne s'en sont pas tenus au vocabulaire connu à Paris. Le lexique des poètes, et des prosateurs comme Rabelais, fourmille de mots provinciaux. Ainsi, chez les poètes 'avette', mot de l'Ouest, pour 'abeille'.

2º *Mots latins*. — La plupart des mots utiles — et certains dont on aurait pu se passer — étaient entrés dans les livres sinon dans l'usage courant, dans les siècles antérieurs (du 14ᵉ au 15ᵉ voir chap. VI, p. 128 et chap. VII, p. 147).

Les gens du 16ᵉ siècle, tout influencés qu'ils étaient par le latin, ont surtout pris conscience de la différence entre latin et français, et ont manifesté leur fierté d'écrire le français, leur volonté de le perfectionner en lui-même. Aussi n'ont-ils pas recherché les mots latins autant que leurs prédécesseurs.

Cependant, ils ont continué eux-mêmes à emprunter; c'est du 16ᵉ siècle que datent les mots empruntés qui servent d'adjectifs à *œil* et *oreille*, à savoir *oculaire et auriculaire*; de ce siècle date aussi un mot comme *exact*. Certains mots latins pouvaient être appuyés par l'usage de mots italiens populaires ou savants.

L'emprunt ou la constitution par dérivation d'adjectifs avec des suffixes devait souvent permettre d'avoir à côté d'un substantif un adjectif indiquant la qualité et un autre indiquant une relation; ainsi au 16ᵉ siècle comme de nos jours, on pouvait rencontrer en face d'*alpe* soit *alpestre*, soit *alpin*, en face de *champ(s)*, soit *champêtre*, soit *agreste*, soit *agraire*.

Mais il faut voir les choses aussi à un autre point de vue. Il est probable que beaucoup de mots savants avaient eu d'abord une diffusion restreinte. Après l'extension de l'usage du français en France, l'imprimerie, et la brillante floraison de la littérature, ils ont été largement répandus, incorporés en majorité dans le vocabulaire usuel qui s'est trouvé ainsi augmenté sans nouveaux emprunts extérieurs.

3° *Mots grecs.* — Avec les mots latins anciens, le français, dès l'origine, a reçu des mots grecs empruntés par le latin, notamment dans le vocabulaire religieux, vu les origines du christianisme (ainsi *église, clerc, clergé*); les uns sont populaires comme *boîte, rhume* (ancien français *reume*), d'autres savants comme *philosophe*.

Ceux-ci ont acclimaté dans l'orthographe française les groupes *ph, th, ch* (prononcé *k*), *rh*, et *y* employé comme voyelle.

Au 16ᵉ siècle, avec la renaissance de l'étude du grec et l'extension des ouvrages scientifiques, on a commencé à emprunter directement au grec des mots assez nombreux; ainsi *phénomène, rhumatisme, hygiène* (voir par ailleurs chapitre XI).

4° *Mots italiens.* — Les contacts avec l'Italie ont fait entrer en français un grand nombre de mots, dont beaucoup sont restés usuels; malgré une réaction voulue au milieu du 16ᵉ siècle contre la mode de l'italianisme; on en a compté près de 1.000, entrés du 16ᵉ au 17ᵉ siècle. Ainsi des mots militaires comme *cavalerie, colonel*, maritimes comme *boussole, remorquer*, commerciaux comme *banque, banqueroute*, vestimentaires comme *soutane*. Beaucoup de ces mots sont courants; toutefois, ils ne font pas un bloc très important dans le vocabulaire français; ils y ont peu prolifié en dérivés.

5° *Mots espagnols.* — Au 16ᵉ siècle des contacts assez fréquents, notamment par des mercenaires aux armées et d'autres immigrants et par des invasions de troupes espagnoles pendant les guerres de religion, ont introduit en France des mots espagnols. Cependant c'est surtout au 17ᵉ siècle, dont nous parlons ici par anticipation, à la cour de Louis XIII, que s'est fait sentir l'influence espagnole et que la littérature espagnole a été connue. Au total, on a compté près de 300 mots espagnols en français (y compris les mots arabes passés par l'espagnol). Certains sont des termes assez cantonnés, comme *alcade, noria;* beaucoup sont usuels : *abricot, adjudant, bizarre, camarade.*

6° *Mots allemands.* — Des contacts, surtout avec des hommes d'armes ont fait entrer des mots allemands dans le vocabulaire français; parmi les quelque 125 mots de cette origine qui ont pénétré du 15ᵉ siècle (ainsi *boulevard*) au 19ᵉ siècle, le 16ᵉ siècle est représenté par une trentaine, entre autres *bière, fifre, halte, rosse, coche* (voiture), d'où *cocher.*

TEXTES DU 16ᵉ SIÈCLE

RABELAIS : *Gargantua* (1535), chapitre XXIX, édition Jacob (Charpentier 1840) [où *et* est écrit en toutes lettres]. *? (voir ci-dessous)*

Extrait de la lettre écrite à Gargantua par son père Grandgousier, dont les états sont envahis par Picrochole, son voisin turbulent.

Ma deliberation ne est de prouocquer, ains d'appaiser; d'assaillir, mais de deffendre; de conquester, mais de guarder mes feaulx subiects & terres hereditaires, esquelles est hostilement entré Picrochole, sans cause ny occasion, & de iour en iour poursuyt entreprinse, auecques excez non tolerables a personnes liberes. Ie me suis en debuoir mis pour moderer sa cholere tyrannicque, luy offrant tout ce que ie pensoys luy pouoir estre en contentement; & par plusieurs foys anuoyé amiablement deuers luy, pour entendre en quoy, par qui, & comment il se sentoit oultraigé : mais de luy n'ay eu response que de voluntaire deffiance & qu'en mes terres pretendoit seullement droict de bienseance... Pourtant, mon filz bienaimé, le plus toust que faire pourras, ces lettres veues retourne a diligence secourir non tant moy (ce que toutesfoys par pitié naturellement tu doibs) que les tiens, lesquels par raison tu peulx sauluer et guarder.

MONTAIGNE : *Essais* (Texte autour de 1588), Edition Villey, réédité aux P.U.F., 1965 (avec *et* en toutes lettres), L. 1, chap. XLIX, p. 297.

Je veux icy entasser aucunes façons anciennes que j'ay en mémoire, les unes de mesme les nostres, les autres differentes, afin qu'ayant en l'imagination cette continuelle variation des choses humaines, nous en ayons le jugement plus esclaircy & plus ferme.

OLIVIER DE SERRES : *Theatre d'Agriculture et mesnage des champs* (1600). Septième lieu, chapitre I. Texte original,

Commenceant par l'Eau, je dirai qu'en ceci elle surpasse les autres élémens que de seruir d'Aliment : entant qu'elle abruue toute sorte d'animaux, ne donnans [1] immédiatement aucune nourriture ni le Feu, ni l'Aer, ni la Terre.

1. *C'est-à-dire* alors que ne donnent.

RONSARD : *Elégies.*

Contre les bûcherons de la forest de Gastine, vers 9-22 : texte d'après
l'édition de 1584. (C'est le premier connu pour cette élégie.)

> Forest, haute maison des oiseaux bocagers !
> Plus le Cerf solitaire & les Cheureuls legers
> Ne paistront sous ton ombre, & ta verte criniere
> Plus du Soleil l'Esté ne rompra la lumiere,
> Plus l'amoureux Pasteur sus un tronq adossé
> Enflant son flageolet à quatre trous persé,
> Son mastin à ses pieds, à son flanc la houlette,
> Ne dira plus l'ardeur de sa belle Ianette ;
> Tout deuiendra muet, Echo sera sans voix ;
> Tu deuiendras campagne, & en lieu de tes bois
> Dont l'ombrage incertain lentement se remue,
> Tu sentiras le soc, le coutre & la charrue ;
> Tu perdras ton silence & haletans d'effroy
> Ny Satyres ny Pans ne viendront plus chez toy.

Maurice SCÈVE : *Délie, obiect de plus Haulte Vertv* (1544). Edition Eugène Parturier, Paris-Hachette 1916.

Dizain C XCIII p. 140.

> Doulce ennemye, en qui ma dolente ame
> Souffre trop plus, que le cœur martyré,
> Ce tien doulx œil, qui jusqu'au cœur m'entame
> De ton mouvant à le vif attiré
> Si vivement, que pour le coup tiré
> Mes yeulx pleurantz employent leur deffence
> Mais n'y povant ne force, ne presence
> Le Cœur criant par la bouche te prie
> De luy ayder a si mortelle offence
> Qui tousjours ard, tousjours a l'ayde crie

QUATRIÈME PARTIE

LE FRANÇAIS MODERNE

CHAPITRE IX

LE FRANÇAIS CLASSIQUE AU SIÈCLE DE L'AUTORITÉ
(1594-1715)

Définition du « classique »

Le titre de la quatrième et dernière partie qui commence ici est le *français moderne;* pourtant nous en situons le début à trois siècles et demi en arrière de nous. Comment se justifie cette unité de dénomination, malgré les changements dont nous aurons à parler ? C'est qu'à partir du 17ᵉ siècle tous les traits fondamentaux du français ont été fixés : la prononciation dans l'ensemble, la morphologie du verbe, du nom, du pronom, la constitution de la proposition simple et de la phrase complexe, le vocabulaire fondamental en dehors des usages techniques. A partir du début du 17ᵉ siècle, les textes littéraires ou non, nous sont directement accessibles, en dehors de détails assez peu nombreux. Les pièces de théâtre peuvent être jouées devant nos enfants, par nos enfants à l'occasion, comme réellement nôtres; les œuvres philosophiques, les romans, les correspondances, etc. peuvent être lus sans effort sensible tenant à la langue.

Pourtant nous avons conscience des différences qui se sont introduites au cours de l'évolution et nous distinguons les parutions du 17ᵉ et du 18ᵉ siècle en parlant de nos grands auteurs classiques. Il vaut la peine, avant de poursuivre, de définir cette notion.

Le mot latin *classicus* voulait dire « de la première classe de citoyens »; un érudit romain l'a appliqué dès le 2ᵉ siècle aux écrivains de 'haute classe', ceux qui étaient considérés comme des modèles. En latin aussi, et en français, dès le 16ᵉ siècle, on a dit des 'classes d'écoliers' comme on disait des 'classes de citoyens'; puis on a dit' faire ses classes' pour 'faire des études complètes'; un auteur 'classique' a pu dès lors être aussi un auteur qu'on explique ou étudie dans les classes.

Ainsi, en France, on a d'abord parlé des classiques grecs et latins, puis après le 17ᵉ siècle des classiques français de ce 17ᵉ siècle, considérés comme les modèles essentiels. Au 19ᵉ siècle, quand on oppposait les 'classiques' à la nouvelle école, dite romantique, on entendait par classiques les auteurs du 17ᵉ siècle et leurs successeurs du 18ᵉ siècle, et enfin ceux qui, dans la première partie du 19ᵉ siècle, entendaient imiter ces auteurs antérieurs en observant les mêmes 'règles' littéraires. Depuis, les conceptions se sont élargies; l'enseignement s'est amplifié, il a admis les meilleurs auteurs, ceux dont la réputation a survécu et dont les œuvres ont continué à être lues, de toutes les périodes : ainsi on parle des classiques du moyen âge, et on dit que les 'romantiques', Victor Hugo ou Lamartine et certains de leurs successeurs, sont des classiques de la littérature française, à la fois parce qu'on les tient comme auteurs de premier ordre, et parce qu'on les explique dans les classes, généralement en 'morceaux choisis'.

Il y a donc quelques mélanges et contradictions dans l'emploi du terme classique. Si on s'en tient à un sens étroit, aussi bien pour la Grèce et Rome que pour la France et d'autres pays, l'idée de classicisme correspond à quelque chose de stabilisé, d'équilibré, de conforme à des règles admises, à des habitudes pleinement acceptées.

Ceci correspond bien à la période où nous allons avoir à pénétrer maintenant.

1. La société au 17ᵉ siècle

Considérons les grands traits de l'histoire du 17ᵉ siècle par rapport à la France. Celle-ci est à cette époque un pays fort, relativement très peuplé (environ 20 millions d'habitants), à gouvernement centralisé, qui recherche et obtient en partie l'hégémonie en Europe, s'agrandit de nouvelles provinces et envoie aux colonies une partie de son excédent de population (peuplement d'une partie du Canada et de la Louisiane en Amérique du Nord, colons des Antilles).

Le gouvernement est dirigé par un roi, dont l'autorité est considérée comme de « droit divin » et qui représente la nation aux yeux de tout le monde. Les rois faibles ou trop jeunes sont suppléés par un Premier Ministre dont l'autorité est celle même de la royauté; les rois qui gouvernent personnellement se font assister de ministres choisis par eux-mêmes et responsables devant eux seuls. Les étapes ont été : gouvernement personnel de Henri IV (1594-1610), principal ministre Sully; règne de Louis XIII (1610-1643), gouvernement effectif par Richelieu, minorité de Louis XIV, gouvernement de Mazarin (1643-1661), gouvernement personnel de Louis XIV (1661-1715), principaux ministres Louvois et Colbert.

La noblesse a été matée par cette forte autorité centrale et n'a conservé ses privilèges (possession de la plus grande partie de la terre avec exemption fiscale, commandements militaires, etc.) qu'à condition d'obéir aux rois; après divers soubresauts, parmi lesquels la résistance de la noblesse protestante et des révoltes individuelles domptées par Richelieu, et la Fronde, surtout parisienne, vaincue par Mazarin (1648-1653), la noblesse domestiquée a vécu en partie à la cour du roi, y dépensant ses revenus et au-delà.

Le clergé catholique s'est tenu sous l'autorité royale, qui l'a défendu contre les schismes (protestantisme) et les idées religieuses indépendantes (mouvement dit du jansénisme), en montrant une indépendance véritable à l'égard du pape (attitude de l'"église gallicane'). Le catholicisme était religion d'état, le clergé maître de l'enseignement; personne ne pouvait ouvertement se tenir en dehors de la religion, à plus forte raison la critiquer ou la combattre. Les biens de main morte et les bénéfices ecclésiastiques, attribués surtout à des cadets de la noblesse, constituaient une lourde charge pesant sur la nation. *appartenant à des personnes morales (communes, communautés, hospices, etc.)*

La bourgeoisie, véritable bénéficiaire de l'état de paix intérieure à peu près complète, prospérait à condition de ne réclamer aucune autorité propre et aucune prérogative. Lorsque le Parlement de Paris s'est rallié aux mécontents de la noblesse, pendant la Fronde, il a été vaincu avec eux. Un grand financier roturier, Fouquet, pourvu du poste officiel de surintendant des finances, jouant le rôle d'un maître du jour et d'un protecteur des arts, Louis XIV a supprimé par la force (1661) cette concurrence trop visible à son omnipotence et à son rôle représentatif. Les financiers bourgeois, déjà puissants et indispensables aux finances royales, devaient rester plus ou moins dans l'ombre et agir par personnes interposées.

Le menu peuple ne comptait pas du tout comme puissance dans l'état. Les paysans, plus ou moins à l'aise dans les moments de paix et de finances prospères, étaient pressurés et affamés lors des années de revers, qui n'ont pas manqué dans les derniers temps du règne de Louis XIV.

Toute représentation collective était abolie. Les états généraux n'étaient plus réunis, comme ils l'avaient été autrefois par les rois.

De cette époque date le rôle définitivement prééminent de Paris : la cour y résidait, au ˙Louvre, ou ne s'écartait guère (Versailles, à 20 kilomètres).

Les provinces étaient administrées à la fois par des gouverneurs grands seigneurs qui ne tenaient leurs pouvoirs que de la délégation˙ royale, et par des intendants, souvent de classe bourgeoise, employés directs du roi.

Des routes à peu près sûres, encore que fort mauvaises, des fleuves navigables et des canaux permettaient d'assurer les voyages et la circulation des correspondances (poste régulière à partir de 1622).

L'industrie se développait, en partie sous l'impulsion et avec la participation du pouvoir royal. Les ingénieurs entreprenaient des ouvrages difficiles et nouveaux, comme la machine de Marly, sorte d'énorme moulin sur la Seine, actionnant des pompes pour élever l'eau et l'envoyer aux domaines royaux de Marly et de Versailles. La marmite de Papin, premier appareil à vapeur sous pression, a été inventée vers la fin du siècle.

Dans ce cadre, représentons-nous la société cultivée, qui nous est suffisamment connue par les œuvres des auteurs contemporains, les lettres et les mémoires. Elle n'était composée, naturellement, que des gens riches et plus ou moins oisifs et des professionnels obligés de vivre de leur plume, comme commensaux des puissants ou comme auteurs de pièces jouées ou de livres édités. Masse assez nombreuse, cependant, groupée en très grande majorité à Paris.

On distinguait la cour et la ville. Les courtisans étaient fort peu occupés. Le jeu tenait une grande place dans leur vie, ainsi que des distractions variées : bals costumés ou non, représentations diverses que les comédiens venaient leur donner. A la ville, des grandes dames, des bourgeoises riches, des courtisanes renommées tenaient salon ; les auteurs et savants y venaient lire des œuvres nouvelles, alimenter la conversation sur toutes sortes de sujets intellectuels, de la poésie à la philosophie et aux sciences. Malgré divers courants religieux et des cabales cléricales dont nous avons des échos dans la littérature, l'ensemble de ce monde a eu des préoccupations nettement laïques ; grand mouvement de curiosité autour des nouveautés scientifiques ; quand on parlait de Dieu, il était surtout question de fonder par la raison les convictions religieuses. Il y avait aussi des tavernes intellectuelles, et des petits groupes où se rencontraient des grands seigneurs fanfarons de vice et d'athéisme et des gens de lettres émancipés : milieux flétris du nom de 'libertins'.

Tout ce monde allait au théâtre voir les pièces nouvelles et se procurait les livres à leur parution. Les écrivains avaient donc un public sûr et éclairé.

2. Lettres et arts

Certains caractères que nous allons avoir à noter dans la littérature de ce temps appartiennent aussi aux autres arts.

Ceux-ci sont dominés par l'architecture : à cette époque, elle a repris à l'antiquité les colonnes, ordonnance régulière, jusqu'à la monotonie souvent. Autour des grands palais, les parcs, les grandes allées d'accès, les vastes figures géométriques, les statues placées en raison des allées et des bosquets. Art public, exposé à tous : ainsi la colonnade du Louvre à Paris, dans le centre de la capitale; à Versailles le château bien visible des grandes allées d'accès servant de routes, le parc ouvert au public, déjà alors, quand la cour n'y était pas.

La musique qui nous est restée de ce temps est surtout de la musique d'opéra, par conséquent de représentation publique.

Dans la littérature, les œuvres qui dominent, celles qui ont eu le plus grand succès et sont restées pour nous les plus vivantes, ce sont aussi des œuvres d'ordonnance et d'équilibre, et des œuvres destinées à être entendues par un public, non lues en particulier. C'est le théâtre de Corneille, de Molière, de Racine, tragédies et comédies faites suivant les règles impératives de ce temps, renouvelées de celles du théâtre grec et des théories d'Aristote : de là les fameuses unités de lieu, de temps et d'action qui restreignent la pièce à cinq (ou trois) actes dans un même décor, pour des événements qui doivent être censés tenir en vingt-quatre heures : ce seul exemple suffit à montrer l'usage constant de l'autorité et de la règle qui est la marque principale de l'époque.

Pourtant la liberté gardait ses droits, en usage, dans le théâtre de la Foire, prospère, en particulier avec Tabarin au début du siècle.

Il sied d'autre part de mentionner le rôle important des acteurs. Nommons seulement Molière, qui jouait ses pièces et dirigeait un théâtre, et la Champmeslé, principale interprète de Racine.

Le théâtre n'est pas la seule littérature prononcée et même déclamée. Il y a aussi l'art oratoire, représenté, dans ce temps de cadre chrétien, sans assemblées représentatives et sans tribunaux populaires, par les sermons et oraisons funèbres, dont nous connaissons maintenant surtout les morceaux d'éloquence de Bossuet, grand orateur et beau poète en prose.

Le théâtre, aussi bien que les sermons, n'atteignait pas seulement l'élite du public. Les grands et les riches étaient entourés de nombreux serviteurs, gens du peuple, qui participaient plus ou moins à cette vie intellectuelle, sans même avoir besoin de savoir lire. Les théâtres étaient ouverts à qui payait, les églises, même aux jours de grande cérémonie, ne devaient pas être réservées à la cour.

Allons plus loin, dans cet examen des œuvres prononcées à haute voix : les *Fables* de La Fontaine, tôt récitées par des centaines d'enfants, les *Contes* de Perrault, lus aussi à un nombreux jeune public. Les célèbres *Lettres* de Mme de Sévigné, adressées à sa fille, étaient apparemment lues par celle-ci dans son salon provincial de femme du gouverneur de Provence, avant d'être recopiées et lues ailleurs : elles formaient une gazette pour gens de qualité, composée par une femme du plus grand monde, admise à la cour et répandue à la ville. Boileau donnait des lectures publiques de ses *Satires*. Même le petit livre des *Caractères* de La Bruyère, œuvre en style ciselé d'homme de cabinet, a dû être lu, portrait par portrait, dans les salons de l'hôtel de Condé où l'auteur était entretenu comme un 'domestique' intellectuel. Et ainsi de beaucoup d'autres œuvres qui connaissaient une 'première' dans les cercles avant d'être imprimées.

N'exagérons tout de même pas ce point de vue. Il y avait foule d'auteurs, et beaucoup d'ouvrages étaient faits pour la lecture individuelle, de plus en plus répandue, notamment en province. Ainsi l'*Astrée* d'Honoré d'Urfé et les romans de Mlle de Scudéry, dernier reflet des romans de l'époque féodale et aussi écho de la renaissance à l'italienne, romans très longs, que nous ne lisons plus, mais qui ont eu une très grande place dans l'esprit des contemporains. Pensons aussi aux œuvres de philosophie et de science. N'oublions pas surtout que les périodiques ont commencé à paraître dans ce temps : *Mercure de France* (1605), *Gazette de Théophraste Renaudot* (1631), *Journal des Sçavants* (1665) ; mais ils n'atteignaient qu'un public lettré et n'agitaient pas les problèmes politiques.

3. Extension du français

La littérature, essentiellement parisienne dans un siècle de centralisation, ne restait cependant pas confinée à la capitale. Les livres, les journaux, allaient en province; les tournées théâtrales contribuaient à y répandre le français : ainsi Molière a joué en comédien ambulant avant de s'installer à Paris. Il faut donc penser que le français a continué à se répandre en France avec les progrès à la fois des communications et de l'instruction, et le prestige de la littérature du siècle.

Toutefois, on sait que le français n'a pas été imposé aux nouvelles provinces agrégées au royaume : la Bretagne avait été réunie en 1532, une partie de la Lorraine en 1559; les traités du 17° siècle consacraient la réunion de l'Alsace, du Roussillon, de l'Artois, de la Flandre; malgré des velléités du ministre Colbert, l'assimilation linguistique y a été à peine entamée; pour la royauté, la langue n'était pas affaire d'état, en dehors de ce qui concernait l'administration, et elle composait même sur ce point : la ville de Strasbourg, reconnaissant l'autorité du roi en 1681, était dispensée d'appliquer l'ordonnance de Villers-Cotterets (voir p. 159).

Même dans les anciennes provinces, il restait encore beaucoup à faire; vers la fin du 17° siècle, Racine voyageant dans le Midi signalait qu'il avait de la peine à se faire comprendre. Malheureusement, nous avons trop peu de renseignements de ce genre.

Des témoignages utiles sont donnés par Molière qui a reproduit le langage propre de certains personnages. Ainsi nous savons quel était pour les contemporains le langage paysan type, apparemment des environs immédiats de Paris (ainsi *biau*, prononciation normande et picarde); quelques autres passages donnent du gascon, de l'accent suisse, etc., le tout avec plus ou moins de convention littéraire.

Nous avons quelques documents en patois, imprimés à cette époque; notamment, dans la série des Mazarinades (feuilles volantes du temps de la Fronde), des fragments en langage populaire parisien et des dialogues en parler de la banlieue. Mais ces textes ont un caractère littéraire artificiel.

D'autre part, le français se répandait au-dehors non seulement comme langue populaire dans les colonies (où on l'a même ensei-

gné), mais comme langue de cour et langue de l'aristocratie dans
divers états germaniques, où les langues locales n'avaient pas
encore reçu un poli littéraire suffisant. Bon exemple de langage de
classe. Fait important aussi à un autre point de vue : une langue
vivante très policée fait office de langue écrite en dehors de sa
nation, mordant sur le domaine de l'ancienne langue universelle
écrite, le latin.

L'influence et l'usage du français hors de France ont été renforcés et étendus par l'exode des protestants (plusieurs centaines
de mille), après la révocation de l'Edit de Nantes par Louis XIV
en 1685, mesure rigoureuse due à un centralisme et à un conformisme intolérants, qui ne pouvaient supporter une minorité opposée
à la religion du roi.

Un collège français était fondé à Berlin en 1689, et le français
était une des matières d'enseignement dans les collèges allemands.

Les éditeurs hollandais publiaient beaucoup de livres et de ga-
zettes en français.

C'est au traité de Rastadt en 1714 que le français a commencé
à être employé comme la seule 'langue diplomatique'.

4. Le latin et le français
dans l'enseignement et dans les sciences

La conscience de la valeur du français comme langue de civilisation a causé à la France même de nouvelles restrictions à l'ancienne suprématie du latin. Le français a commencé à pénétrer
dans ce qui correspondait plus ou moins à nos enseignements supérieur, secondaire et élémentaire.

En 1624, a été accordée l'autorisation de soutenir des thèses en
français. Vers 1636, Théophraste Renaudot a donné des conférences
publiques en français. En 1680 Colbert a fait donner en français
un enseignement du droit français.

En 1641 Richelieu, dans la ville nouvellement fondée qui porte
son nom, construite sur un plan rectangulaire où toutes les rues se
coupent à angle droit, avait fait ouvrir un collège moderne où
l'enseignement était donné en français, et où d'autres langues
vivantes (italien et espagnol) étaient enseignées; mais cette fondation ne lui a pas survécu.

Les jansénistes, qui étaient des réformateurs catholiques d'esprit rigoriste avec certaines tendances modernistes, non seulement ont publié une Bible en français (qui cette fois n'a pas été interdite), mais ont organisé un enseignement en français pour enfants et jeunes gens (petites écoles de Port-Royal, ouvertes en 1638, fermées en 1660, par suite de la persécution contre les jansénistes).

En 1698, afin d'instruire à coup sûr dans le catholicisme les enfants protestants restés en France, Louis XIV a ordonné la création d'écoles publiques gratuites et obligatoires dans lesquelles le français, ou à défaut le patois, devait être la langue d'un enseignement d'ailleurs rudimentaire, où les notions religieuses étaient l'essentiel. Ces écoles n'ont pas vraiment existé.

Mais les Frères de l'Ecole chrétienne (institut fondé en 1680 par J.-B. de La Salle), qui a eu quasi un monopole de l'enseignement primaire jusqu'au milieu du 19° siècle, a introduit dès le 17° siècle un enseignement de la lecture en français.

Au début du 18° siècle, on a commencé à laisser le français pénétrer dans les collèges; mais les maîtres parlaient encore le latin.

Un recul très important du latin est marqué par la date de 1637 : c'est celle où Descartes publie en français le *Discours de la méthode pour bien conduire sa raison, et pour chercher la vérité dans les sciences.* C'était un philosophe indépendant, d'éducation non cléricale; gentilhomme campagnard assez fortuné et très instruit, il a vécu quelques années en officier (dans des troupes à la solde de princes allemands) et en voyageur, avant de s'établir en Hollande, le pays le plus libre et tolérant du temps, et il a publié à loisir le fruit de ses études et méditations, en évitant toutefois de se mettre en opposition déclarée avec l'Eglise. Il est le véritable fondateur de la philosophie et d'une grande partie de la science moderne. Son ouvrage sur la méthode, lu par tous les philosophes et les gens du monde, a eu une influence considérable dès sa parution. Ecrit en un français très clair, il a été un modèle à tous égards (voir p. 199). Il convient d'ajouter pourtant que si le *Discours de la méthode* et les traités publiés en même temps ont paru d'abord en français, un ouvrage suivant, les *Méditations,* a paru d'abord en latin

Un autre savant et philosophe, Blaise Pascal, avait écrit en 1656-1657 en polémiste religieux (jansénistes contre jésuites) les *Lettres d'un provincial* (ou *Les Provinciales*), avec de nombreux dialogues alertes, sans que le style des développements polémiques soit encore bien dégagé de la phrase oratoire latine. Ses *Pensées* sont à mettre à part : c'étaient des fragments, en belle langue animée, d'une *Apo-*

logie de la religion chrétienne, dont on ne sait pas quelle aurait été la forme définitive si l'auteur avait vécu; ils ont été publiés après sa mort, en 1670.

Pendant tout le siècle, les philosophes et savants ont continué à se servir généralement du latin, non seulement dans leurs livres, mais dans leurs correspondances entre eux. Correspondances internationales, que n'interrompaient pas les guerres 'royales' et non nationales, faites par des armées de métier, où nombreux étaient les mercenaires étrangers, même à des postes de haut commandement.

La France a eu à cette époque des poètes en latin; il devait y en avoir encore au siècle suivant.

5. Le travail sur la langue

Au 17° siècle, on a beaucoup travaillé sur le français, dans les deux sens : on l'a observé, étudié, on a commencé à faire l'histoire des mots; mais aussi on s'est efforcé d'agir sur lui. Déjà, nous l'avons vu au moment de la Renaissance, divers ouvrages avaient révélé des préoccupations de ce genre.

Et certes, ce n'était pas un commencement : même pour les siècles où nous n'avons connaissance d'aucun ouvrage sur la langue, il est sûr que les auteurs avaient la volonté de bien écrire, et ça suppose toujours étude, comparaison, choix.

Allons plus loin encore : tout langage comporte une contrainte sociale à l'intérieur d'un groupe, une défense de ce qui paraît être à un moment donné la règle du langage, une indulgence ou un goût pour telle nouveauté : on redresse ce qu'on appelle les fautes des enfants, on rit des erreurs de celui qui parle mal, membre du groupe ou étranger, on admire certaines initiatives du beau parleur. Si l'évolution des sons, des formes, des constructions, des sens de mots se fait dans l'ensemble d'une manière lente et inéluctable qui échappe généralement à la conscience et à l'action éventuelle des hommes de chaque génération, la prise de conscience de certains faits à certains moments s'accompagne d'une volonté plus ou moins claire d'accepter ou de refuser, de conserver ou de changer. Ainsi, il peut y avoir, après étude, action voulue au moins sur certains caractères du langage. Ceci est plus vrai pour un langage écrit en général, plus vrai encore pour une grande langue littéraire.

La réglementation consciente, qui s'exprime par des ordonnances, porte surtout sur le choix entre des langues senties comme différentes : ainsi en France au 16° et au 17° siècle la décision d'employer dans certaines circonstances le français et non le latin, la 'langue du roi' et non les langages provinciaux.

Mais, dans une période d'organisation autoritaire et centralisée, il est fatal que les règlements en reviennent à atteindre aussi l'intérieur même de la langue qui est seule admise comme le moyen d'expression officiel d'un grand groupe, d'une nation. Rien d'étonnant donc que le 17° siècle ait vu réellement naître la grammaire française. Seulement, répétons-le, la grammaire la plus autorisée ne fait que constater, trier, codifier ce qui existe : elle ne peut changer ni la prononciation, ni les formes grammaticales telles que les ont faites l'évolution et le consentement collectif inconscient des usagers.

Constater et proclamer l'usage, telle a été la première tâche des grammairiens. Le diriger par choix, dans la mesure du possible, telle a été en second lieu leur préoccupation.

Mais quel est l'usage qui doit servir de modèle à suivre, ou, comme on dit, de 'norme' pour définir la langue 'normale' ? Ici, diverses difficultés, qui ont été estompées tant bien que mal dans les chapitres précédents, mais sur lesquelles il faut bien revenir, de manière à clarifier les choses autant que possible. Une langue, même littéraire et s'étendant très largement, a une base dialectale plus ou moins restreinte ; en laissant ici de côté les cas particuliers de populations et de gouvernements en continuels déplacements, nous pouvons dire que la base dialectale est territoriale. En ce qui concerne le français littéraire, nous avons vu que celui-ci, au cours de la période féodale, devait d'abord être considéré dans le cadre général des dialectes de la langue d'oui ; mais aussi que de bonne heure cette base s'est réduite au francien, base dialectale des domaines du roi de France ; en Ile-de-France même les parlers, les patois sont divers, mais la véritable base du langage littéraire c'est la capitale, Paris, dont l'importance n'a cessé de croître.

Seulement, quand on dit langage de Paris, on ne dit pas le patois propre des habitants ignorants de la ville, bornés à son seul horizon : il y a des particularités parisiennes qui ne sont pas du français commun, encore qu'elles aient plus de chances que d'autres d'influencer le français commun.

Et alors intervient la notion de classe. Les langages sont divisés suivant les bases territoriales ; ils sont divisés aussi d'après le compartimentage social en chaque endroit, suivant le fait fondamental :

un langage par groupe. Mais dans toute société différenciée (et toutes celles qu'on connaît le sont plus ou moins) chaque individu appartient à plusieurs groupes (par exemple : famille, classe d'âge, groupe professionnel). Aussi, est-il normal que chacun parle, suivant les interlocuteurs à qui il s'adresse et les milieux où il se trouve, soit des langages nettement différents (par exemple patois et français), soit des nuances différentes d'un même langage (ainsi français 'familier' ou français 'distingué'). Ainsi arrive-t-il qu'une communauté, et chacun dans sa communauté, dispose de différents usages.

Les usages ainsi définis constituent des différences au sein même d'un langage commun. Ils peuvent être plus ou moins conservateurs ou innovants, garder un maximum de vieilles formes ou accepter un maximum de formes nouvelles, ils peuvent être plus ou moins influencés, dans les parties influençables de la langue (construction de la phrase dans la mesure où celle-ci est libre, choix des mots), par différents langages extérieurs : ainsi, dans le cas du français d'Ile-de-France, par des langages provinciaux ou étrangers, ou par le latin.

Lorsque, dans un pays tendant à être homogène, et où l'usage de l'écriture et de la lecture est très répandu, la langue distinguée tend à se confondre avec la langue écrite, la langue des 'bons auteurs' est volontiers prise comme modèle, et influe sur la langue commune.

Mais quelle sera la norme pour les auteurs eux-mêmes, qu'appellera-t-on le 'bon usage' ?

C'est dans l'ensemble l'usage des gens qui ont le plus de prestige, et qui, en même temps, fournissent la majorité des lecteurs, sinon des écrivains. Dans la société du 17ᵉ siècle, il n'y avait pas de caste séparée d'écrivains et, dans l'ensemble, après toutes les restrictions de l'usage du latin, la langue écrite se confondait avec la langue parlée des classes dirigeantes et instruites. C'est donc, en gros, la 'bonne société' de Paris qui a servi de modèle.

Voyons maintenant les principaux faits de l'histoire du travail sur la langue.

Au début de la période classique, nous trouvons Malherbe (1555-1628) poète, critique et théoricien. C'était un 'homme de loi'; né à Caen, il a vécu à Paris à partir de 1600 environ (présenté à la cour en 1605).

« Enfin Malherbe vint », a écrit Boileau-Despréaux (v. p. 188) « et le premier en France d'un mot mis en sa place enseigna le pouvoir ». Malherbe s'est donc efforcé de choisir, parmi les constructions possibles, les plus claires et les plus fixes à la fois, quitte à être moins pittoresque et moins varié. Il a aussi pourchassé les mots provinciaux, c'est-à-dire qui ne sont que d'une province et non immédiatement compréhensibles à tous les gens parlant et écrivant français. Il refusait aussi les mots pédants, propres à une caste ou à une profession. Il ne désirait pas un langage riche, mais un langage compréhensible au plus grand nombre, même au peuple. Il a aussi réglementé le vers alexandrin, en le rendant passablement monotone.

Ensuite, l'Académie : réunion, privée d'abord, de gens du monde ou de personnes instruites ('honnêtes gens' en style du temps) et d'écrivains professionnels, Richelieu en 1635 en a fait une institution d'état chargée de faire des livres théoriques, de vrais codes de langue. On sait que cette entreprise trop autoritaire a en grande partie échoué, puisque la première édition du dictionnaire n'a paru, péniblement, qu'en 1694 (voir p. 188 et p. 202), déjà en retard sur bien des points sur l'usage, et une grammaire seulement en 1932.

Puis, Vaugelas : c'était un provincial, élevé en Savoie dans un milieu où on parlait français. A Paris, il s'est attaché longuement à l'observation de l'usage avant de publier en 1647 ses *Remarques sur la langue française*. C'était un observateur, non un théoricien. Mais il avait l'idée nette que certains usages sont meilleurs que d'autres; il exposait celui de la bonne société; en cas de doute, il donnait la préférence à celui de la cour sur celui de la ville. Tout ce qui n'était pas considéré comme de bonne tenue était déclaré propre à la 'lie du peuple'. Reflet des salons, secrétaire en quelque sorte des discussions qui s'y produisaient sur les points de langue, Vaugelas a eu une grande influence.

Nouvelle étape : en 1660 les jansénistes Arnauld et Lancelot publient une *Grammaire générale et raisonnée de la langue française*. C'est une grammaire 'cartésienne'. Pour la première fois, apparaît la volonté de faire ressortir dans le fonctionnement de la langue ce qui est logique et raisonnable, de trouver aux règles une autre justification que l'usage, de codifier, en essayant au besoin de les justifier, les exceptions elles-mêmes. C'est une application de l'esprit général de règle et d'unité de ce temps : lorsqu'un système de règles est déclaré plus ou moins fondé en droit, le pas est vite franchi de l'imposer par autorité.

Autre grammaire normative destinée aux Flamands : Laurent Chiflet, *Essay d'une parfaite grammaire de la langue françoise*, Anvers, 1664; Paris 1668.

Mais puisque la matière de la langue, en sa variété et ses changements, échappe forcément aux règles trop strictes et aux raisonnements, l'œuvre d'observation devait se poursuivre et il devait naturellement se produire des discussions entre les observateurs qui n'avaient pas tout à fait le même point de vue et le même usage personnel. Ainsi y a-t-il des contradictions (outre Vaugelas) entre les *Considérations sur l'éloquence française de ce temps* de François de la Mothe Le Vayer (1637), les *Remarques nouvelles sur la langue française* de Bouhours (1685) et les *Observations sur la langue française* (1676) de Ménage, qui avait été le premier historien étymologiste, avec les *Origines de la langue française* (1650).

D'autre part, Boileau, théoricien et participant de la littérature classique, légiférait tant qu'il pouvait dans son *Art poétique* (1674), et donnait divers écrits en vers qu'il voulait être des modèles de bon style; prenant la suite de Malherbe, il a lutté spécialement contre les mots 'vulgaires', contribuant pour sa part à l'appauvrissement délibéré de la langue écrite.

Dictionnaires : en 1606 le *Thrésor de la langue françoise* de Nicot a été le premier dictionnaire du français désigné comme tel (voir p. 442). En 1680, le Champenois Richelet a publié à Genève, comme secrétaire d'une petite société, un *Dictionnaire français tiré* 'de l'usage et des bons auteurs' (voir p. 203). En 1690 a paru le *Dictionnaire universel* de Furetière, encyclopédique, contenant aussi les mots vieillis, les mots bas, les expressions techniques. La préparation de ce dictionnaire non puriste avait fait exclure son auteur trop indépendant de l'Académie dont il était membre.

Il faut ajouter que la même année (1694) où l'Académie publiait son dictionnaire puriste elle publiait aussi sous les initiales M.D.C. couvrant Thomas Corneille, un *Dictionnaire des arts et des sciences* où étaient insérés aussi des mots bas. (Pour compléter les renseignements encyclopédiques le même auteur avait préparé un *Dictionaire universel géographique et historique* qui ne devait paraître qu'en 1706).

Le *Dictionaire* (sic) *historique et critique* de Pierre Bayle, paru en 1696, est un volumineux recueil de biographies, avec un riche commentaire où certaines idées, par exemple sur la tolérance, préfigurent celles du siècle suivant; il est muni de tables détaillées (voir p. 441).

Tous ces ouvrages doivent être étudiés à côté des œuvres littéraires. Il restera à prospecter une masse de documents non littéraires, correspondances inédites, actes de toutes sortes.

6. Faits concernant le français au cours du 17ᵉ siècle

a) PRONONCIATION. — Des phénomènes importants se sont ache-
vés ou produits au 17ᵉ siècle.

L'amuissement des consonnes en fin de mot, dont il a été question p. 166 semble avoir été complet dès le début du siècle, notamment pour -*t*. Pour -*r* il était recommandé de dire *mouchoi* et non
mouchoir; couri et non *courir*. Toutefois, on signalait que le peuple
de Paris prononçait les *r* à la fin de ces mots.

Pour le pronom sujet, *i faut* était la bonne prononciation; *il
faut* passait pour pédant et provincial.

Un phénomène particulièrement important commencé sans doute
au 16ᵉ siècle, est la disparition de -*e* neutre (ə) à la fin des mots.
Ainsi, désormais, *dire* est prononcé *dir*. Le français n'a donc plus
que des mots accentués sur la syllabe finale; seuls les gens du Midi
ont continué à prononcer l'-*e* neutre. De même, à l'intérieur des mots
la situation paraît avoir été sensiblement la même que de nos jours.
En raison de la disparition habituelle de *e* dans la prononciation,
on a pris l'habitude de l'appeler '*e* muet'.

Avec les deux phénomènes conjugués de l'amuissement des
consonnes et de *e* en finale, on a obtenu l'aspect moderne de beaucoup de mots : ainsi le masculin *peti* (écrit *petit* avec un *t* non prononcé) a un féminin *petit* (écrit avec un -*e* non prononcé).

Toutefois l'état de la prononciation n'était pas encore celui
d'aujourd'hui, en ce qui concerne les longueurs des voyelles, surtout
en finale. Notamment dans les participes à finale vocalique, le féminin était effectivement distinguable à l'audition : *aimée* avec -*ẹ*
(*e long*) se différenciant de *aimé* avec -*e* bref dans l'élocution courante, et pas seulement dans la prononciation affectée. L'infinitif en
-*er* avait aussi un -*ẹ* plus long que celui du participe masculin. Pour
le pluriel *aimés* il semble assuré que déjà il ne se distinguait plus
du singulier.

Un contrecoup curieux de l'affaiblissement de *e* neutre, allant si
souvent jusqu'à la disparition, a été son renforcement dans certains
cas.

Des *e* accentués, qui ne peuvent pas disparaître, ont été prononcés *è*; ainsi *je pese* est devenu *je pèse*; il en est résulté une nou-

velle alternance vocalique dans des présents de verbes : *je pèse, nous pesons.*

Pour *e* inaccentué, il y a eu dès lors hésitation. La tendance générale, dès le 16ᵉ siècle, a été de le prononcer *é* quand on ne le supprimait pas. Mais cette tendance s'est réalisée lentement et capricieusement suivant les mots.

L'usage du 17ᵉ siècle était incohérent, et ce n'était pas le même que celui du 19ᵉ et du 20ᵉ siècles, incohérent lui aussi; ainsi on sait que Corneille prononçait en prose *desir, desert,* sans e (*dzir, dzer*), mais *prémier, ensévelir;* c'est le contraire qui se fait de nos jours.

Dès le 17ᵉ siècle, les grammairiens observateurs notaient les inconséquences sur ce point, et essayaient de déterminer le 'bon usage'. Disons par anticipation quel est l'état moderne. Certains mots hésitent encore, ainsi *registre* et *régistre.* Pour certains au contraire, l'usage s'est fixé, de la manière suivante : les uns ont *é,* ainsi *désir, péril;* les autres ont *e.* Mais ici il faut encore distinguer deux cas : si *e* est après deux consonnes (ailleurs qu'en fin de mot), il est toujours articulé; ainsi *premier, probablement;* s'il est entre deux consonnes simples, il disparaît ou reste suivant la place du mot dans la phrase; ainsi *venir* (isolé), mais *il faut vnir; il faut venir* (avec un *e*) est une prononciation lente et emphatique; sur ce dernier point d'ailleurs l'usage n'est pas absolument uniforme.

Une autre hésitation a porté au 17ᵉ siècle sur la prononciation de l'ancienne diphtongue *oi* (voir p. 107 et p. 167). La tendance propre du parler ou si l'on veut du patois parisien était dès le 16ᵉ siècle, de prononcer *wa* : c'est la prononciation du français moderne (voir chapitre XI); au 17ᵉ siècle elle était rejetée comme horriblement vulgaire; tous les gens distingués prononçaient *we* (*ouè*) là où nous avons *wa.*

Mais ces gens distingués éprouvaient une autre hésitation, à savoir s'il fallait prononcer *we* ou *e* (*è*) dans tel ou tel mot.

On ne sait guère pourquoi (il faut sans doute invoquer la tendance générale à réduire les diphtongues à des voyelles simples), peut-être par une influence provinciale qui pourrait être normande, ou pour une autre cause qui échappe à nos historiens de la langue, les milieux 'a la mode' un peu affectés et mignards, les courtisans surtout, ont commencé dès le 16ᵉ siècle à prononcer -*e* pour *we* (écrit *oi* jusqu'au 19ᵉ siècle !) dans les finales d'imparfait et de conditionnel (moderne : j'*étais,* je *serais*). Cette prononciation est devenue la prononciation ordinaire au 17ᵉ siècle; c'est celle que Vaugelas approuvait, tout en constatant qu'elle n'était pas encore générale.

Mais s'il y a eu fixation en *ę* pour ces finales verbales d'emploi bien déterminé, ailleurs il y a eu des hésitations telles que les grammairiens n'ont trouvé aucun moyen de marquer le meilleur usage pour chaque mot. Ainsi, la mode distinguée a été dès le 16ᵉ siècle de dire *francès*, en réservant curieusement la prononciation *wę* au nom d'homme *François;* c'était accepté au 17ᵉ siècle; pourtant, vers 1650, l'Académie tenait encore à se dénommer *françouèse* dans les discours officiels. Les augures n'acceptaient nullement la généralisation de la nouvelle mode des *è* et s'efforçaient de trier entre les mots. Vaugelas refusait *craire* pour *croire, baire* pour *boire*, mais préférait *qu'il sait* à *qu'il soit*. L'orthographe restant partout *oi* pendant l'époque classique, la fixation s'est faite capricieusement à des dates indéterminées, de sorte que nous avons maintenant avec *wa*, et non *è, croire, boire, qu'il soit*, mais *faible, frais, connaître*, etc.; *Anglais, Japonais*, mais *Suédois* et *Chinois*. Dans un doublet tel que *raide* et *roide*, la première forme représente une prononciation qui à un certain moment a paru distinguée la seconde étant familière.

Ces deux exemples, concernant *ai* et *oi* sont importants, parce qu'ils montrent des cas où une 'loi phonétique' ne s'applique pas et où finalement l'évolution aboutit au caprice et non à la règle. Des faits de ce genre se trouvent même dans des langages non écrits dont on ne connaît pas l'histoire et où il est impossible de préciser les conditions des phénomènes. Pour le français même nous ne sommes pas bien au clair. On peut dire que dans des cas de cette espèce, il s'agit de tendances en voie de réalisation, c'est-à-dire en voie de devenir des règles, qui ont été troublées et contrariées par l'interférence d'autres tendances ou par des influences extérieures avant d'avoir leur plein effet.

Ceci est instructif pour juger des 'lois' qui se sont établies : il est probable que presque toutes ont agi d'abord plus facilement sur certains mots ou certaines parties de mots; il est sûr que tous les individus d'une génération, même dans un milieu relativement homogène, n'ont pas exactement le même usage; il est normal qu'il y ait une certaine bigarrure dans n'importe quelle société. Mais si on s'efforce de fixer l'usage en le déclarant plus ou moins 'bon' ou 'mauvais', comme au 17ᵉ siècle, en observant les mots individuellement et non en séries, on risque fort de perpétuer un usage plein de contradictions.

Pour les nasales, il semble que c'est au 17ᵉ siècle que finit de disparaître *n* prononcé après voyelle nasale (*byě* et non plus *byěn* 'bien'), et que c'est à la même époque que *i* et *ü* nasalisés stabilisent leur nouveau timbre (voir p. 167).

Il y a un autre fait important à noter : c'est la dénasalisation des voyelles nasales devant une nasale qui restait prononcée parce qu'elle avait été suivie d'un *e* désormais amui. Ainsi à Paris, on n'a plus prononcé *făm*, mais *fam* ('femme'). La conséquence orthographique a été que les consonnes doubles subsistaient sans utilité dans de tels mots. Une conséquence plus importante a été que dans· des mots comme *bon* il y a eu un écart plus grand entre le masculin (*bŏ*) et le féminin (*bǫn*), au lieu de *bŏ*, *bŏn* avec la même voyelle. Toutefois, comme la dénasalisation opère lorsque deux mots sont étroitement liés, le masculin est pareil au féminin dans *un bon homme*. Dans les mots plus longs, où la nasale n'est pas finale, la dénasalisation ne s'est achevée qu'au cours du 18ᵉ siècle; donc, au temps de Molière, on devait effectivement prononcer *grammaire* comme *grand mère* (voir la confusion faite par la servante Martine dans les *Femmes savantes*); de même on prononçait encore *ăne* pour 'année'; prononciations qui subsistent encore de nos jours dans certaines provinces (pour la première syllabe).

Il est possible que ce soit au 17ᵉ siècle, et d'abord chez les courtisans, que *r* au lieu d'être roulé du bout de la langue (prononciation encore répandue en France de nos jours) a commencé à être prononcé à l'arrière de la bouche, par relèvement modéré du dos de la langue et d'une manière faible (*r* parisien, dit souvent 'grasseyé', que des phonéticiens appellent *r* dorsal); mais cette prononciation existait peut-être déjà au 16ᵉ siècle.

Le souffle *h* subsiste au début des mots ayant l'*h* dit aspiré.

Enfin déjà le peuple, à Paris, commençait à prononcer un simple *y* au lieu de *l* mouillé (voir chapitre XIV).

D'après certains grammairiens l'-*s* final devant consonne et à la pause n'était pas universellement amui.

b) GRAMMAIRE.

1º *Noms*. Il n'y a pas eu au 17ᵉ siècle de faits nouveaux apparents. Mais les faits phonétiques étudiés ci-dessus ont eu des conséquences importantes.

L'*e* final des féminins d'adjectifs disparaissant après consonne, il prenait dans beaucoup de cas la valeur d'un signe purement orthographique de féminin : ainsi *loyal, loyale;* mais par ailleurs (voir ci-dessus), l'écart effectif entre masculin et féminin était augmenté dans divers adjectifs : *bon, bonne* ou *petit* (*peti*), *petite* (*petit*).

Pour le pluriel, la disparition de l's dans la prononciation (en dehors de certaines liaisons) fait que celui-ci devient en fait presque uniquement un signe orthographique.

Une conséquence frappante de ces faits, est que, de plus en plus, les formes différentes des articles étaient devenues la véritable caractéristique du pluriel et (concurremment avec certaines formes d'adjectifs) la véritable marque du féminin : *le, la, les; un, une, des; du, de la, des,* etc. Aussi bien l'emploi des articles (défini, indéfini, partitif) n'avait-il pas cessé de s'étendre depuis l'ancien français. Finalement les articles se sont stabilisés même avec les noms propres de peuples (*les* Anglais) et de pays (*la* France).

Ils sont joints aux substantifs non qualifiés ou aux adjectifs qu'ils servent à substantiver; mais ils sont séparés du nom par un adjectif qui le précède : *un homme; le beau; le bel homme,* etc.

2° *Verbes.* Les désinences verbales se sont usées au cours de l'histoire du français. Même les réfections qui avaient été faites (adjonction de -*e* ou -*s* de 1ʳᵉ personne du singulier, voir p. 120) étaient devenues inutiles). Après les chutes de -*t*, -*s*, puis -*e* dans la plupart des formes, les trois personnes du singulier étaient au 17ᵉ siècle devenues pareilles entre elles — autrement dit s'étaient réduites à une — sauf les cas de liaison de -*s* et -*t*. Ainsi : *j'aim(e), tu aim(es), il aim(e); je fini(s), tu fini(s), il fini(t).* En conséquence, d'une manière générale, les finales qu'on a continué à écrire sont des marques grammaticales pour l'œil.

La 3ᵉ personne du pluriel est généralement aussi pareille au singulier dans la prononciation, ainsi *aime, aiment* (mais *finit, finissent; reçoit, reçoivent*). Toutefois l'allongement de la voyelle par un *e* amui permettait alors de distinguer *étaient* de *était*.

En réalité, la distinction des personnes se fait principalement au moyen des pronoms personnels joints au verbe. Dans toute l'histoire du français (sauf un léger arrêt et même recul au 16ᵉ siècle dans des textes comportant une affectation d'archaïsme) le pronom sujet a été de plus en plus employé et de plus en plus régulièrement rapproché du verbe. (Une formule comme 'je soussigné déclare' est figée sous une forme ancienne).

Finalement, aux trois personnes, le pronom figure régulièrement devant le verbe (excepté à la 3ᵉ personne exprimée par un nom, comme 'le roi boit'). Les cas contraires (déplacement, absence) ont une valeur grammaticale nette : *tu aimes,* indicatif affirmatif, *aimes-tu* interrogatif, *aime* impératif.

La répétition est demeurée facultative devant le second de deux verbes jouant le même rôle : 'il mange et (il) dort bien'; pourtant depuis le 17ᵉ siècle la tendance est plutôt à la répétition, au moins dans la langue parlée.

A la 3ᵉ personne, le pluriel se distinguait au masculin dans la prononciation tant que *i* long, pour *ils*, est resté distinct de *i* bref, pour *il*; depuis, le pluriel n'est distingué du singulier que lorsqu'il y a liaison ('elles' a eu -s dès le début, 'ils', par analogie, depuis le 14ᵉ siècle). Mais le féminin est toujours distingué du masculin, tant au pluriel qu'au singulier, distinction que n'avait pas le latin.

Dans les temps composés, depuis l'ancien français l'auxiliaire a été de plus en plus régulièrement accolé au participe; en conséquence celui-ci perdait progressivement son autonomie. Dans la première partie du 17ᵉ siècle on pouvait encore écrire (le poète Rotrou) 'j'ai sa belle main pressée'; mais plus tard une séparation de cette sorte entre auxiliaire et participe est devenue impossible.

Déjà au 16ᵉ siècle on a codifié, et au 17ᵉ siècle on a affirmé la règle dite d'accord des participes, consistant à 'accorder' au féminin ou au pluriel un participe attribut avec 'être' ('ils sont venus') et un participe avec 'avoir' lorsque le complément de verbe le précède, ce qui n'arrive, depuis l'âge classique, que lorsque ce complément est un pronom personnel ou un pronom relatif ('la lettre que j'avais écrite, je l'ai cachetée') et dans l'interrogation ('quelles femmes, lesquelles avez-vous vues'). De même dans les verbes pronominaux, avec 'être' (Elles se sont vues). Toutefois cet accord n'était pas toujours réalisé dans les écrits du 17ᵉ siècle.

Pour l'emploi des temps, le point intéressant au cours du 17ᵉ siècle est la distinction entre le passé simple (défini) et le passé composé (indéfini) de l'indicatif. Au 16ᵉ siècle, dans un essai pour définir leurs rôles, on avait imaginé que le passé indéfini exprimait une action du jour, le passé défini une action datant de la veille au moins. Au début du 17ᵉ siècle, des grammairiens ont mieux compris la distinction qui était celle de leur temps : le passé défini exprimait une action complètement passée dans un temps de longueur quelconque entièrement écoulé, 'je fis ce matin, l'année dernière'; le passé indéfini était employé pour un temps non achevé, 'j'ai fait aujourd'hui, cette année'; c'était donc l'expression d'un aspect accompli avec un résultat durant encore.

Mais il semble que dès la seconde moitié du siècle, au moins dans la langue parlée, le passé indéfini ait pris, en plus de son sens propre, le sens du passé simple, dont il a dès lors restreint l'emploi.

3° *Phrase.* Les gens du 17ᵉ siècle ont travaillé à clarifier de plus en plus la phrase, tout en adoptant délibérément les principales ressources de la période latine en particulier usant largement du style indirect. L'adaptation de la période au français a été faite consciemment surtout par un écrivain du début du siècle, Guez de Balzac (1594-1654). Voir aux textes les exemples de Descartes, Corneille et Bossuet.

On peut dire qu'un tournant net s'est dessiné aux alentours de 1660, date à la fois du début du règne personnel de Louis XIV et de la grammaire de Port-Royal. Dès lors la phrase s'est raccourcie et simplifiée; on peut l'observer non seulement chez les écrivains qui se rapprochent volontairement de la langue parlée, comme Molière ou La Fontaine, mais chez d'autres : Racine, à la langue si mélodieuse, dont le style est beaucoup moins guindé que celui de Corneille (voir une citation p. 201 et une autre p. 328), l'évêque éducateur Fénelon, dont les développements sont alertes et simples d'allure, La Bruyère qui a essayé les phrases très courtes et ramassées.

c) Vocabulaire. — Si on laisse de côté quelques acquisitions espagnoles ou allemandes (voir p. 170), le 17ᵉ siècle n'a pas connu un enrichissement du lexique. Au contraire, les théoriciens se sont préoccupés surtout de l'épurer. Ils ont, en cette matière comme en tant d'autres, prétendu observer l'usage; mais celui-ci était défini par eux de manière si étroite et imposé d'une manière si impérative qu'ils risquaient de substituer leurs décrets au développement naturel. Ils ont fait une véritable chasse non seulement aux termes grossiers et crus, aux termes provinciaux, mais aussi et sans doute surtout aux termes 'vieillis', qui n'étaient plus compris et employés usuellement par tout le monde; on a compté plusieurs centaines de ces proscrits, dont certains d'ailleurs ont survécu à la proscription, comme *angoisse* (mot du vieux fonds, attesté au 13ᵉ siècle) ou *immense* (mot savant du 14ᵉ siècle). Naturellement, d'autres mots interdits aux auteurs de bon ton ont survécu dans la langue parlée que ce soit *poitrine* ou *épingle*.

Les néologismes étaient soigneusement évités; les auteurs ont dû vivre sur les fonds acquis et s'efforcer surtout d'employer congrûment les mots existants et admis par les puristes. Toujours on préférait la belle ordonnance et la clarté à l'abondance (voir p. 198).

d) Orthographe. — L'essentiel en a été dit dans le chapitre VIII, pp. 163-165 et dans les pages précédentes du présent exposé. Les amuissements de consonnes et voyelles ont sensiblement augmenté le nombre des lettres non prononcées et les changements de prononciation celui des combinaisons mal adaptées à la prononciation comme *oi.*

Les conditions du 16ᵉ siècle n'ont pas beaucoup changé à cet égard sauf qu'au 17ᵉ siècle il n'y a guère de relations entre les écrivains et les imprimeurs, du moins en France. Ce sont les imprimeurs hollandais qui ont commencé à adopter les innovations proposées par des précurseurs du 16ᵉ siècle (voir p. 165) ; les imprimeurs français ont suivi petit à petit, de sorte que dans l'ensemble l'usage moderne de *v, j*, de la cédille, de l'apostrophe et des accents était établi dans la dernière partie du siècle. (Voir les textes à la fin du chapitre, qui reproduisent l'orthographe des éditions originales, à l'exception de *s* long.)

Cependant d'heureux changements auxquels des groupes de *précieux* ont poussé se sont produits chez les imprimeurs et les usagers dans un sens de simplification et d'abrègement qui différencie dès le premier coup d'œil un texte du 17ᵉ siècle. Il s'agit de la disparition de lettres postiches : *l* (*chevaulx*), *b* (*soubs*), *c* (*object*), *g* de *ung*. Mais certaines ont subsisté jusqu'au 18ᵉ siècle (voir p. 224).

Les écrivains en tant que tels se sont en général désintéressés de la question. Mais les 'doctes' qui régentaient la langue, et à leur tête l'Académie française, ont résolument choisi le conservatisme et ils ont fait de manière cohérente la théorie de tout ce qui, dans l'usage de l'écriture, est contraire à l'usage premier de l'alphabet : représenter les sons du langage.

Ils ont voulu une orthographe étymologique, rapprochant les mots français des mots latins. Là où ils ont innové ou au moins admis des innovations proposées auparavant (notamment par le savant et imprimeur Robert Estienne, voir p. 163), c'était dans le sens d'une orthographe 'pour l'œil' et d'une orthographe intellectuelle : groupement des mots en familles (ainsi *grand,* comme *grande, grandir* au lieu de l'ancien *grant* et malgré la liaison en *t* dans un gran-*t* homme) ; distinction des homonymes (*ceint, saint, saint, sein, seing*).

Surtout, ils ont affirmé vouloir garder l'orthographe 'ancienne' en comprenant par ce mot celle du 16ᵉ siècle et en ignorant l'orthographe plus simple et meilleure de l'ancien français.

Ils ont en même temps défini l'orthographe de caste, qui distingue les 'gens de lettres' d'avec les 'ignorants et les simples femmes' (voir le texte reproduit p. 201). Dans les parties les plus gouvernables de la langue, et surtout dans son 'habillement', la volonté des dirigeants du temps s'est fait clairement sentir. N'oublions pas un détail vestimentaire important de l'époque : les membres de l'élite devaient, sur une tête rasée, porter une masse de cheveux qui n'étaient pas les leurs : la langue française aussi, celle des gens de qualité du moins, devait porter perruque.

Il sied pourtant de mentionner que dans l'élite même quelques personnes tenaient pour une orthographe plus simple, et les logiciens de Port-Royal ont même préconisé une orthographe 'rationnelle'; mais les systèmes publiés par certains novateurs n'ont pas eu de succès. Sur le livre de Louis d'Esclache voir aux *Références*. Pour Corneille voir le texte p. 203.

7. La langue fixée

Une langue consciente d'elle-même, se répandant à l'intérieur du pays et à l'extérieur, organe d'une littérature qui avait clairement conscience de son caractère 'classique', dans un temps où l'enseignement s'étendait, où des autorités étaient établies sur les manières d'écrire, où la grammaire se faisait raisonneuse et à prétentions régulatrices, était dans la mesure du possible immobilisée.

C'était une force pour le français, une garantie de durée à certains égards. De fait on peut considérer que ces conditions, qui sont de l'ordre des événements sociaux normaux, ont freiné l'évolution ultérieure de manière naturelle. La langue classique, bon instrument, a pu continuer à servir par la suite, dans tous ses traits essentiels de prononciation et de grammaire.

Mais il y avait aussi un danger très grave. Au 17ᵉ siècle la langue classique était, en même temps que la langue des écrivains, la langue habituelle des gens instruits; il y avait donc dans l'ensemble concordance entre la langue écrite et la langue parlée, au moins celle d'un milieu choisi. Par la suite, la langue parlée, malgré le frein imposé, devait évoluer tout de même un peu dans sa prononciation et sa grammaire; dans ses parties malléables et sensibles aux courants sociaux (style, vocabulaire), elle devait subir des transformations plus fortes encore. Si la langue classique devait rester indéfiniment un modèle imposé aux écrivains de profession et à tous ceux, de plus en plus nombreux, qui avaient l'occasion de tenir la plume, il y avait risque de divorce entre langue écrite et

langue parlée; il y aurait eu danger que le français littéraire de-
vienne une 'langue morte', inculquée par l'enseignement, et super-
posée à une véritable langue nouvelle, comme le latin avait été super-
posé au très ancien français alors non écrit, dans le haut moyen
âge. Contradiction foncière, dont il faut chercher à voir dans quelle
mesure le français a été sauvé, et comment (voir les chapitres XIII
à XV).

TEXTES DU 17ᵉ SIÈCLE

DESCARTES : *Discours de la méthode*, 1ʳᵉ partie, 6ᵉ paragraphe. Edition originale. Levde 1637, p. 6.

I'ay esté nourri aux lettres dés mon enfance; et pourcequ'on me persuadoit que par leur moyen on pouuait acquerir vne connoissance claire & assurée de tout ce qui est vtile à la vie, i'auais vn extreme desir de les apprendre. Mai sitost que i'eu acheué tout ce cours d'estudes, au bout duquel on a coustume d'être receu au rang des doctes, ie changay entierement d'opinion, car ie me trouuais embarassé de tant de doutes & d'erreurs qu'il me sembloit n'auoir fait d'autre profit en taschant de m'instruire, sinon que i'auois découuert de plus en plus mon ignorance.

PASCAL : *Les Provinciales* ou *Lettres Ecrites par Louis de Montalte à un Provincial des ses Amis & Aux RR. PP. Jésuites. Cologne 1657. Cinquième Lettre* (p. 59).

Sçachez donc que leur objet n'est pas de corrompre les mœurs : ce n'est pas leur dessin. Mais ils n'ont pas aussi pour vnique but celuy de les reformer. Ce feroit vne mauuaise politique. Voisy quelle est leur pensée. Ils ont assez bonne opinion d'eux mesmes pour croire qu'il est vtile & comme necessaire au bien de la Religion que leur credit s'estende partout, & qu'ils gouvernent toutes les consciences.

CORNEILLE : *Polyeucte*, acte IV, scène 2 (1643), d'après l'édition originale [1].

> Source délicieuse en misères féconde,
> Que voulez-vous de moy, flatteuses voluptez ?
> Honteux attachemens de la chair & et du monde,
> Que ne me quittez-vous quand ie vous ay quittez ?
> Allez, honneurs, plaisirs, qui me liurez la guerre,
>   Toute vostre felicité,
>   Suiette à l'instabilité,
>   En moins de rien tombe par terre,
>   Et, comme elle a l'éclat du verre
>   Elle en a la fragilité.

1. Dans l'édition de son *Théâtre*, en 1660, Corneille a adopté, à l'imitation des impressions hollandaises, l'usage moderne de *v* et *j* (voir p. 203).

LA FONTAINE : *Préface aux Contes et nouvelles* (1665).

Mais je m'amuse à des choses auxquelles on ne prendra peut-être
pas garde, tandis que j'ai lieu d'appréhender des objections bien
plus importantes. On m'en peut faire deux principales : l'une que ce
livre est licencieux, l'autre, qu'il n'épargne pas assez le beau sexe.
Quand à la première, je dis hardiment que la nature du Conte le
vouloit ainsi; étant une loi indispensable, selon Horace, ou plutôt
selon la raison et le sens commun, de se conformer aux choses dont
on écrit. Or, qu'il ne m'ait été permis d'écrire de celles-ci, comme
tant d'autres l'ont fait, & avec succès, je ne crois pas qu'on le mette
en doute; & l'on ne me sçauroit condamner, que l'on ne condamne
aussi l'Arioste devant moi, & les Anciens devant l'Arioste. On me
dira que j'eusse mieux fait de supprimer quelques circonstances, ou
tout au moins de les déguiser. Il n'y avoit rien de plus facile; mais
cela auroit affaibli le Conte, & lui auroit ôté de sa grace.

MOLIÈRE : *Le bourgeois gentilhomme* (1670). Acte III, scène 3
(d'après l'impression de 1671).

M. IOVRDAIN. — Paix : songez à ce que vous dites. Sçavez-vous
bien, ma Femme, que vous ne sçavez pas de qui
vous parlez quand vous parlez de luy ? C'est une
personne d'importance plus que vous ne pensez;
un Seigneur que l'on considere à la Cour, & qui
parle au Roy tout comme je vous parle. N'est-ce
pas une chose qui m'est tout à fait honorable,
que l'on voye venir chez moy si souvent une
personne de cette qualité, qui m'apelle son cher
Amy, & me traite comme si j'estois son égal ? Il
a pour moy des bontez qu'on ne devineroit jamais; &, devant tout le monde, il me fait des
caresses dont je suis moy-mesme confus.

Mad. IOVRDAIN. —Ouy, il a des bontez pour vous, & vous fait des
caresses; mais il vous emprunte vostre argent.

M. IOVRDAIN. — Hé bien ! ne m'est-ce pas de l'honneur de prester
de l'argent à un homme de cette condition-là ? &
puis-je faire moins pour un seigneur qui m'apelle
son cher Amy ?

BOSSUET : *Discours sur l'histoire universelle* (1681). Seconde partie, chapitre V, page 243 de l'édition originale.

Le peuple, accoustumé dés son origine à un gouvernement divin, & sçachant que, depuis le temps que David avait esté mis sur le trosne par ordre de Dieu, la souveraine puissance appartenait à sa maison, à qui elle devait estre à la fin renduë au temps du Messie, [quoique d'une manière plus mystérieuse & plus haute qu'on ne l'attendait [1]], mit expressément cette restriction au pouvoir qu'il donna à ses pontifes, & continua de vivre sous eux dans l'espérance de ce Christ tant de fois promis.

Jean RACINE : *Iphigénie en Aulide.* Préface. Texte de l'édition originale. 1675.

Voilà les principales choses en quoi je me suis un peu éloigné de l'économie & de la fable d'Euripide. Pour ce qui regarde les passions, je me suis attaché à le suivre plus exactement. J'avoue que je lui dois un bon nombre des endroits qui ont été le plus approuvés dans ma tragédie.

Et je l'avoue d'autant plus volontiers que ces approbations m'ont confirmé dans l'estime & la vénération que j'ai toujours eu [sic] pour les ouvrages qui nous restent de l'antiquité. J'ai reconnu avec plaisir, par l'effet qu'a produit sur notre théâtre tout ce que j'ai imité ou d'Homère ou d'Euripide, que le bon sens & la raison étaient les même dans tous les siècles. Le goût de Paris s'est trouvé conforme à celui d'Athènes.

Mes spectateurs ont été émus des mêmes choses qui ont mis autrefois en larmes le plus savant peuple de la Grèce, & qui ont fait dire qu'entre les poètes Euripide était extrêmement tragique, τραγικωτατος c'est à dire qu'il savait merveilleusement exciter la compassion & la terreur, qui sont les véritables effets de la tragédie.

1. Membre de phrase ajouté postérieurement.

FÉNELON : Fragment de son discours de réception à l'Académie en 1693, texte pris dans *Recueil des harangues prononcées par Messieurs de l'Académie française*. Amsterdam 1709, Tome second p. 242.

Depuis que des hommes sçavants & judicieux ont remonté aux veritables regles, on n'abuse plus comme on le faisoit autrefois, de l'esprit & de la parole; on a pris un genre d'escrire, plus simple, plus naturel, plus court, plus nerveux, plus précis. On ne s'attache plus aux paroles, que pour exprimer toute la force des pensées, & on n'admet que les pensées vrayes, solides, concluantes, pour le sujet où l'on se renferme. L'érudition autrefois si fastueuse ne se monstre plus que pour le besoin; l'esprit mesme se cache, parce que toute la perfection de l'art consiste à imiter si naïvement la simple nature, qu'on la prenne pour elle.

LA BRUYÈRE : *Les Caractères*, édition de 1690, Paris. Chapitre XV.

Nº 6. — Il y a moins d'un siècle qu'un livre François estoit un certain nombre de pages Latines, où l'on découvroit quelques lignes ou quelques mots en nostre langue. Les passages, les traits & les citations n'en estoient pas demeuré là. Ovide et Catulle achevoient de décider des mariages et des testamens et venoient avec les *Pan-dectes* au secours de la veuve et des pupilles; le sacré & le profane ne se quittoient point; ils s'estoient glissez ensemble jusques dans la chaire; S. Cyrille, Horace, S. Cyprien, Lucrece, parloient alter-nativement : les Poètes estoient de l'avis de saint Augustin & de tous les Pères : on parloit Latin & long-temps, devant des femmes & des Marguilliers; on a parlé grec : il falloit sçavoir prodigieusement pour prêcher si mal. Autre temps, autre usage; le texte est encore Latin, tout le discours est François & d'un beau François; l'Evangile mesme n'est pas cité : il faut sçavoir aujourd'hui très-peu de chose pour bien prêcher !

Nº 7. (édition de 1696). — L'on a enfin banni la Scolastique de toutes les chaires des grandes villes & on l'a reléguée dans les Bourgs & dans les villages pour l'instruction & pour le salut du La-boureur ou du Vigneron.

Pierre CORNEILLE : *Théâtre*, Billaine, de Luyne et Jolly, Paris, 1663 (même texte que l'édition de Rouen en 1660), « Au lecteur ».

Ces quatre Volumes contiennent trente deux Pièces de Théatre. Ils sont réglez à huit chacun. Vous pourrez trouver quelque chose d'étrange aux innovations en l'orthographe que j'ay hazardées icy, & je veux bien vous en rendre raison. L'usage de nostre Langue est à present si épandu par toute l'Europe, principalement vers le Nord, qu'on y voit peu d'Etats où elle ne soit connuë, c'est ce qui m'a fait croire qu'il ne seroit pas mal à propos d'en faciliter la prononciation aux estrangers, qui s'v trouvent souvent embarrassez par les divers sons qu'elle donne quelquefois aux mesmes lettres. Les Hollandois m'ont frayé le chemin, & donné ouverture à y mettre distinction par de différents caractères, que jusqu'icy nos Imprimeurs ont employé indifféremment. Ils ont separé les *i* & les *u* consones d'avec les i & les u voyelles en se servant tousiours de l'j et de l'v pour les premières, & laissant l'i & l'u pour les autres, qui jusqu'à ces derniers temps avoient esté confondus...

César Pierre RICHELET : *Dictionnaire François* (1680). Avertissement.

2ᵉ page 1ᵉʳ §... Touchant l'orthographe, on a gardé un milieu entre l'ancienne et celle qui est tout à fait moderne et qui défigure la langue. On a seulement retranché de plusieurs mots les lettres qui ne rendent pas les mots méconnaissables quand elles en sont ôtées, et qui, ne se prononçant pas, embarrassent les étrangers et la plupart des provinciaux. On a écrit avocat, batistere, batême, colère, mélancolie, plu, reçu, revuë, tisanne, tresor, & non pas advocat, baptistere, baptême, cholere, melancholie, pleu, receu, reveue, ptisane, thresor.

§ 2. Dans la même vuë on retranche l's qui se trouve après un *e* clair ; & qui ne se prononce point, & on met un accent aigu sur l'*e* clair qui accompagnoit cette s : si bien que présentement on écrit dédain, détruire, répondre, & non pas desdain, destruire, respondre.

§ 3. On retranche aussi l's qui fait la silabe longue, & qui ne se prononce point, soit que cette s se rencontre avec un *e* ouvert, ou avec quelque lettre, on marque cet *e* ou cette autre lettre d'un circonflexe qui montre que la silabe est longue. On écrit Apôtre, jeûne, tempête, & non pas Apostre, jeusne, tempeste. Cette der-

nière façon d'orthographier est contestée. Néanmoins, parce qu'elle
empêche qu'on ne se trompe à la prononciation, & qu'elle est autorisée par d'habiles gens, j'ai trouvé à propos de la suivre si ce
n'est à l'égard de certains mots qui sont si nuds lorsqu'on en a
ôté quelque lettre qu'on ne les reconnoit pas.

§ 4. A l'imitation de l'illustre Monsieur d'Ablancourt, *Preface de
Tucidide*, Apophtegmes des Anciens, Marmol, &c. & de quelques
auteurs celèbres, on change presque toujours l'y grec en *i* simple.
On retranche la plu-part des lettres doubles & inutiles qui ne défi-
gurent pas les mots lorsqu'elles en sont retranchées. On écrit afaire,
ataquer, ateindre, dificulté, &c.

3° page § 1. Chacun se conduira là dessus comme il le trouvera à
propos, je ne prétends prescrire de loix à personne. Je raporte seulement ce que j'ai vû pratiquer par d'habiles gens.

Extrait de la préface du Dictionnaire de l'Académie (1694).

L'Académie s'est attachée à l'ancienne Orthographe receüe parmi
tous les gens de lettres, parce qu'elle ayde à faire connoistre l'Origine des mots. C'est pourquoy elle a creu ne devoir pas authoriser
le retranchement que des Particuliers, & principalement les Imprimeurs ont fait de quelques lettres, à la place desquelles ils ont
introduit certaines figures qu'ils ont inventées, parce que ce retranchement oste tous les vestiges de l'Analogie & des rapports qui sont
entre les mots qui viennent du Latin ou de quelque autre Langue.
Ainsi elle a écrit des mots *Corps*, *Temps* avec un *P*, et les mots
Teste, *Honneste* avec une *S*, pour faire voir qu'ils viennent du Latin
Tempus, *Corpus*, *Testa*, *Honestus*...

Il est vray qu'il y a aussi quelques mots dans lesquels elle n'a pas
conservé certaines Lettres Caracteristiques qui en marquent l'origine, comme dans les mots *Devoir*, *Fevrier*, qu'on escrivoit autrefois *Debvoir* & *Febvrier*, pour marquer le rapport entre [1] le Latin
Debere, & *Februarius*. Mais l'usage l'a décidé au contraire; car il
faut reconnoistre l'usage pour le Maistre de l'Orthographe aussi
bien que du choix des mots. C'est l'usage qui nous mene insensiblement d'une manière d'escrire à l'autre, & qui seul a le pouvoir de
le faire. C'est ce qui a rendu inutiles les diverses tentatives qui ont
esté faites pour la reformation de l'Orthographe depuis plus de
cent cinquante ans par plusieurs particuliers qui ont fait des règles
que personne n'a voulu observer.

1. *Sic.*

CHAPITRE X

STRUCTURE DU FRANÇAIS

Avant d'examiner les destinées du français dans la fin de la période dite classique et ensuite, voyons brièvement quelle est la structure de la langue arrivée à son état moderne. Aussi bien n'aurons-nous, pour les traits essentiels, que peu de changements à noter par la suite dans les sons et les formes grammaticales et dans le dessin de la phrase; les détails qui résultent de ces changements ne figurent pas dans le présent tableau. (Se reporter aux chapitres XII à XIV et surtout au chapitre XV.)

a) PRONONCIATION. — Articulation spécialement nette. Les consonnes sont très fermes et en quelque sorte frappées; il n'y a aucun temps intermédiaire (souffle, glissement) entre elles et les voyelles qui les suivent ou les précèdent; elles sont toujours simples (ni longues, ni géminées. Voir d'autre part chapitre XV, II, 2 p. 379).

Les voyelles sont égales de timbre dans toute leur durée, il n'y a pas de diphtongues proprement dites, mais quelquefois une semi-voyelle + voyelle (yeux). Des suites de voyelles qui restent bien distinctes (en hiatus) se trouvent assez souvent à l'intérieur des mots ou entre mots voisins (exemple : *haï, il n'y a eu aucun heurt*).

Les différences de longueur sont rares de nos jours et d'importance réduite. Au 17ᵉ siècle la situation était différente : beaucoup d'allongements (dont certains avaient une valeur morphologique voir p. 199) devaient donner au discours un certain rythme que nous n'avons plus. Inversement on devait être moins sensible aux différences de timbre pour les *a*, les *o* et les *ö*.

Les consonnes sont les suivantes.

Trois paires d'occlusives (sourdes sans vibration des cordes vocales et sonores avec vibration) : les labiales *p* et *b*; les dentales *t* et *d*, les palatales (dites souvent gutturales) *k* (écrit *c, k, qu*) et *g* (écrit *g* et *gu*).

Trois paires de spirantes (continues ou fricatives) : les labio-dentales *f* et *v*; les dentales sifflantes *s* (écrit *s, ss, c*, etc.) et *z* (écrit *s* et *z*) : les prépalatales chuintantes *š* (écrit *ch*) et *ž* (écrit *j, g*).

Trois consonnes nasales (continues par leur articulation nasale, occlusives par leur articulation dans la bouche), labiale *m*, dentale *n*, prépalatale *ñ* (écrite *gn*).

Trois consonnes liquides (continues, sonores) *r* (prononcé soit du bout de la langue, soit de l'arrière de la langue), la latérale *l*, articulée dans la région dentale et son correspondant prépalatal *ḷ* (*l* mouillé écrit *il, ill, ll*) consonne du français classique qui a fini de disparaître dans la prononciation normale parisienne au 19e siècle.

Trois semi-voyelles, *w* (écrit *ou*, ainsi dans *oui*), *ẅ* (écrit *u*, ainsi dans *puits*), *y* (écrit *y* comme dans *yeux* ou *i* comme dans *bien*).

Remarquer la symétrie de ce tableau.

	occlusives		continues		nasales	liquide	
région labiale ..	*p*	*b*	*f*	*v*	*m*		*w, ẅ*
région gingivale .	*t*	*d*	*s*	*z*	*n*	*l, r*	
région palatale...	*k*	*g*	*š*	*ž*	*ñ*	*ḷ*	*y*

Il faut ajouter le souffle *h* à des débuts de mot et les deux consonnes complexes *ks* et *gz* (écrites *x*, par exemple : *taxer, exemple*).

Il n'y a qu'une articulation vers l'arrière-bouche (le *r* quand il est prononcé à l'arrière). De plus dans la gorge où s'articule aussi l'occlusive glottale, d'apparition sporadique, n'ayant pas de rôle significatif; cependant c'est un jeu délicat de la glotte qui règle le passage de l'air, de manière à donner aux consonnes françaises leur particulière netteté.

Les voyelles sont les suivantes (en prononciation parisienne, s'entend).

Deux *a* (celui de *patte* et celui de *pâte*, phonétiquement *ȧ*); deux *e* : *ę* (écrit *é* et quelquefois *ai*) et *e* (écrit *è, ê, ai, e*); deux *o* : *o* (écrit *au, ô*; par exemple *paume, côte*) et *ǫ* (écrit *o*, par exemple *pomme*); deux *ö* (écrits *eu, œ, œu*), l'un fermé *ö* (celui de *peu*), l'autre ouvert *ǫ̈* (celui de *heure, œil, cœur*) un *u* (écrit *ou*); un *ü* (écrit *u*), un *i*.

Voyelles nasales : *ã* (écrit *an, ęn*); *ẽ* (écrit *in, en, ain, ein*); *õ* (écrit *on*); *ṏ* (écrit *un*).

L'*e* neutre, qui est pour le timbre un *ö* ouvert toujours bref, est sujet à disparaître suivant la place dans le mot et la place du mot dans la phrase; on dit qu'il est 'instable' ou 'caduc', ou en termes techniques qu'il est 'en alternance avec zéro' couramment *e* muet, en notation phonétique *ə*).

Dans le tableau suivant les voyelles orales sont rangées de gauche à droite suivant la fermeture croissante. Les voyelles les plus fermées ne comportent pas de paires. (Les voyelles d'avant arrondies sont articulées en avançant les lèvres, ainsi que les voyelles d'arrière).

Les voyelles nasales, à droite, n'ont qu'un timbre par région d'articulation.

Avant-bouche { ordinaires....			*ę*	*e*	*ι*	*ẽ*
{ arrondies.....			*ǫ̈*	*ö*	*ü*	*ṏ*
Milieu	*a ȧ*					*ã*
Arrière-bouche			*ǫ*	*o*	*u*	*õ*

Pour les fréquences d'emploi des phonèmes voir aux Références.
La répartition des consonnes et voyelles est variée; les combinaisons les plus fréquentes sont les suivantes.

Syllabes ouvertes : simple voyelle (*a* et *i* dans *haï*), consonne + voyelle (*pâ-té*) ; consonne occlusive ou spirante + *l, r* + voyelle (*pré, pratique, flamber*) ; *s* + consonne occlusive + voyelle (*statue, squelette*).

Syllabes fermées : les mêmes éléments que ci-dessus suivis d'une consonne en fin de mot, ou à l'intérieur devant une autre consonne : *or, par, plas-tique, stig-mate.*

Syllabes doublement fermées (par deux consonnes) ; cas rare autrefois (par exemple dans *turc*), mais devenu fréquent dès que -*e* final a cessé de se prononcer : ainsi *port*(*e*), *post*(*e*), etc.

Les suites de trois consonnes au début d'un mot, de quatre consonnes à l'intérieur sont rares : *structure, abstrait.*

Les syllabes ouvertes sont en grande majorité dans une phrase française. On a calculé qu'elles sont cinq fois plus nombreuses que les syllabes fermées. Pour faire justement le calcul il faut se rendre compte que, sauf intervention d'une ponctuation, on a le sentiment qu'une consonne finale ou un groupe final à seconde consonne *r* ou *l* se reporte, au point de vue de la coupe des syllabes sur un mot suivant et commençant par une voyelle. Ainsi : 'l'ân(e) est récalcitrant' ; 'le prêtr(e) est parti'.

Comme dans les exemples ci-dessus, il y a souvent mélange de syllabes ouvertes et fermées. Mais les longues suites de syllabes ouvertes sont fréquentes, ainsi 'nous désirons l'égalité de tous les citoyens devant la loi' (18 syllabes en prononciation lente, en articulant *e* dans *de* et *devant*).

Le débit est régulier, le ton uni est égal; l'accent d'intensité (dit accent tonique) se plaçant à la fin d'un mot ou d'un des groupes de mots (voir ci-après) est peu marqué de nos jours; on ne peut pas savoir s'il l'était sensiblement plus au 17ᵉ siècle.

Renforcé, il sert à l'exclamation (*va-t-en !*). Pour l'accent affectif, voir au chapitre XV.

Dans la proposition simple, le dessin mélodique est montant et descendant : 'Le roi (*montée*) boit (*descente*)' ; 'je regardais (*montée*) par la fenêtre (*descente*)'.

Dans les phrases complexes le ton légèrement montant marque une ponctuation légère et suspensive (fin de proposition ou de partie de proposition), le ton légèrement descendant marque la fin de la phrase : 'A bon chat (*montée*), bon rat (*descente*)'; 'quand il vient (*montée*), il me raconte des histoires (*descente*)'.

Un ton montant à la fin d'une phrase signifie une interrogation (*viens-tu ?* ou *tu viens ?*).

Les mots sont de longueurs extrêmement variables. Les monosyllabes sont abondants non seulement dans les mots accessoires (voir ci-dessous), mais dans les substantifs, adjectifs et verbes usuels. Les mots de deux syllabes sont sans doute les plus abondants. Ceux de trois, quatre syllabes et plus le sont un peu moins si on ne considère que les mots séparés orthographiquement; surtout, étant généralement des mots savants, ils apparaissent beaucoup moins dans la conversation familière. Mais si on considère comme mots uniques les formes composées des verbes (ainsi : *il a mangé*), les mots longs sont en nombre considérable.

En fait, les mots (mots orthographiques, mots de dictionnaire) ne sont généralement pas employés de manière autonome, avec un accent propre. D'abord presque toujours les substantifs ou autres mots jouant le rôle de substantif sont accompagnés d'un article ou équivalent étroitement joint; les formes conjuguées des verbes sont presque toujours composées d'un pronom et d'une forme verbale, qui est souvent elle-même divisée en auxiliaire et participe. De plus, les mots ainsi compris sont très souvent groupés avec des mots accessoires qui en indiquent le rôle ou avec des mots qualificatifs. On n'a pas de renseignements exacts sur l'accentuation du 17e siècle; mais à l'époque moderne au moins il n'y a qu'un accent dans *j'aime bien* ou dans *un brave homme* (mais deux dans *un homme brave*).

L'adjonction des mots accessoires aux mots principaux et la réunion des mots en groupes font que certains termes peuvent avoir des prononciations différentes suivant que les mots qu'ils précèdent commencent par une consonne ou par une voyelle.

D'abord l'élision : certains articles et pronoms perdent leur voyelle finale devant voyelle; ainsi *l'âne* (mais *le cheval*); *l'âme* (mais *la femme*); *j'aime* (mais *je chante*).

Ensuite, les liaisons. Des consonnes latentes, non prononcées dans un mot isolé ou devant consonne sont prononcées devant voyelle. Ce sont surtout *s* (prononcé *z*), *t, n*. Ainsi *les-z-hommes, des gens-z-aimables; il est-t-arrivé; un bon-n-enfant.* (Voir aux *Références*, chapitre X, prononciation).

14

La présence ou l'absence de *e* neutre (ou *e* muet) dépend souvent des groupements de mots; ainsi 'je *te le* dis, il veut v*e*nir'. Voir ci-dessus p. 190, et pour l'état-moderne, chapitre XV.

Les clics ne jouent qu'un petit rôle dans les moyens d'expression des Français; tout au plus sont-ils intéressants comme moyen de communication à l'égard des animaux de trait et comme des sortes d'exclamations (par exemple le claquement de langue de contra-riété), qu'on figure parfois par *tst* ou *tsts*, tandis que le clic le plus fréquent, le baiser, est mentionné mais non figuré.

La mimique existe naturellement et pourrait être décrite. Elle n'est aucunement nécessaire au langage, pourvu de moyens suffi-sants pour marquer les directions, exprimer les émotions, etc.

b) GRAMMAIRE (*réduite à l'essentiel*). — On dit que le fran-çais est une langue analytique, caractère qu'il partage dans l'en-semble avec les autres langues de l'Europe moderne. Le fait essentiel, c'est que ce sont des petits mots joints aux mots principaux — mais restant séparables et non fondus avec le mot comme des affixes — qui marquent les nombres (singulier et pluriel, partitif, collectif), les genres (masculin, féminin, im-personnel), les personnes (1ʳᵉ, 2ᵉ, 3ᵉ au singulier et au pluriel, indéterminé) et certaines relations des mots entre eux suivant leurs fonctions (compléments divers introduits par des prépositions) et des propositions entre elles (pronoms relatifs, subjonctions). Il faut ajouter les conjonctions qui indiquent des rapprochements entre mots ou propositions. Ces mots accessoires ou mots-outils ont généralement une forme fixe avec tous les mots principaux, quelle que soit l'origine de ceux-ci et leur composition en sons (voir ce-pendant ci-dessus les élisions et liaisons). Les verbes auxiliaires sont des sortes de mots-outils.

Il reste cependant des vestiges des désinences latines usées par l'évolution phonétique, et certaines alternances internes de radi-caux; l'évolution a même créé certaines alternances nouvelles.

D'autre part, fait capital qui est lié historiquement à la perte de la flexion, mais qui ne peut pas être défini par le terme 'analytique', l'ordre des termes essentiels de la phrase est fixe; les fonctions importantes de sujet, d'attribut et de complément d'objet sont dé-finies uniquement par la place avant et après le verbe : 'l'homme laboure la terre', 'Pierre regarde Paul', 'je le vois' (place spéciale du pronom complément), 'mon frère est marin'; le premier exemple montre que l'ordre est obligatoire même quand le sens exprimé fait qu'il ne peut pas y avoir de doute sur l'élément qui est sujet et celui qui est complément. Le complément de nom (expression surtout de l'appartenance) est défini à la fois par sa place après le nom complété et par le petit mot *de* ('la maison de mon frère').

L'ordre est respecté même lorsqu'il y a phrase coupée (voir p. 214), grâce à la présence d'un sujet formel en tête ('c' de 'c'est'). De même un complément ou un attribut mis en tête est représenté par un pronom à la place normale : 'le mensonge, je le hais', 'estimable, il l'est'.

Les termes composés d'un mot-outil et d'un mot principal incorporent des qualificatifs et des petits compléments, qui s'insèrent entre les éléments du composé.

Ainsi se constituent généralement les groupes de mots : '*le* bel *enfant*', '*je le lui dis*', '*je l'*ai bien *vu*', '*il* ne *voyait* pas', '*je* ne lui *ai* encore rien *dit*'.

La négation du verbe est obtenue généralement au moyen d'un élément lui-même composé et encadrant; (dont le second élément manquait toutefois assez souvent au 17e siècle).

Les mots sont de différentes espèces (on parlait autrefois de parties du discours) : contrairement aux petits mots de liaison (voir p. 209), les principaux d'entre eux et ceux qui les accompagnent sont variables en raison des grandes catégories significatives (nombre, genre). Il se produit entre eux des accords suivant ces catégories. Dans les accords en genre, le masculin domine le féminin (Exemple : leurs garçons et leurs filles sont heureux).

Les *substantifs* (ou noms qui désignent des êtres, des choses ou des idées) sont caractérisés par l'emploi des articles, qui leur sont presque toujours joints.

Les substantifs peuvent être singuliers ou pluriels; mais ces nombres sont rarement distingués par la forme (-*s* prononcé en liaison; pluriel exceptionnel, comme *animaux* (*animo*) de *animal*); ce sont les articles ou équivalents qui marquent en réalité le pluriel.

Les substantifs peuvent être masculins ou féminins; ces genres sont rarement distingués par la forme; les masculins comme les féminins peuvent être terminés par une voyelle ou une consonne (et avoir graphiquement un -*e* final) : masculin, *été*; féminin, *beauté*; masculin, *arbre*; féminin, *forme*. Le féminin est marqué par un article, ou un qualificatif (adjectif), ou un pronom représentant le substantif auprès d'un verbe.

Les substantifs désignant des hommes et grands animaux ont un genre suivant les sexes. Les autres ont un genre résultant de circonstances historiques : certains ont hérité du genre que le mot avait en latin (*peuple, ciel, maison, valeur*) ; d'autres ont changé de genre en gallo-roman ou en ancien français, surtout parce que les mots ayant une finale -*a*, plus tard un -*e* prononcé, ont eu tendance à être féminins, non masculins; en particulier des neutres pluriels en -*a* ont donné des féminins comme *folia* devenu *feuille*.

Toutefois, il semble que le féminin tende à avoir une certaine valeur expressive en français; notamment certains mots souvent associés ont un contraste masculin-féminin, l'objet le plus petit ou moins essentiel étant féminin (ainsi *bol, tasse; morceau, miette*). Mais il faut être prudent à l'égard de ce point de vue; les exceptions foisonnent, voir par exemple *fauteuil, chaise*... et *tabouret*.

Les *articles* n'existent que comme annexes aux substantifs; ils ont un jeu très délicat, expriment diverses notions en dehors des oppositions singulier-pluriel, et masculin-féminin. L'article dit défini *le, la, les* désigne des objets déterminés dans une circonstance quelconque ou uniques en leur genre ('l'homme que voici', 'le soleil'; si on dit 'l'homme' pour l'"espèce humaine" c'est une sorte de collectif). L'article dit indéfini désigne un individu ou un objet par sa catégorie, sans l'individualiser ('c'est un homme que j'ai vu hier', 'voilà des hommes courageux'). L'article dit partitif exprime une partie d'un tout ('du pain') ou une masse indistincte, collective ('du blé').

Les formes sont assez compliquées, notamment par le fait que l'article défini se combine avec les prépositions *de* et *à*, d'où *du, des; au, aux*.

Les articles peuvent être remplacés par des éléments analogues, mais qui ont un sens spécial; ce sont des (adjectifs) démonstratifs (*ce, cet, cette, ces*); interrogatifs (*quel, quelle, quel, quelles*); possessifs (*mon, ma, mes*); quantitatifs et identificatifs (dits indéfinis), certains augmentés de l'article, d'autres non (*quelques, certains, tout, même autre*).

Tous ces éléments au lieu de qualifier le nom peuvent le remplacer, constituant des pronoms; ainsi le démonstratif 'celui-ci'.

De manière analogue *l'adjectif,* sorte de nom (à flexion de genre et de nombre) qui est ordinairement qualifiant (comme épithète ou attribut) joue le rôle du substantif s'il prend l'article : 'les méchants'.

Inversement le nom sans article avec préposition constitue des locutions adjectives (sabre de bois). Le nom, généralement avec article ou équivalent (sauf lorsqu'il s'agit d'un nom propre, désignation individuelle d'un être ou d'un lieu), ou le groupe du nom augmenté au moins d'un adjectif, a des fonctions diverses. Il peut être sujet, attribut, complément d'objet sans ou avec préposition, complément circonstanciel généralement avec préposition. (Pour les locutions composées voir plus loin.)

Les prépositions qui précèdent un substantif ou un verbe à l'infinitif sont simples (*de, à, par, sur,* etc.) ou composées (locutions prépositives), avec *de* (*au-dessus de, au moment de*) ou avec *à* (*jusqu'à, quant à,* etc.).

La place du complément est après le complété. Exemple de complément d'appartenance du substantif 'la corne du bœuf, les rues de la ville', de complément d'adjectif : 'apte à la course', de complément d'adverbe : 'préalablement à l'examen' (voir encore ci-après).

Les verbes, qui désignent des actions ou des états et changements d'état sont caractérisés par des terminaisons spéciales dites désinences dont certaines, confondues dans la prononciation ne sont distinctes que dans l'orthographe, qui contribue à marquer les personnes (1re, 2e et 3e) du singulier et du pluriel.

Le verbe sous des formes conjuguées, sauf à l'impératif, ne s'emploie pas seul, mais avec un sujet-pronom pour la 1re et la 2e personne, pour la 3e personne soit un nom, soit un pronom représentant un nom qui a été employé d'abord. Les pronoms personnels sont les véritables caractéristiques des personnes (variant en nombre et en genre pour la 3e personne) : *je, nous, tu, vous; il, elle, ils, elles: on* indéterminé.

Un système complexe avec des formes simples à variations du radical et d'autres composés du verbe principal au participe et d'un auxiliaire (*avoir, être*), sert à distinguer des temps (présent, divers passés, futurs), des modes (indicatif, subjonctif, conditionnel, impératif), des aspects (durée, achèvement, etc.), des voix (actif, passif). Les désignations de personne manquent aux formes non conjuguées que sont l'infinitif, le gérondif, le participe. Voir aux *Références.*

Des semi-auxiliaires se composent avec l'infinitif, marquant des petites divisions du temps, des modalités ou des phases d'action ('il va partir', 'il vient de partir', 'il peut partir', 'il doit partir', 'il commence à travailler'). Très important est le causatif ou factitif avec *faire* ou *laisser*, le contraire s'exprimant avec *empêcher de* : 'il l'a fait ,laissé, il l'a empêché de tomber'.

Le verbe peut être remplacé par une locution verbale composée d'un verbe à sens général suivi d'un nom habituellement sans article; ainsi 'faire attention', 'prendre garde'.

A toutes les formes le verbe ou la locution verbale peuvent être qualifiés par un adverbe de manière, mot invariable; ainsi : 'il a parlé longuement', 'il a fait très attention'; au lieu d'adverbes on emploie souvent des locutions adverbiales composées d'une préposition et d'un nom généralement sans article; ainsi : 'il a parlé avec précipitation'.

Pour se rendre compte du fonctionnement des propositions, dont le verbe constitue le centre, il faut distinguer des phrases d'action ou de procès et des phrases de définition dont il serait désirable de calculer les proportions de fréquence.

Dans la phrase d'action, le verbe figure souvent seul avec son sujet : 'le train arrive, le cheval boit', Souvent aussi il est suivi d'un complément d'objet. Celui-ci est direct s'il suit immédiatement le verbe : 'le chien suivait son maître'; il est indirect s'il est prépositionnel : 'la grêle a nui aux récoltes, je me réjouis de vos succès'. Assez fréquemment les deux sortes de compléments sont employés en même temps. 'On a distribué des gâteaux aux enfants'.

Les pronoms personnels employés comme compléments d'objet ont des formes spéciales très courtes ou plus lourdes (celles-ci équivalant en partie à un complément prépositionnel), qui se placent avant ou après le verbe pour lequel ils constituent une flexion complémentaire : 'je l'aime bien, il m'a renvoyé, nous vous tiendrons au courant, je ne lui ai jamais parlé, vous leur avez fait de la peine, j'ai pensé à toi'. Si le complément représente la même personne que le sujet, la conjugaison est *pronominale* : 'je me suis blessé, vous vous êtes salis, il se dépêche, il se déplaît à lui-même'.

Dans la phrase de définition (qui est le plus souvent à verbe *être*), le verbe d'état, de devenir ou d'apparence a essentiellemeent un rôle de liaison entre le sujet et le troisième élément dont l'absence est tout à fait exceptionnelle et qu'on appelle l'attribut (substantif ou adjectif). 'Je suis votre ami, votre fils est devenu grand, tu parais fatigué'. Il peut y avoir un complément, soit pronominal simple, soit prépositionnel : 'tout lui semblait pénible, le travail paraissait facile au jeune garçon'.

L'un et l'autre type de phrase peuvent être complétés, ceci de deux manières. La plus fréquente sans doute est l'emploi d'un adverbe de temps ou de lieu 'nous viendrons demain', 'il se montre toujours aimable', le second consiste en compléments dits circonstanciels introduits (sauf certaines déterminations de temps et de valeurs) par des prépositions, variées suivant les relations de temps, de manière, etc. qui doivent être exprimées ('dans, vers, pendant, par, pour, comme, au-dessus de, à cause de, etc.).

La place de ces compléments n'est pas fixée. Ordinairement ils suivent les compléments d'objet ou les attributs : 'mon frère fabrique des meubles dans son atelier, dans son atelier mon frère fabrique des meubles, mon frère fabrique dans son atelier des meubles de toute espèce', 'mon oncle a eté renversé par une automobile', 'l'enfant est tranquille dans son berceau'. (Dans ce cas l'attribut peut manquer : 'l'enfant est dans son berceau'.) Les compléments circontanciels de même que les adverbes, constituent souvent des amorces de phrases détachées par l'intonation, que figure la virgule : 'grâce à son adresse (*ou* adroitement), il a su réconcilier les voisins ennemis'.

La *phrase* peut comporter à la fois une proposition principale et une ou plusieurs propositions subordonnées, chacune ayant son verbe. Les propositions subordonnées jouent le rôle de compléments ou de qualificatifs, rarement de sujets.

Voici les principaux cas :

1. Une proposition remplaçant un complément d'objet est introduite par la conjonction 'que' : 'je sais qu'il est méchant'; on emploie une proposition infinitive quand le sujet est commun à la principale et à la subordonnée : 'il voulait s'en aller'.

2. Une proposition remplaçant un complément circonstanciel ou un adverbe est introduite ou accrochée par une subjonction. Celle-ci est souvent composée de *que* et d'un autre élément, ainsi 'pour que', 'bien que', 'parce que', 'quoique'; mais il y a aussi trois subjonctions simples : 'si', 'quand', 'comme'.

Exemples : 'je l'aime parce qu'il est bon; lorsqu'il vient, je cours à sa rencontre; s'il ne vient pas, je suis triste; il me donne, chaque fois qu'il vient, d'excellents conseils'.

Les propositions relatives accrochées par les pronoms relatifs 'qui, que, dont, lequel, etc.' sont généralement qualificatives, rattachées à un substantif : 'mon frère, qui est paysan, a une petite ferme'; 'l'homme que nous avons rencontré hier a disparu du pays' 'je voudrais n'entreprendre qu'une tâche dont je pourrais venir à bout'.

La phrase relative impersonnelle avec le verbe 'être' permet de couper une phrase ordinaire en mettant en tête ce qui, autrement, serait placé plus loin, ou d'insister sur un des éléments de la phrase : 'c'est lui que je veux voir', 'c'est en forgeant qu'on devient forgeron'. Par ce biais, on arrive à tourner l'ordre des mots généralement obligatoire, sans forcer la syntaxe et sans employer d'intonation spéciale. C'est ainsi aussi que l'interrogation peut s'exprimer sans mettre le sujet après le verbe 'est-ce qu'il vient ?' (= 'vient-il ?').

Dans l'emploi ci-dessus et les exemples qu'il contient il n'a pas été fait état des éléments *multiples*, éléments de proposition ou propositions entières juxtaposées ou jointes par une conjonction.

D'autre part il faut tenir compte d'éléments brefs qui s'emploient sans que soit constituée une proposition de type normal.

Il y a d'abord les impératifs de verbes, dépourvus de pronoms sujets. Bois ! parle ! Mais un impératif peut servir de proposition principale dans une phrase complexe : 'parle si tu veux'.

Dans les éléments brefs il y a lieu de comprendre les adverbes interrogatifs (quoi ? pourquoi ? où ?) qui peuvent être remplacés par des mots quelconques également indépendants : 'demain ? ton frère ?'.

Les réponses comportent en général les petits mots d'affirmation et de négation qu'il n'y a pas lieu de classer non plus dans les adverbes : 'où, non, si' et des éléments plus étoffés : 'certainement, assurément, pas du tout, jamais de la vie'. On peut y joindre les réponses brèves telles que 'demain, si je peux, impossible'.

Ici interviennent toutes les exclamations classées dans les grammaires comme interjections : 'ah, oh, ho, bah, zut' etc.; la liste doit en être allongée : il y a le grognement ou grondement qu'on figurait au 17ᵉ siècle par *hou*. Il y a surtout l'émission nasale à bouche fermée qu'on figure par *hum* ou *hem* dans quelques cas qui sont loin d'en épuiser les usages qui abondent en nuances diverses, du doute au reproche.

Vocabulaire. — Le vocabulaire ou lexique dont les vocabulistes ou lexicographes font le recensement peut être étudié par les lexicologues à beaucoup de points de vue.

Quelle est la masse totale du vocabulaire, quel est l'emploi qui en est fait ?

Au 17° siècle : le *Thresor* de Nicot (édition de 1614) a 26.000 mots (+ environ 6.000 non répertoriés), le dictionnaire de l'Académie en 1694 fournit 24.000 mots, le dictionnaire complémentaire de Thomas Corneille en donne 15.000, Richelet en a 20.500, Furetière 26.000.

Les termes répertoriés des dictionnaires n'épuisent pas le vocabulaire de l'auteur. D'assez nombreux mots peuvent se trouver dans les exemples et les explications et n'avoir pas été répertoriés. Pour Nicot, voir le chiffre donné ci-dessus, et p. 442.

Une statistique précise a permis de reconnaître que le théâtre de Corneille dans son ensemble comporte 4600 mots différents. On n'a pas de calcul équivalent pour Racine et Molière.

Pour les tragédies : *le Cid* de Corneille a 1488 mots différents dans un total de 15.310 mots; *Phèdre* de Racine a 1600 mots différents sur 13.000. Pour les comédies, *l'Illusion comique* de Corneille a 1906 mots différents sur 16586.

L'étude étymologique montre que la très grande majorité du vocabulaire est de provenance latine. Le chiffre de 95 % qui a été donné par divers ouvrages est sûrement exagéré, mais on manque de statistiques pour la plupart des autres éléments (voir aux *Références* les ouvrages de P. Guiraud, cités pp. 468-469).

Parmi les autres éléments : une petite part revient aux mots dits sans étymologie, dont certains très usuels comme *trou* qui peuvent remonter à des langues préceltiques; pour le celtique (voir p. 65) pour le germanique (voir pp. 68 et 69). Pour des emprunts divers (voir pp. 168-170).

La masse d'origine latine doit être divisée. Il y a les mots hérités (dits aussi populaires) qui ont subi l'évolution, souvent avec des raccourcissements, et qui constituent la partie principale du vocabulaire courant : sans doute environ 12 %. Ensuite les termes savants empruntés au latin, avec leur ancienne longueur : certains font partie du langage de la conversation, d'autres non : peut-être 40 % de ce qu'enregistre le dictionnaire (voir p. 147). Puis les mots fabriqués par le français, suivant un phénomène normal : les langues se font elle-mêmes; la proportion doit avoisiner 40 % (voir p. 129; pour le tri opéré au 17° siècle, ci-dessus p. 195).

CHAPITRE XI

LE FRANÇAIS CLASSIQUE AU SIÈCLE DES IDÉES
(1715-1789)

Le 18ᵉ siècle est celui de la grande montée de la bourgeoisie, qui passe hardiment à la critique publique des puissances établies. L'autorité de la monarchie et le prestige de la noblesse deviennent une façade; l'opinion publique s'exprime de plus en plus, et c'est essentiellement celle de la bourgeoisie riche et aisée, les travailleurs manuels et les paysans n'étant pas encore instruits, la plupart des paysans ne parlant même pas français. La littérature et dans une certaine mesure la langue, tout en continuant à beaucoup d'égards la période précédente, devaient refléter les changements de la société.

1. Vie et idées nouvelles

A l'extérieur, après les guerres malheureuses de la dernière partie du règne de Louis XIV, la royauté française (Louis XV de 1715 à 1774, puis Louis XVI) a continué avec des armées de métier des luttes, généralement sans succès, contre la Maison d'Autriche, la Prusse et l'Angleterre; une des conséquences en était un embarras d'argent continuel qui causait de la misère et excitait l'opinion contre le régime : c'est sur la question financière que s'est ouverte la crise qui a conduit à la convocation des états généraux et à la Révolution de 1789.

Cependant, à l'intérieur, un équipement moderne s'aménageait. Les routes construites par le corps des Ponts et Chaussées, organisé en 1706, servaient à un système de courriers qui se perfectionnait; avant la fin du siècle, une première carte à grande échelle de toute la France devait faire connaître ce réseau. Les ateliers se concentraient de plus en plus pour les fabrications, avec les moyens mécaniques du temps (machines hydrauliques, métiers perfectionnés). L'étude nouvelle de l'électricité avait une première application pratique avec les paratonnerres de l'Américain Franklin. On était dans une atmosphère de progrès matériels et d'inventions.

Les études économiques, notamment sur le rendement de la terre et les bases de l'impôt, se multipliaient. Le grand capitalisme s'organisait, avec des préfigurations des sociétés par actions; le papier-monnaie fait une première apparition, suivie d'une déconfiture retentissante (système de Law, 1720); sous Louis XVI, ce sont des économistes ou des banquiers qui ont été en majorité appelés au ministère.

La noblesse de cour, dans cette atmosphère, a perdu beaucoup de son importance; c'est la société de la ville qui a nettement prévalu. Un témoignage architectural : les rois eux-mêmes renoncent aux grands palais pour préférer de petits châteaux avec des appartements délicatement ornés, dans lesquels le mobilier d'art, les petits tableaux et les gravures prenaient une importance nouvelle (le grand et le petit Trianon à Versailles).

Les salons de Paris, les cafés littéraires, connaissaient une activité brillante de discussion et d'études. Les écrivains de premier plan se rendaient indépendants de la royauté et même se mettaient en opposition avec elle. Signe capital : de grands seigneurs pactisaient avec les représentants des idées nouvelles, les protégeaient souvent contre la police, mue par des forces conservatrices du clergé ou des corps judiciaires. A l'extérieur, le marquis de La Fayette a été un chef volontaire de la lutte révolutionnaire des Américains contre la royauté anglaise (1780).

La lutte des idées, fait nouveau, était dirigée de plus en plus contre l'église et contre la religion catholique elle-même; on combattait agressivement en faveur de la tolérance. La royauté et la religion d'état n'étaient plus une représentation ni une véritable armature du pays. Le mouvement d'idées déclenché un siècle auparavant par Descartes s'était développé de plus en plus : la *raison*, c'était un mot qui animait, entraînait à l'étude et à l'action à la fois.

2. La littérature des 'lumières'

Le théâtre a continué à être tres vivant au 18° siècle. Voltaire, l'auteur le plus abondant, le plus varié et le plus connu de ce temps, a obtenu ses succès les plus éclatants par des tragédies; les idées y dominaient l'action et la poésie, et avaient une valeur d'actualité; ainsi dans la pièce au titre significatif *Mahomet ou l'imposteur*, qui attaquait le christianisme à travers l'islamisme. La représentation en 1784 du *Mariage de Figaro*, de l'homme d'affaires écrivain Beaumarchais, était un événement politique en même temps qu'artistique : comédie de premier ordre, cette pièce était aussi un acte de propagande orale, qui atteignait les plus ignorants sans l'intermédiaire du papier.

Mais l'essentiel de la littérature du temps a été écrit pour les lecteurs individuels. Aussi les grands romans, les contes et nouvelles ont été très abondants. Citons les *Lettres persanes* de Montesquieu (1721) *Manon Lescaut* de l'abbé Prévost (1731) et les *Contes* (1748-1759) de Voltaire. Les romans de Diderot n'ont pas été publiés de son vivant à l'exception des *Bijoux indiscrets* (1748).

La *Nouvelle Héloïse* de Jean-Jacques Rousseau (1761) a beaucoup fait pour remettre en honneur les sentiments attendris et le goût de la nature plus ou moins étouffés par la littérature classique antérieure.

Ainsi la passion, jointe à la raison chez les hommes du 18° siècle, faisait son entrée dans la littérature à succès. Ceci devait avoir à échéance d'importantes conséquences pour la langue (voir § 4 et pour les *Confessions* p. 223).

Plus abondants encore que les romans, les essais et dissertations de toutes sortes, œuvres originales et traductions d'auteurs étrangers (surtout anglais). Une énorme œuvre d'histoire, de philosophie historique, d'économie politique, de critique, d'histoire des sciences et des idées, de traités de toutes les sciences est due à un très grand nombre d'écrivains érudits, curieux, ardents et artistes : le plus vaste ouvrage du siècle est la grande *Encyclopédie,* rédigée collectivement par un groupe d'auteurs sous la direction du plus bouillant, du plus déterminé novateur de tous, Diderot, et du philosophe et mathématicien d'Alembert. Il y avait une véritable école de philosophes matérialistes empiriques.

Entre temps, les journaux se développaient et se multipliaient. Les hebdomadaires étaient assez nombreux et très lus; ils servaient en partie le gouvernement, en partie agitaient l'opinion. Le premier quotidien a été le *Journal de Paris* en 1777.

Tout ce développement supposait évidemment une vraie soif de lecture chez un public de plus en plus étendu. Un symptôme caractéristique est la création de cabinets de lecture, où se lisaient particulièrement les périodiques. Un autre est le développement du colportage du livre à la campagne.

Noter aussi le développement d'une littérature pour les enfants (œuvres de Berquin, à partir de 1784).

Vers le milieu du siècle, a paru une littérature assez abondante en langage volontairement grossier et populacier, à l'usage d'élégants qui s'encanaillaient par amusement, même à la cour, langue dite 'poissarde' ou des marchands de poisson de la Halle, présentant à vrai dire un reflet littéraire plutôt des parlers de banlieue que du langage proprement parisien (principal auteur, Vadé); voir pp. 181-182 le même fait pour le 17ᵉ siècle.

3. Le français en France et hors de France

Toute cette littérature dont nous venons de parler était écrite en français, un français spécialement compréhensible, clair et agile, dégagé de l'éloquence à la romaine. Le latin n'était plus la langue de la philosophie et des sciences. Cependant il servait encore à l'enseignement d'université.

Dans l'enseignement des collèges, le français gagnait rapidement du terrain. La besogne avait été préparée par les écrits de divers réformateurs, d'accord avec l'opinion publique; en 1762, la congrégation des Jésuites, qui dirigeait presque tous les collèges, se trouvant en désaccord avec la royauté et le clergé gallican, était expulsée de France; une commission chargée de préparer la réorganisation des collèges se montrait favorable à l'enseignement du français; les Bénédictins organisaient un cours d'études sans latin. Mais, en général, le cadre 'humaniste' gréco-latin n'était nullement aboli, bien qu'on note à cette époque l'agonie de la poésie latine. L'enseignement élémentaire n'était toujours pas organisé.

Les progrès du français dans les provinces ont dû se poursuivre insensiblement, avec la diffusion des livres et des journaux; mais aucun pas décisif nouveau ne devait être fait avant la Révolution.

A l'étranger, le français a continué ses conquêtes, au point qu'en

1782 l'Académie de Berlin mettait au concours l'étude des causes de *l'universalité* de la langue française. Le français régnait en effet à la cour du roi de Prusse, Frédéric II, qui y avait fait venir Voltaire quelque temps; il était plus ou moins la langue de cour et d'académie dans divers pays : Piémont, Autriche, Suède, Russie, Hongrie; des pièces françaises se jouaient un peu partout, comprises par un public suffisant. Déjà d'ailleurs il se produisait des réactions en faveur des langues et littératures nationales, notamment en Allemagne.

Aux colonies, le français a souffert de la régression de la puissance française, puisque notamment l'Inde et le Canada ont passé sous la domination anglaise en 1763.

4. Les travaux sur la langue. L'orthographe

Dans le grand mouvement des idées de ce temps, diverses études concernent l'histoire du français et la grammaire en général. L'intérêt était si grand pour les questions de langue qu'un *Journal de la langue française* a pu commencer à paraître en 1774.

Il y a divers courants contradictoires.

Des philosophes ont cherché dans le fonctionnement du langage le reflet des opérations de la raison et ils ont imposé de plus en plus à la grammaire des définitions logiques, applicables à tout langage; sorte d'application du cartésianisme en même temps que reprise de théories grecques (aristotéliciennes) qui ne tenaient pas compte des différences entre les langues ni de leur histoire. Ainsi s'est affirmée une 'grammaire générale', avec l'analyse logique. De pareilles études sont une partie indispensable de la linguistique; mais, basées sur la seule étude du latin, du grec et du français classique, elles étaient au 18ᵉ siècle bornées à un horizon trop étroit. Des définitions préconçues causaient de fausses analyses et malheureusement les ont imposées dans l'enseignement pour très longtemps.

Les titres des ouvrages de ce temps sont caractéristiques. DUCLOS : *Grammaire générale* (1755). BEAUZÉE : *Grammaire générale* (1767). DU MARSAIS : *Principes de grammaire* (1769). D'un autre caractère est CONDILLAC : *Cours d'études pour le Prince de Parme* (1767-1773), qui, par d'intéressantes considérations préfigure ce qui est la stylistique à notre époque.

L'activité des vocabulistes a été grande : quatre éditions du dictionnaire de l'Académie (1718, 1740, 1762, 1798), cinq éditions aussi (1704, 1732, 1751, 1752, 1771) du dictionnaire dit de Trévoux, élargissement de celui de Furetière, avec addition de traduction de mots en latin, publié par les Jésuites dans la principauté de la Dombes; dictionnaire de l'abbé Féraud (1787-1788). A cette époque Ch. de Pougens commençait à constituer de volumineux recueils de citations d'auteurs (voir aux Références).

Une modification graphique importante n'a eu lieu que dans les dernièrès années du siècle : c'est la généralisation à toutes les places du mot de l's final, au lieu de l's long, trop proche de ʄ. On la constate dans le dictionnaire de Féraud puis dans le dictionnaire de l'Académie de 1798.

Autre fait important : dans la même période les imprimeurs abandonnaient la ligature & (dont l'ancien nom à variantes 'perluète', 'pirlouète', 'esperluète', est généralement ignoré de nos jours).

D'autre part, il se faisait des travaux historiques : des érudits se sont mis à étudier l'ancienne langue française, et en ont fait des dictionnaires (ainsi Lacurne de Sainte-Palaye et Lacombe). Voltaire voulait recueillir les vieilles expressions; il a aussi travaillé à l'examen des classiques du 17ᵉ siècle, en remarquant des expressions vieillies. D'autres encore protestaient contre l'idée qu'une langue vivante pouvait être immobilisée.

Ce n'était guère la grammaire, fixée dans son ensemble, qui faisait l'objet des discussions, mais le vocabulaire, dont l'appauvrissement à la grande époque de Louis XIV ne répondait pas à l'esprit encyclopédique : on a demandé de tous côtés avec insistance l'introduction, dans le vocabulaire des 'honnêtes gens', de tous les termes techniques rendus nécessaires par le développement des sciences et l'intérêt pour les métiers; et en fait tous les mots requis se sont imposés à l'usage; même on a usé délibérément et largement de mots nouveaux.

Tandis que la pureté classique, allant quelquefois jusqu'à de nouvelles exagérations de purisme et à des efforts risibles pour éviter l'emploi de certains mots simples de la vie courante, continuait à régner dans le style noble, on concédait que certains genres pouvaient admettre un langage différent, avec des mots familiers. Entre autres, Jean-Jacques Rousseau, qui n'avait pas été éduqué au collège, mettait en pratique une grande liberté, surtout dans ses célèbres *Confessions* (publiées de 1781 à 1788).

Convaincu fortement de la primauté de la raison sur la tradition, le public des gens instruits du 18ᵉ siècle ne supportait plus l'orthographe du 17ᵉ siècle. L'Académie elle-même, entraînée par l'abbé d'Olivet, a donné satisfaction dans son <u>dictionnaire de 1740</u> à un puissant mouvement d'opinion, en généralisant l'usage des accents et en procédant à de sérieuses simplifications ; c'est notamment alors, 60 ans après l'initiative de Richelet (voir p. 203), qu'a été supprimé l's non prononcé devant consonne depuis plus de quatre cents ans (voir p. 100) ; il a été remplacé dans les mots à e ouvert par un accent circonflexe (ainsi *être* au lieu de *estre*). On a supprimé d'autres lettres inutiles, ajoutées au 16ᵉ siècle, ainsi *p* de *recepvoir* (*recevoir*) ; on a aussi éliminé *y* pour *i* à la fin des mots (*roy, roi*) ; enfin le *t* non prononcé a été effacé dans les finales -*an*(*t*)*s*, -*en*(*t*)*s* (*ainsi enfans, prudens*). Mais les lettres doubles et les graphies grecques ont subsisté.

La révision de 1740 a modifié l'aspect d'un quart des mots enregistrés (5.000 sur 20.000) ; c'est malheureusement la seule simplification officielle importante de l'orthographe dont nous ayons à parler, jusqu'à nos jours.

Elle a eu son complément en 1762, dans une nouvelle édition, où les pluriels de noms en -*és* ont remplacé définitivement les pluriels en -*ez* (*bontés* au lieu de *bontez*), et où *f* pour *ph* a été admis dans quelques mots d'origine grecque, comme *fantôme*.

Pour les réformateurs, voir aux Références.

5. Transformations dans la langue du 18ᵉ siècle

a) PRONONCIATION. — Diverses transformations ont continué à cheminer au 18ᵉ siècle sans que nous ayons toujours à leur sujet des témoignages suffisants : ainsi la tendance à éliminer la prononciation *wȩ* pour *oi* (voir p. 190), soit au profit de *ȩ* (écrit *oi*, puis *ai*) soit au profit de *wa* (toujours écrit *oi*) ; sur ce dernier point, voir encore chapitre XII. Sans doute aussi, de plus en plus, un *i* en hiatus ne s'est maintenu que dans la diction poétique ou très soignée, se réduisant généralement à la semi-voyelle *y*, ainsi *piété* prononcé *pyete* (au lieu de *pi-ȩtȩ*), *passion* prononcé *pasyŏ* (au lieu de *pasi-ŏ*).

Le fait général le plus notable est la <u>restitution de consonnes finales qui s'étaient amuies, mais qui avaient été conservées dans l'orthographe</u>.

La consonne le plus souvent touchée par ce phénomène a été *r*. Cette consonne est restée muette dans les finales en *-er*, où on peut l'articuler cependant dans des liaisons. Elle a été rétablie dans la prononciation des finales *-ir* (« finir »), *-eur* (« menteur »), etc. Cette restitution est-elle partie des milieux distingués ? Certains grammairiens au moins considéraient au 18° siècle une prononciation *tiroi* pour *tiroir* comme vulgaire (voir le contraire pour le 17° siècle p. 189).

Et à quelle cause peut-on attribuer cette restitution ?

La finale *-r* semble avoir été toujours conservée dans certains milieux pour des mots que leur brièveté mettait phonétiquement à part, comme 'clair', 'cher'; ces mots ont pu ensuite servir de point de départ à une généralisation analogique. Les catégories qui ont échappé à cette action analogique sont des catégories très nombreuses, comme les infinitifs et les adjectifs ou noms de métier en *-er*, où la tendance à l'analogie agissait dans le sens du maintien de la non-prononciation.

Pour les verbes en *-i(r)*, ils paraissent avoir subi d'abord populairement l'analogie des verbes en *-ire* (comme 'dire, rire').

Mais au total le rétablissement de *-r* ne se serait pas effectué et n'aurait pas été encouragé par les grammairiens si *r* n'avait pas été écrit. Nous avons donc ici à noter une influence de l'orthographe française sur la prononciation. Avec la diffusion de la lecture et de l'enseignement dans des milieux variés échappant au contrôle constant de l'usage distingué, des actions de ce genre de la langue écrite sur la langue parlée devaient se faire de plus en plus fréquentes; il n'est pas étonnant qu'on en trouve les premiers témoignages importants au 18° siècle. C'est là une voie par où se sont introduits de nouveaux changements de prononciation dans une langue cultivée que par ailleurs l'influence de l'instruction tendait à fixer.

b) FORMES GRAMMATICALES. — La grammaire était fixée dans la mesure du possible. L'usage des écrivains n'enregistre pas de changements. Des témoignages occasionnels, par exemple de lettres peu soignées, peuvent seuls révéler l'amorce de changements qui devaient apparaître beaucoup plus tard comme généralisés. Ainsi, il semble que la décadence de l'imparfait et du plus-que-parfait du subjonctif ait commencé à cette époque (voir chapitre XIV).

Il faudrait des études sur les comédies et les textes non litttéraires pour essayer de mesurer les progrès du passé composé à l'indicatif.

15

c) Phrase. — Sans qu'aucune forme grammaticale, non plus que l'ordre des mots, soient mis en question, les habitudes de style peuvent se modifier de manière telle qu'on doive noter un profond changement dans l'emploi écrit de la langue.

Le mouvement commencé au 17ᵉ siècle (voir p. 195) qui allégeait les phrases a continué au 18ᵉ siècle; l'effet s'en remarque chez la plupart des auteurs; au reste, les grammairiens ont fait à cette époque la théorie de la phrase coupée. Lorsque J.-J. Rousseau est revenu à une phrase plus longue ce n'était pas sur l'ancien modèle latin.

d) Vocabulaire. — Le vocabulaire du français, et particulièrement du français littéraire, s'est beaucoup enrichi au 18ᵉ siècle; ceci pour deux raisons : la langue écrite a admis nombre de mots qui existaient, mais qu'on prétendait auparavant réserver aux gens de métier et exclure de la littérature; ensuite d'une part les écrivains savants en toutes sortes de matières, d'autre part les savants spécialisés de plus en plus nombreux et écrivant en français, ont adopté conjointement des quantités de termes nouveaux.

Certains de ces termes ont été empruntés à des langues vivantes. On doit noter ici de premiers emprunts à l'Angleterre, dont on étudiait et admirait le système parlementaire de gouvernement; par exemple *vote* (d'origine latine), *budget* (ancien emprunt de l'anglais à la vieille langue française), *club*.

Les mots savants d'origine latine n'ont sans doute pas augmenté beaucoup en nombre. Mais divers termes empruntés par le moyen français du 14ᵉ au 16ᵉ siècle, qui n'avaient été que peu employés alors et très peu au 17ᵉ siècle, sont entrés dans le vocabulaire usuel et ont eu des sens et des dérivés nouveaux. Ainsi 'patrie' est du 16ᵉ siècle; 'patriote' au 15ᵉ siècle voulait dire 'compatriote'; le sens moderne a paru au 16ᵉ siècle, et ne s'est répandu qu'à partir des écrits d'esprit réformateur de Vauban (fin du 17ᵉ siècle); 'républicain' au sens de 'attaché à la chose publique' est du 16ᵉ siècle, 'républicanisme' du 18ᵉ siècle. Un terme latin (non habillé à la française), employé techniquement par les gens de loi, *deficit*, c'est-à-dire 'manque (à l'inventaire)', est devenu notre 'déficit'.

Ce sont surtout les éléments grecs du vocabulaire qui sont importants à noter. Ils remplissent le vocabulaire politique d'historiens et de sociologues, qui étudiaient et admiraient les anciennes démocraties grecques. Les plus importants, comme les mots latins cités ci-dessus, n'étaient pas neufs en français, mais y ont eu une vie nouvelle. Ainsi 'aristocratie' (en grec 'gouvernement des meilleurs') date du 14ᵉ siècle, 'aristocrate' en a été tiré au 16ᵉ siècle, mais n'est devenu très usuel qu'à la fin du 18ᵉ siècle; même histoire pour 'démocratie' (en grec 'gouvernement du peuple'), et 'démocrate'; 'théocratie' (en grec 'gouvernement de Dieu') a été emprunté au début du 18ᵉ siècle, et au milieu de ce siècle on a créé sur le même type, avec les radicaux grecs signifiant 'nature' et 'puissance', les termes 'physiocratie' et 'physiocrate', qui n'ont pas vécu depuis; mais *-cratie* ainsi acclimaté a continué à vivre en France (la fin du 19ᵉ siècle a vu paraître 'ploutocratie' ou gouvernement de la richesse et le familier 'voyoucratie').   *et les phallocrates...*

Les termes grecs sont surtout abondants, comme déjà au 16ᵉ siècle, dans le vocabulaire des diverses sciences qui se développaient avec rapidité, comme à la belle époque de la civilisation grecque; les savants, qui avaient généralement étudié le grec au collège, ont pris au grec les termes qui leur manquaient en français; surtout ils ont trouvé commode de composer avec des éléments grecs des mots pour désigner des choses que les Grecs avaient ignoré. Ainsi ont procédé Lavoisier. le fondateur de la chimie moderne, et ses émules : ils ont fait par exemple 'hydrogène' ('eau-engendrant'), 'oxygène' ('acide-engendrant') et donné vie en français à un suffixe *-gène.*

Ainsi, des gens novateurs, mais d'éducation 'classique', et qui avaient moins le sentiment de participer à la création d'un type nouveau de société que celui, juste à beaucoup d'égards, de restaurer et continuer une belle époque plus vieille de 2.000 ans, ont en quelque sorte greffé sur le français des éléments de la vieille et brillante langue grecque.

Il faudrait se garder de voir une préface à la grande augmentation du vocabulaire dans le mouvement dit néologique des années 20 du siècle; celui-ci marquait un renouveau de tendance à la préciosité, plus ou moins caricaturée dans le *Dictionnaire néologique, à l'usage des beaux esprits du siècle* attribué à un personnage de fantaisie Pantalon Phœbus (dû sans doute à la collaboration de Guyot-Desfontaines et J. J. Bel) 1ʳᵉ édition 1726, avec plusieurs rééditions dont la 8ᵉ et dernière est de 1780. C'est un recueil d'expressions avec indication des sources. Exemple : *peiner.* Cette objection ne *peine* pas plus l'auteur que la première. (*Mémoires de Trévoux.* Avril 1725.)

TEXTES DU 18ᵉ SIÈCLE

Alain-Réné ·LESAGE : *Turcaret* (1709) Acte I scène X. Edition d'Amsterdam, 1783.

La Baronne. — Le laquais de M. Tur aret est un sot, un benêt dont on ne peut tirer le moindre service, & je voudrais mettre à sa place quelque habile homme, quelqu'un de ces génies supérieurs, qui sont fait [sic] pour gouverner les esprits médiocres, & les tenir toujours dans la situation dont on a besoin.

Frontin. — Quelqu'un de ces génies supérieurs ! Je vous vois venir, madame, cela me regarde.

Le Chevalier. — Mais, en effet, Frontin ne nous sera pas inutile auprès de notre traitant.

La Baronne. — Je veux l'y placer.

Le Chevalier. — Il nous en rendra bon compte, n'est-ce pas ?

Frontin. — Je suis jaloux de l'invention on ne pouvait rien imaginer de mieux. Par ma foi, Monsieur Turcaret, je vous ferai bien voir du pays sur ma parole.

VOLTAIRE : *Zaïre* (1732), acte IV, scène 6. (Texte de l'édition de 1733.)

Le sultan Orosmane demande des explications à la princesse Zaïre qu'il aime, et qu'il soupçonne.

Je me suis consulté... Malheureux l'un par l'autre,
Il faut régler d'un mot & mon sort & le vôtre.
Peut-être qu'en effet ce que j'ai fait pour vous,
Mon orgueil oublié, mon sceptre à vos genoux,
Mes bienfaits, mon respect, mes soins, ma confiance
Ont arraché de vous quelque reconnaissance.
Votre cœur, par un Maître attaqué chaque jour,
Vaincu par mes bienfaits, crut l'être par l'amour.
Dans votre âme, avec vous il est temps que je lise;
Il faut que ses replis s'ouvrent à ma franchise;
Jugez-vous: répondez avec la vérité
Que vous devez au moins à ma sincérité.

VOLTAIRE : *Dictionnaire philosophique.* — Article *Goût*, section *Rareté des gens de goût.* Texte publié en 1771 dans les *Questions sur l'encyclopédie;* d'après l'édition des *Œuvres complètes* de 1785.

Entrez dans une petite ville de province, rarement vous y trouverez un ou deux libraires. Il en est qui en sont entièrement privées. Les juges, les chanoines, l'évêque, le subdélégué, l'élu, le receveur du grenier à sel, le citoyen aisé, personne n'a de livres; personne n'a l'esprit cultivé; on n'est pas plus avancé qu'au douzième siècle. Dans les capitales des provinces, dans celles même qui ont des académies, que le goût est rare ! Il faut la capitale d'un grand royaume pour y établir la demeure du goût; encore n'est-il le partage que du très-petit nombre; toute la populace en est exclue. Il est inconnu aux familles bourgeoises, où l'on est continuellement occupé du soin de sa fortune, des détails domestiques & d'une grossière oisiveté, amusée par une partie de jeu... C'est la honte de l'esprit humain que le goût, pour l'ordinaire, ne s'introduise que chez l'oisiveté opulente.

MONTESQUIEU :*Essai sur le goût.* Paris, (Hachette) 1908. Œuvres complètes, T. II, pp. 254-255.

De la curiosité [début]
Notre âme est faite pour penser, c'est-à-dire pour apercevoir : or un tel être doit avoir de la curiosité; car, comme toutes les choses sont dans une chaîne où chaque idée en précède une & en suit une autre, on ne peut aimer à voir une chose sans désirer d'en voir une autre; &, si nous n'avions pas ce désir pour celle-ci, nous n'aurions eu aucun plaisir à celle-là. Ainsi, quand on nous montre une partie d'un tableau, nous souhaitons de voir la partie que l'on nous cache, à proportion du plaisir que nous a fait celle que nous avons vue.

MARIVAUX : *Le paysan parvenu,* 1735. Œuvres complètes, Paris, 1781, T. 8, pp. 158-159.

Toutes ces preuves de la discrétion de notre bonne hôtesse n'encourageaient point Mademoiselle Habert : mais, après lui avoir promis un secret, il étoit peut-être encore pis de le lui refuser que de le lui dire; ainsi il fallut parler.

— J'aurai fait en deux mots, dit Mademoiselle Habert, c'est que nous allons nous marier, M. de la Vallée que vous voyez & moi.

— Ensemble ? dit l'hôtesse avec un air de surprise. Oui, reprit Mademoiselle Habert, je l'épouse.

— Oh, oh, dit-elle : eh bien; il est jeune, il durera long-temps Je voudrois en trouver un comme lui, moi; j'en ferois de même.

DIDEROT : *Lettre sur les Aveugles à l'usage de ceux qui voyent.* Edition originale, Londres, 1749.

Il a la mémoire des sons à un degré surprenant; & les visages ne nous offrent pas une diversité plus grande que cellé qu'il observe dans les voix. Elles ont pour lui une infinité de nuances délicates qui nous échapent, parce que nous n'avons pas à les observer, le même intérêt que l'aveugle.

Il en est pour nous de ces nuances comme de notre propre visage. De tous les hommes que nous avons vus, celui que nous nous rappellerions le moins, c'est nous-mêmes. Nous n'estudions les visages que pour reconnoître les personnes; & si nous ne retenons pas la nôtre, c'est que nous ne serons jamais exposés à nous prendre pour un autre, ni un autre pour nous. Dailleurs les secours que nos sens se prêtent mutuellement, les empêchent de se perfectionner.

Jean-Jacques ROUSSEAU : *La Nouvelle Héloïse* (1761). — Première partie, lettre I. Texte original.

J'ose me flatter quelquefois que le Ciel a mis une conformité secrete entre nos affections, ainsi qu'entre nos goûts & nos âges, Si jeunes encore, rien n'altere en nous les penchans de la nature, et toutes nos inclinations semblent se rapporter. Avant que d'avoir pris les uniformes préjugés du monde, nous avons des manières uniformes de sentir & de voir; & pourquoi n'oserois-je imaginer dans nos cœurs ce même concert que j'apperçois dans nos jugemens ? Quelquefois nos yeux se rencontrent; quelques soupirs nous échapent en même tems; quelques larmes furtives... ô Julie ! si cet accord venoit de plus loin... si le Ciel nous avoit destinés... toute la force humaine... ah, pardon ! je m'égare, j'ose prendre mes vœux pour de l'espoir; l'ardeur de mes desirs prête à leur objet la possibilité qui lui manque.

Voyage à l'isle de France,... par un officier du roi [Bernardin DE SAINT-PIERRE], Amsterdam, 1775, 2 volumes. Tome second, lettre XIX (début).

... Je donnai la liberté à *Duval,* cet esclave qui portoit votre nom; je le confiai à un honnête homme du pays, jusqu'à ce qu'il eût acquitté par son travail quelque argent dont il étoit redevable à l'Administration. S'il eût parlé François, je l'aurois gardé avec moi. Il me témoigna par ses larmes le regret qu'il avoit de me quitter. Il m'y paroissoit plus sensible qu'au plaisir d'être libre. Je proposai à *Cote* d'acheter sa liberté, s'il vouloit s'attacher à ma fortune. Il m'avoua qu'il avoit dans l'île une maîtresse dont il ne pouvoit se détacher. Le sort des esclaves du Roi est supportable : il se trouvoit heureux, c'étoit plus que je ne pouvois lui promettre. J'aurois été très-aise de ramener mon pauvre favori dans sa Patrie; mais quelques mois avant mon départ on me prit mon chien. Je perdis en lui un ami fidele que j'ai souvent regretté.

BEAUMARCHAIS : *Le mariage de Figaro* (1784), acte V, scène 3.

Que je voudrais bien tenir un de ces puissans de quatre jours, si légers sur le mal qu'ils ordonnent, quand une bonne disgrâce a cuvé son orgueil : je lui dirais... que les sottises imprimées n'ont d'importance qu'aux lieux où on en gêne le cours; que sans la liberté de blâmer il n'est point d'éloge flatteur & qu'il n'y a que les petits hommes qui redoutent les petits écrits.

Louis-Sébastien MERCIER : *Tableau de Paris,* édition 1788 Amsterdam.

'Tolérance', page 8, tome 12.

L'administration civile admet tous les relâchemens qui peuvent s'accorder avec l'existence tranquille de la société; elle n'apperçoit rien de pernicieux dans tous les besoins inspirés par le goût du luxe, ne voit rien que de licite dans les mœurs, tant qu'elles ne troublent point l'harmonie de la société. La machine politique ne s'embarrasse point de ces irrégularités, qui sont pour elle sans conséquence; elle ne veut point commander à l'homme le sacrifice de ses goûts & de ses passions; mais elle veut commander à tous les hommes le repos & la subordination.

CHAPITRE XII

LE FRANÇAIS PENDANT LA RÉVOLUTION ET SOUS NAPOLÉON

(1789-1815)

La période de la Révolution et du premier Empire a été celle du triomphe de la bourgeoisie, alors porteuse et porte-parole du progrès, sur les cadres et les institutions de l''ancien régime', héritier et prolongation du régime féodal. Du point de vue de la noblesse et du clergé qui jusqu'au bout, jusqu'à l'impossibilité, ont voulu garder leurs privilèges, il n'y avait aucune séparation entre les différents éléments composant le tiers état, défini négativement comme ce qui n'était ni noble ni ecclésiastique. Du côté du Tiers lui-même, il n'y avait au point de départ aucune séparation théorique entre tous ses membres. Mais il s'est fait rapidement une séparation de fait entre ceux qui possédaient des biens et ceux qui ne possédaient que leur force de travail : la contradiction entre ces deux classes économiques, à peine entamée par la possibilité pour quelques individus de la classe inférieure d'accéder à la classse supérieure, explique les événements qui se sont déroulés en moins de dix ans et la situation qui a été ensuite fixée par un nouveau code (code Napoléon).

1. Mouvements sociaux

Au début, le menu peuple des villes et la paysannerie, réservoirs de force et d'enthousiasme, ont été appelés à la lutte par les milieux de la bourgeoisie qui en étaient le plus près et étaient animés par le mouvement des idées nouvelles (cahiers de doléances en vue de la réunion des Etats généraux, 1789). La plupart de ces éléments populaires ont suivi le mouvement et ont vite dépassé dans leur élan les buts qu'avaient aperçu les dirigeants (prise de la Bastille par le peuple le 14 juillet 1789; différents mouvements insurrectionnels de la Commune de Paris, prise du palais royal des Tuileries le 10 août 1792). Mais très vite on a pu voir quels étaient les véritables bénéficiaires de la transformation obtenue par la force : les possédants nobles ralliés au nouveau régime ont gardé leurs terres ou leurs ateliers et maisons de commerce; les biens confisqués au clergé et aux nobles émigrés et baptisés *biens nationaux* n'ont été ni partagés ni administrés en commun, mais vendus aux anciens ou nouveaux riches, grands bourgeois déjà établis, couche supérieure de la paysannerie ayant des économies, profiteurs de toute espèce (surtout fournisseurs aux armées). La classe comprenant les possédants attachés par-dessus tout à leur propriété ancienne ou nouvelle et les spéculateurs avides de la liberté de poursuivre et augmenter leurs gains a craint le développement du mouvement populaire et l'a enrayé : c'est sa résistance qui a restreint la base de gouvernement des républicains sincères, tels que Marat, Robespierre, Saint-Just, les a d'abord acculés au régime de force et de proscription dit de la Terreur, puis les a renversés et éliminés lorsque le Comité de salut public a voulu prendre des mesures efficaces contre l'accaparement et la spéculation sur les besoins publics. Les bourgeois vainqueurs au mois de thermidor de l'an III (juillet 1794) ont aussitôt déclenché des massacres de terreur blanche contre les meilleurs républicains, puis favorisé l'établissement d'un nouveau gouvernement monarchique, sans corps délibérants élus, gouvernement qui leur garantissait la stabilisation de ce qu'ils avaient acquis en richesse et en puissance (couronnement de Napoléon en 1804).

Le mouvement de réaction devait amener la restauration partielle d'une partie des anciennes forces et des anciens cadres, avec leur puissance conservatrice : rétablissement de la puissance de l'église catholique qui avait paru d'abord très ébranlée, proclamation de nouveaux titres nobiliaires (noblesse de l'Empire).

Dans la période explosive de la Révolution, le mouvement d'idées du 18e siècle s'est matérialisé dans des textes et formules qui proclamaient les droits universels de l'individu et un désir d'union de tous les hommes : la Déclaration des droits de l'homme et du citoyen et la devise 'liberté, égalité, fraternité'. L'importance de ces idées et de ces textes universalistes a été, dès le début et pour la suite, considérable.

D'autre part, le mouvement d'émancipation, à la fois à l'égard de la royauté et à l'égard des vestiges des anciens cadres féodaux, avait mis en valeur l'idée de la nation souveraine et unie, compartimentée en départements seulement pour la stricte utilité du fonctionnement de l'administration centrale. Le sentiment national a été renforcé par la nécessité de défendre le pays, sous son aspect nouveau, contre les armées étrangères des pays encore plus ou moins féodaux, appelées précisément par les nobles émigrés qui n'acceptaient pas leur déchéance.

Lorsque les guerres défensives se sont muées en guerres offensives dès la réaction thermidorienne, mais surtout avec le régime napoléonien, les armées françaises ont promené en Europe à la fois les idées de révolte contre le féodalisme et les appétits d'une nation en crise d'expansion impérialiste. La réaction des autres peuples contre les conquêtes de Napoléon a éveillé ou consolidé partout l'esprit de nationalité; mais le prestige féodal a été partout plus ou moins atteint.

Autre contradiction : la révolution qui ouvre le monde contemporain s'est déroulée en partie sous le signe des idées antiques, tant dans sa première période (souvenirs de la liberté et du gouvernement représentatif dans les cités antiques, y compris la Rome républicaine) que dans la période de stabilisation avec réaction partielle (imitation de l'organisation de l'Empire romain et de sa législation). L'art de l'époque, surtout l'architecture, montre aux yeux cet esprit d'imitation de l'antiquité.

Toutes ces conditions ont eu leur reflet dans la vie de la langue française pendant cette période.

2. Absence de transformations dans le fonctionnement de la langue

La période révolutionnaire montre bien que l'agitation des événements ne précipite pas l'évolution des formes grammaticales. Les transformations au cours de cette période de vingt-cinq ans n'ont pas été plus rapides que dans le même intervalle de temps à tel moment moins marquant de l'histoire. La constitution du français, tel qu'il était écrit et parlé par tous ceux qui le savaient, c'est-à-dire ne s'exprimaient pas en quelque patois, est resté ce qu'elle était.

Il y avait pourtant à Paris même un langage populaire sans doute assez différent par la prononciation, et par diverses formes, du français 'normal'. Mais il ne s'est produit aucune tentative pour le substituer, en l'écrivant tel que les ignorants le parlaient, à la norme établie. Le français était la langue de la bourgeoisie; c'était la bourgeoisie qui composait les assemblées délibérantes, c'étaient aussi des orateurs d'éducation bourgeoise qui dirigeaient les débats des clubs révolutionnaires.

Il est vrai que des journaux et pamphlets ont été rédigés en un style qui voulait imiter le langage populaire, d'abord par des royalistes démagogues qui prétendaient prendre des airs d'amis du peuple, puis par certains éléments violents et grossiers du mouvement révolutionnaire parisien (le *Père Duchesne*, journal du révolutionnaire Hébert). Mais il s'agissait d'un certain aspect de la propagande, non d'un essai pour éliminer la langue soignée ou pour la transformer. D'ailleurs, dans le style de ces productions, les formes et la syntaxe sont du français correct; la caractéristique essentielle est le vocabulaire ordurier, ce qui est une autre affaire (voir le texte cité p. 245).

Pour la grammaire, mentionnons pourtant le tutoiement révolutionnaire, qui a été imposé à un moment et qui, s'il avait duré, aurait pu être enregistré comme un changement d'origine populaire, incorporé à la langue de manière délibérée; mais il n'a pas persisté.

Pour la prononciation un seul fait est à signaler : il est important à titre de symptôme d'influence populaire et il a d'autant plus de portée qu'il concernait de nombreux mots : la prononciation *wa* de *oi* (là où il n'était pas prononcé comme *ai*) s'est généralisée (voir p. 224); c'était une vieille prononciation populaire de Paris, à laquelle les puristes avaient résisté mais qui semble avoir été adoptée dans le 'bon usage', avant même la Révolution, pour des mots courts comme 'loi' (prononcé *lwa*); au début du 19ᵉ siècle, seuls des attardés ont encore prononcé *wẹ*.

3. Grands changements dans le vocabulaire

Le vocabulaire n'est pas comme la grammaire : il est sensible directement aux nouveautés sociales. Le vocabulaire a subi, dans la période qui commence en 1789, un grand remue-ménage.

Il ne s'agit pas du tout d'une invasion de mots 'peuple'. Les *bougre* et les *foutre* qui font l'ornement de tant de phrases de journaux de style populacier (voir le paragraphe précédent) appartenaient aussi bien à la langue ordurière des gens du monde lorsqu'ils décidaient de manquer à la politesse mondaine; et ces mots sont restés grossiers par rapport au français normal. Cependant il est intéressant de noter l'abréviation *aristo* de *aristocrate*, la première qu'on puisse signaler d'une série destinée à devenir importante; c'est là une forme de vocabulaire populaire ou familier.

Il n'y a pas à signaler de nouvelles sortes de mots pour le français du temps : celles qui 'fournissent' sont les mêmes que dans la période précédente, mais à un rythme accéléré, en proportion des besoins. D'ailleurs, on aurait à noter aussi beaucoup de disparitions, en raison de toutes les institutions qui ont été tout à coup périmées, des usages et modes tombés en désuétude.

Un coup d'œil sur quelques catégories du lexique va nous permettre de passer en revue en même temps diverses activités intellectuelles.

Au premier plan, d'abord la politique; les grands auteurs de la Révolution sont des hommes politiques qui sont en même temps orateurs et journalistes. Beaucoup s'étaient formés auparavant comme publicistes et comme avocats. Leurs œuvres forment une masse considérable, rédigées rapidement au jour le jour, et qu'on n'a guère relu depuis. Pas assez. Mirabeau, Danton, Camille Desmoulins, Vergniaud, Marat, Robespierre, Saint-Just, tant d'autres ont employé journellement par écrit ou dans les grands discours publics des mots nouveaux dont beaucoup sont restés français par la suite, dont d'autres n'ont vécu que quelques années, quelques mois, quelques semaines. Ainsi les verbes : 'légiférer', 'républicaniser', 'pactiser', 'journaliser', les substantifs 'sans-culotte' et 'sans-culottide', etc.

A côté des discours, les rapports et les lois : les députés aux assemblées nationales ont été législateurs et administrateurs. Ici encore, énorme usage du français écrit, beaucoup de mots nouveaux, ou employés avec un sens nouveau. La langue de l'administration a acquis 'conscription', 'département', etc., et a perdu 'bailli' (sorte de magistrat), 'taille' (impôt féodal), etc.; des titres ont sauté brusquement de l'histoire romaine à l'usage journalier : 'préfet', 'consul'.

La période du Consulat et de l'Empire a étouffé l'éloquence parlementaire et le journalisme, quasi réduit au *Moniteur* officiel. Mais elle a connu les délibérations du Conseil d'état et la rédaction de l'ensemble des textes fondamentaux qui régissent encore la vie française, et dans une large mesure la vie de beaucoup de nations : le code civil est un écrit de première importance.

Le travail scientifique s'est poursuivi très activement pendant la Révolution et l'Empire. Toute une vie nouvelle s'organisait, avec des techniques neuves; les inventions se multipliaient et voulaient des mots nouveaux. Le *télégraphe* (alors optique) est de ce temps, de même l'*aérostation;* il est intéressant de remarquer que le premier appareil s'élevant et se soutenant en l'air a été nommé, du nom de son inventeur Montgolfier, une *montgolfière;* ensuite pour tous les appareils analogues on a créé un mot savant, avec deux termes latins, dont l'un d'origine grecque : *aérostat,* avec ses dérivés; mais l'objet se répandant et étant connu de tout le monde, il a été nommé populairement d'après sa forme : *ballon* est connu dès 1802.

C'est pendant la période 1789-1815 que beaucoup de termes ont passé de la langue des savants à la langue d'un public étendu. Mentionnons à cette place toute la nomenclature, à éléments grecs ou latins, du système métrique.

Une conséquence a été l'application de noms savants, spécialement de composés d'éléments grecs, aux· petites inventions de la mode, et, en général, à tout ce qui dès lors s'est servi de la réclame : institution qui avait joué un bien petit rôle avant le 18ᵉ siècle et qui n' a pris son grand essor que dans la vie publique libre et agitée de la Révolution; elle devait avoir encore plus d'importance quand les 'idéologues' (mot composé d'éléments grecs en 1796) ont été réduits au silence par Napoléon, et que les mondanités, les spectacles et certains jeux ont dû tenir une place plus grande dans la vie sociale. Citons le 'vélocifère' ou 'vélocipède' et, avec une légère anticipation, le 'kaléidoscope' (1818).

D'une manière générale, toute la vie intellectuelle du temps baignait dans une atmosphère à 'l'antique' qui colorait d'un ton spécial l'expression des grands sentiments, volontiers déclarés sur un ton emphatique. Le texte des couplets de la *Marseillaise* est un bon exemple de ce ton où les termes empruntés à la vie romaine ou grecque (*cohortes, phalanges,* etc.) se mélangent aux adjectifs plus ou moins grandiloquents (*farouche, féroce, sanguinaire, magnanime*). Ces tendances étaient favorisées par le goût persistant pour le théâtre classique imprégné d'antiquité, servi par des acteurs prestigieux, Talma, Mˡˡᵉ George.

Nous avons ici le témoignage d'un nouveau courant dans la littérature. Les continuateurs de la littérature d'idées et de curiosités réformatrices du 18° siècle n'ont pas manqué sous la Révolution; surtout Sébastien Mercier (le *Tableau de Paris,* publié avec des suites, de 1781 à 1790) a été lu à cette époque et mérite de l'être encore. Mais la mode commençait à se tourner d'un tout autre côté, entraînée par certains accents des œuvres de Jean-Jacques Rousseau et de l'auteur sentimental par excellence, Bernardin de Saint-Pierre, naturaliste, voyageur et écrivain qui a écrit la fameuse histoire de *Paul et Virginie,* parue en 1787; le poète qui est resté le plus lu du temps de la Révolution est André Chénier, dont la sensibilité s'est exprimée surtout dans des poésies à sujets grecs; c'est pendant le Consulat que le grand prosateur Chateaubriand a publié *Atala,* récit exotique (se déroulant en Amérique) plein de pittoresque et de sentimentalité. Par ces auteurs, qui sont des précurseurs du romantisme, des mots et des alliances de mots ont pris une extension nouvelle, souvent des sens nouveaux.

Tels sont les courants du temps. On voit qu'il s'agit d'une espèce d'accélération et de prolifération de ce qui s'observait déjà au milieu du 18° siècle. La langue modelée par les classiques du 17° siècle, un peu desséchée en même temps qu'assouplie et enrichie de mots par ceux du 18° siècle, a subsisté dans l'ensemble, bien qu'un grand apport de mots nouveaux et l'abandon d'un certain nombre d'anciens lui aient donné un aspect extérieur en partie renouvelé.

Aucune invasion de ce qui serait un langage populaire. Comme on l'a formulé heureusement, l'unification s'est faite par le haut, c'est-à-dire qu'un plus grand nombre de personnes ont appris à s'exprimer dans le français normal.

Aussi bien la vraie conséquence immédiate de la Révolution n'a pas été une modification interne du français, mais le rôle national nouveau de la langue, qui devait avoir des conséquences variées par la suite. Voir le complément à la p. 243.

4. Enseignement en France; extension du français

Le fait important est celui-ci : de 1789 à 1815 le nombre des Français pouvant parler français a beaucoup augmenté.

Mais il s'en faut de beaucoup que l'usage du français ait été généralisé, surtout dans les régions où les patois ne sont pas romans, mais celtiques, basques ou germaniques. D'autre part, l'instruction

était encore très peu répandue dans les campagnes; on a évalué
qu'au début du 19ᵉ siècle seulement un Français sur sept savait
lire et écrire.

En dehors de France, la situation n'avait pas beaucoup changé.
L'intérêt pour les idées de la Révolution avait d'abord augmenté
aussi l'intérêt pour la langue. L'occupation par des armées françaises a répandu quelque peu l'usage du français, même en dehors
des hautes classes, surtout dans les pays frontières, les derniers
reperdus lors des défaites de Napoléon, ainsi dans le Palatinat rhénan. Les émigrés ont souvent gagné leur vie comme maîtres de
français, lecteurs, demoiselles de compagnie, et ont contribué à
répandre la connaissance de la langue en même temps que des
habitudes françaises (danse. cuisine).

Mais diverses nationalités ont pris conscience d'elles-mêmes par
réaction contre les invasions françaises (ainsi Espagne, Allemagne,
Italie); dès lors les propagandes nationales ont eu un aspect linguistique : les mouvements nationaux ont consciemment lutté contre l'usage du français et la prépondérance de la langue française,
dont le caractère 'universel' n'a plus été admis. En 1815, si le français a été encore la langue des traités qui consacraient la défaite
française, une clause a réservé la possibilité théorique d'employer
une autre langue diplomatique. Dès ce moment on voit se dessiner
les nationalismes et les impérialismes linguistiques.

a) Français et langages régionaux. — Les conditions révolutionnaires ont répandu spontanément le français. Les délégués de
toutes les provinces se sont trouvés réunis dans les grandes assemblées délibérantes, dont la seule langue était le français, où jamais
personne n'a parlé en faveur d'autres langages; seuls pouvaient
pratiquement être députés des gens sachant suffisamment la langue
nationale. D'ailleurs, tous les cadres provinciaux ont été consciemment brisés, comme l'a bien montré l'institution des départements
au lieu des provinces, dont on s'est efforcé d'effacer les noms. Des
généraux, commissaires aux armées, délégués divers, originaires
d'une province quelconque, étaient envoyés dans une province quelconque. Les populations des campagnes, avides de connaître les
événements, leurs nouveaux droits et leurs nouveaux devoirs, désiraient comprendre les écrits venant de Paris et pouvoir envoyer
elles-mêmes leurs demandes et avis : certaines doléances envoyées
aux assemblées concernaient justement l'emploi des patois et langues locales, réclamaient l'enseignement de la langue nationale.
Surtout la vie des armées a tiré les hommes de leurs coins cam-

pagnards et patoisants; engagements volontaires d'abord en 1791; mais, plus tard, enrôlement obligatoire général, et à la fin de la période napoléonienne racolement impitoyable, jusqu'aux hommes médiocrement solides et aux tout jeunes gens. Même pour les régiments de recrutement régional où s'entretenaient les patois, la langue générale du commandement était le français; les contacts avec les autres troupes, avec les populations des villes de garnisons et des campagnes traversées, multipliaient les occasions de se servir du français. L'histoire de la *Marseillaise* est symbolique : écrite à Strasbourg, ville de langue germanique, par un auteur originaire de Lons-le-Saunier (Rouget de l'Isle), en un jour d'enthousiasme patriotique au moment de la déclaration de guerre; transportée on ne sait au juste comment, mais forcément par des gens qui, s'ils n'étaient pas de langue française, savaient au moins en prononcer les paroles; apparaissant à Marseille au moment du départ du bataillon de volontaires de cette ville provençale; répandue à travers la France par la marche de ce bataillon vers Paris, puis à Paris même dans la population et les autres troupes, mais gardant finalement le nom de *Marseillaise*. Rendus à 'leurs foyers' ou fondant des foyers dans les provinces quelconques au hasard de leurs rencontres, les soldats libérés ont contribué au brassage et à l'implantation du français.

La politique gouvernementale a été nette dans son esprit : essayer de généraliser le français, et faire ce qu'il fallait pour obtenir ce résultat, à savoir : généraliser l'enseignement. Mais les essais pour y parvenir ont échoué (voir le paragraphe suivant). En attendant, le plus urgent étant de faire comprendre les décrets rendus, dès janvier 1790, on autorisait la traduction des textes dans les langues locales : il s'agissait surtout des langues d'origine non latine, dans des provinces frontières dont le rattachement à la France n'était pas dans l'ensemble bien ancien. Mais ensuite ont paru les dangers d'une demi-résistance à l'état nouveau sous la forme fédéraliste, et les langues locales ont été 'suspectes de fédéralisme' d'où tentation pour certains administrateurs de forcer l'emploi du français, et résistances parfois vives.

En ce qui concerne l'armée, l'exercice du commandement, l'instruction des recrues, la formation des cadres subalternes étaient autant de questions épineuses pour les contingents de langue non française; l'administration révolutionnaire a dû constituer en unités à part notamment les Alsaciens et admettre aux grades inférieurs d'officier des gens qui ne savaient écrire qu'en allemand.

Donc, dans la période qui nous occupe, indéniable extension de

l'usage du français en France, mais pas de nouveau recul territorial
notable des patois et des langues régionales.

Evidemment, comme plus de provinciaux divers parlaient le
français, celui-ci était plus souvent parlé avec des accents régionaux
différents.

b) L'ENSEIGNEMENT; LE FRANÇAIS ET LE LATIN; LA GRAMMAIRE
ET L'ORTHOGRAPHE. — Ici, il faut distinguer nettement les périodes : les législateurs de la Convention ont voulu faire un plan d'enseignement à tous les degrés; du bas en haut ils le voulaient français et non latin-grec; le Consulat et l'Empire au contraire se sont
désintéressés de l'enseignement élémentaire et ils ont rendu la prééminence au latin.

Noter qu'en 1797 le clergé 'constitutionnel' brouillé avec Rome a
essayé l'exercice du culte en français; mais l'église catholique a
repris ensuite sa place et s'en est tenue à l'usage du latin.

Pour l'enseignement *primaire* (le mot date de 1791), les révolutionnaires ont essayé de mettre une école dans chaque commune,
avec un maître payé par l'état. Ils ont échoué, surtout parce qu'il
n'y avait pas moyen de trouver dans chaque commune un homme
sachant lire et écrire le français, à plus forte raison un homme
capable de l'enseigner. Le problème de la formation des maîtres
s'est posé tout de suite; les *écoles normales* ont eu à ce moment leur
première existence, et leur nom; mais l'essai s'est fait incomplètement et n'a pas eu le temps de se développer.

Peu d'années après, les nouveaux dirigeants se souciaient peu de
l'enseignement du peuple, et, faisant la paix avec l'Eglise catholique,
ne désiraient pas la contrecarrer sur ce point; le catéchisme a repris
sa place prépondérante dans l'instruction des enfants; en 1802, les
écoles qui existaient sont devenues strictement communales, c'est-
à-dire que les maîtres, quand il y en avait, étaient payés par les
communes, très chichement.

La Révolution a supprimé les collèges tenus par des religieux et
les universités, qui avaient aussi dans l'ensemble gardé les cadres
cléricaux. Elle a commencé l'organisation d'*écoles centrales* pour
donnner l'enseignement secondaire et supérieur (ainsi l'Ecole polytechnique).

L'enseignement latin ne jouait plus aucun rôle dans les classes
secondaires. Les législateurs, tout imprégnés eux-mêmes de vocabulaire latin et grec et d'esprit antique, regardaient vers l'avenir et
agissaient en initiateurs d'un nouvel âge. En raison des idées du 18ᵉ

[ʃ]

siècle, on avait cru pouvoir donner comme un seul enseignement de langue un enseignement de grammaire générale; les cours de cette matière ont eu fort peu de succès et n'ont gardé des élèves que là où les maîtres en ont fait des cours de grammaire française.

La réaction a été nette sur ce point encore : l'enseignement secondaire a reçu une nouvelle organisation au temps du Consulat, en 1801, avec le mot d'ordre : du latin et des mathématiques. Dans les lycées impériaux (le nom officiel de *lycée* date de 1807), si tout l'enseignement était donné en français, les programmes ne comportaient pas d'enseignement propre du français : la grammaire française devait s'enseigner par les traductions du latin en français (versions) et du français en latin (thèmes); il n'y avait pas d'enseignement du grec; les classiques français n'étaient admis, comme lectures, que en tant qu'ils étaient des imitations des auteurs anciens; La Fontaine avait droit d'entrée comme imitateur de Phèdre, médiocre auteur de fables en latin.

L'*Ecole normale supérieure,* destinée à former les maîtres secondaires, a reçu dès sa véritable organisation en 1808 (elle avait été créée avec un autre caractère en 1794), des programmes adaptés à l'enseignement ainsi compris.

Les universités réorganisées comme établissements d'Etat, encore très modestes d'ailleurs sous l'Empire, faisaient elles-mêmes grande place au latin. Non seulement les Facultés des Lettres imposaient à côté d'une thèse française une thèse latine, mais il y avait des épreuves de droit et de médecine en latin.

Le Collège de France continuait à jouer le rôle d'un établissement de haut enseignement à tendance francisante.

L'Académie française avait été d'abord supprimée par la Révoluiton; dans l'Institut (créé en 1794), elle reparaissait comme 'classe de grammaire et de littérature', titre conservé dans la réorganisation impériale de 1803; quoiqu'elle n'ait repris son nom qu'à la Restauration, elle a en somme continué sa vie sans interruption, mais sans rien faire de marquant.

Entre temps, la grammaire française se formulait de mieux en mieux suivant les idées du temps, celles du 18e siècle, décantées et systématisées. Le grammairien Domergue avait joué un grand rôle pendant la période de la Convention au Comité d'instruction publique. Sous l'Empire, la *Grammaire des grammaires,* de Girault-Duvivier (1811) a été comme le Code Napoléon de la langue classique et de l'orthographe académique.

Mais la mise en application générale de ce code était remise à la période qui allait suivre. Au temps de Napoléon, entouré de maréchaux dont certains ne parlaient même pas correctement le français, (le Sarrois Ney, le Niçois Masséna), l'orthographe ne régentait pas encore les puissants.

Les gouvernements de 1789 à 1815 ne se sont pas préoccupés de la réformer. Mais des initiatives, individuelles, doivent être signalées.

Pour Nicolas Restif de la Bretonne, voir aux références du chapitre XI, p. 447.

Gracchus Babeuf lui-même, le premier initiateur d'un mouvement socialiste en France, qui avait pratiqué en 1786 une orthographe simplifiée, ne s'en est pas servi par la suite dans ses écrits révolutionnaires.

Cependant le révolutionnaire Dodieu menait campagne pour la simplification de l'orthographe en l'an II (1794) dans le *Journal républicain de Commune affranchie* (Lyon) et y imprimait des textes en orthographe réformée.

En l'an V (1796), le grammairien officiel Domergue a publié de sa seule initiative la *Prononciation française déterminée par signes invariables* (orthographe phonétique), ouvrage réédité en 1806 sous un titre un peu différent, sans plus d'effet.

(Sur Volney, voir chapitre XIII p. 250.)

Pour le vocabulaire, il convient d'ajouter à ce qui est dit ci-dessus pp. 235-238 la mention de certaines prises de conscience par des contemporains. De Charles de Pougens, on a *Vocabulaire de nouveaux privatifs français* (Paris, chez le directeur de l'imprimerie du Cercle social 1794 XII-168-CVI pages); c'est un curieux répertoire de mots négatifs surtout à préfixe *in-* généralement forgés à l'imitation de mots anglais et allemands, dont certains étaient déjà connus, dont d'autres ont vécu et dont beaucoup n'ont pas eu de véritable existence.

En l'an IX (1801) Sébastien Mercier, alors paré du titre de membre de l'Institut national de France, publiait en deux tomes *Néologie ou vocabulaire de mots nouveaux à renouveler ou pris dans les acceptions nouvelles* (XVI-35-384 pages), avec des épigraphes significatives : « Notre langue est une gueuse fière, il faut lui faire l'aumône malgré elle » (Voltaire) et « La langue va, malgré ses régulateurs ». Les mots sont traités avec plus ou moins de développement et des références à des auteurs plus ou moins récents. Certains sont plus anciens que ne l'a cru S. Mercier.

Voir encore p. 447.

TEXTES DE LA PÉRIODE RÉVOLUTIONNAIRE

LAVOISIER : *Traité élémentaire de chimie* (1789). Tome I, Paris (Cuchet), p. 203.

OBSERVATIONS. Sur les combinaisons binaires de l'oxygène avec les substances simples métalliques et non métalliques.

L'oxygène est une des substances les plus abondamment répandues dans la nature, puisqu'elle forme près du tiers en poids de notre atmosphère et par conséquent du fluide élastique que nous respirons. C'est dans ce réservoir immense que vivent et croissent les animaux et les végétaux, et c'est également de lui que nous tirons principalement tout l'oxygène que nous employons dans nos expériences. L'attraction réciproque qui s'exerce entre ce principe et les différentes substances est telle, qu'il est impossible de l'obtenir seul et dégagé de toute combinaison. Dans notre atmosphère, il est uni au calorique qui le tient en état de gaz, et il est mêlé avec environ deux tiers en poids de gaz azote.

André CHÉNIER : *Elégie XXV* (1762-1794). manuscrit n° 6850. Bibliothèque nationale.

> S'ils n'ont point le bonheur en est-il sur la terre !
> Quel mortel inhabile à la félicité,
> nous vantera jamais sa triste liberté,
> si jamais des amants il a connu des chaînes !
> leurs plaisirs sont bien doux et douces sont leurs peines.
> L'astre de la Nature, et Pomone, et Palère,
> et l'azur d'Amphitrite, et la blonde Cérès
> portent jusqu'à leur âme et délicate, et tendre,
> une voix, des accens qu'eux seuls sçavent entendre.
> Tout d'une joye aimable anime leurs couleurs;
> dans leurs yeux languissans tout fait naître des pleurs.
> Tout ne parle autour d'eux que d'aimer et se plaire.
> Tout est formé pour eux dans la nature entière
> où se portent leurs pas.

HÉBERT : *Le Père Duchesne* (ou *Duchêne*) 2ᵉ pamphlet (1790). (L'orthographe du nom diffère suivant les séries de la publication).

Réédition par la Société de l'histoire de la Révolution française (1924), p. 193.

partisan de l'église, du clergé

Je connais un foutu calotin qui ne goûtera guère ma morale, car il a prononcé l'arrêt de réprobation à deux Religieuses sorties dernièrement de leur Couvent. Je ne sais nullement le nom de ce bougre-là ; mais, en attendant que je le sache, je peux lui donner celui de jean-foutre.

On m'a dit qu'un bougre de Noble, voulant insulter la garde nationale, a fait endosser un uniforme à son cocher et s'est ainsi fait promener dans Paris. Foutre ! Si cela est vrai, qu'on me l'amène et je l'accroche à la lanterne. Il faut être bougrement insolent pour vouloir se foutre de braves militaires qui sont en état de se foutre de tout le monde.

La *Marseillaise* (1792) par ROUGET DE LISLE, 3ᵉ couplet :

> Quoi ! ces cohortes étrangères
> Feraient la loi dans nos foyers !
> Quoi ! ces phalanges mercenaires
> Terrasseraient nos fiers guerriers !
> Grand Dieu ! par des mains enchaînées
> Nos fronts sous le joug se ploieraient !
> De vils despotes deviendraient
> Les maîtres de nos destinées ?

> Aux armes, citoyens, formez vos bataillons
> Marchons, marchons, qu'un sang impur
> Abreuve nos sillons.

SAINT-JUST : *Discours du 8 thermidor an II* (26 juillet 1794).

Représentants du peuple français, il est temps de reprendre la fierté et la hauteur du caractère qui vous conviennent. Vous n'êtes point faits pour être régis, mais pour régir les dépositaires de notre confiance. Les hommages qu'ils vous doivent ne consistent pas dans ces vaines flagorneries, dans ces récits flatteurs prodigués aux rois

flatteries grossières

par des ministres ambitieux, mais dans la vérité et surtout dans le respect profond pour vos principes. On vous a dit que tout est bien dans la République : je le nie. Pourquoi ceux qui, avant-hier, vous prédisaient tant d'affreux orages, ne voyaient-ils plus hier que des nuages légers ? Pourquoi ceux qui vous disaient naguère : *je vous déclare que nous marchons sur des volcans*, croient-ils ne marcher aujourd'hui que sur des roses ? Hier, ils croyaient aux conspirations : je déclare que j'y crois dans ce moment. Ceux qui vous disent que la fondation de la République est une entreprise facile vous trompent, ou plutôt ils ne peuvent tromper personne.

NAPOLÉON BONAPARTE : Début d'une *Proclamation à l'armée d'Italie* (26 avril 1796).

Soldats, vous avez remporté en quinze jours six victoires, pris vingt et un drapeaux, cinquante-cinq pièces de canon, plusieurs places fortes, et conquis la partie la plus riche du Piémont. Vous avez fait quinze mille prisonniers, tué ou blessé plus de dix mille hommes.

Vous vous étiez jusqu'ici battus pour des rochers stériles, illustres par votre courage mais inutiles à la patrie, vous égalez aujourd'hui par vos services l'armée de Hollande et du Rhin. Dénués de tout, vous avez suppléé à tout. Vous avez gagné des batailles sans canons, passé des rivières sans pont, fait des marches forcées sans souliers, bivouaqué sans eau-de-vie et souvent sans pain. Les phalanges républicaines, les soldats de la liberté étaient seuls capables de souffrir ce que vous avez souffert. Grâces vous en soient rendues, Soldats !...

CHATEAUBRIAND : *Atala* (1801), éd. Lemerre, 1879, pp. 65-65.

Dans ce moment je ne vis qu'Atala, je ne pensai qu'à elle. Sous le tronc penché d'un bouleau, je parvins à la garantir des torrents de la pluie. Assis moi-même sous l'arbre, tenant ma bien-aimée sur mes genoux et réchauffant ses pieds nus entre mes mains, j'étais plus heureux que la nouvelle épouse qui sent pour la première fois son fruit tressaillir dans son sein. Nous prêtions l'oreille au bruit de la tempête; tout à coup je sentis une larme d'Atala tomber sur mon sein : « Orages du cœur, m'écriai-je, est-ce une goutte de votre pluie ? ».

CHAPITRE XIII

LE FRANÇAIS ET LE RÉGIME BOURGEOIS
DU SUFFRAGE RESTREINT
(1815-1848)

Un tiers de siècle presque sans guerres et sans grands mouvements sociaux. La bourgeoisie française, à cette époque, s'est installée dans son pouvoir, la grande industrie avec propriété privée des moyens de production a commencé à prendre son essor en France. Régime d'ordre et de hiérarchie, qui a son retentissement dans la réglementation de la grammaire.

Mais l'agitation de la période précédente est transportée dans la littérature et dans l'art, où se déchaînent les sentiments passionnés, et le contrecoup est une véritable révolution dans l'emploi de la langue.

1. Evénements politiques et société

La chute de Napoléon après Waterloo en 1815 a ramené en France la dynastie des Bourbons et les aristocrates émigrés, avec le régime de la Charte. Celle-ci consacrait l'abolition du régime féodal, c'est-à-dire du commandement par droit de naissance. Elle établissait un système représentatif, qui ne représentait en réalité que la classe dirigeante : la Chambre des Pairs était entièrement nommée par le roi (avec hérédité du titre), la Chambre des Députés était nommée au suffrage censitaire, c'est-à-dire que seuls les gens aisés étaient électeurs et éligibles (environ 80.000 électeurs jusqu'en 1830).

Dans la période de la Restauration (1815-1830), avec les rois de la branche des Bourbons, Louis XVIII et Charles X, c'est essentiellement l'ancienne aristocratie, devenue haute bourgeoisie terrienne, qui a exercé le pouvoir, en massacrant et évinçant les éléments dirigeants du régime napoléonien non ralliés à la royauté, avec l'aide active du clergé catholique.

Mais la cour et ses ministres n'ont pas tardé à se heurter aux appétits de la bourgeoisie riche non terrienne qui voulait gouverner directement. Après le coup d'épaule de la révolution de juillet 1830, le peuple appelé une fois de plus comme troupe de choc a été facilement refoulé, malgré quelques sursauts ; la royauté embourgeoisée s'est établie fermement, avec le duc d'Orléans devenu Louis-Philippe, roi des Français. Dans les organes de gouvernement, pairie maintenue (mais sans hérédité), Chambre des Députés élue avec un système un peu élargi (cens abaissé), permettant l'accès de nouvelles couches de la bourgeoisie (200.000 à 250.000 électeurs jusqu'en 1848). La haute bourgeoisie, mélangée par des alliances avec la noblesse d'Empire, met directement à la Chambre et au ministère ses grands hommes d'affaires et ses doctrinaires (types : le banquier Laffitte, les historiens Guizot et Thiers).

La 'garde nationale', milice de civils ayant leurs armes chez eux, ne se composait que de bourgeois qui participaient à la répression des émeutes populaires (Paris-Lyon, 1831-1834).

La haute banque, le grand commerce ont vu se développer à leurs côtés durant cette période ce qui devait devenir la grande industrie mécanisée ; celle-ci, très arriérée en France par rapport à l'Angleterre, a fini par se mettre à l'emploi généralisé de la vapeur. Les mines, les usines se sont multipliées. Mais dans l'ensemble la direction en restait personnelle ou familiale (par exemple, à partir de 1837, extension des fabrications du Creusot, avec la famille Schneider). Toutefois, la période finale du régime de Louis-Philippe, avec l'apparition du chemin de fer, a vu naître les grandes compagnies.

Autre aspect du régime capitaliste : la conquête de l'Algérie pendant le règne de Louis-Philippe a commencé l'établissement d'un empire colonial.

La bonne société, pendant la Restauration, était comprise presque tout entière dans le cadre de l'ancienne noblesse, ou de la noblesse d'Empire ralliée aux Bourbons. Les jeunes ambitieux — tels que les ont peint Balzac et Stendhal — devaient se <u>faufiler</u> dans l'aristocratie. *glisser* Les jeunes auteurs voulant faire figure dans la société arboraient une particule, un titre de fraîche date ou de leur invention ; les intellectuels libéraux, soit à la Sorbonne, soit au Collège de France étaient <u>brimés</u>. *mal traités*

Après 1830, un déplacement s'est fait, les salons littéraires, les cafés et les salles de rédaction ont pris une nouvelle importance; le pôle d'attraction s'est déplacé à Paris du Faubourg Saint-Germain au Boulevard et à la Chaussée-d'Antin. L'enseignement libéral et le journalisme ont pris une place importante, avec Michelet, Edgar Quinet, Lamennais, Emile de Girardin.

Ce dernier, en 1832, a lancé le journal à un sou avec feuilleton littéraire, ce qui a singulièrement élargi le public, au moins à Paris et dans les grandes villes. Mais les tirages restaient limités, avec un plafond de 40.000 environ.

Les classes restaient bien distinctes par les habitudes et le costume. Le port de l'épée et de la culotte n'avait pas survécu, sauf dans quelques uniformes 'civils', la perruque avait disparu. Mais si le pantalon avait vaincu, il s'accompagnait pour tous les membres de la classe dirigeante de l'habit ou de la redingote (ou lévite), que le peuple ne portait pas en dehors de certaines occasions solennelles, sans compter les chapeaux haut de forme.

On était ou n'était pas un 'monsieur' ou une 'dame'. Les commerçants étaient tenus, privés de loisirs et d'air, à la boutique et à l'arrière-boutique.

Le peuple était sans prestige et sans force, n'étant défendu par aucune association; les ouvriers s'ankylosaient et se déchiraient *[perdait la souplesse]* entre eux dans les compagnonnages, subissaient les bas salaires et les interminables journées de travail.

Toutefois, ce temps a vu la naissance du socialisme utopique, dont les inventeurs et propagandistes ne s'appuyaient sur aucun mouvement de masse, mais faisaient écho au sentiment de malaise né de conditions détestables. Le comte Claude-Henri de Saint-Simon a publié son *Système industriel* de 1820 à 1823; son école s'est manifestée jusqu'en 1830; c'est après 1830 que Charles Fourier a fondé son phalanstère, essai de petite communauté socialiste. Il faut tenir compte aussi de l'activité des sociétés secrètes, en particulier du *carbonarisme*. *(charbonnerie = pour le triomphe des idées libérales)*

Le mouvement d'émancipation sociale ne s'est manifesté, par l'activité des publicistes (dont quelques-uns d'origine ouvrière) et par certaines agitations, que dans la période qui devait aboutir à la révolution de 1848; mais cette préparation a été importante. Mentionnons ici l'activité d'Auguste Blanqui dont la condamnation à mort, commuée en détention, date de 1839.

Le menuisier Agricol Perdiguier, ou compagnon Avignonnais la Vertu, a publié en 1839 le *Livre du compagnonnage* (suivi en 1840 du *Compagnon du tour de France*, de George Sand). Le typographe

Pierre Leroux a publié de 1838 à 1841 l'*Encyclopédie nouvelle* avec l'écrivain-journaliste Viardot, et George Sand en 1840 a donné le livre *De l'Humanité, de son principe et de son avenir.* De Proudhon, entre autres ouvrages, on avait en 1840, *Qu'est-ce que la propriété ?* et, en 1846, *le Systeme des Contradictions économiques* ou *la Philosophie de la Misère.* Pour le mouvement des idées, il est important aussi de noter que le *Cours de philosophie positive* d'Auguste Comte a été professé en 1839-1842.

2. Orthographe, grammaire et enseignement

Entre 1815 et 1848, certes la prononciation et les formes du français n'ont pas été immobiles; un examen détaillé pourrait montrer à ce moment l'achèvement ou le début de certains phénomènes; mais rien de notable n'est à signaler comme changement.

Au contraire, il est important de noter que c'est à cette époque que la grammaire et l'orthographe françaises ont été bureaucratisées. L'ancienne administration ne s'occupait pas de la langue, la nouvelle administration centraliste la comprend dans les matières à administrer.

Conjointement, la grammaire codifiée, vulgarisée par Noël et Chapsal (1823), et l'orthographe de l'Académie sont devenues obligatoires.

L'enseignement du français a pris de plus en plus de place dans l'enseignement secondaire, donné aux garçons de la bourgeoisie dans les lycées et collèges de l'état et dans les collèges cléricaux, aux filles exclusivement dans les pensionnats religieux. Il y est donné suivant les règles, sans souci des fluctuations possibles de l'usage, même de la bonne compagnie. Les minuties des 'exceptions' qui n'ont le plus souvent qu'un caractère orthographique, c'est-à-dire visuel, forment la plus grande partie de l'enseignement grammatical; tout enfant recevant l'instruction doit savoir quels sont les mots en *-ou* qui ont un pluriel en *-x*, et autres choses de ce genre. La formation de la description, avec l'analyse grammaticale et logique, s'orne ainsi de l'énumération d'usages capricieux érigés en règlements. Par ailleurs, il n'est donné aucun enseignement historique de la langue.

Pour la prononciation même, il y a eu réglementation et autorité. Il s'est établi un usage académique et 'Comédie-Française', le Théâtre Français, avec le Conservatoire qui en prépare l'entrée, devenant une académie de la prononciation. Ainsi a été réglementé, au moins pour les discours d'apparat, pour l'enseignement solennel, et pour la récitation, l'usage des liaisons considérées comme distinguées, mais que nous savons maintenant être sensiblement plus nombreuses que celles qu'on faisait au 17e siècle. On a réglementé aussi l'articulation des -e neutres, avec la volonté de laisser toujours à l'alexandrin classique douze syllabes dans la déclamation.

Après la révolution de 1830, une loi a enfin créé un enseignement primaire d'état (non obligatoire). Fait important, il a été prescrit que l'enseignement de la lecture y serait donné sur des livres français, et non latins. Ainsi l'instruction pouvait se répandre, des éléments populaires pouvaient espérer en nombre appréciable une ascension dans la société.

Cette mesure était en accord avec la politique générale des nations modernes, pour lesquelles l'unité de langue est considérée comme un ciment important de l'ensemble national. Elle devait consolider les positions acquises par le français en France dans la période précédente, accentuer sa lutte contre les patois et les langues régionales.

A la même date de 1832, la connaissance de l'orthographe est devenue obligatoire pour l'accession à tous les emplois publics.

Ainsi l'orthographe et la grammaire, basée sur l'orthographe, étaient imposées à tous : les littérateurs les plus hardis comme les personnages les plus puissants se soumettaient aux règles. Dès lors, l'orthographe a pris une place énorme dans l'enseignement; on a parlé des gens qui avaient ou qui n'avaient pas 'l'orthographe naturelle', faculté où la mémoire visuelle plus ou moins développée intervient inconsciemment. Des fautes d'orthographe dans des lettres de membres des classes dirigeantes peuvent bien passer pour d'aimables étourderies, mais elles sont rédhibitoires dans les examens scolaires et dans les examens pour les emplois les plus variés. Les contremaîtres, comme les maîtres, les scribes inférieurs comme les dirigeants, doivent savoir 'mettre l'orthographe'. La bonne orthographe devient ainsi la marque des dirigeants et des employés qui tiennent la plume en leur nom, au moment même où la connaissance de la lecture et de l'écriture va se généraliser, et où toutes les classes y accèdent. Le caractère de marque de caste de l'orthographe se révèle dans l'expression 'une orthographe de cuisinière' : image de la maîtresse de maison qui épluche les comptes de sa domestique et se réjouit des fantaisies graphiques qu'elle y trouve.

On peut cependant signaler une campagne pour la réforme de

l'orthographe en 1829, sur l'initiative d'un grammairien du nom de Marle, qui a consacré toute son activité à cette question.

Le dictionnaire de l'Académie de 1835 n'a presque rien innové sur les précédents. Il a adopté *ai* pour l'ancien *oi* lorsqu'on prononce (ę), ainsi 'français'. D'autre part, il a rétabli l'usage d'écrire le *t* non prononcé devant *s* dans les pluriels (*ants*, -*ents*), faisant ainsi un nouveau pas dans le sens de la régularisation pour l'œil.

En 1819, le grand orientaliste et révolutionnaire Volney avait publié, en précurseur de l'orthographe phonétique à usage scientifique, l'*Alphabet européen appliqué aux langues asiatiques*.

Le haut enseignement avait, à part des exceptions (surtout au Collège de France), un caractère académique, superficiel; la philologie était peu cultivée, en dehors de la philologie orientale. Cependant, le mouvement historique, assez actif, s'accompagnait de recherches sur la littérature du moyen et de l'ancien français. En précurseur, l'auteur dramatique Raynouard (1761-1836) s'est occupé de l'histoire de la langue et de la comparaison avec les autres langues romanes (*Lexique roman*, paru de 1838 à 1844), mais sans une méthode rigoureuse. Or, entre temps, la grammaire comparée et la grammaire historique étaient nées et s'étaient développées en Allemagne et au Danemark. C'est le professeur allemand Diez (1794-1876) qui a solidement fondé l'étude comparative des langues romanes et la grammaire historique du français (*Grammaire des langues romanes* 1836-1838, traduite en français seulement en 1872). Pour les grammaires d'enseignement et les dictionnaires, voir aux *Références*.

3. Le mouvement romantique

Au moment même où les règles s'établissaient fortement dans la grammaire comme dans la vie publique, la littérature française a vu se produire une révolution, contrecoup retardé de la Révolution française, reflet aussi du mouvement des idées dans toute l'Europe occidentale. C'est une rupture brutale avec l'humanisme sous sa forme classique néo-latine, une expression directe et nouvelle du monde moderne.

La Révolution n'avait quasi pas connu d'analyse contemporaine des événements, et l'Empire avait été une période de véritable

éclipse des lettres en France. La Restauration a connu d'abord le
renouveau de la poésie lyrique, puis celui du théâtre en vers; la
Monarchie de Juillet a été marquée par l'essor du roman.

La poésie en pièces détachées, le roman découpé en feuilletons
ont atteint directement, par les journaux et les revues, un public
étendu jusque dans les coins de province, avant même la parution
en librairie. Diffusion muette par les lecteurs isolés, qui devait être
la marque du 19ᵉ siècle, et aboutir finalement à la prédominance du
roman et de l'essai court, à la restriction de la poésie, à la décadence du théâtre en vers et dans une certaine mesure du théâtre
en général, malgré de grands éclats (voir p. 254).

Comment le renouveau littéraire s'est-il produit ?

Il faut d'abord tenir compte du courant 'passionné' qui depuis
le milieu du 18ᵉ siècle a côtoyé dans les écrits français le courant
'raisonnable', avec la littérature larmoyante et la littérature pittoresque. Noter d'ailleurs en passant que l'initiateur du mouvement,
Jean-Jacques Rousseau, était venu de Genève, que Bernardin de
Saint-Pierre et Chateaubriand avaient beaucoup voyagé et pris contact avec la littérature étrangère. Mentionner aussi que des œuvres
animées du 18ᵉ siècle, où la passion et la fantaisie s'étaient donné
libre cours, sont arrivées à retardement au public français : les
Mémoires de Saint-Simon (mort en 1755) n'ont été publiés qu'en
1829-1830; *La Religieuse* de Diderot a paru seulement en 1798;
son *Neveu de Rameau,* d'abord connu en traduction allemande
(1805), a été traduit en français en 1821.

Le branle a été en général donné au mouvement romantique français proprement dit par des influences étrangères à la France, étrangères au monde gréco-latin. Le mot 'romantique' lui-même, quoique
d'origine française et attesté déjà au 18ᵉ siècle, et bien que sa
racine rappelle Rome et le gallo-roman, n'a pris son sens moderne
et n'a eu sa grande fortune que passé par l'anglais et l'allemand,
avec les valeurs sentimentales à la fois de 'romanesque' et de 'pittoresque'.

La poésie a été influencée d'abord par Ossian : barde écossais
légendaire sous le nom duquel sont groupées de vieilles poésies,
paraphrasées et mises à la mode en Angleterre dans la dernière
partie du 18ᵉ siècle par l'Ecossais Macpherson. Puis est venu le
mouvement allemand, d'aspect national, véritable émancipation par
rapport au classicisme français, et classicisme d'un nouveau genre
avec Gœthe, le géant littéraire européen de la fin du 18ᵉ siècle et
du début de 19ᵉ, son jeune ami et émule Schiller, et bien d'autres

auteurs qui, sans ignorer la culture classique, puisaient avant tout aux traditions nationales et à la vie contemporaine qui les continuait; c'est Mme de Staël, d'origine suisse et opposante à l'Empire, qui avait dévoilé cette littérature allemande au public français par son livre *De l'Allemagne* (1810).

Il faut tenir compte aussi de l'exotisme oriental, de l'influence de la poésie arabe et persane; c'est le moment où l'érudition orientaliste prend son essor, ou des peintres importants (dont le plus grand est Delacroix) renouvellent leur art en partie par des sujets orientaux, où la guerre d'indépendance de la Grèce contre la Turquie (à partir de 1821) passionne l'opinion.

Toutes ces influences ont donné aux jeunes auteurs français, fils des contemporains de la Révolution, des appuis pour se libérer des vieilles formes. Il a donc éclaté une révolution littéraire et artistique, la bataille des romantiques contre les classiques. Du côté des novateurs, les sentiments passionnés, les images violemment colorées, un rythme agité; chez les conservateurs, une terne continuation des procédés anciens; et ceci s'applique à la peinture et à la musique si importante de ce temps aussi bien qu'à la littérature.

Arrêtons-nous ici sur un aspect curieux de la question. L'ensemble de la jeune équipe romantique a marqué nettement un refus de bourgeoisie, dans la mesure où bourgeoisie voulait dire égoïste possession, parcimonieuse épargne, routine intellectuelle et philosophie moyenne. Sans liaison avec le peuple des villes et des campagnes, exclus du pouvoir et sans énergie pour chercher à le prendre, les jeunes écrivains se sont tournés vers l'aristocratie et ont même pris au début une allure de courtisans de la royauté, ainsi spécialement Victor Hugo, au commencement de sa carrière; Chateaubriand, dans son âge mûr, s'est mis à l'écart dans sa fidélité amère aux Bourbons découronnés par 1830; Balzac (si soucieux d'être dit 'M. de Balzac') a constamment affiché des opinions royalistes et aristocratiques.

Ainsi donc, à partir de 1820, ce sont de jeunes poètes royalistes et christianisants qui ont mené le combat contre les conservateurs littéraires, bourgeois plus ou moins libéraux et tolérants, demeurés au stade de l'art poétique de Boileau et à l'attitude voltairienne de critique contre l'église.

Mais observons l'autre face des choses, chez les mêmes personnages : dans les *Mémoires d'outre-tombe*, publiés en 1849 (toutefois écrits bien avant), Chateaubriand a le premier étudié longuement le rôle spécial de Napoléon, le parvenu génial, prototype du capitaine d'industrie et du politicien impérialiste, et il a prophétisé le rôle du peuple; dans ses romans, Balzac a fait une large place, sinon aux ouvriers de la mine et de l'usine, du moins à de petites gens de toute espèce, et a montré mieux que personne l'impuissance de la haute société pour les besognes d'avenir. Dès que les circonstances ont commencé à changer après 1830, Lamartine, Victor Hugo se sont orientés vers les couches populaires et ont joué ensuite un rôle dans le mouvement républicain; la longue existence de Victor Hugo, en particulier, malgré sa situation d'écrivain à forts droits d'auteur, devait le mettre intellectuellement dans le sens des révolutions sociales futures. Vigny lui-même, le poète isolé et malade, s'est présenté aux suffrages populaires en 1848. Eugène Sue, romancier populaire important en son temps, a été un échappé de la société élégante.

Revenons maintenant à la suite des événements.

Le renouveau a été marqué d'abord par l'explosion de la poésie lyrique, sentimentale et pittoresque, sans grande nouveauté apparente de forme : *Méditations* de Lamartine en 1820, premiers *Poèmes* de Vigny et *Odes* de Victor Hugo en 1822; ces trois poètes devaient continuer ensuite à publier régulièrement des recueils, Alfred de Musset les accompagnant depuis 1830.

La vraie bataille s'est livrée au théâtre, par le drame dégagé des règles de la tragédie classique. En 1827, Victor Hugo a publié le véritable manifeste de l'école romantique dans la préface de *Cromwell,* drame en vers qui n'a pas été joué; dans la même année 1829 (un an après la parution de la traduction en français du *Faust* de Gœthe, qui a joué depuis un si grand rôle en France comme sujet d'opéra), Vigny faisait jouer une adaptation de Shakespeare, *Le More de Venise,* et Alexandre Dumas père un drame d'histoire française, *Henri III et sa cour* (en prose). En 1830, c'est le triomphe tumultueux, à la Comédie-Française, de l'*Hernani* de Victor Hugo, qui a été aussi publié avec une préface théorique : les règles anciennes d'unité de temps et de lieu, la distinction des genres (séparation du tragique et du comique) étaient définitivement bousculées; une possibilité de vie nouvelle était rendue au théâtre, ainsi délivré de l'imitation servile des chefs-d'œuvre du 17ᵉ siècle, qui avaient été des manifestations de vie neuve en leur temps, mais n'étaient pas des modèles à suivre indéfiniment. Les acteurs étaient au combat, Frédéric Lemaître au Boulevard, Mˡˡᵉ George au Français.

Les romans de la nouvelle école ont d'abord, comme une partie des drames, pris leurs sujets dans l'histoire de France, renouvelée par les recherches d'historiens. Ainsi *Cinq-Mars* de Vigny (1826), *Charles IX* de Mérimée (1829), *Notre-Dame de Paris* de Victor Hugo (1831), modèles suivis ensuite (à partir de 1844) par les nombreux livres d'Alexandre Dumas père (avec la collaboration d'Auguste Maquet et autres).

Ensuite, des romanciers se sont mis à peindre la vie de leur temps et de celui de leurs parents : *Le Rouge et le Noir,* de Stendhal (1831); *Grandeur et servitude militaires,* de Vigny (1835); *Confessions d'un enfant du siècle,* de Musset (1836).

Beaucoup de romans, sinon la plupart, ont paru en feuilleton dans les journaux, que leur prix abaissé mettait en partie à la portée des bourses modestes (voir p. 247) ou en livraisons dans une revue. *La Revue des Deux-Mondes,* dirigée par François Buloz, a joué ainsi un grand rôle dans la vie littéraire.

L'œuvre gigantesque de Balzac s'est ouverte en 1827; jusqu'en 1850, année de sa mort prématurée à cinquante et un ans, il n'a cessé d'enrichir sa *Comédie humaine* d'études sociales qui sont les plus dramatiques des romans. A côté de lui, la femme auteur romantique George Sand a contribué à élargir la peinture des mœurs à celles de la province (*Mauprat,* 1837, et beaucoup d'autres livres) voir p. 297. En même temps Eugène Sue publiait ses grands romans : *Les Mystères de Paris* (1842), *Le Juif errant* (1844).

La physionomie littéraire de ce temps ne serait pas complète si on ne mentionnait pas le développement de la littérature pour enfants, surtout avec les périodiques *Le Magasin pittoresque* et *Le Musée des familles,* nés tous deux en 1833.

4. Style romantique en vers et en prose

Le tournant romantique est d'importance capitale dans l'histoire de la langue française; il faut l'analyser exactement.

C'est exprès que le terme de 'langue romantique' n'est pas employé ici. Les romantiques n'ont pas touché aux règles de la grammaire, qu'ils ont respectée plus que personne : aussi bien nous avons dit que la grammaire du français, sensiblement fixé comme français moderne à l'époque classique, n'avait presque pas changé depuis le 17ᵉ siècle. Les romantiques ont aussi continué à observer les règles fondamentales de la versification.

Pour le lexique non plus, les romantiques n'ont pas agi par innovation externe, par des fabrications de mots ou des emprunts massifs de mots étrangers.

En quoi a donc consisté leur action propre, sur quoi a-t-elle porté ? Elle a porté sur l'emploi littéraire de la langue, sur le style. Ils ont voulu tuer le 'style noble' et ils y ont réussi. Et comme c'est surtout en poésie que s'était développé le préjugé du style noble, c'est surtout sur la poésie qu'ils ont agi.

D'abord, ils se sont attaqués à la périphrase poétique. Un objet, quel qu'il soit, peut être nommé par son nom propre, sans qu'on soit accusé d'une faute de goût. Ainsi pas d'énigmes à l'usage des 'lettrés délicats' : le texte est accessible à tous ceux qui parlent français; voir à la fin de ce chapitre le texte de Victor Hugo, qui a donné la théorie de sa pratique et de celle de ses confrères. Les termes concrets et simples sont employés quand on a besoin d'eux; si on en éprouve le besoin, pour exprimer une idée ou susciter une émotion, on emploie les termes abstraits, philosophiques, scientifiques.

Les romantiques ont décidément renoncé à l'usage exclusif du vocabulaire restreint et distingué, reflet de quelques cercles élégants de la capitale. Bien qu'ils ne se soient pas toujours abstenus d'employer eux-mêmes des mots nobles et des périphrases, ils ont ouvert la porte à la masse du lexique, avec des termes techniques, des mots triviaux, des mots provinciaux et même des expressions vieilles. D'où un grand remue-ménage, un reclassement parmi les mots acquis antérieurement par la langue. Comme les valeurs des mots tiennent à l'usage qu'on en fait, l'échelle des valeurs a été changée, on a senti une profonde transformation.

Notables changements pour la texture de la phrase. Celle-ci, en poésie, doit suivre autant que possible l'allure ordinaire; inversions rares, presque pas de délayage pour faire entrer de force une idée en un vers ou deux vers complets. En poésie, comme en prose, allure simple ou emphatique suivant la force de l'émotion ressentie par l'auteur et qu'il veut provoquer chez le lecteur; mais rien pour se soumettre à une tradition. Sans doute, l'emphase, exprimée par les exclamations, les comparaisons, les antithèses, était fréquente chez ces auteurs et est devenue une sorte de mode : elle correspondait à leurs sentiments bouillonnants, à la manière dont ils concevaient la vie sentimentale, mais non à une convention littéraire héritée d'un passé ou prescrite par des maîtres.

Le style romantique a renouvelé la facture du vers français par excellence, l'alexandrin, sans supprimer les anciennes règles.

Les romantiques ont gardé la rime; ils l'ont même voulue aussi riche que possible; et le souci de la rime a entraîné Victor Hugo, en particulier, à bien des remplissages (voir dans le texte cité p. 261 le 7ᵉ et l'avant-dernier vers). Ils ont gardé aussi le compte théorique de douze syllabes : théorique, puisque beaucoup de syllabes pour l'œil à e muet ne sont pas effectivement des syllabes.

Mais le rythme a été fréquemment modelé autrement que dans le vers classique. La césure est respectée de manière formelle en ce sens que la sixième syllabe est toujours la fin d'un mot, comme la douzième comporte la rime; mais le sens n'est enfermé ni dans l'hémistiche, ni dans le vers; assez souvent, alors qu'auparavant c'était exceptionnel dans la haute poésie, un groupe de mots constituant une parcelle indivisible de la phrase chevauche sur la césure, ou chevauche d'un vers à l'autre.

Ainsi se produit, à l'intérieur de lui-même, ce qu'on appelle le vers ternaire, divisé en trois membres et non en deux.

D'un vers à l'autre se multiplient les *enjambements*, avec le *rejet* ou dépassement d'un vers sur le suivant, plus rarement le *contrerejet* avec commencement d'un membre de phrase à la fin d'un vers.

Comme le rythme classique continue à être employé dans une grande partie des vers, on obtient une assez grande variété et la possibilité de suivre de plus près en poésie l'allure de la prose. (Voir le texte de Victor Hugo, p. 261, et des vers comme : « Le cheval galopait toujours à perdre haleine », *Légende des siècles*, *Le petit Roi de Galice*, ou, d'Alfred de Musset, *Sur la paresse* : « Tantôt légers, tantôt boiteux, toujours pieds nus »).

Pour la phrase en prose, un fait important. Ce sont les romantiques, surtout Victor Hugo et l'historien Michelet qui ont commencé à multiplier dans une certaine mesure les emplois d'énoncés sans verbes qu'on ne trouve que sporadiquement dans la littérature antérieure; notamment chez La Fontaine. On peut distinguer trois types principaux d'injonctions surtout négatives (voir l'extrait cité p. 262); des accumulations descriptives; des sortes de raisonnements. Pour les développements, voir chapitre XIV.

Autre chose : les romanciers, et surtout Balzac, n'ont pas craint, quand ils faisaient parler un personnage, de reproduire autant que possible son langage parlé. Ainsi, une aristocrate choquée d'être interpellée 'ma cousine' par un parent pauvre, ne s'écrie pas 'quoi, monsieur' ou quelque chose d'analogue, mais tout simplement 'hein ?'.

Balzac est allé si loin qu'il a laborieusement noté l'accent germanique de certains de ses personnages au cours de volumes entiers, et qu'il s'est exercé à écrire des fragments de lettres en mauvaise orthographe populaire. Le roman de mœurs a donc reçu, dans ses parties dialoguées seulement — il faut le noter expressément — une liberté qui auparavant n'était donnée qu'à la comédie.

Le danger a donc été écarté de voir se perpétuer une langue littéraire que l'imitation stricte des classiques du 17ᵉ et du 18ᵉ siècles aurait pu figer, et dont la langue courante se serait de plus en plus écartée.

A la fin de la période romantique la partie était gagnée : le français littéraire n'était pas devenu 'langue morte', les barrières aristocratiques dans le choix des mots et des tournures étaient tombées. Une nouvelle floraison littéraire brillante répandait en France et faisait connaître à l'étranger un français ayant gardé sa souplesse et sa vitalité.

TEXTES DE LA PÉRIODE ROMANTIQUE

ALPHONSE DE LAMARTINE, dernière strophe de « L'isolement », première pièce du recueil des *Méditations*, écrite en 1819.

> Quand la feuille des bois tombe dans la prairie,
> Le vent du soir s'élève et l'arrache aux vallons ;
> Et moi, je suis semblable à la feuille flétrie :
> Emportez-moi comme elle, orageux aquilons.

Commentaire (de Lamartine lui-même) : « des effusions de l'âme, qui ne ressemblaient à rien, selon l'expression de M. D. à Raphaël. »

VICTOR HUGO : Préface d'*Hernani*, datée du 9 mars 1830.

...Cette voix haute et puissante du peuple, qui ressemble à celle de Dieu, veut désormais que la poésie ait la même devise que la politique : TOLÉRANCE ET LIBERTÉ.

Maintenant vienne le poète ! Il a un public.

Et cette liberté, le public la veut telle qu'elle doit être, se conciliant avec l'ordre, dans l'état, avec l'art, dans la littérature. La liberté a une sagesse qui lui est propre, et sans laquelle elle n'est pas complète. Que les vieilles règles de d'Aubignac meurent avec les vieilles coutumes de Cujas, cela est bien ; qu'à une littérature de cour succède une littérature de peuple, cela est mieux encore ; mais surtout qu'une raison intérieure se rencontre au fond de toutes ces nouveautés, que le principe de liberté fasse son affaire, mais qu'il la fasse bien. Dans les lettres, comme dans la société, point d'étiquette, point d'anarchie : des lois. Ni talons rouges, ni bonnet rouge [1].

ALFRED DE VIGNY : Fragment de *Paris*, « Elévation » (poème daté du 16 janvier 1831).

> Que fais-tu donc, Paris, dans ton ardent foyer ?
> Que jetteras-tu donc dans ton moule d'acier ?

---

1. Voir le 3ᵉ vers du fragment cité plus loin.

Ton courage est sans forme et se pétrit encore
Sous la main ouvrière et le marteau sonore;
Il s'étend, se resserre, et s'engloutit souvent
Dans le jeu des ressorts et du travail savant.
Et voilà que déjà l'impatient esclave
Se meut dans la Fournaise, et, sous les flots de lave,
Il nous montre une tête énorme et des regards
Portant l'ombre et le jour dans leurs rayons hagards.

VICTOR HUGO (vers extraits de *Réponse à un acte d'accusation*, poème daté de janvier 1834, publié en 1856 dans les *Contemplations*).

Et sur l'Académie, aïeule et douairière,
. . . .
Je fis souffler un vent révolutionnaire.
Je mis un bonnet rouge au vieux dictionnaire.
Plus de mot sénateur, plus de mot roturier !
Je fis une tempête au fond de l'encrier.
. . . .
Boileau grinça des dents; je lui dis : « Ci-devant,
Silence ! et je criai dans la foudre et le vent :   (voir p. 258)
Guerre à la rhétorique et paix à la syntaxe !
. . . .
J'ai pris et démoli la bastille des rimes.
J'ai fait plus : j'ai brisé tous les carcans de fer
Qui liaient le mot peuple et tiré de l'enfer
Tous les vieux mots damnés, légions sépulchrales.
J'ai de la périphrase écrasé les spirales,
Et mêlé, confondu, nivelé sous le ciel
L'alphabet, sombre tour qui naquit de Babel;
Et je n'ignorais pas que la main courroucée
Qui délivre le mot, délivre la pensée.
. . . .
J'ai dit aux mots : Soyez république ! Soyez
La fourmilière immense, et travaillez ! Croyez,
Aimez, vivez ! — J'ai mis tout en branle, et, morose,   (voir p. 258)
J'ai jeté le vers noble aux chiens noirs de la prose.

BALZAC : *Les Comédiens sans le savoir,* 1845 (éd. Calmann-Lévy) vol. XI, p. 323.

Un quart d'heure après, la citadine s'arrêtait au bas des degrés de la Chambre des Députés, de ce côté du pont de la Concorde qui mène à la discorde.

— Je croyais la Chambre inabordable ?... dit le Méridional, surpris de se trouver au milieu de la grande salle des Pas Perdus.

— C'est selon, répondit Bixiou; matériellement parlant, il en coûte trente sous de cabriolet; politiquement on dépense quelque chose de plus. Les hirondelles ont pensé, a dit un poète, que l'on avait bâti l'Arc de Triomphe de l'Etoile pour elles; nous pensons, nous autres artistes, qu'on a bâti ce monument-ci pour compenser les non-valeurs du Théâtre Français et nous faire rire; mais ces comédiens-là coûtent beaucoup plus cher, et ne nous en donnent pas tous les jours pour notre argent.

BALZAC : *Les Petits Bourgeois,* 1843. (Volume XI, p. 497).

Le plancher n'avait jamais été balayé; les carreaux disparaissaient sous une espèce de litière composée d'ordures, de poussière, de boue séchée et de tout ce que jetait Toupillier. Un mauvais poêle de fonte dont le tuyau se rendait dans le trumeau d'une cheminée condamnée était le meuble le plus apparent de ce taudis... La fenêtre, presque aveugle, avait sur ses vitres comme une taie de crasse qui dispensait d'y mettre des rideaux...

MICHELET : *Histoire de France. La réforme* (1855), Chapitre 5.

Il [Martin Luther] eut pitié du peuple.

Il le vit mangé de ses prêtres, dévoré de ses nobles et sucé de ses rois, n'envisageant rien après cette vie de souffrances qu'une éternité de souffrances et s'ôtant le pain de la bouche pour acheter à des fripons le rachat de l'enfer.

Histoire de la Révolution française, 1847, p. 1725. « Une immense tribu de chimistes... remplissaient tout de leur activité. Partout les chaudières et les appareils... Partout les députations qui portaient à l'assemblée ces offrandes patriotiques. »

CHAPITRE XIV

LE FRANÇAIS ET LE RÉGIME BOURGEOIS
DU SUFFRAGE UNIVERSEL
(1848-1938)

Longue période, qu'il faudrait diviser si on suivait les détails de l'histoire politique, mais qui a son unité si on s'en tient aux grandes lignes, tant pour l'histoire sociale que pour les destinées de la langue.

C'est en 1848 que s'est produit le premier heurt violent entre la classe bourgeoise et la classe ouvrière, pourvue d'un commencement d'organisation et de doctrines. Depuis, dans l'âge des chemins de fer et de toutes les autres machines, le capitalisme a connu son plus haut développement, avec la concentration des grandes entreprises et l'impérialisme, mais aussi a commencé à se ruiner lui-même, tandis que le socialisme a commencé et poursuivi son développement.

En même temps, la langue française a achevé de s'étendre à toute la nation, et l'usage s'en est sensiblement modifié, de manière qu'elle est devenue plus réellement le bien de tous.

Pour juger du français de la seconde partie du 19° siècle et du premier tiers du 20° il est bon de voir avec quelque détail quels sont les éléments de la formation du monde contemporain sous l'aspect français. Il n'en est aucun qui n'ait eu quelque retentissement non pas précisément sur la structure interne du français, mais sur l'usage de la langue, expression de la société.

Le sujet qui doit spécialement nous occuper est la généralisation progressive des institutions et des habitudes démocratiques, éclairant ce qu'on peut appeler la démocratisation de la langue écrite.

1. Evénements, institutions, vie sociale, techniques

a) SECONDE RÉPUBLIQUE ET SECOND EMPIRE. — L'année 1848 a
été une année de convulsion en Europe; la France, l'Italie, l'Allemagne, l'Autriche (autonomie obtenue par la Hongrie) ont été
profondément remuées. Partout, le mouvement allait vers la démocratisation, par l'établissement de systèmes parlementaires représentatifs de l'ensemble de la population masculine.

Disons tout de suite que partout la réaction a été victorieuse en
1849, mais non sans lâcher du lest: depuis lors, parallèlement aux
événements de France, il faut se souvenir que le mouvement des
nationalités et l'établissement plus ou moins lent de systèmes représentatifs démocratiques ne se sont pas arrêtés en Europe occidentale et centrale.

En France, l'explosion de février 1848 a été une véritable révolution populaire, qui a brandi pour la première fois le symbolique
drapeau rouge. Le groupe de républicains qui constituait à l'Hôtel
de Ville de Paris le Gouvernement provisoire comprenait des bourgeois socialistes ou socialisants et un ouvrier.

Tout de suite, le suffrage universel (pour les hommes) a été établi, avec neuf millions d'électeurs. Les éléments populaires ont été
admis dans la garde nationale. Le droit au travail a été reconnu et
un essai d'institution socialiste a été fait avec les ateliers nationaux.
Mais dans le conflit de juin 1848 la victoire est restée à la bourgeoisie et celle-ci a été énergique dans sa répression, laissant le
jeune mouvement ouvrier disloqué et privé de ses dirigeants.

Dès la fin de 1848, le pouvoir a été confisqué, d'accord avec les
éléments réactionnaires de la bourgeoisie, par Louis-Napoléon Bonaparte, neveu de Napoléon Ier et précédemment conspirateur
contre la royauté de Louis-Philippe. D'abord président de la République, pour quatre ans, puis président à vie (Coup d'Etat du 2 décembre 1851), il est devenu empereur sous le nom de Napoléon III.
L'apparence seule du respect de la volonté du peuple avait été
conservée (élection du président au suffrage universel, puis plébiscite).

La Constitution de 1852 a établi un régime personnel, monarchique. La Chambre des Députés (appelée Corps législatif) était
élue au suffrage universel, mais avec le régime de la candidature

officielle et une pression très forte des préfets et des maires (nommés et non élus); elle était pratiquement dépourvue de pouvoir. Le Sénat était composé de membres nommés à vie par le souverain. Le ministère, dont les députés ne pouvaient pas faire partie, était responsable seulement devant l'empereur. La presse était muselée par le système de l'autorisation préalable et diverses autres mesures. L'armée était, comme sous la royauté constitutionnelle de 1815 à 1848, essentiellement une armée de métier à engagements, le recrutement (avec service de cinq ans) était limité par le tirage au sort, tout le monde n'était pas incorporé; les appelés riches (ceux qui avaient tiré un mauvais numéro) s'achetaient un remplaçant. D'autre part, la garde nationale continuait à exister théoriquement, mais n'était pas employée.

Napoléon III a gouverné d'une manière personnelle et souvent incohérente; à la fin, il a lui-même réorganisé le régime représentatif, avec un rôle plus grand de la Chambre et une relative liberté de la presse : à partir de 1867 on a vu un 'Empire libéral'.

Dans les guerres de cette période, les chocs de puissances visant à l'extension territoriale dans les parties de l'Europe ont eu moins d'importance que la réalisation des nationalités, avec des conséquences notables pour l'emploi de diverses langues. Les guerres d'Italie, de 1859 à 1870 (au début France et états italiens contre l'Autriche) ont établi l'unité de l'Italie à peu de chose près dans ses limites de langue; en 1860, après plébiscite, la Savoie a été incluse dans le territoire français, ainsi que le comté de Nice. La guerre de 1870, France contre Allemagne, a abouti à la constitution de l'empire allemand (qui incluait l'Alsace et une partie de la Lorraine).

La science n'avait pas cessé de se développer depuis la fin du 18ᵉ siècle. Les applications pratiques de la physique et de la chimie se sont réalisées à partir du milieu du 19ᵉ siècle, à un rythme accéléré. Les conséquences ont été une véritable transformation du monde. Les moyens rapides de transport (chemins de fer et bateaux à vapeur), les systèmes de transmission des nouvelles et des ordres (télégraphe électrique, téléphone) ont raccourci les distances d'une manière considérable et profondément modifié le système des échanges. Au total, la production des objets et leur répartition parmi l'ensemble des populations ont augmenté énormément, et le niveau de vie général s'est élevé. Dans la langue, beaucoup de mots nouveaux sont devenus nécessaires à tout le monde.

Le fonctionnement du capitalisme a été profondément modifié à partir de cette époque, surtout par le système du crédit. L'administration des choses a été à l'image du gouvernement politique : l'ensemble du public a été admis à participer par ses souscriptions aux plus grandes affaires (et accessoirement les mots relatifs à la finance se sont vulgarisés), mais la direction et les gros bénéfices sont restés aux mains de quelques-uns.

Beaucoup de financiers et de gros industriels se contentaient de manière apparente de la puissance économique, en agissant indirectement sur les affaires publiques, d'autres étaient ouvertement hommes politiques, comme le banquier ministre Fould, le député du Creusot Schneider, chef d'industrie.

Le machinisme, l'accélération des transports, l'organisation du crédit se sont accompagnés d'une concentration de plus en plus grande des entreprises importantes. Concentration en un seul lieu pour de grosses fabriques, certaines administrations privées et certains commerces (naissance des grands magasins avec l'essor du 'Bon Marché' à Paris en 1859) ; concentration sous une même direction, malgré la dispersion de lieu, dans d'autres cas : compagnies de chemin de fer, banques à succursales, etc.

Ainsi le personnel ouvrier s'est trouvé réuni de plus en plus dans de très grandes entreprises ; il a mieux pu prendre conscience en commun de ses intérêts, et lutter pour défendre son niveau de vie et obtenir certains avantages. Il s'est créé aussi une nombreuse classe d'employés des administrations privées, mal payée dans l'ensemble, mais qui pendant longtemps ne s'est pas sentie solidaire des ouvriers manuels. Ceux-ci ont obtenu sous l'Empire, en 1865, leur première grande victoire, avec l'octroi du droit de grève.

Malgré l'oppression intellectuelle des premières années de l'Empire, le mouvement des idées a été actif dans la période 1848-1870. Des exilés, comme Victor Hugo, s'exprimaient avec liberté et même violence ; certains agissaient tout en se ralliant nominalement à l'Empire, quelquefois en concordance avec certaines des velléités démocratiques de Napoléon III, l'ancien conspirateur membre de sociétés secrètes. Des sociétés secrètes précisément, avant tout la franc-maçonnerie, assuraient des contacts entre certains éléments de la bourgeoisie plus ou moins indépendants des puissances d'argent et des gens du peuple, prolongeaient des communautés d'action nées quelquefois derrière les barricades de la seconde République.

Les propagandes communiste (*Manifeste communiste* de Marx et Engels, 1847, fondation de la première Internationale, 1864), et anarchiste (Bakounine) gagnaient des éléments ouvriers. L'esprit insurrectionnel était entretenu par l'exemple de Blanqui, l'enfermé perpétuel (en liberté de 1859 à 1861). Les travaux et publications de Proudhon continuaient (*La Capacité des Classes ouvrières*, 1863).

Il y a lieu de noter que si les ouvriers commençaient à prendre une conscience de classe, avec des organisations, le courant de réformes sociales touchait aussi certains éléments du patronat qui ne jouissaient pas en paix de leur autorité : Schneider faisait l'essai d' 'œuvres sociales' au Creusot et siégeait parmi les députés libéraux, Godin organisait en 1859, dans sa fabrique d'appareils de chauffage, un phalanstère fouriériste, Boucicaut, du 'Bon Marché', avait des idées coopératrices.

Après une loi de 1841 fixant la limite de 12 heures par jour pour le travail des enfants, les premières limitations pour les adultes ont été obtenues en 1848 (d'abord 10 heures pour Paris, 11 heures pour la province; après les journées de juin, rétrogradation à 12 heures).

La société du second Empire a montré un vigoureux brassage des différentes couches de la bourgeoisie, une décadence des compartimentages d'origine sociale et religieuse. La cour de Napoléon III, recevant divers parvenus, des littérateurs et artistes d'origines variées, était très mélangée. Des 'hommes du monde' fréquentaient les salons du 'demi-monde'. Le café-concert, écho de la poésie populaire, avait un succès général.

Cependant, les distinctions de costume subsistaient nettement. Les hommes de la bourgeoisie restaient habillés de drap noir, portant le chapeau haut de forme, et les femmes portaient les robes à crinoline. Les ouvriers ou paysans ne s'endimanchaient à la mode bourgeoise que pour les cérémonies. En général, les hommes du peuple revêtaient la blouse par-dessus les vêtements, les femmes allaient en bonnet paysan ou sans coiffure.

b) La Commune et la troisième République jusqu'a 1914. — Les désastres militaires de la première partie de la guerre de 1870 (Sedan 2 septembre) et l'invasion du territoire français avaient fait proclamer d'un mouvement unanime la déchéance du pouvoir impérial (4 septembre).

La Commune de Paris (18 mars-28 mai 1871) a été une révolte déterminée du peuple de la capitale contre la bourgeoisie incapable d'assurer la défense nationale et un premier essai de gouvernement populaire, qui n'a pas eu le temps de se développer. Non appuyée par la province, dont même les grandes villes n'ont presque pas bougé (initiative de Bakounine à Lyon), la lutte des gardes nationaux de Paris contre l'armée régulière lancée par Thiers, menée par Mac-Mahon et Galliffet avec l'approbation des vainqueurs allemands, n'a pu durer longtemps. La répression bourgeoise a été féroce et sanglante et a laissé pour de longues années le mouvement ouvrier sans organisation et sans chefs.

Dans les années qui ont suivi, la droite a dominé la politique et on a pu craindre même la victoire des royalistes ou des bonapartistes. Le gouvernement personnel de Mac-Mahon, qui avait en 1873 succédé à Thiers comme président de la République, a duré jusqu'en 1879, avec l'allure réactionnaire qui avait été ornée du nom d'Ordre moral.

Les lois constitutives de la troisième République (1875) ont établi le régime parlementaire à deux assemblées : la Chambre des Députés, élue au suffrage universel par tous les hommes à partir de 21 ans (éligibles seulement à 25 ans), excepté les soldats et les officiers; le Sénat, élu surtout par les délégués des conseils municipaux, élus eux-mêmes au suffrage universel. Les parlementaires reçoivent une indemnité pour qu'ils puissent vivre de leur besogne politique, et être choisis même parmi les citoyens pauvres.

L'organe exécutif est le ministère, responsable devant le Parlement et qui, en pratique, a été presque toujours composé uniquement de membres du Parlement. D'autre part, tous les fonctionnaires sont nommés par le gouvernement et non élus.

Le fonctionnement régulier du régime parlementaire et l'importance de plus en plus grande de l'opinion publique (avec la liberté de la presse et la liberté de réunion) ont eu des conséquences dont il faut tenir compte dans l'histoire de la langue, à cause des groupements de classe ou de milieux, de l'éloquence électorale, de la presse.

Il s'est constitué de grands partis politiques qui ont employé les comités électoraux, les grands groupements d'adhérents, les journaux à grand tirage; ces derniers ont profité successivement de nombreux progrès techniques : fabrication du papier à pâte de bois, composition à la linotype, tirage à la rotative.

La droite a groupé les monarchistes, les conservateurs déterminés de la bourgeoisie, et s'est préoccupée de tenir en mains, avec l'aide du clergé, les milieux ruraux en particulier (avec des distributions gratuites de journaux).

A partir de 1880 environ, la gauche, renforcée par le retour après amnistie des communards qui avaient été condamnés à la déportation, s'est organisée d'abord dans un grand parti radical, qui demandait des réformes sociales profondes, surtout une fiscalité basée sur l'impôt sur le revenu et était résolument anticlérical. Il groupait beaucoup d'éléments humbles des villes et aussi des campagnes, en partie des membres de la franc-maçonnerie. Un parti socialiste, de recrutement ouvrier avec des éléments intellectuels, s'est constitué en 1893; plus tard il y en a eu plusieurs, avec des différences de doctrine et de tactique et divers chefs, dont les principaux ont été Jules Guesde et Jean Jaurès, jusqu'à la réunion en Parti socialiste unifié en 1905. Il est né une presse ouvrière indépendante.

Lorsque des crises ont éclaté, agitant l'opinion en dehors du jeu électoral, il s'est constitué des ligues à recrutement étendu s'appuyant, elles aussi, sur des journaux. Ainsi, au moment du boulangisme, avec l'amorce du coup d'état du général Boulanger, qui avait su gagner une popularité (1887-1889) et surtout dans la période de l'affaire Dreyfus (1894-1898), de si grande importance dans l'histoire de la troisième République : un officier juif, le capitaine Dreyfus, avait été injustement condamné pour trahison à la suite de machinations de milieux réactionnaires; ceux-ci ont essayé par tous les moyens de s'opposer à la révision du procès, à laquelle se sont intéressés peu à peu tous les éléments de gauche et finalement les milieux socialistes; les remous de cette affaire ont amené une partie des intellectuels bourgeois à se délier des puissances d'argent et à venir s'allier à la classe ouvrière.

En dehors du fonctionnement propre du régime parlementaire, d'une part le grand capitalisme a continué son organisation, d'autre part, la classe ouvrière a commencé la sienne, et on est arrivé à la confrontation de deux idéologies et de deux forces.

Derrière la vaine apparence de la libre concurrence et de la dispersion des capitaux, la puissance de la grande finance et de la grande industrie conjuguées n'a cessé de s'accroître par la concentration et la liaison (grandes entreprises, trusts). En général, les hommes en petit nombre qui commandaient les rouages principaux se montraient peu, et le public ne connaissait guère les noms de ses véritables maîtres. Peu d'entre eux entraient au Parlement; ils préféraient en général faire élire leurs mandataires en finançant les campagnes électorales. Ils agissaient sur l'opinion par la presse qu'ils payaient.

La classe ouvrière, dont la force de travail est indispensable au fonctionnement de l'ensemble social, s'est défendue par son nombre, par son organisation et son instruction croissantes, et elle a arraché par son action certains avantages. Une loi de 1884 a autorisé la constitution des syndicats ouvriers par profession; les syndicats se sont groupés d'abord par localité dans les Bourses du travail; en 1895 s'est créée la Confédération générale du travail (C.G.T.), réunissant les unions locales de syndicats et les fédérations d'industrie; dès le début, grande organisation populaire plutôt antiparlementaire (influence des idées de Proudhon et de certaines doctrines anarchistes), démocratie complète où les femmes sont représentées comme les hommes; direction par des chefs élus, présentant le type intellectuel nouveau du militant ouvrier. Les salaires ont été peu à peu augmentés dans une certaine mesure, surtout pour les ouvriers spécialisés à forte instruction professionnelle, permettant l'acquisition de divers objets réservés autrefois en fait à la classe bourgeoise et l'achat régulier des journaux. La journée de travail a été peu à peu limitée par la loi à une durée de moins en moins longue, surtout pour les femmes et les enfants (toutefois la loi de 1893 maintenait la journée légale de douze heures pour les hommes adultes). Les assurances contre les accidents du travail, les retraites pour certaines professions étaient organisées. Toutes les réformes et organisations ont indirectement favorisé la diffusion des imprimés.

Sous le régime républicain, dans l'époque des nationalités, l'armée a été organisée sur le principe de la nation armée. Tout le monde soldat, mais toutes les armes à la caserne. Plus de garde nationale, peu de militaires de métier en dehors des officiers d'active, de moins en moins d'exemptions et de faveurs pour les fils de la bourgeoisie. Régime de 1872 : cinq ans, six mois pour les bons numéros, un an pour les jeunes gens riches versant une certaine somme, pas de service pour les membres de l'enseignement et du clergé. Régime de 1889 : trois ans pour tout le monde, sauf pour les jeunes gens pourvus d'un diplôme, qui ne faisaient qu'un an. Régime de 1905 : deux ans (portés à trois en 1913), pour tous. Le service militaire obligatoire a été l'instrument d'un grand brassage de la population : paysans enlevés à leur région, transportés à une ville plus ou moins éloignée; hommes des villes mélangés à ceux des campagnes; jeunes gens de classes différentes mêlés à la chambrée : les jeunes bourgeois ont eu obligatoirement une camaraderie avec des fils du peuple; même mis plus ou moins à part dans les pelotons de formation des officiers de réserve, ils y ont retrouvé les instituteurs de recrutement populaire.

Le régime capitaliste à grande industrie n'a pas besoin seulement de matières premières variées, mais aussi de débouchés pour les objets, de régions de circulation privilégiée pour les produits et la monnaie : d'où, en même temps que les grandes rivalités commer-ciales de l'impérialisme économique, la course des grands pays européens à l'occupation des zones sans industrie et sans arme-ment modernes : pays peu peuplés, habités par des populations clairsemées et sans organisation politique, états faibles ou affaiblis en dehors de l'Europe; de 1878 à 1911, pour sa part, la France a incorporé à son 'Empire' la Tunisie, le Maroc, l'ensemble de l'Afrique occidentale et équatoriale françaises, Madagascar, l'Indo-chine. Le nombre des sujets français a été porté à cent millions environ; un peuplement européen d'origines variées s'est réalisé dans la région côtière de l'Afrique du Nord, une politique d'assimi-lation des indigènes a été amorcée.

La société de la troisième République a été encore moins divisée en castes étanches que celle du second Empire. Plus de cour d'un souverain, peu d'influence de salons distingués. Sans doute la nou-velle 'féodalité' financière et industrielle a été composée surtout d'héritiers d'anciennes fortunes; mais des parvenus en font partie. Sans doute les fils des bourgeois ont continué à se livrer aux pro-fessions libérales et ils composent une grande partie du Parlement (où les avocats ont été une majorité); mais des boursiers nom-breux, souvent fils d'instituteurs ou autres petits fonctionnaires, sont devenus professeurs, ingénieurs, avocats, officiers, consuls.

La loi de 1884 qui a autorisé le divorce a marqué une étape im-portante; elle a révélé une diminution notable de l'influence du clergé sur la vie de la famille bourgeoise. Celle-ci est devenue peu à peu moins guindée; les enfants ont été moins soumis au chef de famille. La jeune fille de bonne famille des années quatre-vingt n'était pas autorisée à circuler dans la rue sans sa mère ou quelque autre chaperon (souvent une femme de chambre) et ne pouvait lire, en dehors de classiques triés, que des 'romans pour la jeunesse'; mais en 1910 on commençait à voir des bachelières, des étudiantes en Sorbonne, et les premières avocates.

Des inventions techniques dans les transports ont modifié les conditions de vie et même les mœurs. La bicyclette à transmission par chaîne, roulement à billes et pneumatiques, a triplé la vitesse de déplacement de l'homme, usant de ses propres muscles sans animal ni moteur auxiliaire; grâce à elle beaucoup de travailleurs ont pu habiter assez loin de leur lieu de travail; les femmes de la campagne ont fréquenté plus facilement les marchés des bourgs et

des villes; l'excursion des jours de repos, quelquefois des voyages
assez longs, ont été rendus possibles; le cyclisme est le principal
des sports qui se sont multipliés au début du 20° siècle.

L'automobile à moteur à essence, mise au point vers 1894, n'a
pas fourni seulement un instrument de luxe et de tourisme aux
riches; à Paris les autobus et les taxis ont accéléré le mouvement
de circulation, conjointement avec le métropolitain et les tramways électriques. Ces derniers ont aussi raccourci les distances
dans toutes les grandes villes.

Le costume, comme toujours, a été un signe extérieur de l'évolution des mœurs. Les différences de classe s'y sont atténuées. De la
redingote bourgeoise, on a passé lentement au veston, du drap noir
aux étoffes de différentes teintes, souvent mélangées. Le chapeau
haut de forme a cédé plus ou moins au chapeau melon et même au
feutre mou. De leur côté, les ouvriers ont revêtu plus souvent, en
dehors du travail, la tenue bourgeoise désormais plus simple; les
femmes du peuple ont eu plus souvent des chapeaux. Les costumes
de sport ont été communs à toutes les catégories sociales, notamment la casquette cycliste et, avant la construction de bicyclettes
spéciales pour femmes et ecclésiastiques, on s'est habitué à voir des
femmes en culotte bouffante.

c) La guerre de 1914-1918 et l'entre-deux guerres. — La
longue guerre mondiale qui a entrechoqué les impérialismes rivaux
d'Europe et finalement attiré une armée des Etats-Unis d'Amérique,
a jeté presque tous les hommes jeunes de France pêle-mêle au front.
Jamais on n'avait vu un tel mélange des ruraux et des citadins, des
riches et des pauvres (malgré une certaine discrimination préservée
par le recrutement des officiers). Tout le monde voyageait en
France dans tous les sens, soldats et aussi réfugiés; certains sont
allés sur les fronts d'Orient et d'Italie; d'autre part, les indigènes
des colonies ont été amenés en France.

Le traité de paix a été rédigé en anglais et en français (cessation
du privilège du français comme 'langue diplomatique'). Il a consacré un nouveau découpage territorial de l'Europe : retour de
l'Alsace-Lorraine à la France; constitution de nouveaux états libres
ou reconstitution d'anciens états : dans l'ensemble ce sont les langues qui ont servi de critérium pour la reconnaissance des nationalités.

L'après-guerre a montré de profonds changements sociaux. La
haute bourgeoisie financière et industrielle, en possession des moyens

de production, a augmenté sa fortune pendant la guerre, faisant les prix à son profit. Elle a perfectionné sa concentration, à la faveur même de la crise qui a suivi une période de grande surproduction. Elle a entendu de plus en plus gouverner l'état, refusant de contribuer de sa poche à réparer les grandes destructions des richesses pendant la guerre, un de ses moyens d'action étant l'évacuation de ses capitaux à l'étranger. Elle a dû jeter du lest en accordant à la classe ouvrière dont elle a justement peur, quelques avantages nouveaux. Mais cherchant à reprendre ces avantages et renonçant à fonder en droit ses appétits, elle a tendu à rompre la légalité républicaine. Le 'mur d'argent' des 'deux cents familles' se met en travers du progrès.

Les bourgeois moyens, les petits bourgeois, en tant qu'ils ne participent pas à la grande production ou aux échanges, ont été ruinés. Les rentes (emprunts d'état ou obligations) qui faisaient leur aisance ont été diminuées dans une proportion considérable par l'avilissement du franc. L'état, obligé de chercher des ressources par les contributions des petites bourses, accable d'impôts les petits commerçants et les fonctionnaires. Des éléments de cette classe, certains, surtout des intellectuels, s'allient à la classe ouvrière; d'autres, en désarroi, manifestent un mécontentement désordonné et fournissent souvent des troupes à la politique de force de la bourgeoisie dirigeante (mouvement fasciste).

Les paysans ont vendu cher les produits de la terre pendant la guerre et pendant la période de prospérité d'après-guerre; ils ont dû d'autre part améliorer les rémunérations et les conditions de vie de leurs salariés. Beaucoup, placés encore dans de mauvaises conditions techniques pour faire valoir leurs pefites exploitations, quittent le travail agricole pour le travail industriel et de petits emplois et, d'autre part, les doctrines socialistes pénètrent dans les campagnes; malgré l'attitude réactionnaire persistante de certaines régions, la masse paysanne est de moins en moins dans la main des gros propriétaires.

L'ensemble des salariés, et surtout les ouvriers manuels, a encore une situation très restreinte au point de vue pécuniaire et sa puissance grandissante se heurte à la résistance déterminée des possédants. Mais sa situation s'est améliorée à beaucoup d'égards, et le niveau de vie général a continué à s'élever, tant à la ville que chez les paysans.

Lors de la grande peur de 1918, dans la crainte d'une révolution en France après la révolution russe, la bourgeoisie a établi elle-même la journée de huit heures, dont la revendication paraissait utopique avant 1914, puis a organisé les assurances sociales.

En 1914, à la mobilisation, on avait vu l'assassinat de Jaurès, le désarroi du Parti socialiste unifié adhérent à la Deuxième Internationale, l'impuissance de la Confédération générale du travail. Après 1921, une scission a divisé le parti politique en deux portions : un Parti communiste, rattaché à la Troisième Internationale (dont l'élément le plus important était le Parti communiste de l'Union des Républiques socialistes soviétiques construisant la société socialiste sur un sixième du globe) et un Parti socialiste demeurant dans la Deuxième Internationale; au total, avec des fluctuations, l'effectif de l'ensemble des deux partis s'est accru, la doctrine du socialisme scientifique s'est de plus en plus répandue, à la ville et à la campagne. Une scission s'est aussi produite dans la C.G.T., une partie inclinant vers les idées du Parti communiste, une autre vers celles du Parti socialiste, tandis qu'il se formait un nouveau groupement, la C.F.T.C. (Confédération française des travailleurs chrétiens) fondée en 1920.

L'unité cégétiste s'est refaite devant le péril fasciste manifesté par l'émeute du 6 février 1934, à laquelle ont riposté immédiatement la manifestation ouvrière du 9 février, et la grève générale du 12 février.

La C.G.T. réunifiée devait augmenter ses effectifs jusqu'à cinq millions de membres, dans l'ensemble du salariat, joignant les ouvriers manuels, les cheminots, les employés de magasin (le prolétariat en faux col), les fonctionnaires des postes et télégraphes, de l'enseignement, etc. Les élections législatives de mai 1936 ont donné la victoire aux gauches alliées dans le Front populaire. Tout de suite après, les grèves avec occupations d'usines, de juin 1936, ont arraché au patronat la semaine de quarante heures, les congés payés, les contrats collectifs inscrits dans les 'accords Matignon', premier traité général entre les classes sociales adverses. Dès lors, quelles que puissent être certaines vicissitudes des luttes futures, les travailleurs avaient montré leur puissance et leur force d'organisation.

Il faut noter en passant l'installation en France de nombreux travailleurs étrangers et coloniaux, nouveaux éléments qui acquièrent, plus ou moins parfaitement, l'usage du français.

Les rapports sociaux et les mœurs ont accéléré leur évolution, dans le sens de l'interpénétration des milieux et de l'égalité des sexes.

Les bourgeois au niveau de vie diminué (même souvent les officiers) et les travailleurs manuels accédant à un peu plus d'aisance se coudoient dans les classes inférieures des moyens de transport multipliés. Ils ont commencé à se rencontrer aussi dans les lieux de villégiature. La morgue bourgeoise et la bonhomie dédaigneuse ont dû capituler, tandis que, de leur côté les classes populaires plus libres s'habituaient à certains raffinements. A la campagne même, les rapports de 'Père un tel' à 'Not' maître' ont cédé généralement aux rapports de 'Monsieur' à 'Monsieur'.

La restriction des capitaux de la moyenne bourgeoisie, le sentiment que la sécurité de la classe possédante a fait son temps, le désir d'indépendance des jeunes, ont convergé pour une transformation capitale du rôle de la femme. Les jeunes filles de la bourgeoisie ne comptent plus sur leur dot pour vivre oisives au foyer d'un mari de leur classe, ni les jeunes gens sur la leur comme appoint au gain de leur profession. Les jeunes filles apprennent un métier, exercent toutes sortes de professions qu'elles conservent souvent lors du mariage; les femmes mariées qui n'ont pas de métier se passent souvent de domesticité ou ne payent que des aides restreintes; on ne voit presque plus les enfants élevés par des mercenaires.

On a vu dans toutes les classes, à la campagne comme à la ville, des quantités de jeunes gens se mariant très jeunes. Par contrecoup, les jeunes filles du peuple ont été moins exposées à la séduction par le patron ou par le jeune homme riche, à l'avortement, à la prostitution.

Le costume, visant plus la commodité et moins l'apparat, s'est unifié de plus en plus.

Pour les hommes, le veston est devenu presque général, quoique la plupart des ouvriers conservent l'habitude de porter en semaine toute la journée les habits de travail. Il y a eu à noter chez les jeunes gens l'apparition du blouson.

Si on fait encore une différence entre le chapeau bourgeois et la casquette prolétarienne, le béret léger et surtout l'habitude hygiénique d'aller nu-tête ont amené de plus en plus une communauté d'allure.

La tenue féminine a été transformée dès la période 1914-1918. Le fait essentiel a été la disparition en lingerie du pantalon fendu. Il a été permis de voir les jambes, jusqu'aux cuisses quelquefois, sans crainte d'exhibition sexuelle. Ainsi on a connu les jupes courtes dégageant les mouvements. En même temps les cheveux courts ont aboli les longues séances de démêlage.

A la campagne, les costumes locaux disparaissent ou se mélangent plus ou moins d'éléments citadins; les femmes jeunes suivent à peu de mois près la mode de Paris.

Le sport sous toutes ses formes, même lorsqu'il ne comporte pas une tenue uniforme comme dans les organisations du type scout, unifie les costumes et les allures à la fois des sexes et des éléments d'origine sociale différente : citons en particulier les excursions avec camping, ou avec coucher dans les auberges de la jeunesse et le tandem de ménage, mode sportive familiale.

En même temps il est notable que l'habitude d'une demi-nudité ou quasi-nudité en beaucoup de circonstances a aboli les attitudes de la pudeur conventionnelle de la période précédente.

La machine est de plus en plus au service de tous les hommes : pour le travail, les communications, l'instruction, les distractions.

Si l'avion, devenant moyen de transport, est encore réservé aux portefeuilles bien garnis, l'automobile et la motocyclette, dans l'âge du pétrole qui a succédé à celui du charbon, se sont démocratisées et multipliées.

Les lignes de distribution d'électricité, dont les hauts pylônes sont un nouvel élément dans le paysage, amènent l'électricité pour l'éclairage et pour la menue industrie artisane jusque dans les petits villages; elle favorise la lecture à la veillée.

La photographie, née au 19ᵉ siècle, s'est de plus en plus répandue d'abord comme un élément nouveau dans la vie des familles, puis comme une partie intégrante de beaucoup de livres et de journaux; la photographie mouvante du cinéma a pris un rôle considérable. Retentissements divers sur l'instruction par conséquent sur l'usage de la langue.

Ce qui intéresse particulièrement le langage, c'est que les dernières grandes applications pratiques de la science, le cinéma parlant, la radio, amènent à portée de tous les informations, les manifestations d'art, un complément d'instruction. Révolution encore incalculable dans ses conséquences. L'imprimerie avait donné une sorte de primauté à l'œil; le cinéma parlant, le phonographe et la radio rendent un rôle énorme à l'audition sans effort et sans apprentissage.

Concluons pour la période se terminant en 1939. Le régime de la vie sociale s'est profondément modifié, dans les habitudes comme dans les techniques. Si la direction de l'ensemble est restée aux mains des mêmes personnes, on a l'impression, comme les historiens le notent pour la fin du 18° siècle, que les mœurs aussi bien que les caractères matériels de la vie sont en avance sur les institutions légales.

De plus en plus, les conditions sont données pour qu'une règle correspondant à la volonté de la communauté remplace la règle faite pour le petit nombre et que les divisions de classes entretenues par les modes actuels d'appropriation des moyens de production et d'échange soient abolies.

C'est le gouvernement du peuple qui, succédant à celui de la bourgeoisie dans l'administration des choses et l'organisation des rapports entre les hommes aura à conserver et multiplier les ressources et les beautés héritées du passé, celles de la langue comme les autres.

2. L'enseignement

L'histoire de l'enseignement suit de près celle des autres institutions. La période qui nous occupe est importante surtout pour l'organisation de l'enseignement populaire. Mais celle de l'enseignement secondaire et de l'enseignement supérieur sont aussi d'un grand intérêt.

En 1850, la loi Falloux (qui n'a pas été abrogée depuis) : l'état maintenait son enseignement insuffisamment doté, mais il renonçait au monopole; le clergé et le parti catholique étaient mécontents des instituteurs, républicains d'esprit, et ne se satisfaisaient pas avec l'obligation maintenue d'enseigner le catéchisme à l'école publique : ils voulaient avoir leurs écoles; la loi autorisant tout citoyen à ouvrir une école primaire et tout bachelier à diriger un établissement secondaire leur donnait satisfaction. Les écoles cléricales ont foisonné alors; elles donnaient un enseignement rudimentaire avec des maîtres mal formés (on a beaucoup parlé des 'frères ignorantins'); mais leur multiplication même et le fait que l'enseignement était donné en français et non en patois ont contribué au mouvement d'extension du français en France.

De 1881 à 1886 plusieurs lois ont organisé l'enseignement gratuit, obligatoire, neutre et laïque : ces deux derniers points voulaient dire que l'état se désintéressait désormais de la religion, que le catéchisme ne serait plus enseigné à l'école publique, et que, pour assurer la neutralité, l'enseignement serait donné par des instituteurs et institutrices laïques, formés dans des écoles normales départementales. En même temps, la loi établissait le contrôle du niveau des écoles privées en exigeant que les maîtres aient passé un examen. La loi n'a pu être appliquée que peu à peu, faute de maîtres déjà formés, surtout pour l'enseignement féminin; l'obligation n'a jamais été complètement imposée à des parents pauvres qui utilisent des enfants pour le gardiennage des bêtes ou d'enfants plus jeunes, et elle n'allait jusqu'à une époque toute récente que jusqu'à onze ou douze ans, âge du certificat d'études primaires, d'ailleurs non obligatoire lui-même. La guerre de 1914-1918 a fait apparaître une recrudescence d'un analphabétisme qui n'avait jamais été complètement éteint.

Les conséquences de la généralisation d'une bonne instruction élémentaire ont été considérables déjà; mais il ne faut pas oublier, lorsqu'on en parle, qu'en 1938 la généralisation de l'enseignement n'avait guère qu'un demi-siècle derrière elle.

Le corps des instituteurs et institutrices (environ 130.000 en 1938) formés presque en totalité dans les écoles normales primaires sans latin a acquis une très grande importance dans la France moderne. D'abord très mal payés et logés, ils ont obtenu une situation convenable, encore que toujours modeste; la coutume très répandue du mariage entre instituteurs et institutrices a élargi leur situation, d'une manière qui leur est propre, le ménage pouvant veiller aux enfants sur le lieu même de son travail. Le secrétariat de mairie généralement dévolu à un instituteur dans les petites communes lui donne un rôle important de conseiller et d'aide. Comme le petit clergé, les instituteurs représentent un élément intellectuel recruté dans le peuple, et surtout dans la classe paysanne modeste; mais, dès le début, ils se sont trouvés opposés aux curés de village et au clergé enseignant qui dépendent des anciens et nouveaux riches, du château. Les instituteurs, enfants de la troisième république, en ont été le plus ferme soutien dans ses tendances démocratiques, et se sont toujours rangés à gauche sinon à l'extrême-gauche.

Sans doute peut-on regretter qu'ils se soient un peu détachés des milieux ruraux, négligeant l'étude méthodique des patois, des coutumes et traditions locales; que dans les villes leur recrutement soit plutôt de toute petite bourgeoisie que de milieux ouvriers; que la franc-maçonnerie, instrument de contacts personnels avec les éléments bourgeois, ait eu plus d'influence sur beaucoup d'entre eux que les doctrines propres de la classe travailleuse. Au total ils sont restés près de leurs origines populaires et puisque la caste intellectuelle est toujours alliée à la classe dominante, la liaison des instituteurs avec la classe ouvrière organisée (la plupart des instituteurs faisant partie de syndicats membres de la C.G.T. jusqu'à 1948, *voir* p. 335) est une remarque par elle-même de la direcion que prennent les rapports de force entre les classes; la haute bourgeoisie militante a si bien senti le danger qui la menace de ce côté qu'elle n'a cessé avec le clergé, d'attaquer les instituteurs et qu'elle a lutté par toutes sortes de moyens contre l'école publique.

Si les patrons ont besoin, dans la complication de la vie moderne, d'ouvriers qui sachent lire et d'employés capables de mettre l'orthographe, ils voudraient bien que l'instruction élémentaire ne s'accompagne pas d'émancipation intellectuelle.

Il ne faut pas oublier que l'enseignement libre est resté **vivant** et important en France, non pas seulement par les écoles cléricales entretenues surtout à la campagne en beaucoup de départements et quelquefois augmentant en nombre dans des périodes de recrudescence de l'activité réactionnaire, mais aussi par la création, trop peu connue du public, des écoles d'usines et de mines, payées et contrôlées par le patronat dans les grands fiefs industriels (Nord, Est, Centre). En 1937-38, il y avait environ 930.000 enfants (dont 670.000 filles) dans les écoles privées contre environ 4.400.000 dans les écoles publiques (avec sensible égalité des filles et des garçons). En dernier lieu, l'influence cléricale s'est fait sentir dans l'école officielle elle-même, par le maintien de l'enseignement confessionnel dans les départements recouvrés après la guerre de 1914-1918, et par l'introduction d'une propagande religieuse systématique dans les écoles normales; la neutralité religieuse établie par les lois de 1881-1886 doit donc être défendue contre des menaces de régression.

Les intellectuels instituteurs, milieu nouveau, ignorent le latin (contrairement au clergé catholique); ils n'ont pas non plus les traditions de la culture bourgeoise; les 'classiques' pour eux sont souvent la majorité des auteurs du 19° siècle, ils ne dépendent que très peu du milieu parisien et des grandes villes. On ne le sent pas seulement à leur enseignement, mais à leurs œuvres : car si leur éducation artistique (arts plastiques et musique), officielle ou spontanée, est trop négligée dans l'ensemble, ils ont fait brillamment leur entrée dans la littérature : divers bons romans ont été écrits par des instituteurs : ils ont généralement un caractère régional.

Une chose importante est la révolution interne de l'enseignement à laquelle s'attache le nom de pédagogues novateurs de divers pays qui ont tenté de sortir des routines traditionnelles par de nouvelles méthodes d'enseignement, par une organisation différente de la classe, l'intégration des éléments artistiques. Il convient de citer le Groupe français d'Education nouvelle, fondé en 1921. Une place particulière doit être donnée à l'activité de Célestin Freinet, qui a imaginé et mis en œuvre (avec l'adhésion de milliers d'instituteurs) la méthode de l'imprimerie à l'école, des groupes d'élèves composant avec un petit matériel typographique des 'textes libres' composés par les écoliers, choisis et révisés collectivement.

L'enseignement du second degré est donné aux enfants qui ont reçu l'enseignement élémentaire et reçoivent un enseignement complémentaire, soit pour l'ornement de l'esprit (cas rare), soit comme préparation aux carrières dont l'apprentissage comporte l'acquisition d'une instruction plus ou moins étendue. Il a compris deux organisations : le vieil enseignement des lycées et collèges et le jeune enseignement primaire supérieur.

En 1938-1939, il y a eu près de 300.000 jeunes gens dans les lycées et collèges de l'état (dont environ un tiers de filles), et environ 110.000 dans les écoles primaires supérieures (à égalité des sexes). Les bourgeois riches préfèrent très souvent les établissements privés, en général coûteux, la plupart à direction cléricale (environ 225.000 jeunes gens en 1938-1939).

Avec les nouvelles conditions de vie l'enseignement 'secondaire' s'est profondément modifié, en s'éloignant de plus en plus de l'humanisme classique. D'abord les dirigeants bourgeois, de moins en moins propriétaires fonciers, de plus en plus industriels, grands commerçants et financiers, en contact avec les techniques basées sur la science et en relations obligatoires avec des pays étrangers, bien déterminés à faire de leurs fils des dirigeants de la société, ont senti que la seule étude des langues classiques et des mathématiques ne suffisait plus.

Le sort de l'étude du latin et du grec est un thermomètre à consulter. Dès 1865 l'historien Victor Duruy, ministre de l'Instruction publique à vues larges, a créé un enseignement secondaire 'spécial' où ne figuraient ni le grec ni le latin, et les premiers cours officiels pour les jeunes filles.

En 1881 a été organisé un enseignement d'état complet pour les jeunes filles, également sans langues anciennes.

En 1902, l'enseignement moderne a été introduit dans tous les lycées et collèges, divisés en sections : les unes avec grec et latin ou latin seul, et une langue vivante; les autres sans langues anciennes, avec deux langues vivantes; l'organisation était la même pour les établissements féminins que pour les masculins, avec les organisations correspondantes des concours d'agrégation.

Dans l'enseignement 'classique', l'exercice de composition de vers latins a disparu vers 1880; la composition de dissertation latine en prose a été à partir de ce moment de moins en moins pratiquée, et a fini par disparaître même de la formation des professeurs d'enseignement supérieur : suppression de l'obligation d'écrire en latin la thèse secondaire de doctorat ès lettres (1905).

D'autre part, les programmes ont été de plus en plus communs pour les femmes et les hommes, pour aboutir à la suppression de la plupart des examens spéciaux aux femmes. Par un retournement de la situation ancienne, on a vu un nombre croissant de jeunes filles riches ou boursières se préparant à des situations de professeurs, bibliothécaires, médecins, juristes, se livrer à l'étude du latin et même du grec.

La place laissée libre par la restriction de l'enseignement des langues mortes a été occupée par le français (auquel on joint dans les sections 'modernes' l'étude en traduction de littératures anciennes et étrangères) par les langues étrangères vivantes, par la physique, la chimie et l'histoire naturelle. Toutefois les professeurs de 'lettres' conservent en majorité l'esprit classique et beaucoup d'entre eux suivent de trop loin et la littérature moderne et le développement des études linguistiques.

Dans la dernière période, une série de mesures ont été prises, et de projets ont été faits, reflétant les tendances sociales les plus récentes. On a envisagé l'organisation d'un enseignement unique où se fondraient les différentes variétés d'établissements publics. Les classes élémentaires des lycées et collèges qui mettaient les enfants des bourgeois à part dès les premières années doivent disparaître; les frais d'études ont cessé d'être payés pour les classes secondaires; les examens de passage d'une classe à une autre y ont été renforcés, forçant certains élèves à un travail plus sérieux, ou à la migration dans les établissements privés payants, ou au transfert dans l'enseignement technique. Mais la jonction entre secondaire et primaire supérieur n'a pas été réalisée à ce moment.

L'enseignement technique, joignant une prolongation de l'enseignement général à l'apprentissage des métiers, est apparu dès la fin du 19e siècle. Il a été organisé en 1919-1920, avec des lycées et des collèges (scolarité de 14 à 17 ans), et avec une école normale supérieure pour la formation des maîtres ne venant pas d'une université (créée dès 1912).

Les maîtres du primaire supérieur ont été formés, avec les maîtres des écoles normales primaires, dans des écoles spéciales. Les maîtres des lycées et collèges sont formés dans l'enseignement supérieur, dans les facultés des lettres et des sciences. Une partie ont été élèves de l'Ecole normale supérieure, rue d'Ulm, créée en 1794, qui a eu pendant la plus grande partie du 19ᵉ siècle le monopole de la formation des professeurs de lycée agrégés, mais a été rattachée en 1903 à l'université de Paris qui s'était développée, depuis l'établissement du régime républicain. L'Ecole normale supérieure des filles a été instituée en 1881, à Sèvres.

L'enseignement supérieur français a commencé à se réorganiser à partir de l'époque de l'empire libéral.

En 1868, Victor Duruy, conseillé par une intellectuelle, madame Cornu (Hortense Lacroix), qui connaissait bien le fonctionnement des universités allemandes, a fondé l'Ecole pratique des hautes études, ensemble de laboratoires de toutes les sciences et, en particulier des sciences humaines, afin de suppléer pour beaucoup de matières au verbalisme de la Sorbonne et de donner l'exemple des recherches méthodiques.

Les universités modernes ont été organisées de 1885 à 1898, la recherche y a été remise en honneur dans toutes les branches. L'archéologie, la philologie, la linguistique, la géographie, etc., se sont développées dans les facutés des lettres. L'université de Paris est redevenue ce qu'elle avait été à la fin du temps féodal, un très grand centre universel de culture, attirant beaucoup d'étudiants étrangers; des universités de province jouent en plus petit un rôle analogue. Les facultés libres, catholiques et protestantes, participent aussi au haut enseignement.

Ce tableau sommaire des hauts enseignements serait incomplet si on ne mentionnait pas les grandes écoles dont le recrutement est généralement assuré par un concours laborieusement préparé dans les classes supérieures des lycées : Ecole polytechnique pour officiers et ingénieurs, Ecole centrale pour ingénieurs, Ecole de Saint-Cyr pour officiers, et d'autres du côté dit scientifique; d'autre part l'Ecole des chartes qui donne le diplôme d'archiviste paléographe et l'Ecole nationale des langues orientales.

Un autre aspect de la diffusion de l'enseignement doit être évoqué. Depuis longtemps des cours du soir généralement donnés dans des locaux municipaux, ont été organisés par des sociétés particulières (Association philotechnique, 1848, Association polytechnique, 1830). Au moment où une partie des intellectuels de la bourgeoisie sont allés au socialisme, dans les remous de l'Affaire Dreyfus, il a été fait d'assez nombreux essais d'universités populaires; sans organisation suffisante elles n'ont guère persisté. En 1933, sous le signe de la doctrine socialiste scientifique, avec des dirigeants communistes et l'appui de la C.G.T. s'est ouverte l'Université ouvrière qui a groupé un public assidu de petits employés, d'ouvriers manuels, d'étudiants, jusqu'au moment où a éclaté la guerre de 1939. L'enseignement a été donné généralement par des universitaires.

On ne peut pas quitter ce développement sur l'instruction sans mentionner la croissance constante des bibliothèques d'une part, des musées de l'autre. Une histoire plus complète du français devrait examiner ce qui dans les progrès de ces établissements concerne plus spécialement l'histoire de la langue.

Autre chapitre : la recherche et l'enseignement. Pendant longtemps, en matière de langue, les linguistes ont dû se livrer à des recherches en marge de leur enseignement, spécialement pendant des vacances : les thèses de doctorat se mûrissent longuement et péniblement sur la table de professeurs de lycée; les professeurs de faculté ne pouvaient guère approfondir que les matières qui leur servaient de sujets de cours publics (en dehors des heures d'enseignement pour la préparation des examens).

A partir de 1915 certains crédits ont été affectés à la recherche, et des organismes ont été créés; une fusion entre certains d'entre eux a permis de réaliser en 1935 la création d'une *caisse nationale de la recherche scientifique*. L'impulsion avait été donnée surtout par le chimiste Jean Perrin qui devait devenir sous-secrétaire à la recherche dans le ministère de front populaire.

Depuis, le rôle de la *caisse*, transformée en 1938 en *Centre national de la recherche scientifique* n'a pas cessé de grandir. D'une part des jeunes ayant une vocation de chercheur et l'ayant fait constater par des maîtres autorisés ont pu se préparer à la recherche et commencer à s'y livrer sans rechercher l'agrégation, d'autre part des agrégés ont pu être détachés du service dans le secondaire pour préparer une thèse. Enfin une équivalence établie entre les échelons de la recherche (de stagiaire à directeur de recherches) a permis à des savants de faire une carrière sans rechercher, pourvus ou non du doctorat, un poste de faculté. Il y a donc eu désormais des enseignants-chercheurs et des chercheurs qui n'ont pas d'obligations autres que là production scientifique.

3. Travaux sur la langue

Pendant le second empire, l'université ne s'est pas montrée capable de grands travaux utiles sur la langue.

C'est en dehors d'elle que se sont faits de grands dictionnaires soit d'inventaire, soit d'histoire de la langue qui ont eu une grande importance par la suite.

Dictionnaire 'national' encyclopédique du bibliothécaire Louis Bescherelle (1845-1846).

Dictionnaire d'Emile Littré (médecin, philosophe, homme politique), paru de 1859 à 1872 (supplément en 1878). Le gros de chaque article (en dehors des mots scientifiques du 19° siècle, assez abondants) est composé d'exemples tirés des auteurs du 17° siècle, aussi du 18° et très peu du début du 19°, tirés en partie des dépouillements de Pougens (voir p. 223) et Littré, *Dictionnaire*, préface p. XXXIX, déposés à l'Institut de France. Pour chaque mot il y a une étymologie et autant que possible un historique avec un exemple de chaque siècle depuis les débuts du français.

Dictionnaire universel de Pierre Larousse (professeur d'école primaire supérieure, puis éditeur), paru de 1866 à 1876.

Dictionnaire de l'ancien français du 9° au 15° siècle, par l'érudit Godefroy (1881 et années suivantes).

Lorsque l'enseignement supérieur a été réorganisé, dans la période républicaine, une brillante école philologique et linguistique s'y est formée.

Il est juste de citer deux maîtres dont l'influence s'est exercée à l'Ecole normale supérieure, Ch. Thurot, historien de la prononciation française, et Michel Bréal (ensuite professeur au Collège de France), dont les cours ont introduit en France la méthode de la grammaire comparée, avant et après 1870, et dont l'*Essai de sémantique* est de 1897.

Gaston Paris (1839-1903) a été le premier grand romaniste français; c'est sous son influence, et par ses livres scolaires, que l'étude de l'ancien français et par là l'étude de l'histoire du français a été introduite dans l'enseignement secondaire.

Le *Dictionnaire général de la langue française du commencement du 17° siècle jusqu'à nos jours*, avec un *Traité de la formation de la langue*, des professeurs Adolphe Hatzfeld, Arsène Darmesteter et Antoine Thomas, commencé en 1871, a paru dans les années 1890-1895.

Ferdinand Brunot, continuant à la Sorbonne l'enseignement d'Arsène Darmesteter, a le premier entrepris une histoire générale de la langue française, recueillant et faisant recueillir une quantité de documents; un premier jet de son histoire a paru dans l'*Histoire de la littérature* de Petit de Julleville, en chapitres détachés (1896), une plus grande histoire a commencé à paraître en 1905 et n'a pu être poussée par lui que jusqu'à la première période du 19ᵉ siècle (avant sa mort à la fin de 1937) ; depuis 1900, premier professeur en titre d'histoire de la langue française à l'Université de Paris, il a formé de nombreux élèves, qui continuent son œuvre.

D'autre part, en 1936, Mario Roques a reçu des crédits officiels pour commencer la mise sur pied d'un *Inventaire de la langue française*.

Entre temps, l'étude scientifique de la prononciation s'est développée ; à partir de 1886, l'abbé Jean-Pierre Rousselot a inauguré des études de phonétique expérimentale, qui permettent des précisions inconnues jusqu'alors ; on a publié de bons traités de prononciation moderne, et on commence à reconnaître par des études systématiques, et non plus par des témoignages de hasard, des différences entre milieux, et d'une génération à une autre.

Des observations sur les formes et la syntaxe du français usuel, écrit et parlé, sont dues à des personnes au fait de la méthode linguistique et au courant de l'histoire de la langue, capables de situer et de classer les faits observés.

Enfin, on a commencé à enregistrer mécaniquement des document, témoins du présent, destinés à devenir pour les générations futures des témoins du passé.

Tous ces travaux sont encore dans une période d'enfance. Le personnel qui s'en occupe est beaucoup trop restreint, et mal outillé. Les crédits manquent, les réussites sont souvent dues à une énergie exceptionnelle et à des hasards heureux ; on n'est pas encore arrivé à concevoir et à exécuter un plan d'ensemble.

Au cours du 19ᵉ siècle l'intérêt pour l'étude des patois avait commencé à se manifester, avec quelques monographies et glossaires. En 1881 une direction d'études de dialectologie a été créée à l'Ecole des Hautes Etudes. Titulaire de ce poste, Jules Gilliéron a dressé un plan pour un grand dessein : recueillir tous les parlers locaux gallo-romans de France, de Belgique et de Suisse. Il a combiné un questionnaire de quelque 2080 mots ou petites phrases. Il a organisé l'exploration en choisissant 639 points. C'est Edmond Edmont, auteur d'un glossaire saint-polais qui s'est chargé de poser toutes les questions à tous les points choisis où il se rendait à bicyclette. Gilliéron reportait les réponses sur les cartes. L'ouvrage intitulé l'*Atlas linguistique de la France* a été réalisé de 1900 à 1910. L'examen des cartes a donné naissance à une nouvelle science : la géographie linguistique dont le principal monument a été le livre de

Gilliéron : *La généalogie des mots ayant désigné l'abeille* (1918).
L'étude de l'étymologie y était entièrement renouvelée. Un des points
est l'élimination de mots devenus semblables par évolution phonétique dans un ensemble de sens voisins, par exemple *é* pour 'oiseau'
et 'abeille', pour lesquels un terme plus long a été adopté (collision
homonymique). Un autre est l'expansion de traits dialectaux à
partir de centres plus ou moins importants et le long des routes
fréquentées. Les conséquences de ces études ont été considérables
dans la théorie linguistique.

Elles se sont poursuivies de différentes manières, surtout par la
confection d'atlas partiels, en complément de l'œuvre principale,
imitée par la suite dans beaucoup de pays.

Malgré l'esprit routinier de beaucoup d'administrateurs et de
maints professeurs de l'enseignement secondaire, malgré le manque
de relations régulières entre l'enseignement primaire et les membres de l'enseignement supérieur adonnés à la recherche, malgré
l'ignorance de l'Académie française et de certains journalistes
curieux de langue à l'égard de la linguistique. un souffle nouveau
a commencé à se faire sentir dans l'enseignement. L'esprit évolu-
tionniste s'étant généralement substitué chez les savants à l'esprit de
systématique et de logique figées, et les méthodes vivantes préva-
lant de plus en plus chez les pédagogues sur la routine paresseuse
et autoritaire, la grammaire usuelle commence à se rénover. La
fâcheuse grammaire de l'Académie, rédigée hâtivement en 1931
parue en 1932 (alors qu'elle était à son programme dès sa fondation, trois siècles plus tôt) a éveillé plus de risée que d'approbation,
encore que le public abusé se soit trop empressé à l'acheter. Il sied
de dire qu'à la suite des critiques encourues, une édition un peu
améliorée a paru en 1933; vite épuisée aussi, elle n'a plus été
touchée.

Les grammaires scolaires ont commencé, d'une part, à tenir
compte de l'état réel de la langue, d'autre part, à renverser
l'échelle des valeurs : description avant tout des faits essentiels,
insignifiance des exceptions orthographiques. Les exercices proposés aux élèves remplacent ordinairement les 'analyses', qui se
révélaient absurdes en bien des cas, par des exercices pratiques de
reconnaissance des différentes sortes de mots. Des notions sur
l'émission des sons sont données dans de trop rares manuels. Le
véritable apostolat de Ferdinand Brunot a marqué le changement
d'esprit. Dans un long enseignement à Sèvres aux futures maî-
tresses de l'enseignement secondaire féminin, il a inventorié et

disséqué les ressources d'expression du français; il a lui-même contribué à la rédaction de grammaires pour l'enseignement primaire, et son exemple a été suivi ensuite pour l'enseignement du second degré. Diverses initiatives d'instituteurs participent à la libération à l'encontre des exercices formalistes.

Les instructions ministérielles, parfois inspirées de l'esprit de l'enseignement supérieur, en avance sur la pratique traditionnelle ont préparé certains progrès; mais un appareil alourdi de la routine des maîtres et des inspecteurs, a suivi trop lentement.

Dans la période de réformes et de libéralisme qui a suivi l'affaire Dreyfus, une commission de romanistes et autres membres de l'enseignement supérieur (dont deux étaient membres de l'Académie française) avait été chargée de préparer la simplification de l'enseignement de la syntaxe française. Sur son rapport, le ministre Georges Leygues signait le 31 juillet 1900 un arrêté qui permettait le non-accord du participe avec avoir dans tous les cas. En février 1901, après des protestations de l'Académie, cet arrêté était rapporté et remplacé par un autre qui réduisait la tolérance à de rares cas particuliers (*vu* et *laissé*, devant infinitif). Les tolérances instituées par ce timide arrêté ont été elles-mêmes insuffisamment mises en application par la partie routinière du corps professoral. La règle ancienne d'accord du participe avec avoir en cas de complément précédent reste donc officiellement debout, et de nombreux enfants échouent à des examens, pour la non-application écrite de règles dont une grande partie des gens cultivés ne font pas usage quand ils parlent.

4. L'orthographe

L'orthographe académique a résisté à tous les essais de réforme. En matière de langue, c'est le donjon du conservatisme social. L'empire libéral a vu en 1869 une tentative de réforme, préparée par un gros travail de l'éditeur Ambroise Firmin-Didot, héritier de la tradition des grands imprimeurs du 16ᵉ siècle, et par un mouvement d'opinion en Suisse. Une nouvelle tentative, la plus sérieuse, a eu lieu au début du 20ᵉ siècle, moment de réformes. L'ensemble des savants s'occupant de linguistique, et en particulier de linguistique française, voulaient une simplification immédiate, qui n'aurait pas entraîné sensiblement plus de nouveautés dans la figure des mots que celle qui a été acceptée au 18ᵉ siècle. Ils avaient passé à l'action directe, donnant l'exemple dans leur correspondance; l'un d'eux, l'étymologiste Antoine Thomas, avait des cartes de visite de 'manbre de l'Institut', le linguiste phonéticien Maurice Grammont imprimait en orthographe simplifiée un gros livre sur le 'vers français, ses moyens d'expression et son armonie' ainsi qu'une revue consacrée à des langues romanes. Des réformateurs isolés faisaient, notamment dans les journaux, des manifestations analogues. Des instituteurs syndiqués étaient entrés dans le mouvement. Des pétitions de pédagogues groupés dans diverses sociétés et même des vœux de conseils généraux étaient adressés aux pouvoirs publics.

Le conseil supérieur de l'Instruction publique, consulté, avait nommé une commission et son président, Paul Meyer, directeur de l'Ecole des chartes, présentait en 1904 un rapport concluant à la réforme.

L'opposition a été menée d'abord par une revue littéraire qui a organisé une pétition avec succès, il faut le dire. Le ministère de l'Instruction publique a consulté la grande autorité nominale, l'Académie française; celle-ci, par la plume d'un rapporteur qui lui-même était réformiste (Emile Faguet, professeur à la Sorbonne et critique littéraire), a émis une consultation refusant toute modification d'ensemble (1905). Des intérêts étaient en jeu (éditeurs préférant utiliser leurs fonds de librairie plutôt que de refaire des éditions). Les imprimeurs, ouvriers comme patrons, ne se sont pas montrés réformistes; les 'lecteurs moyens' non plus. Le ministère s'est incliné devant l'avis de l'Académie. Même les retouches préconisées par l'Académie (comme le remplacement de x par s dans *choux*, etc.) n'étaient pas mises en application. Cependant une nouvelle commission était nommée, encore en 1905; le rapport par Ferdinand Brunot, déposé en 1906, n'obtenait encore pas de succès. Après atermoiements, toute idée de réforme devait être considérée comme abandonnée en 1908.

Dans les années qui ont suivi, les manifestations particulières des réformistes se sont raréfiées, jusqu'à disparition à peu près totale.

La question demeure : petite, mais importante question sociale. Les enfants du peuple, disposant d'un temps moins long pour l'instruction, ayant moins de temps pour lire et moins de livres à leur disposition que les enfants riches, sont proportionnellement plus encombrés par l'apprentissage de l'orthographe; leur instruction générale en est restreinte d'autant; l'orthographe est vraiment le cauchemar des instituteurs. C'est aussi une plaie pour tous ceux qui doivent obtenir par un examen un emploi, même modeste, public ou privé, gagner leur vie comme dactylographe, etc.

Malgré l'instruction généralisée, et comme un gros défaut dans cette instruction, la mauvaise orthographe du français reste un barrage devant toute 'situation' contribuant à désavantager les non-possédants en regard des possédants.

Notons ici un fait assez piquant : c'est que les conservateurs de l'orthographe n'ont pas hésité à mettre en habit du 19ᵉ siècle les auteurs du 17ᵉ et du 18ᵉ siècle, non seulement dans les éditions scolaires, mais dans des éditions destinées aux étudiants et au public cultivé, comme la 'Collection des grands écrivains'. On peut apprécier la différence en regardant les quelques pages citées dans le présent livre, où l'orthographe de chaque auteur a été respectée.

5. L'usage du français et l'art littéraire

a) INTRODUCTION. — Depuis les chemins de fer et toute la machinerie, le suffrage universel et l'instruction généralisée, le français, comme toutes les langues modernes de l'Europe, se trouve dans des conditions qui ne s'étaient jamais vues dans le passé. La langue est devenue la chose de tout le monde. Tout le monde écrit des lettres, lit des journaux, sinon des livres, doit prendre connaissance d'une quantité de documents administratifs et commerciaux, et beaucoup participent à la rédaction de ceux-ci; combien de rapports ou d'avis sont rédigés par d'humbles exécutants ! Et quand on dit langue écrite, il faut penser en même temps à la langue parlée en public : fini le temps où elle ne se trouvait que dans la bouche du prêtre en chaire, du professeur, de l'avocat, des acteurs ou récitants professionnels et de quelques bonimenteurs. Sans parler de l'extension énorme de l'enseignement, qu'on pense à tóus les conseils municipaux, au parlement, aux campagnes électorales, aux meetings et à toutes les formes de propagande orale, aux innombrables voyageurs de commerce, démarcheurs, vendeurs de magasins, enfin aux speakers de la radio. Usage de toutes sortes de formes d'éloquence et d'explication, pas seulement en temps de crise comme on l'avait vu au moment de la Révolution française, mais dans tout le fonctionnement de la vie moderne.

La grosse masse du français écrit et 'éloquent', ce sont les journaux, avec les nouvelles, les chroniques, les reportages, les articles de polémique, de théorie, de vulgarisation, la reproduction des discours.

D'autre part les œuvres littéraires des écrivains ont augmenté considérablement en quantité, et en variété de ton. La liberté obtenue par le mouvement romantique n'a pas cessé de s'élargir; les

19

registres de la langue employée à une fin artistique n'ont pas cessé de se diversifier; la langue parlée s'est mêlée de plus en plus à la langue cultivée apprise dans les livres et par la tradition du passé. Les cultures individuelles, les tempéraments individuels font le choix, sans règles imposées. Tel livre qui se donne l'allure populacière voisine avec tel autre qui pastiche la langue distinguée du 18ᵉ siècle. Aucune limite théorique entre les genres et les tons, seulement des limites de fait. Tout peut être dit, comme on le veut.

Certes la littérature du passé a connu aussi la variété : au temps de l'ancien français, fableaux à côté des chansons de geste, au 16ᵉ siècle, raffinement des poètes dits 'rhétoriqueurs' à côté de Ronsard ou Rabelais, au 17ᵉ siècle le parodiste Scarron en face de Corneille, au 18ᵉ siècle Vadé à côté de Voltaire, etc.; il faut bien se garder de juger sur les classiques triés par l'enseignement et par les théâtres d'état, et, d'autre part, il faut penser que bien des œuvres actuelles n'ont elles-mêmes qu'un caractère épisodique. Mais il semble bien que la diversité des tons dans les œuvres intéressantes et durables soit une marque de la littérature moderne, avec l'extension considérable du nombre des auteurs et des lecteurs. Extension plus grande encore si on considère le rôle en France de la littérature étrangère traduite et le rôle à l'étranger de la littérature française.

De la masse de cette littérature on ne peut tout décrire en quelques petites pages.

Si nous ne traitons que de la poésie, du roman et du théâtre, c'est sans oublier la grande abondance des ouvrages d'histoire, de philosophie, de critique, les essais et le journalisme littéraire.

C'est pourquoi quelques échantillons en figurent dans le petit choix qui suit le présent chapitre. P. 323 un texte de Ch. Péguy, auteur spécialement intéressant par sa notation en prose soignée des longueurs et des reprises de son style de conversation d'homme cultivé; p. 324, le texte d'Alain (Emile Chartier), professeur de son état, philosophe subtil, qui use d'une phrase à facettes, un peu précieuse; p. 327 un fragment lyrique de Jean-Richard Bloch, qui en plus de ses œuvres d'imagination a laissé les essais d'un 'historien de son temps'; p. 331 le texte de Maurice Thorez, un de ces bons orateurs ouvriers arrivés à la culture par leur effort personnel, dont la phrase est à la fois simple et très bien balancée.

Il n'est pas possible ici d'entrer dans le détail des écoles littéraires. Il faut du moins essayer de discerner les nouveautés successives, sans oublier qu'en fait, avec l'action continue du génie de

Victor Hugo (mort en 1885), le style romantique a dominé le 19ᵉ
siècle jusqu'au bout : *Les Misérables* datent du Second Empire
(1862). Mentionnons aussi que c'est à la même époque qu'ont paru
le complément de l'œuvre historique de Michelet (voir un extrait
de style romantique cité par anticipation p. 262) et ses livres lyri-
ques : *La Femme, L'Oiseau*, etc.

b) Parenthèse sur la peinture. — L'évolution littéraire (et
spécialement celle du théâtre) se comprend mieux si on considère
l'évolution parallèle des arts, peinture, sculpture et musique, qui
ont été brillants en France pendant cette période. Prenons comme
exemple des étapes de la peinture qui nous montreront, dans la
représentation de l'espace, des changements bien plus grands que
ceux qu'on peut observer dans la langue.

Dès 1850, un tournant dans le choix des sujets et dans la manière
de peindre a été marqué par Courbet et par les tableaux et dessins
campagnards de Jean-François Millet. C'est en 1863 qu'a paru
Manet, dont la peinture s'opposait à la fois à l'académisme prétendu
classique, figé dans les traditions d'école, et au romantisme avec
ses grands effets d'opposition de couleur dans des sujets mouvementés. Le 'réalisme' de Manet, dans des tableaux où la composition joue un grand rôle, a recherché des sujets contemporains, se
servant comme technique des surfaces de teintes non mélangées.

Avec les impressionnistes, on a pu parler d'une véritable révolution, par libération des règles de la mise en place avec les lignes
de la perspective instaurée par la Renaissance. Ils ont noté les 'impressions' de différentes heures du jour, du soleil, du brouillard,
etc., en employant souvent de petites touches séparées de couleurs
variées, qui se fondent pour l'œil du spectateur regardant le tableau d'un peu loin; œuvre très variée en tous genres de Renoir
(par exemple *Le Moulin de la Galette* en 1876), celle de Monet (à
partir de 1885) et d'autres qui ont pris l'habitude des tableaux
entièrement réalisés en plein air.

D'autre part, Cézanne peignait laborieusement les hommes ou
les fruits, et sa peinture appliquée faisait école. A côté de lui on
doit rappeler Gauguin et Vincent Van Gogh.

Ces peintres ne s'interdisaient plus aucun sujet, aucune intimité :
tous les lieux étaient reproduits, toute la société était peinte; les
corps nus ne dissimulaient plus rien de leurs détails.

Une tout autre tendance s'est révélée avec le cubisme depuis 1907,
contemporain du cinéma (surtout Picasso et ses imitateurs); pas
de sujet peint simplement et directement, évocations fragmentées

par des surfaces, en teintes unies, d'objets, de corps ou de visages divisés, en figures géométriques : sensations dissociées de taches colorées dans le passage des choses devant l'œil ou de l'œil devant les choses : à celui qui regarde, aidé plus ou moins par un titre donné au tableau, de concevoir en esprit les compléments modelés et la disposition des scènes.

Une nouvelle facture est apparue dès 1910, celle des 'abstraits' qui contrairement aux 'figuratifs' rejettent toutes représentations reconnaissables d'objets dans les combinaisons de couleurs et de lignes. Nouvelle sorte d'émancipation.

Les différentes factures coexistant se partagent l'ensemble des des 'plasticiens'.

c) Poésie et versification. — Pour l'art écrit, c'est dans la poésie qu'on voit le plus facilement se marquer les étapes, par les transformations de la versification.

Sous le Second Empire, Victor Hugo exilé a donné ses grands volumes de vers qui ont ajouté à la poésie française moderne l'épopée (*La Légende des siècles*, 1850), la satire épique (*Les Châtiments*, 1853), le poème philosophique et polémique (*Les Contemplations*, 1856), en affirmant sa technique antérieure. Dans la même période, Théophile Gautier, romantique assagi, théoricien de l'art pour l'art, publiait les *Emaux et camées* (1852). Avec une nouvelle génération la poésie héritée du romantisme s'est manifestée de manières bien différentes dans les poèmes de l'école dite du Parnasse où le sentiment est contenu, où l'image prend le dessus (œuvres de Leconte de Lisle, *Poèmes antiques* 1853, *Poèmes barbares* 1862) ou dans l'œuvre à la fois plastique et intimement amère de Baudelaire (*Les fleurs du mal*, 1857).

Dans les années qui suivent, après 1860, Verlaine a su décrire ses états d'âme, ses émotions, dans des poèmes qui sont les plus musicaux qu'ait connu le français. Sans abandonner la rime, ni les comptes fixes de syllabes, il a eu le génie de suivre très souvent le dessin de la phrase parlée, en y mettant les modulations et les rythmes de la poésie; œuvre de fonds populaire, et qui mérite d'être de plus en plus lue et récitée (voir un petit poème, p. 318).

C'est à tort qu'on l'englobe, à cause de certaines concordances de sensibilité marquant cette époque, dans ceux qu'on peut appeler sans inconvénient les symbolistes, pour une forme d'art toute différente. En effet, juste à la même époque, Stéphane Mallarmé, bientôt suivi par divers disciples, a fait quelque chose de tout différent, à l'usage de milieux à culture raffinée : avec une versification qui n'innove rien, il insère dans des phrases souvent compliquées des mots rares, donnant une série de touches auditives et intellectuelles; art d'orfèvre intelligent et musicien (voir p. 319). Rimbaud, poète des plus doué, n'a pas eu la simplicité de style de Verlaine; il s'est souvent rapproché de la complication de Mallarmé (voir p. 320).

Nouvelle étape, très importante : le vers libre. Quelle que soit la forme de versification, l'essentiel de l'effet poétique tient à la fois aux similitudes et changements de vitesse et aux rapports équilibrés de sons que le talent ou le génie du poète met, généralement de manière inconsciente, dans le rythme et la mélodie de ses vers; c'est ce que la science linguistique moderne a clairement reconnu, surtout avec Maurice Grammont (voir p. 288); beaucoup de poètes français de talent, depuis 1885, en ont fait la preuve de manière instinctive en se débarrassant de toute obligation pour la rime et pour la longueur des vers. Chez eux, l'allure inégale de la phrase est suivie presque sans contrainte; la poésie s'exprime par des rapports très délicats et très souples, variés, sans limites.

L'influence des poèmes de l'Américain Walt Whitman (*Leaves of grass* 1855-1892) a été grande en cette matière. D'abord connus en anglais, ils ont été traduits par Léon Bazalgette (1909).

Citons comme principaux verslibristes (dont certains ont écrit aussi des vers réguliers) : Gustave Kahn (*Les palais nomades*) avec une préface théorique, en 1887; Jules Laforgue (*Complaintes*, 1885) ces deux poètes n'ayant pas mis de majuscules au début des vers; Emile Verhaeren (*Les villes tentaculaires*, 1887); Francis Viélé-Griffin (*Poèmes et poésie* de 1886 à 1893); Henri de Régnier (*Poèmes anciens et romanesques*, 1890); André Spire, œuvres à partir de 1903.

Il convient de distinguer Guillaume Apollinaire (pseudonyme de Wilhelm Kostrowitzky) qui a produit de 1907 à sa mort en 1918 et qui, les années passant, apparaît comme le poète le plus représentatif de ce moment, en particulier par ses recherches (suppression de la ponctuation). Voir deux fragments p. 325.

Il y a parmi les artistes postérieurs beaucoup de bons poètes, usant des diverses formes et surtout des nouvelles. On peut citer Jules Supervielle (voir p. 328); dans le prolongement 'mallarméen', l'élégant et compliqué Paul Valéry; Paul Fort 'prince des poètes', qui met bout à bout, comme si c'était de la prose, des vers réguliers et harmonieux généralement rimés (voir p. 323); Paul Claudel ambassadeur écrivain, qui use d'espèces de versets amples de souffle, avec une préférence pour de longs mots (voir p. 302 et p. 325).

Dans une tonalité à la fois voisine et très différente, un autre diplomate de carrière, Saint John Perse (voir p. 328).

On doit mentionner séparément au milieu de cette période l'essai éphémère d'une école unanimiste : principalement *La vie unanime* de Jules Romains (1908), à laquelle se joignent les ouvrages en vers d'autres membres du groupe dit de l'Abbaye, Georges Duhamel et Charles Vildrac.

Le style familier est diversement mis en œuvre chez Franc Nohain, Jacques Prévert, Henri Michaux.

On peut sans doute noter que pendant une période qu'il faudrait délimiter la poésie a été moins lue et moins récitée.

La faveur n'a jamais baissé pour la poésie chantée d'allure familière et populaire, avec des formes à rimes et rythmes fixes qui n'ont pas beaucoup changé, répandues par les artistes de music-halls et des cabarets artistiques, par les chanteurs de rues, par le phonographe et par la radio. Citons, parmi les classiques du genre, l'œuvre d'Aristide Bruant, consacrée aux misérables et 'hors-classe' (voir p. 321). Dans ces chansons, les vers ont un compte réel de syllabes, les *e* neutres non prononcés n'étant pas comptés; c'est ce qu'on figure graphiquement en les remplaçant par des apostrophes.

d) LE ROMAN ET LE STYLE. — Le roman a depuis le milieu du 19ᵉ siècle une histoire touffue dans son abondance, dont il faut tâcher de dégager les grandes lignes, en sachant bien qu'il nous est impossible d'être entièrement justes lorsque nous nommons, classons ou omettons tels ou tels.

C'est surtout là qu'on voit l'évolution de l'usage écrit de la langue. Rappelons ici d'abord une fois de plus qu'il ne s'agit pas de la grammaire, très peu évoluée, mais des différents registres du style. Ajoutons que le choix des sujets importe autant que la forme : c'est à cette époque que la vie, les occupations et préoccupations des classes déshéritées, petites gens de toutes sortes, ouvriers de l'industrie, paysans pauvres, hors-classe divers ont envahi la littérature, pris peu à peu beaucoup plus de place que la description de l'existence des riches et de leurs manières.

Ici encore on retrouve Victor Hugo, dont *Les Misérables* sont de 1862 (publiés d'abord en feuilleton). Le sujet : peinture des bas-fonds de la société, des âmes tortueuses ou belles qu'on y rencontre, histoire d'une révolte de quelques intellectuels et de quelques hom-

mes du peuple à Paris sous la monarchie de Juillet. Le style : per·
sonnages parlant autant que possible leur langage propre, y compris l'argot, qui est décrit à part dans quelques chapitres. Dès que
l'action se précipite — très souvent — usage de phrases très courtes,
juxtaposées, image de l'allure de beaucoup de conversations en
répliques brèves (Voir la citation p. 317).

Cette disposition se trouve aussi dans des introductions descriptives; ainsi dans l'introduction des *Travailleurs de la mer* (1866),
« Terre fertile, grasse, forte. Nuls pâturages meilleurs. Le froment
est célèbre, les vaches sont illustres ».

Entre parenthèses, tandis que Victor Hugo se renouvelait ainsi,
certains de ses contemporains, ou presque, perpétuaient le style de
la période précédente. On peut noter l'activité continuée de Théophile Gautier dont *Le Capitaine Fracasse* devait paraître seulement en 1863 et celle de Barbey d'Aurevilly dont *Les Diaboliques*
sont de 1874.

Flaubert, dans une partie de son œuvre, montre une nouvelle
conception, avec volonté, au moins extérieure, de description froide
de milieux de petite bourgeoisie de Paris et de province (*Madame
Bovary*, 1857). Style minutieusement travaillé. Les phrases sont
calculées pour produire certains effets de rythme et d'harmonie, à
l'audition, ce qui est important. Les mots sont soigneusement
choisis pour évoquer certains milieux, certaines professions.

La part du récit des événements est restreinte au profit de descriptions des circonstances, souvent censées observées non par
l'auteur mais par un personnage du roman. De même les motifs
des actions, les projets de ces personnages sont souvent exposées
par des suites de phrases comme mises dans leur bouche, toutefois
non au présent ou au futur mais à l'imparfait et au conditionnel;
c'est le début de l'emploi abondant du 'style indirect libre' qui
devait se développer plus encore par la suite, comme il est dit ci-
après à propos de Zola.

La multiplication des imparfaits restreint la place du passé
défini.

Les frères Jules et Edmond de Goncourt, à partir de 1864, ont
été amateurs eux aussi de sujets populaires. Ils ne sont pas devenus
des auteurs très lus du grand public; mais ils ont une importance
dans l'histoire de la langue, parce qu'ils ont cherché à rendre des
impressions sans craindre de fabriquer des expressions, dans le
cadre des dérivations vivantes de la langue, et de multiplier l'emploi
de tournures telles que le remplacement des adjectifs et des verbes
par des substantifs qui 'font tableau', par exemple 'des femmes

penchées sur la fugitivité de l'eau' (pour 'l'eau qui coule'; c'est ce qu'on appelle le style artiste (voir le texte p. 321). On sait que leur ressentiment contre le freinage constant de l'Académie française leur a fait créer par testament une académie de dix auteurs qu'ils ont souhaité libres à l'égard des influences conservatrices en art et aptes à couronner par le prix Goncourt de nouveaux talents bien vivants, ce qui a été à plusieurs reprises réalisé.

Il est juste de ranger ici, pour le style de sa période de maturité le romancier et essayiste Joris-Karl Huysmans (*A rebours* 1884).

La grande œuvre d'Emile Zola s'étend sur les trente premières années de la troisième République. Sujets pris souvent dans la vie du peuple travailleur, notamment dans *L'Assommoir* (1887, dans un quartier populaire de Paris), *Germinal* (1885, un pays de mines). Ici, dans toutes les parties de conversation, les mots grossiers du langage des gens « sans éducation » abondent. D'autre part une grande partie de ces conversations, de même que des monologues intérieurs, sont à la 3° personne, en style indirect libre (voir le passage cité p. 321). Ainsi, à côté du passé simple, dont la part est sensiblement restreinte à cause de la moindre place des récits pris au compte seul de l'auteur, s'est multiplié un usage de l'imparfait (accessoirement du conditionnel) qui est purement écrit et non parlé. C'est un contraste curieux avec le fait que par ailleurs l'allure de la phrase, comme le vocabulaire, se rapproche du registre de la conversation.

Les romans de Zola, goûtés en feuilleton avant d'être des succès de librairie, ont continué à être lus et sont des livres qui 'sortent' beaucoup dans les bibliothèques de prêt.

Il faut noter que Zola était critique littéraire et artistique et s'est posé lui-même en chef de l'école naturaliste.

Des contemporains de Zola, tout en gardant un vocabulaire généralement châtié, ont recherché la simplicité de style, une allure détendue et familière. Ainsi, avec des tempéraments variés, des auteurs qui ont été lus et ont marqué de leur sensibilité celle de leur génération : le sentimental Alphonse Daudet, peintre du détail de la vie, surtout de petites gens de la bourgeoisie de Paris et de province (*Le Petit Chose*, 1868; *Tartarin de Tarascon*, 1872, voir un texte p. 319); Guy de Maupassant, dont les meilleures œuvres sont des nouvelles très bien construites, donnant dans leur simplicité apparente des tableaux frappants de différents milieux de son époque (*Boule de suif*, 1880; le roman *Une vie*, 1883, voir p. 320); Loti (Julien Viaud), officier de marine, qui a surtout peint divers pays lointains et des aspects de la vie de ces pays (*Le Mariage de*

Loti, 1882; *Pêcheurs d'Islande*, 1886). Jules Vallès, le communard, qui a été ignoré par des historiens connus de la littérature, est un écrivain important, surtout par son œuvre principale qui reflète sa vie (*Jacques Vingtras*, *L'Enfant*, 1879, *Le Bachelier*, 1881; *L'insurgé*, 1886); son style, souvent proche du ton d'une conversation vive et ironique, grave dans la mémoire les objets, les sentiments, les situations qu'il décrit (voir p. 320). Anatole France qui s'est plu à analyser la société dans le passé et dans le présent (série des *Bergeret*, 1897-1901) et à anticiper sur l'avenir, a eu un style fluide, imitant quelquefois de près les conteurs du 18e siècle : tendance en partie archaïsante. Citons aussi Jules Renard (*Poil de Carotte*, 1894), Maurice Barrès (*Les Déracinés*, 1897), Paul Adam (*La Force*, 1899).

Je reviens ici en arrière dans le temps pour introduire un auteur en marge, Isidore Ducasse, mort à 24 ans, après avoir publié en 1869 sous le nom de comte de Lautréamont les *Chants de Maldoror*, poèmes en prose à l'aspect de romantisme excessif, où les surréalistes de 1920 devaient reconnaître un précurseur (voir p. 319).

Que soit nommé ici, dans cette histoire de la langue, un roman peu connu d'Edouard Dujardin : *Les lauriers sont coupés*, paru d'abord, comme beaucoup d'autres, dans une revue (1887) avant d'être un livre en 1897; c'est là, a-t-on remarqué, que se trouvent les premiers exemples du *monologue intérieur* qui remplace le style indirect et le style indirect libre, tous deux procédés de style écrit, par l'emploi du style direct naturel de la conversation.

Un enrichissement de la littérature romanesque est venu des auteurs provinciaux, qui, à la suite de George Sand dont l'activité s'est prolongée longtemps (voir p. 317), ont décrit des mœurs de diverses campagnes, en partie en langage régional, avec des mots de 'terroir'.

Ainsi, Erckmann et Chatrian, qui ont peint l'Alsace (*L'Ami Fritz*, 1864) et la Révolution française vue d'Alsace (*Histoire d'un paysan*, 1868); Eugène Le Roy, mort en 1907, le romancier périgourdin, qui avait été peu connu de ses contemporains, dont l'importance apparaît de plus en plus (*Le Moulin du Frau*, 1891; *Jacquou le Croquant*, 1899; *L'Ennemi de la mort*, publié seulement en 1912, Dans la même lignée, citons encore Emile Guillaumin, écrivain du Bourbonnais (*La Vie d'un simple*, 1904) voir p. 323.

Il ne faut pas oublier l'élargissement à la fois des horizons et du vocabulaire, l'accoutumance à un style ne devant rien directement aux classiques ou aux romantiques français, qui ont été dus aux traductions de quelques grands auteurs étrangers : traduction complète de l'Anglais Dickens, à partir de 1857, traductions des Russes Tolstoï et Dostoïevski, vers 1880, plus tard traductions de l'Anglais Rudyard Kipling et du Russe Gorki, etc.

Grande importance aussi des livres d'aventures pour enfants qui ont nourri l'imagination de générations entières, y compris les futurs auteurs français, tous avec expression simple et directe. D'abord, les histoires de Peaux-Rouges de Fenimore Cooper et de Mayne-Reid, traduites de l'anglais. Puis, les très nombreux romans de Jules Verne (qui paraissaient année par année dans *Le Magasin d'éducation et de récréation*, à partir de 1863), véritable image de la terre au 19° siècle, avec son rapetissement par les moyens modernes de locomotion : voyages d'exploration en tous pays, vulgarisation scientifique, anticipations — qui se sont montrées prophétiques — sur les applications de la science, avec des histoires bien construites, un style simple, familier, parfois assez artiste, assez souvent moins, en harmonie avec ce qu'on peut appeler le 'style journal'.

Les auteurs du 20° siècle ont trouvé dès l'abord un terrain débarrassé des contraintes du classicisme et des emphases du romantisme, la poésie et la prose rapprochées entre elles, un public toujours plus étendu et désormais sans pruderie d'une part, d'autre part accoutumé à toutes sortes de techniques.

Dès lors, on peut noter un nouveau rapprochement de la langue écrite et de la langue parlée. Sans doute, les écrivains faisant œuvre d'artistes travaillent leur style et n'écrivent pas usuellement comme ils parlent dans la conversation et ils emploient généralement dans les récits, même à la 1re personne, le passé défini, qui n'est pas de la langue parlée. Mais le rapprochement des langages des divers milieux de la société se marque nettement chez eux d'une manière générale. Le procédé fréquent du monologue intérieur permet de substituer de plus en plus le style parlé au style écrit.

Il est sans doute utile de remarquer au point de vue de l'histoire littéraire l'abondance, parmi les auteurs qui comptent, des universitaires (les professeurs Romain Rolland, Jean-Richard Bloch, Jules Romains, Jean Giraudoux, etc., le chartiste Roger Martin du Gard, le directeur des Archives Charles Braibant (*Le roi dort* 1933), divers instituteurs) ainsi que des médecins (Georges Duhamel, Luc Durtain). A côté, on peut ranger encore des membres de la bourgeoisie éclairée, cultivés en quelque sorte de naissance et souvent entourés eux-mêmes d'universitaires (André Gide, Marcel Proust, François Mauriac, André Malraux, etc.).

Mais il ne faudrait pas trop insister là-dessus. Des écrivains marquants sont venus de milieux divers, se faisant une culture en même temps qu'ils ajoutaient leurs productions à celle du temps : Colette, la petite bourgeoise de village lancée ensuite sur le Boulevard parisien, Charles Vildrac, fils de militant ouvrier, Pierre Hamp, ouvrier pâtissier lui-même, le rural suisse Ramuz et le rural provençal, de moins bon aloi, Giono.

Ce qui importe plus, c'est la différence des tempéraments. Il est curieux de voir comment le don poétique pénètre, inégalement, l'œuvre en prose chez un Romain Rolland, un Jean-Richard Bloch à la phrase somptueuse, un Henry de Montherlant, un Marcel Proust, à travers les amoncellements de membres de phrase, tandis qu'un manque irrémédiable de relief entache le talent d'autres, comme Roger Martin du Gard (voir le texte cité p. 329 à 332).

Ce sera la tâche difficile des critiques grammairiens de l'avenir de déterminer ce qui date d'un même moment ces auteurs si différents et de voir comment certains, malgré quelques touches de modernisme, se rattachent plus aux générations passées (ainsi Mauriac) tandis que d'autres annoncent ce qui va venir ensuite (ainsi, après Marcel Proust, Aragon dans sa seconde période à partir des *Cloches de Bâle*). Il serait intéressant de se livrer à la difficile étude de la modernité sans aucun esprit révolutionnaire dans l'œuvre prolongée sur des dizaines d'années de Colette.

Il faut citer à part le cas du grand livre de la guerre 1914-1918, *Le Feu*, de Barbusse, où un auteur à tendances recherchées a été entraîné à mettre en scène ses compagnons des tranchées, avec leur langage populaire.

L'histoire littéraire doit retenir l'apparition du mouvement Dada, avec Tristan Tzara et quelques amis, à Zürich, en 1916, avec des échos en divers pays dans les lettres et dans les arts (voir p. 326).

Ensuite est venu le mouvement surréaliste, avec un groupe animé par André Breton (auteur du manifeste en 1924) voir p. 328. Plusieurs de ses membres s'en sont séparés assez vite. L'un et l'autre milieu manifestait des intentions fracassantes à l'égard des conventions et des règles s'interposant entre l'artiste et la réalité. Mais, si le dadaïsme et surtout le surréalisme s'étendant aux arts plastiques, ont eu une influence par leur volonté d'émancipation, les écrits qui s'en réclament n'ont pas marqué de changement effectif dans le maniement de la langue.

Ceci est aussi le cas de l'éphémère populisme avec Henri Pou-

laille, qui affirmait la volonté de se cantonner dans les sujets relatifs au 'peuple', avec un langage approprié. Plus tard, un roman
de valeur a été écrit par un ouvrier d'usine (*L'Acier*, d'André Philippe, 1937), mais dans une langue sans innovations; il n'y a pas
eu de développements à la suite.

L'expansion massive de la conversation dans le livre devait se
réaliser dans une certaine mesure avec *Dedalus* (1916) mais surtout avec *Ulysse* (1922) de l'Irlandais James Joyce, écrit en anglais,
mais tout de suite transposé en français (par Auguste Morel, assisté
par l'auteur et d'autres); journée d'un individu suivi constamment,
avec une part considérable donnée au monologue intérieur, avec
allure de pleine liberté. Le mouvement postérieur de la prose
française doit être jugée en raison de cet événement littéraire.

Autre événement de la période d'avant la dernière guerre : les
deux premiers livres de Louis-Ferdinand Céline (le médecin Félix
Destouches) : *Voyage au bout de la nuit* (1932), *Mort à crédit*
(1936). Dans ces ouvrages à la première personne, il y a un curieux
mélange; on est frappé tout d'abord par les phrases de style de
conversation à mots grossiers et à syntaxe vulgaire (le principal
effet étant l'emploi du pronom de 3° personne après un substantif
sujet, ou le rejet du sujet nominal au bout de la phrase); mais si
on regarde de plus près, on trouve beaucoup d'éléments de style
distingué écrit (notamment des passés simples).

Une dernière école est à nommer : l'existentialisme de l'écrivain-
philosophe Jean-Paul Sartre. La vie de tous les jours avec ses bana-
lités constitue le fond de l'existence (que la morale demande de
transcender). Le style qui vise à la rendre est à la fois très libre et
très distingué, d'une manière personnelle et nouvelle (voir p. 329).

Ici une remarque sur la présentation au public en cette première
partie du 20° siècle. Peu d'œuvres importantes ont paru soit en
feuilleton dans un quotidien, soit découpées en quelques livraisons
de revue littéraire (en particulier la *Nouvelle revue française*). Le
livre a prévalu. Soit un livre seul, comme *Et C*ⁱᵉ de Jean-Richard
Bloch, soit une série de livres se succédant plus ou moins rapidement pour ce qu'on a appelé les romans-fleuves. Ainsi, de Romain
Rolland le *Jean-Christophe* en 10 volumes qui a tant marqué sur
l'époque, puis *L'Ame enchantée* en 7 volumes; *Les hommes de
bonne volonté* de Jules Romains (27 volumes). *Les Thibault* de
Roger Martin du Gard (11 volumes), la suite des *Salavin* de Georges
Duhamel et non le moins important *A la recherche du temps perdu*
de Marcel Proust (15 volumes).

A l'époque qui nous occupe ici, les romans sont de plus en plus

lus, mais, en général, pas les meilleurs en ce qui concerne les
conte nporains, à moins qu'ils n'aient obtenu le prix Goncourt, le
prix Hobel ou quelque autre. Les petites librairies-merceries ou
débits de journaux et les bibliothèques des gares écoulent principalement en fait d'œuvres « littéraires » les œuvres des 'membres de
l'Académie française'. D'autre part, les éditions à très bon marché
qui se vendent dans les mêmes endroits répandent surtout les ro-
mans-feuilletons du genre le plus conventionnel, faits à la grosse,
sans aucun sens littéraire, qui empoisonnent aussi la plupart des
journaux et retardent l'évolution du goût public; il s'y ajoute les
« romans policiers », certains attachants, en majorité de peu de
valeur.

e) LE THÉATRE, LE CINÉMA, LA RADIO. — Le théâtre, dès le milieu
du 19ᵉ siècle, a connu la carence du théâtre en vers, malgré quelques sursauts : surtout Rostand qui a pratiqué le vers romantique
en s'épargnant l'obligation de la coupe de mot à la césure (*Cyrano
de Bergerac*, 1897, joué par Coquelin aîné, *L'Aiglon*, 1900, joué
en travesti par Sarah Bernhardt). En ajoutant Mounet-Sully, nous
aurons les noms des principaux acteurs formés à la fois pour le
théâtre classique (y compris les traductions du grec) et le théâtre
romantique qui ont été les maîtres de la scène jusqu'au début du
20ᵉ siècle.

La comédie bourgeoise a fleuri pendant le second empire avec
Alexandre Dumas fils et Emile Augier, prolongés dans la troisième
république par Henri Becque, Georges de Porto-Riche, Henri
Bernstein, etc., aux théâtres du Boulevard. Notons aussi le règne
du vaudeville renforcé de l'opérette : long succès de Labiche (*Le
Voyage de monsieur Perrichon*, 1860), qui sans doute se prolon-
gera dans l'avenir, par la survivance de quelques pièces entrées au
répertoire des théâtres classiques et très jouées dans les représentations d'amateurs. La langue a été naturellement la langue de tous
les jours. Cette langue a reçu un rehaussement de ton, par un sens
populaire et poétique à la fois, chez Courteline, un des auteurs les
plus marquants de la fin du 19ᵉ siècle par son influence, peintre
et représentant du Français de petite condition, critique et rouspé-
teur, et dont le tempérament théâtral anime même les ouvrages qui
n'ont pas été écrits pour la scène (voir p. 322).

A la fin du 19ᵉ siècle également, le théâtre a connu l'étude des
grands problèmes sociaux et sentimentaux dans la société évoluée,
surtout par les traductions des pièces du Norvégien Ibsen.

Pour les pièces françaises, une des plus durables est sans doute *Les Affaires sont les affaires* (1903), d'Octave Mirbeau.

En même temps, le jeu des acteurs était renouvelé, dans le sens du naturel et de la simplicité, sous la direction surtout d'André Antoine et de Lugné-Poë.

Puis, dans les premières années du 20° siècle, la mise en scène se renouvelait en se compliquant par l'utilisation de toutes sortes de moyens techniques nouveaux. Objets réels inclus dans le décor, jeux de lumière très variés, finalement prédominance de la 'fête des yeux', mise au deuxième plan du 'texte'. Plusieurs choses sont à considérer : influence des mises en scène de l'Allemand Reinhardt, mouvements très vifs et disciplinés des ballets russes de Serge de Diaghilev, progrès du music-hall à grand spectacle et des féeries du Châtelet.

Ensuite, un mouvement en partie contraire, d'accord avec certaines tendances de la peinture : simplification du décor, souci de l'ambiance réelle ou fantastique, suggérée par des moyens simples, encore qu'utilisant des raffinements techniques. Moment des metteurs en scène-acteurs (quelquefois auteurs ou au moins adaptateurs eux-mêmes) : Jacques Copeau et ses disciples et émules, Louis Jouvet, Charles Dullin, Gaston Baty, et le couple Georges et Ludmila Pitoëff. Agissant dans de petits théâtres pauvres, en dehors des grands théâtres officiels, encore encroûtés de traditions désuètes, et des théâtres à succès bourgeois du Boulevard, ils ont, avec l'appui d'un petit public raffiné d'artistes et d'intellectuels, accompli une œuvre nécessaire en réincorporant dans notre siècle ou en acclimatant en France divers auteurs classiques, anciens ou récents : Shakespeare, Bernard Shaw, Dostoïevski, Aristophane, enfin Molière.

Pour les auteurs français, il faut surtout noter un mouvement qui s'écarte nettement des pièces réalistes; de diverses manières, soit grossissement caricatural, soit interprétation abstraite, c'est le symbole qui domine; à cet égard on peut réunir le théâtre de Claudel (*L'Otage, l'Annonce faite à Marie*, etc.), dont les versets constituent un genre intermédiaire entre vers et prose (voir p. 325) après 1918, celui de Jules Romains (*Knock, Donogoo*), celui de Giraudoux (*Siegfried, La Guerre de Troie n'aura pas lieu*), de Jean-Victor Pellerin (*Têtes de rechange*), etc. Hors série de Jean-Richard Bloch: *Le Dernier empereur* (écrit en première version en 1919; représentation à l'Odéon en 1926) et *Dix filles dans un pré* (ballet imaginaire) écrit en 1922. (Joué à diverses reprises.)

Le théâtre a subi incontestablement une crise au 20° siècle, le public s'y étant restreint au lieu de s'élargir comme pour le roman.

Néanmoins, toutes les expériences faites ont montré que le public modeste, malgré le cinéma, ne demande pas mieux que d'aller au théâtre, pourvu qu'on lui donne des salles suffisamment grandes accessibles à des prix abordables. Sans parler des tournées de province, chaque fois que des représentations populaires ont été organisées, un large public a assuré leur succès. Après l'activité dans ce sens du grand acteur Firmin Gémier, des associations diverses ont commencé à prendre les choses en mains. En 1937 à l'Alhambra : grand succès du *14 juillet* de Romain Rolland, de *La Mère* de Gorki. En 1937, à l'occasion de l'exposition universelle, dans le vaste vaisseau du Palais des sports étaient données des représentations de *Naissance d'une cité* de Jean-Richard Bloch, avec la collaboration de musiciens, promesse d'autres spectacles pour les foules.

Mentionnons aussi les théâtres de plein air (entreprise de Maurice Pottecher, dans les Vosges, du Dr Pierre Corneille, en Poitou; représentations de la Passion, notamment à Paris).

Le cinéma muet (environ de 1897 à 1927) a attiré une partie du public du théâtre et du cirque, et beaucoup de spectateurs nouveaux. Entracte pour ce qui est de l'usage de la langue, mais grande importance de ces spectacles mimés : alliance nouvelle du théâtre et du voyage et de l'acrobatie ou du comique de cirque. Il a donné à la France, comme au reste du monde, le vrai successeur de Molière, Charlie Chaplin. Il est juste de nommer à côté de lui Georges Méliès, le véritable créateur de la mise en scène cinématographique, que l'ingrate société a laissé mourir dans la gêne en 1938.

Le cinéma parlant, depuis 1927, est moins un concurrent qu'un diffuseur du théâtre; souvent les mêmes acteurs y jouent les mêmes pièces et les répandent indéfiniment.

De plus, des pièces de toutes sortes sont créées à neuf par le cinéma : dès maintenant, en France, des hommes comme René Clair et Jean Renoir (avec certains collaborateurs pour divers films) doivent être comptés parmi les auteurs dramatiques. D'autre part, avec le doublage en différentes langues, le théâtre cinématographique (limité par la censure et des combinaisons commerciales) est essentielllement international.

La radio est entrée en action à partir de 1920. Son premier effet a été de multiplier la connaissance des œuvres musicales, et c'est encore une de ses plus grandes activités. Depuis les dernières années de cette période elle est aussi un moyen d'expansion du théâtre :

en partie par la diffusion de quelques représentations, surtout par
des montages radiophoniques, qui permettent à peu de frais de
faire connaître à des auditeurs très nombreux des pièces de valeur,
que des théâtres ne peuvent monter sans catastrophes pécuniaires.
On peut citer ici au moins le nom d'André Delferrière qui s'était
spécialisé dans ces montages.

6. Extension et divisions régionales du français

L'époque dont nous nous occupons est celle de la prise de possession du français par l'ensemble du peuple, grâce à l'instruction
généralisée, le journal et finalement le cinéma parlant et la radio.
Sans qu'il y ait à noter de véritables extensions territoriales du
français, en dehors des colonies, l'usage en est devenu beaucoup
plus grand aux dépens des patois et des langues régionales; en
même temps, l'usage écrit du latin s'est à peu près éteint.

Il faut, d'autre part, tenir compte de la diversité du français, augmentée par l'extension même de son usage. Il est difficile de traiter
le sujet avec exactitude et avec des vues historiques exactes, faute de
documents satisfaisants pour le temps présent et surtout pour le
passé.

a) PATOIS; LANGUES RÉGIONALES. — Les patois d'origine latine
ne sont pas de simples variétés du français; ce sont dans l'ensemble
ses frères, à évolution propre à partir du latin, mais en zigzags
(voir p. 79); on peut les grouper en ensembles dialectaux où l'intercompréhension est suffisante; mais au total des gens de patois
assez éloignés dans l'espace ne peuvent pas se comprendre au
moyen de leur langage maternel.

Les parlers d'autre origine (celtique, germanique, basque) et
romans non gallo-romans sont étrangers au français; ils sont diver-
sifiés chacun dans leur petit ensemble; ainsi tous les Basques ne se
comprennent pas entre eux.

Notons ici que si on considère la longue période du 18° au 20°
siècle, les 'petites langues' ont perdu un peu de terrain en France.
Pour le germanique, le flamand a perdu un territoire compris en
gros entre Boulogne, Calais, Dunkerque et Saint-Omer; les parlers
de Lorraine ont perdu surtout la région dont Dieuze est le centre,
jusqu'auprès de Sarrebourg à l'est, et une petite bande au nord et
au sud, tandis que l'alsacien gagnait un peu dans les Vosges (district de Sainte-Marie-aux-Mines). Le basque n'a pas reculé en

France de manière très sensible. Le recul le plus important est celui du breton qui, après s'être parlé jusqu'à une ligne passant à l'est de Saint-Malo, peu à l'ouest de Rennes et à l'est de Saint-Nazaire, est maintenant limité par une ligne allant de l'ouest de Saint-Brieuc à l'est de Vannes; ainsi s'est étendue la portion française de Bretagne qu'on appelle localement celle du *gallo*.

A la campagne, les patois (bien souvent très pénétrés de français) subsistent bien vivants, sauf dans la région de Paris, entendue au sens très large, avec l'Orléanais, la Touraine, la Brie, la Champagne etc.; encore n'ont ils pas disparu partout dans ce domaine. Dans presque toutes les villes, même de moyenne importance, les patois et même les langues régionales ne sont plus ni parlés, ni compris : ainsi Marseille est une capitale de langue française en domaine provençal; Brest, en somme, une capitale de langue française en domaine breton; mais il y a des exceptions, surtout en Alsace.

Au total, on peut dire que le français, depuis la fin de l'époque féodale, a constamment gagné sur les patois comme sur les langues régionales.

Partout où les patois (français ou autres) subsistent, leur rôle est restreint parce que tout le monde apprend le français sinon dans la famille, au moins à l'école; les hommes dont l'instruction a été insuffisante prennent un nouveau bain de français au régiment; très rares sont maintenant les vieillards ou les réfractaires isolés qui ne peuvent pas faire usage du français. Un très grand nombre d'individus sont bilingues, sachant à la fois le français et l'idiome local, passant aisément de l'un à l'autre. Plus encore, beaucoup de patois sont attaqués de l'intérieur : le vocabulaire français y pénètre en masse ainsi que certaines formes : ce sont alors des patois francisés.

D'une manière générale, les patois de l'ancien domaine d'oui ne s'écrivent pas; qui n'est pas capable d'écrire en français fait écrire par un autre. Le patois ne s'enseigne pas. Les patoisants ont dans l'ensemble le sentiment que leur langage est d'une espèce inférieure; ils ne cherchent ni à l'affirmer ni à le répandre.

Il faut toutefois tenir compte de littératures en langages régionaux : des aspects moyens de patois, compréhensibles pour toute une région, donc relevant de la définition du dialecte, sont encore écrits dans une plus ou moins large mesure; ils ont dû l'être sensiblement plus autrefois; mais ils n'étaient pas ou étaient moins imprimés. On les trouve un peu partout sur des cartes postales comiques, dans des articles isolés, généralement humoristiques, de journaux provinciaux, dans de petites feuilles hebdomadaires ou mensuelles plus ou moins humoristiques elles aussi, quelquefois même dans des livres de fabrication et de diffusion locale. Il faut tenir compte aussi de petites pièces de théâtre patoises qui se jouent dans des fêtes villageoises.

La situation est différente sur un domaine marginal, celui du wallon. Celui-ci a en Belgique une véritable littérature, avec poésie, romans, théâtre et dictionnaires, qui est représentée dans l'enseignement à l'Université de Liège.

Le cas est autre pour l'ensemble occitan, le catalan, le corse et les idiomes régionaux d'origine non latine.

Le provençal a eu autrefois une littérature; elle a été réveillée au 19ᵉ siècle par le mouvement des félibres, et a eu un grand poète, Frédéric Mistral (*Mireille*, 1869). Il reste beaucoup de fervents du provençal, de lecteurs de Mistral et autres, même dans d'assez grandes villes.

Pour toutes ces langues les traditions ont été maintenues de diverses manières : le catéchisme est généralement enseigné dans la langue locale qui sert aussi plus ou moins au prêche. L'esprit récemment réveillé et quelquefois exaspéré des nationalismes linguistiques. même petits, n'a pas été sans se faire sentir en France; un esprit particulariste, sinon autonomiste, se manifeste dans' certains milieux. En Alsace, l'enseignement de l'allemand a été préservé, depuis 1918, de diverses manières, à côté du français, et le langage régional germanique (qui n'est pas de l'allemand proprement dit) est entretenu par là même; il paraît toute une presse en allemand, le poste Radio-Strasbourg a émis en français et en allemand. Pour toutes les langues il faut tenir compte de la presse plus ou moins abondante et de l'emploi plus ou moins répandu dans la correspondance.

Il faut aussi compter avec les émissions en langage régional (voir pp. 355-451, 452).

Mais partout en France, seul le français est langue officielle.

En Belgique, sa situation a été récemment diminuée à cause de la puissance accrue du mouvement 'flamingant'; dans les parties flamandes du pays, l'enseignement du français a été très réduit; l'université de Gand a été flamandisée; dans celle de Louvain les enseignements sont donnés dans les deux langues.

Le français subsiste d'autre part, sans recul, comme langue officielle, dans les cantons de la Suisse romande.

Pour le Val d'Aoste, voir Références, p. 452.

Pour le Canada et certaines régions des Etats-Unis, voir le paragraphe c.

b) VARIATIONS RÉGIONALES DU FRANÇAIS. — Le français, par ses origines, plus encore peut-être par son développement comme langue du gouvernement et de la littérature dans un pays de plus en plus centralisé, est essentiellement le langage des milieux cultivés de Paris; mais suivant la règle générale de différenciation des langues, en s'implantant dans les diverses régions de la France (et parties de pays voisins), il s'est lui-même diversifié, non sans certaines influences des langues antérieurement parlées en chaque région.

La matière est délicate, l'étude historique et actuelle est peu faite et difficile à faire.

Il faut marquer surtout que les divergences sont d'assez faible amplitude; on doit dire que le français moderne n'a pas de dialectes, mais des nuances locales.

La différenciation n'est pas nouvelle; elle date du début de l'extension du français. En ce qui concerne le siècle qui nous occupe ici, il y a des mouvements antagonistes. D'abord le français, en s'imposant à de nouvelles régions, se diversifie; il se crée en quelque sorte des français nouveaux. Mais les domaines nouvellement francisés entrent de plus en plus, par l'instruction et par les déplacements des individus, dans le cercle commun, et les particularités tendent à s'éliminer. Toutefois, si la province peut aisément et plus vite se modeler sur Paris, Paris devient plus réceptif et compréhensif pour la province (succès des romans régionaux, etc.) et peut s'enrichir de quelques éléments de langages provinciaux.

Les différences principales concernent la prononciation : c'est ce qui constitue les 'accents'. Rares sont les gens de province, même très cultivés, même ayant vécu longtemps à Paris, dont on ne puisse pas reconnaître l'origine en les écoutant parler; les accents sont plus nets encore chez les personnes peu cultivées. On peut dire d'une manière générale que personne ne fait effort pour supprimer son accent; tout autoritaire que soit dans l'ensemble l'enseignement du français, il admet du jeu en cette matière; il n'est que d'écouter parler les professeurs en Sorbonne, dont peu sont parisiens, pour s'en convaincre. D'ailleurs, le recrutement régional des instituteurs et en grande partie des maîtres d'école normale eux-mêmes, dont la plupart n'ont jamais eu de contacts avec Paris, est de nature à renforcer les accents provinciaux. Reste à savoir si la radio, où l'accent est plus ou moins unifié chez les speakers, comme il l'est d'autre part chez les acteurs aura par la suite une influence régulatrice.

L'accent régional le plus connu est celui du Midi (une grande partie de la France), et dans celui-ci, on remarque surtout son trait principal : la prononciation de beaucoup d'*e* devenus muets en parisien, notamment les *e* finaux de mots. A cet exemple ajoutons-en quelques autres : une prononciation ouverte de *o* dans les mots comme *rose, pot* (prononcés à peu près comme s'ils avaient l'*o* de *sol*) commune à des gens du Midi et à des gens du Nord; la prononciation fermée de *eu* par exemple dans *aveugle* (prononcé comme s'il avait *eu* de *peut*) dénonce des Berrichons et des Lorrains; la prononciation légèrement mouillée de certains *s* par les Auvergnats les a fait accuser de mettre des *š* (ch) partout. Pour un domaine excentrique, on connaît la confusion ou au moins le grand rapprochement entre elles des consonnes sourdes et sonores (ainsi *p* et *b*) chez les Alsaciens; mais beaucoup d'Alsaciens se débarrassent de cette particularité. Enfin, il y a un accent parisien, dit souvent 'faubourien', ce qui démontre bien que le français n'est pas purement et simplement du parisien spontané : cet accent se reconnaît spécialement à la prononciation de certaines voyelles, surtout chez les gens peu instruits (voir chapitre XV).

Une autre différence qui frappe porte sur le vocabulaire. Chaque province a un certain nombre de mots, substantifs, verbes, adverbes ou conjonctions, qui ne sont pas du français commun, mais sont employés par les personnes parlant français (et non patois). Ainsi, le nom de certains torchons est, suivant les régions 'patte' (Nord), 'loque' (autres parties du Nord), 'sinse' (Poitou), etc.; une partie au moins de la Provence dit 'remettez-vous' pour 'asseyez-vous'; à Poitiers ou Chinon, on est 'après s'amuser' (et non 'en train de s'amuser'), etc. L'emploi de telles expressions fait le ton de certaines œuvres littéraires.

Il faut penser aussi à une notion plus subtile, celle du conservatisme provincial; la province résiste à certaines innovations parisiennes; si le vocabulaire moderne et spécialement populaire de la capitale ne fait pas évoluer plus vite le lexique de l'ensemble des auteurs de langue française, on ne doit pas l'attribuer seulement à une résistance des milieux instruits; c'est aussi un reflet des relations de plus en plus étroites de la capitale et des villes de province, elles-mêmes liées à leurs campagnes.

De même pour les formes.

On sait que dans une certaine mesure (moins qu'on ne le croit généralement) le passé simple est encore employé dans le français parlé du Midi; il apparaît comme naturel aussi aux gens qui l'emploient normalement en patois alors qu'à Paris il n'a plus aucune racine locale.

Surtout l'imparfait et le plus-que-parfait du subjonctif, complètement abolis dans le langage moyen de la région parisienne, subsistent dans des français provinciaux citadins ou campagnards (par exemple dans la région de Bayeux en Normandie). Si certains auteurs, par ailleurs très modernes, l'emploient encore, ce n'est peut-être pas tant par pédantisme (particularisme bourgeois) que par une influence de certaines ambiances provinciales et, en somme, par un souci de généralité. Il peut arriver que des formes qui paraissent insolites aux Parisiens d'aujourd'hui aient été introduites en province autrefois comme des formes de la langue commune à base d'usage parisien et, s'y soient conservées alors qu'elles étaient abandonnées à Paris. C'est le cas des infinitifs en -*i* et non -*ir* (*fini, couri*) qui étaient de bon usage au 17ᵉ et pendant une partie du 18ᵉ siècle, et se trouvent au moins dans certaines parties du Poitou. Certaines tournures qui sont dans la ligne de l'évolution du français peuvent se rencontrer non réprouvées en province (celle-ci commençant aux portes de Paris) alors qu'elles sont exclues du français enseigné par un freinage grammatical dont nous ne connaissons pas toujours les débuts. C'est le cas de l'emploi du conditionnel après *si* « si vous viendriez je serais content » répandu à Paris même chez les enfants et populairement ainsi qu'en Belgique, en Suisse, au Canada (la liste n'est pas close) et de la concordance parfaite à redondance hypothétique « je voudrais qu'il viendrait » constaté dans une partie de l'Ouest, au Canada, en Belgique.

Un fait important dans les campagnes où le français est d'acquisition récente, est que des gens ayant la volonté de parler français, et en fait se faisant comprendre des personnes qui ne parlent que français, introduisent dans leur français des formes patoises (ainsi 'j'avons' pour 'nous avons', 'il a-t-été' pour 'il a été', etc.); les observateurs savants parlent dans ce cas de 'français patoisé'. Le français patoisé se rencontre plus ou moins avec le patois francisé; ce sont des formes de transition, qui préludent apparemment à la francisation complète (réserve faite de nuances provinciales).

Ce qui est dit ici pour le français de France, tant pour les accents

que pour les relations entre parlers locaux et langue de culture vaut
aussi pour le français en Belgique et en Suisse.

c) LE FRANÇAIS DANS LES ANCIENNES ET DANS LES NOUVELLES
COLONIES avant 1939. — Au Canada, dans les vieilles provinces, le
français a résisté à l'anglais. Les parlers campagnards (issus de
l'Ouest de la France) ont subsisté en empruntant certains éléments
du vocabulaire anglais, chez 4 .millions d'individus; l'influence
anglaise est plus forte dans les grands groupes immigrés dans le
nord des Etats-Unis (environ 1.100.00 personnes).

Il ne s'est pas constitué de français canadien cultivé; c'est le
français de France qui sert de langue de culture.

Il faut tenir compte de 200.000 personnes environ·qui parlent
encore français en Louisiane, dans le sud des Etats-Unis.

Dans les Antilles, restées ou non sous le gouvernement français,
et notamment dans la République d'Haïti (environ 2 millions d'individus au total), il s'est créé au contact des colons français et des
Noirs amenés d'Afrique par l'esclavagisme européen, depuis le
17° siècle, un langage très particulier, le créole; il semble qu'il
doive certains de ses traits à des parlers africains, apportés mais
oubliés par les Noirs. Le créole est parlé par tout le monde; on en
cite un écrit dès 1757. Mais il a gardé le caractère de 'petite langue'.
L'instruction est donnée en français, c'est le français de France, ici
encore, qui est la langue de culture.

Le créole est aussi parlé et même écrit à la Martinique et à
l'île Maurice.

Dans l'Afrique du Nord, les conditions ont été complexes. Il s'est
formé, surtout dans les villes de la côte, une nombreuse population
d'origine européenne composite, avec des éléments français en partie méridionaux, des éléments espagnols à l'ouest, italiens à l'est
(environ 1.280.000 individus, Français pour les quatre cinquièmes).
L'enseignement primaire, secondaire et supérieur a été donné en
français. Le français parlé est une variété de français méridional
des villes, avec des particularités, dont quelques rares emprunts
de vocabulaire à l'arabe.

Les juifs (citoyens français en Algérie depuis 1870) ou bien sont
bilingues, conservant leur langage, espagnol dans certaines villes
marocaines, arabe partout ailleurs, à côté du français, ou bien ont
passé à l'usage exclusif du français; nombre d'entre eux recevant
l'enseignement secondaire.

Les indigènes musulmans ont gardé leurs langages, arabes ou
berbères (beaucoup de Berbères parlent aussi arabe), et un certain

nombre ont une culture en arabe classique ou écrit, vieille langue de civilisation conservée comme langue religieuse et littéraire. L'instruction obligatoire (en français) n'a été introduite que dans la région kabyle de l'Algérie; ailleurs, les écoles ont été en nombre tout à fait insuffisant. Une partie des indigènes musulmans (instituteurs, autres fonctionnaires, ouvriers des villes, paysans) ont appris le français; certains d'entre eux ont une culture française développée; les colporteurs et ouvriers, nombreux dans la région parisienne, peuvent se servir de la langue commune; il se crée parmi eux une nouvelle espèce de français à substrat arabe. D'autre part, les colons européens de la campagne parlent plus ou moins arabe.

Les relations étant ainsi établies le sabir *ou lingua franca*, moignon de langue à grammaire rudimentaire et à vocabulaire réduit (mélangé d'italien et d'autres éléments romans), qui servait d'organe de communication dans les ports méditerranéens avant la conquête de l'Afrique du Nord, a cessé d'exister.

Au Levant, et pas seulement en Syrie sous l'administration française, mais en Egypte, dans les ports turcs, le français a sensiblement préservé une ancienne situation prospère, avec des écoles, lycées et même universités de religieux catholiques français, des écoles de l'Alliance israélite pour les juifs de langue espagnole et autres, des lycées de la Mission laïque.

En Afrique occidentale française, où il n'y a à peu près aucune langue indigène écrite, l'instruction française a été généralisée dans les communes du Sénégal à citoyens français, trop peu donnée ailleurs, de même qu'en Afrique équatoriale et au Cameroun. Il est apparu de nouveaux jargons français. Les instituteurs noirs désormais nombreux, des interprètes et autres fonctionaires ont commencé à participer à la culture et même à la science ethnographique française; il y a des Noirs africains dans les professions intellectuelles de la métropole.

Le français a aussi un usage étendu au Congo belge où les écoles ont été plus largement répandues.

En Indochine, le vietnamien est une langue cultivée depuis longtemps, écrite avec une variété de l'écriture chinoise depuis le 15ᵉ siècle et aussi, depuis le 17ᵉ siècle avec une écriture latine dont le Viet-Minh s'est servi depuis le début de son activité (vers 1940) pour répandre l'instruction. Mais l'instruction donnée en français par l'administration coloniale a été peu répandue, n'atteignant pas même dix pour cent de la population. Néanmoins de nombreux soldats et petits fonctionnaires ont appris plus ou moins bien le français, des Vietnamiens ont reçu l'enseignement secondaire des lycées français; certains ont fréquenté l'enseignement supérieur sur place ou en France.

A Madagascar, une écriture latine a été combinée pour le malgache au début du 19° siècle; elle sert actuellement surtout, outre l'enseignement des missionnaires chrétiens, pour quelques journaux. L'enseignement élémentaire est donné, en français, à une trop petite partie de la population (un dixième environ). Néanmoins le français est relativement pratiqué, surtout dans les villes, par les indigènes dont certains vont au lycée et même poursuivent plus loin leurs études (notamment Ecole de médecine).

Ainsi, l'impérialisme colonial a sensiblement élargi l'aire d'emploi du français, malgré sa répugnance à instruire les habitants des pays d'outre-mer.

7. Français et langues étrangères; langues auxiliaires internationales

Le français a gardé en partie, à côté d'autres langues, une importance dans la bourgeoisie cultivée et surtout chez les intellectuels de petits pays très civilisés dont les langues sont d'expansion restreinte (Hollande, Pays scandinaves). Jusqu'à la guerre de 1914-18, il était très cultivé dans l'aristocratie et la haute bourgeoisie de la Russie tsariste, et les générations élevées partiellement en français dans ces milieux ne sont pas éteintes; d'autre part, les révolutionnaires exilés avant la révolution ont généralemeent pratiqué le français. Maintenant l'Union soviétique se trouve sur le pied des autres pays pour les relations de langue; le français y est enseigné, ainsi que l'anglais et l'allemand.

Toutes les langues qui se sont répandues dans les colonies de divers pays, se maintiennent ou s'étendent encore dans les anciennes colonies détachées (anglais en Amérique du Nord, espagnol et portugais en Amérique du Sud) ou dans les dominions (anglais au Canada à côté du français, et dans d'autres parties de l'empire britannique), russe dans les Républiques fédérées de l'Union soviétique; de plus le russe est largement enseigné dans les démocraties populaires.

Mais en même temps, les relations de toutes sortes se font de plus en plus fréquentes et multiples entre les nationalités; le besoin de

communications a fait développer partout l'enseignement des langues étrangères, dans l'enseignement supérieur, secondaire et même
primaire, et dans l'enseignement professionnel commercial. Si les
langues étrangères sont de plus en plus étudiées en France, en partie en remplacement des langues anciennes, le français est étudié
dans les mêmes conditions à l'étranger, plus ou moins suivant les
zones d'influence et atteint, avec les démocratisations, de nouvelles
couches sociales. Au total l'anglais a dans le monde une situation
prépondérante et a pris place comme langue 'diplomatique' à côté
du français dans le traité de paix qui a suivi la guerre de 1914-18.

D'autre part, les littératures, sans les langues, ont une expansion
par les traductions : la littérature française, partiellement influencée par les littératures étrangères, continue par ailleurs à avoir
pour sa part une influence appréciable.

Le besoin de communications, le commencement de constitution
d'un milieu international font que certains mots se répandent facilement de langue à langue, en s'y incorporant. Il y a de plus en
plus un vocabulaire international technique et politique.

L'idée est née de créer une langue internationale, au moins
comme langue auxiliaire, faisant une sorte de moyenne entre les
grandes langues européennes. Plusieurs essais ont été faits : celui
de l'espéranto est celui qui a eu et a encore le plus d'adeptes, en
France et ailleurs. Si une telle langue auxiliaire se répandait, elle
aurait comme effet de restreindre, relativement sinon absolument,
l'expansion de chacune des grandes langues de civilisation, du français comme des autres.

8. Le latin en France

Paragraphe bref : le latin a perdu toutes ses anciennes positions
en France. Même l'emploi liturgique dans les offices de la religion
catholique est maintenant sujet à certaines restrictions. On ne se
sert plus du latin en écrivant que pour la rédaction de quelques
recueils académiques à usage international. L'obligation d'écrire
en latin la thèse seconde pour le doctorat ès lettres a disparu en
1908.

Nous avons vu que sa part dans l'enseignement secondaire a
diminué rapidement. Même les gens cultivés qui ont appris le latin
au lycée en lisent de moins en moins; l'officier retraité qui traduit
Horace est type archaïque depuis la fin du 19ᵉ siècle; les fameuses

citations latines, que groupent, à l'usage des lecteurs consciencieux ou de quelques-uns qui veulent se targuer de lettres, les 'pages roses' du Petit Larousse ou dictionnaires analogues, ont à peu près disparu des discours.

Mais le latin a conservé et doit conserver une place comme élément des études sur le passé de la civilisation occidentale, sur l'histoire des langues romanes et autres, en particulier du français. Nous avons dit que les nombreuses femmes qui se préparent à une carrière de l'enseignement supérieur et secondaire se sont mises à l'étude du latin et aussi du grec. Des instituteurs manifestent un juste intérêt pour cette étude, qui éclaire l'étude historique du français, et il est possible qu'elle se développe parmi eux, judicieusement dirigée par l'esprit historique.

Cet esprit fait que l'étude du latin se renouvelle en elle-même. Les professeurs d'enseignement supérieur, au moins ceux qui ont une éducation linguistique, préconisent la prononciation restituée du latin, poussant jusqu'au bout, grâce aux acquisitions de la science moderne, la réforme d'Erasme. L'église catholique elle-même a introduit autour de 1916 une réforme en prescrivant l'usage d'une prononciation à l'italienne.

On cherche à voir le latin, et à l'utiliser, dans sa juste perspective et à sa juste place.

9. Transformations du français

Au total, si l'usage qu'on fait du français, depuis sa définitive généralisation dans toute la France et dans toutes les couches sociales, s'est modifié de manière sensible, les caractéristiques de la langue ont peu changé.

a) PRONONCIATION. — Un fait montre comment la prononciation peut évoluer même dans une langue sensiblement fixée dans l'enseignement et dans l'usage distingué, sans que l'ensemble des usagers en ait conscience au moment même et sans que personne y puisse rien. Une des consonnes du français a fini de disparaître dans la région parisienne et dans le français normal dans la seconde partie du 19ᵉ siècle : c'est *l* mouillé (*l*), consonne composite dans l'articulation, qui ne subsiste plus que dans diverses provinces (on l'entend au moins dans certains milieux de Belgique, du Poitou, du Roussillon, du Périgord) ; cette consonne (écrite *il, ill*) a été remplacée par la semi-voyelle *y* : ainsi on prononce *cailler* comme *cahier* (à la qualité de l'*a* près); *œil* finit comme commence *yeux*. (Pour le début de cette transformation, voir p. 192.)

Pour d'autres faits en cours d'évolution, se reporter au chapitre suivant.

b) GRAMMAIRE (FORMES ET SYNTAXE). — C'est au 19ᵉ siècle, que l'imparfait et le plus-que-parfait du subjonctif avec leurs différentes valeurs sont nettement entrés en décadence dans l'usage parlé et même écrit. Les formes de la première et deuxième personnes du pluriel semblent avoir été évitées d'abord. Même chez les personnes qui usent d'un langage conservateur il ne reste plus guère que des imparfaits et plus-que-parfaits des auxiliaires ('qu'il eût', 'que nous fussions', 'il eût été') et de quelques autres verbes courts, ainsi 'faire' ('que vous fissiez', 'qu'ils fissent', 'il eût fallu'); chez certaines, la troisième personne du singulier survit seule (voir au chapitre XV).

Pour l'indicatif c'est au cours de ce siècle que s'est accomplie l'éviction du passé simple de la conversation dans le français général. Les étapes finales, comme les étapes antérieures (voir p. 225), devraient être étudiées au moyen de dépouillements atteignant les documents non publiés. Voir ce qui est dit au chapitre XV.

Il faut tenir compte du travail fait par les écrivains sur la structure de la phrase. Sans que la syntaxe classique soit officiellement modifiée, des tournures plutôt rares autrefois ont été souvent employées pour produire certains effets et ont fini par devenir plus ou moins usuelles (ainsi les phrases sans verbe). Au total, par l'usage de cette liberté, la variété de la syntaxe est devenue plus grande. (Voir au chapitre XV.)

c) VOCABULAIRE. — Avec toutes les nouvelles complications de la vie moderne, de nombreux termes nouveaux ont été nécessaires. Beaucoup sont restés propres aux techniciens, parmi lesquels se rangent les spécialistes des différentes sciences; mais beaucoup sont entrés dans l'usage commun, d'autant plus que les produits de la technique et même l'exercice de beaucoup de techniques chez des non-spécialistes se sont répandus toujours plus.

La grande source des nouveaux mots est toujours le vocabulaire grec, et spécialement quelques termes de ce vocabulaire qui sont devenus des éléments de composition usuelle du français (comme *auto*- 'soi-même, de soi-même', *hydro*- 'eau' -*logie* 'étude') et qui s'allient avec d'autres radicaux grecs ou avec des radicaux latins ('autographie', 'automobile'). La langue de la réclame commerciale a utilisé ces procédés avec une abondance toujours plus grande; par exemple un dentifrice a été baptisé *kalodont* 'belles-dents'.

Beaucoup de mots longs ainsi constitués, devenus très usuels, sont abrégés, en se réduisant le plus souvent à deux syllabes (type 'auto'), voir chapitre XV.

D'autre part, beaucoup de termes de la technique industrielle et du sport ont été pris à l'anglais, avec les objets et les usages, ainsi *tramway, tender, football, sprint;* certains concernent la vie publique : *interview, boycott, lock-out.*

On peut noter aussi divers autres mots de langues européennes surtout du russe (*moujik, soviet*), ou de l'allemand (*ersatz*), et quelques termes exotiques; ainsi *cacahouète,* mot indien du Mexique, d'ailleurs passé par l'espagnol.

Les mots rapportés des colonies, surtout de l'Afrique du Nord, ont généralement gardé un usage familier ou vulgaire : *kifkif, toubib,* de l'arabe; *moukère,* de l'espagnol *mujer,* 'femme', qui a passé par l'Algérie.

Noter aussi l'incorporation dans le vocabulaire commun de certains termes provinciaux comme *galéjade* (du provençal), *rescapé* (picard du Borinage).

Les indications succinctes données dans les paragraphes qui précèdent ne visent qu'à montrer le peu qui a pu être observé en cours d'évolution au 19° siècle, avec toutefois quelques exemples du 20°.

L'aboutissement des diverses tendances au 20° siècle est marqué dans le tableau systématique du chapitre suivant. C'est aussi dans ce chapitre qu'est étudié de plus près le rapprochement des langages des diverses classes, notion qui a été le fil directeur du développement qui s'achève ici.

TEXTES DU 19ᵉ SIÈCLE (SECONDE MOITIÉ)
ET DU 20ᵉ SIÈCLE (JUSQU'A 1939)

GEORGE SAND : *Les maîtres sonneurs* (1853), cinquième veillée.

Comme le vacarme s'en allait se perdant, je consentis à regarder, d'autant que Brulette était affolée de savoir ce qu'était ce paquet, et Joseph le défaisant, nous fit voir une musette si grande, si grosse, si belle, que c'était, de vrai, une chose merveilleuse et telle que je n'en avais jamais vue.

Elle avait double bourdon, l'un desquels, ajusté de bout en bout, était long de cinq pieds, et tout le bois de l'instrument, qui était de cerisier noir, crevait les yeux par la quantité d'enjolivures de plomb, luisant comme de l'argent fin, qui s'incrustaient sur toutes les jointures. Le sac à vent était d'une belle peau, chaussée d'une taie indienne rayée bleu et blanc; et tout le travail était agencé d'une mode si savante, qu'il ne fallait que bouffer bien petitement pour enfler le tout et envoyer un son pareil à un tonnerre.

VICTOR HUGO : *Les Misérables* (1862). (Ed. Hetzel et Quantin), Tome V, p. 13.

1830 est une révolution arrêtée à mi-côte. Moitié de progrès; quasi-droit. Or la logique ignore l'à peu près; absolument comme le soleil ignore la chandelle.

Qui arrête les révolutions à mi-côte ? La bourgeoisie. Pourquoi ?

Parce que la bourgeoisie est l'intérêt arrivé à satisfaction. Hier c'était l'appétit, aujourd'hui c'est la plénitude, demain ce sera la satiété.

Le phénomène de 1814 après Napoléon se reproduisit en 1830 après Charles X.

On a voulu, à tort, faire de la bourgeoisie une classe. La bourgeoisie est tout simplement la portion contentée du peuple. Le bourgeois, c'est l'homme qui a maintenant le temps de s'asseoir. Une chaise n'est pas une caste.

Mais, pour vouloir s'asseoir trop tôt, on peut arrêter la marche même du genre humain. Cela a été souvent la faute de la bourgeoisie. On n'est pas une classe parce qu'on fait une faute. L'égoïsme n'est pas une des divisions de l'ordre social.

FLAUBERT : *Madame Bovary,* 1857 (éd. définitive Charpentier-Fasquelle, 1900), p. 64.

Pour remplacer Nastasie (qui enfin partit de Tostes, en versant des ruisseaux de larmes), Emma prit à son service une jeune fille de quatorze ans, orpheline et de physionomie douce. Elle lui interdit les bonnets de coton, lui apprit qu'il fallait vous parler à la troisième personne, apporter un verre d'eau sur une assiette, frapper aux portes avant d'entrer, et à repasser, à empeser, à l'habiller, voulut en faire sa femme de chambre. La nouvelle bonne obéissait sans murmurer pour n'être point renvoyée; et, comme Madame, d'habitude, laissait la clef au buffet, Félicité, chaque soir, prenait une petite provision de sucre qu'elle mangeait toute seule dans son lit, après avoir fait sa prière.

PAUL VERLAINE : *Poèmes saturniens,* 1866 (Vanier).

SOLEILS COUCHANTS

Une aube affaiblie
Verse sur les champs
La mélancolie
Des soleils couchants.
La mélancolie
Berce de doux chants
Mon cœur qui s'oublie
Aux soleils couchants
Et d'étranges rêves
Comme des soleils
Couchants sur les grèves,
Fantômes vermeils,
Défilent sans trêve,
Défilent, pareils
A de grands soleils
Couchants sur les grèves.

LAUTRÉAMONT : *Les chants de Maldoror,* 1869. Début de la division 7.

« J'ai fait un pacte avec la prostitution afin de semer le désordre dans les familles. Je me rappelle la nuit qui précéda cette dangereuse liaison. Je vis devant moi un tombeau. J'entendis un ver luisant, grand comme une maison, qui me dit : « Je vais t'éclairer. Lis l'inscription. Ce n'est pas de moi que vient cet ordre suprême. » Une vaste lumière couleur de sang, à l'aspect de laquelle mes mâchoires claquèrent et mes bras tombèrent inertes, se répandit dans les airs jusqu'à l'horizon. Je m'appuyai contre une muraille en ruine, car j'allais tomber, et je lus : « Ci-gît un adolescent qui mourut poitrinaire : vous savez pourquoi. Ne priez pas pour lui. Beaucoup d'hommes n'auraient peut-être pas eu autant de courage que moi. »

Arthur RIMBAUD : *Poésies.* Paris (Mercure de France) vers 1871.

VÉNUS ANADYOMÈNE
(second quatrain)

Puis le col gras et gris, les larges omoplates
Qui saillent, le dos court qui rentre et qui ressort.
La graisse sous la peau paraît en feuilles plates,
Et les rondeurs des reins semblent prendre l'essor.

ALPHONSE DAUDET : *Contes du lundi* (1873). (Lemerre éditeur), Paris. « *Les trois sommations* », p. 156.

Aussi vrai que je m'appelle Bélisaire et que j'ai mon rabot dans la main en ce moment, si le père Thiers s'imagine que la bonne leçon qu'il vient de nous donner aura servi à quelque chose, c'est qu'il ne connaît pas le peuple de Paris. Voyez-vous, monsieur, ils auront beau nous fusiller en grand, nous déporter, nous exporter, mettre Cayenne au bout de Satory, bourrer les pontons comme des barils à sardines, le Parisien aime l'émeute, et rien ne pourra lui enlever ce goût-là ! On a ça dans le sang. Qu'est-ce que vous voulez ?

Stéphane MALLARMÉ : *Vers et prose*. Paris (Perrin).

UNE DENTELLE S'ABOLIT

Une dentelle s'abolit
Dans le doute du jeu suprême
A n'entrouvrir comme un blasphème
Qu'absence éternelle de lit

Cet unanime blanc conflit
D'une guirlande avec la même,
Enfin contre la vitre blême
Flotte plus qu'il n'ensevelit.

JULES VALLÈS : *Le Bachelier*, 1881. (Bibliothèque Charpentier, tirage de 1916), p. 25.

« C'est toi ?...
— Matoussaint !
— Vingtras ! »
Nous nous sommes jetés dans les bras l'un de l'autre et nous nous tenons enlacés.
Nous sommes enlacés.
Je n'ose pas lâcher le premier, de peur de paraître trop peu ému, et j'attends qu'il commence. Nous sommes comme deux lutteurs qui se tâtent — lutte de sensibilité dans laquelle Matoussaint l'emporte sur Vingtras. Matoussaint connaît mieux que moi les traditions et sait combien de temps doivent durer les accolades ; quand il faut se relever, quand il faut se reprendre. Il y a longtemps que je crois avoir été assez ému, et Matoussaint tient encore très serré.

Guy de MAUPASSANT : *Mlle Fifi* (1882) p. 3 de la nouvelle.

Depuis son entrée en France, ses camarades ne l'appelaient plus que Mlle Fifi. Ce surnom lui venait de sa tournure coquette, de sa taille fine qu'on aurait dit tenue en un corset, de sa figure pâle où sa naissante moustache apparaissait à peine, et aussi de l'habitude qu'il avait prise, pour exprimer son souverain mépris des êtres et

des choses, d'employer à tout moment la locution française — *fi,
fi donc,* qu'il prononçait avec un léger sifflement.

La salle à manger du château d'Uville était une longue et royale
pièce dont les glaces de cristal ancien, étoilées de balles, et les
hautes tapisseries des Flandres, tailladées à coups de sabre et pen-
dantes par endroits, disaient les occupations de Mˡˡᵉ Fifi, en ses
heures de désœuvrement.

EDMOND DE GONCOURT : *Chérie,* 1884 (Charpentier), p. 134.

Et presque aussitôt les embrassades penchées, aux tendres enve-
loppements des bras autour du cou du grand-père, aux abandonne-
ments du souple corps pour ainsi dire fluide, et comme fondu dans
l'ondoiement des molles étoffes parmi lesquelles il flottait.

En un mot, la grâce de la caresse, Chérie l'avait comme pas une
petite fille.

ZOLA : *Germinal,* 1885 (Charpentier et Fasquelle), p. 185.

Et la famille partait de là, chacun disait son mot, pendant que
le pétrole de la lampe viciait l'air de la salle, déjà empuantie d'oi-
gnon frit. Non, sûrement, la vie n'était pas drôle. On travaillait en
vraies brutes à un travail qui était la punition des galériens, autrefois; on y laissait la peau plus souvent qu'à son tour, tout ça pour
ne pas même avoir de la viande sur sa table, le soir. Sans doute on
avait sa pâtée quand même, on mangeait, mais si peu, juste de quoi
souffrir sans crever, écrasé de dettes, poursuivi comme si l'on volait
son pain. Quand on arrivait le dimanche, on dormait de fatigue.
Les seuls plaisirs, c'était de se soûler ou de faire un enfant à sa
femme; encore la bière vous engraissait trop le ventre, et l'enfant,
plus tard, se foutait de vous. Non, non, ça n'avait rien de drôle.

ARISTIDE BRUANT : *Dans la rue* (Chez l'auteur, 1889-1895.) Volume I, p. 87.

BELLEVILLE-MENILMONTANT (début)

Papa, c'était un lapin
Qui s'app'lait J.-B. Chopin

Et qu'avait son domicile
A Bell'ville

L'soir avec sa p'tit' famille
I' s'baladait en chantant
Des hauteurs de la Courtille
A Ménilmontant

I' buvait si peu qu'un soir
On l'a r'trouvé su' l'trottoir
Il' tait crevé ben tranquille
A Belleville

On l'a mis dans d'la terr' glaise
Pour un prix exorbitant
Tout en haut du Pèr'-Lachaise
A Ménilmontant

Courteline : *Les Facéties de Jean de la Butte*, 1892 (Flammarion), p. 46.

L'homme qui vient pour le gaz. — Madame, je viens pour le gaz.

Madame, *faussement désolée*. — Mon Dieu ! Que c'est contrariant. Juste mon mari sort d'ici et il a emporté les clefs. On passera payer.

L'homme qui vient pour le gaz. — On passera payer ! V'là huit fois qu'vous me la faites, celle-là, je commence à la connaître.

Madame. — Mais...

L'homme qui vient pour le gaz. — Il n'y a pas de mais ! Je vous dis que vous devez soixante mètres et que la Compagnie en a plein le dos. Qu'est-ce qui m'a fichu des bohèmes comme ça, qui ne veulent pas payer ce qu'ils doivent et qui disent tout le temps : « On passera. » Quand on n'a pas le moyen d'avoir le gaz chez soi, on fait comme moi : on brûle de la chandelle. En voilà encore des crasseux.

PAUL FORT : *Ballades françaises,* 1897 (Mercure de France) p. 76.

Je ne veux plus chanter plus haut que ma musette, ni plus chanter plus haut qu'à mon berceau d'osier. Je ne veux plus chanter plus fort que l'alouette et qu'au seuil du matin le millet des clochers. — Ne plus chanter plus fort que la pluie sur les feuilles.

EUGÈNE LE ROY : *L'ennemi de la mort* (écrit en 1901-1906, publié en 1912), Calmann-Lévy, 1959 (dans la fin du chapitre 16, p. 211).

Les alentours étaient déserts. Derrière la meule, la Jasse broyait fortement le bon foin nouveau, et parfois, les naseaux chatouillés par le pollen des fleurs, s'ébrouait bruyamment. De-ci de-là, les grillons sortis de leurs tanières se recherchaient en susurrant parmi les racines des plantes coupées. Du lieu où Daniel était couché, la prairie descendait en pente faible jusqu'au ruisseau, dont les eaux, en amont tombaient avec un murmure continu de l'écluse du moulin. Dans cet amoureux soir d'été, le docteur, allongé sur le dos, laissait son regard errer des hauts coteaux assombris qui fermaient l'horizon aux prés du petit vallon qui bordaient les deux rives. Il songeait à Sylvia, désirait sa présence et la redoutait en même temps, lorsque tout à coup il l'aperçut traversant à gué le ruisseau, son jupon troussé jusqu'au-dessus du genou, pareille, dans la faible clarté de cette heure, à une fée des eaux. Une vive émotion le saisit; il voulut s'en aller, puis hésita : il lui semblait n'avoir pas la force de se mettre debout, de secouer le charme voluptueux qui le tenait.

CHARLES PÉGUY : *Notre Jeunesse* (Cahiers de la Quinzaine), 1910, p. 205.

Nous avons été grands. Nous avons été très grands. Aujourd'hui ceux dont je parle, nous sommes des gens qui gagnons pauvrement, misérablement, miséreusement notre vie. Mais ce que je ne vois pas, ce soit que les Juifs pauvres, ici encore, se séparent de nous, qu'ils gagnent leur vie en un tour de main, qu'ils n'aient point de mal, qu'ils aient moins de mal que nous à gagner leur vie... Ce que

je vois, c'est que les Juifs et chrétiens ensemble, Juifs pauvres et
chrétiens pauvres, nous gagnons notre vie comme nous pouvons,
généralement mal, dans cette chienne de vie, dans cette chienne,
dans cette gueuse de société moderne.

ALAIN :*Eléments d'une doctrine radicale.* 1925, (N.R.F.) p. 38,
propos daté de 1911.

Il y a un roman de Dickens, *La petite Dorrit*, qui n'est pas parmi
les plus connus et que je préfère à tous les autres. Les romans
anglais sont comme des fleuves paresseux; le courant y est à peine
sensible; la barque tourne souvent au lieu d'avancer; on prend
goût pourtant à ce voyage, et l'on ne débarque pas sans regret.
   Dans ce roman-là vous trouverez des Mollusques de tout âge
et de toute grosseur; c'est ainsi que Dickens appelle les bureau-
crates et c'est un nom qui servira. Il décrira donc toute la tribu
des Mollusques, et le Ministère des Circonlocutions, qui est leur
habitation préférée.

Romain ROLLAND : *Jean-Christophe.* « Le matin » (Ollendorf),
paru en 1904, 24ᵉ édition, 1911 pp. 170-171.

Ils découvrirent le charme des choses. Le printemps souriait
avec une merveilleuse douceur. Le ciel avait un éclat, l'air avait
une tendresse, qu'ils ne connaissaient pas. La ville tout entière, les
toits rouges, les vieux murs, les pavés bosselés, se paraient d'un
charme familier, qui attendrissait Christophe. La nuit, quand tout
le monde dormait, Minna se levait du lit, et restait à la fenêtre,
assoupie, et fiévreuse. Et les après-midi, quand il n'était pas là, elle
rêvait, assise dans la balançoire, un livre sur les genoux, les yeux
à demie fermés, somnolente de lassitude heureuse, et le corps et
l'esprit flottant dans l'air printanier. Elle passait des heures maintenant au piano, répétant, avec une patience exaspérante pour les
autres, des accords, des passages, qui la faisaient devenir toute
blanche et froide d'émotion.

Paul CLAUDEL : *L'Annonce faite à Marie*. Paris (Gallimard) 1912, Acte I, Scène III, p. 59.

ANNE VERCORS. — Je le sais, ce n'est pas bien !
Jacques, voilà que je suis lâche et vieux, las de combattre et de défendre.
Jadis j'ai été âpre comme toi. Il est un temps de prendre et un temps de laisser prendre.
L'arbre qui fait sa fleur doit être défendu, mais l'arbre couvert de ses fruits, qu'on y aille sans se gêner avec lui.
Soyons injuste en peu de chose, pour que Dieu soit grandement injuste avec moi.
— Et d'ailleurs, tu vas faire maintenant ce que tu veux, car c'est toi qui es sur Combernon à ma place.

Guillaume APOLLINAIRE : *Alcools*, 1913 (Ed. La Pléiade, 1965, p. 41).

ZONE

Maintenant tu marches dans Paris tout seul parmi la foule
Des troupeaux d'autobus mugissants près de toi roulent
L'angoisse de l'amour te serre le gosier
Comme si tu ne devais jamais plus être aimé
Si tu vivais dans l'ancien temps tu entrerais dans un monastère
Vous avez honte quand vous vous surprenez à dire une prière
Tu te moques de toi et comme le feu de l'Enfer ton rire pétille
Les étincelles de ton rire dorent le fonds de ta vie
C'est un tableau pendu dans un sombre musée
Et quelquefois tu vas le regarder de près

Guillaume APOLLINAIRE : *Alcools* (1913).

LE PONT MIRABEAU

Sous le pont Mirabeau coule la Seine
Et nos amours
Faut-il qu'il m'en souvienne
La joie venait toujours après la peine

Vienne la nuit sonne l'heure
Les jours s'en vont je demeure

HENRI BARBUSSE : *Le Feu*, 1915 (Flammarion) p. 347.

Un cri de réconfort s'est enfin fait entendre à travers le fracas
de la guerre et des éléments.

— Une tranchée !

Mais le talus de cette tranchée bougeait. C'étaient des hommes
confusément mêlés qui semblaient s'en détacher, l'abandonner.

— N'restez pas là, les gars, crièrent ces fuyards, ne v'nez pas,
n'approchez pas ! C'est affreux. Tout s'écroule. Les tranchées fou-
tent le camp, les guitounes se bouchent. La boue entre partout.
Demain matin, y aura plus d'tranchées. C'est fini d'toutes les tranchées d'ici !

On s'en alla. Où ? On avait oublié de demander la moindre indication à ces hommes qui, aussitôt qu'ils étaient apparus, ruisse-
lants, s'étaient engloutis dans l'ombre.

Tristan TZARA : *Morceaux choisis*, 1947 (Bordas), p. 49.

MANIFESTE DADA 1918

Je détruis les tiroirs du cerveau et ceux de l'organisation sociale :
démoraliser partout et jeter la main du ciel en enfer, les yeux de
l'enfer au ciel, rétablir la roue féconde d'un cirque universel dans
les puissances réelles et la fantaisie de chaque individu.

Cinéma calendrier du cœur abstrait, 1918, n° 15, p. 39.

sur les blanches cordes du minuit atrophié
reçois imperméable émissaire lunatique
ampoule femme en caoutchouc de vert par kilomètres
l'engrenage souterrain du sens tactile.

MARCEL PROUST : *A la recherche du temps perdu.* Tome I. Du
côté de chez Swann. Gallimard (Ed. de la N.R.F.) 1919, pp. 147-148.

Tandis que je lisais au jardin, ce que ma grand-tante n'aurait pas
compris que je fisse en dehors du dimanche, jour où il est défendu

de s'occuper à rien de sérieux et où elle ne cousait pas, (un jour de semaine, elle m'aurait dit « comment tu *t'amuses* encore à lire, ce n'est pourtant pas dimanche » en donnant au mot amusement le sens d'enfantillage et de perte de temps), ma tante Léonie devisait avec Françoise en attendant l'heure d'Eulalie. Elle lui annonçait qu'elle venait de voir passer Madame Goupil sans parapluie, avec la robe de soie qu'elle s'est fait faire à Châteaudun. Si elle a loin à aller avant vêpres elle pourrait bien la faire saucer. — « Peut-être, peut-être (ce qui signifiait peut-être non) » disait Françoise pour ne pas écarter définitivement la possibilité d'une alternative plus favorable.

JEAN-RICHARD BLOCH : *Carnaval est mort* (Editions de la Nouvelle revue française) Paris, 1920, *Prière de l'écrivain*, p. 19.

« Au moment où je reprends la plume qui m'a été retirée des mains il y a cinquante-quatre mois, ...je veux m'humilier devant toi, l'amitié des hommes entre eux et des femmes entre elles, qui as été le véritable ciment de l'espèce, pendant cette tentative de subversion de l'espèce, qui nous a donné à tous la force d'endurer, la force d'aller au-devant, la force de nous tenir joyeux et celle de nous tenir confiants ; ... »

Roger MARTIN DU GARD : *Les Thibault*, 1920-1922. IIᵉ partie, chapitre V, p. 128 (Edition de la Nouvelle Revue française).

M. Thibault avait toujours eu peur de la mort. Il se dressa et par-dessus les bronzes qui encombraient la cheminée, il chercha son image dans la glace. Ses traits avaient perdu cette assurance satis-faite qui avait peu à peu modelé son visage, et dont il ne se dépar-tissait jamais, fût-ce dans la solitude, fût-ce dans la prière. Un frisson le secoua. Les épaules basses, il se laissa retomber sur son siège. Il se voyait à son lit de mort et se demandait avec épouvante s'il ne s'y présenterait pas les mains vides. Il s'accrochait désespé-rément à l'opinion des autres sur lui : « Je suis pourtant un homme de bien ? » se répétait-il; mais le ton restait interrogatif; il ne pou-vait plus se payer de mots, il était à une de ces rares minutes 'où l'introspection descend jusqu'à des bas-fonds qu'elle n'a jamais éclairés encore.

André BRETON : *Manifeste du Surréalisme* (Gallimard, Pauvert 1963). Extrait du Manifeste du Surréalisme (1924), p. 37.

SURRÉALISME, n. m. Automatisme psychique pur par lequel on se propose d'exprimer, soit verbalement, soit par écrit, soit de toute autre manière, le fonctionnement réel de la pensée. Dictée de la pensée, en l'absence de tout contrôle exercé par la raison, en dehors de toute préoccupation esthétique ou morale.

HENRY DE MONTHERLANT : *Le Paradis à l'ombre des épées*, 1924 (Grasset), p. 56.

C'était au cours de ma dernière permission avant d'être blessé en janvier 1918. Je ne sais pourquoi, ce matin de dimanche, j'avais eu le goût d'aller faire sous bois un peu de cross-country, plus peut-être pour amuser le Loupiot — mon chien — que pour m'amuser moi-même ; il m'entraîne, le bon vieux, me précédant de deux mètres, ni un de plus ni un de moins, comme s'il était exactement dressé à cela ; mordant aussi les chevilles aux coureurs qui me dépassent, ce qui n'est guère beau pour un chien sportif.

SAINT-JOHN PERSE : *Anabase*. Paris (Gallimard) 1924.

CHANSON

Il naquit un poulain sous les feuilles de bronze. Un homme mit des baies amères dans nos mains. Etranger. Qui passait. Et voici d'un grand bruit dans un arbre de bronze. Bitume et roses, don du chant ! Tonnerre et flûtes dans les chambres ! Ah ! tant d'aisance dans nos voies, ah ! tant d'histoires à l'année, et l'Etranger à ses façons par les chemins de toute la terre !... « Je vous salue, ma fille, sous la plus belle robe de l'année. »

JULES SUPERVIELLE : *Gravitations*, éd. définitive, 4ᵉ éd. (N.R.F.), 1925, p. 115.

HIER ET AUJOURD'HUI

Toute la forêt attend que la statue abaisse son bras levé.
Ce sera pour aujourd'hui.

Hier on avait pensé que ce serait peut-être pour hier.
Aujourd'hui on en est sûr, même les racines le savent.
Ce sera pour aujourd'hui.

JEAN-RICHARD BLOCH : *Sybilla*, 1932 (N.R.F.), pp. 70-71.

Et toutes sortes de petits jeunes gens, de jeunes femmes de lettres,
s'efforçaient, sans y parvenir, d'attraper sa manière.

Ils n'y parvenaient point, parce que sa manière n'était que sa
nature, son feu, sa passion, le goût qui l'emportait vers toute grandeur, toute beauté, toute noblesse. Elle n'était pas ironique pour un
sou. Elle ne calculait jamais un effet, n'en jouissait pas, ne le comprenait pas. A vrai dire, on perdait son temps à essayer de lui
expliquer le comique savoureux de telle phrase ou de telle situation.
Elle cessait d'écouter et passait.

...Elle n'avait pas le sourire, et elle ignorait ce que cela pouvait
être. Pourtant son sourire était tel que, pour le revoir une fois
encore et encore une fois, des salles, debout, l'acclamaient à perdre
haleine, et la faisaient revenir, les flancs mouillés et haletants
comme ceux d'un pur sang après la victoire, jusqu'à ce qu'elle
demandât grâce, avec un sourire plus charmant, plus tendre, plus
gamin, plus désarmé que les précédents. Sur quoi les spectateurs se
remettaient à hurler de plus belle, et l'on devait éteindre l'électricité
pour les mettre dehors.

Jean-Paul SARTRE : *La nausée*, 1938 (Livre de poche 1958),
p. 110.

L'autodidacte se rapprocha jusqu'à me souffler au visage :
« Je ne vous dirai rien devant cet homme », me dit-il d'un air
de confidence. « Si vous vouliez, monsieur ?... »
« Quoi donc ? »
Il rougit et ses hanches ondoyèrent gracieusement : « Monsieur,
ah ! monsieur : je me jette à l'eau. Me feriez-vous l'honneur de
déjeuner avec moi mercredi ? »
« Très volontiers ».
J'avais envie de déjeuner avec lui comme de me pendre.
« Quel bonheur vous me faites », dit l'Autodidacte. Il ajouta
rapidement : « J'irai vous prendre chez vous, si vous le voulez

bien » et disparut, de peur, sans doute, que je ne change d'avis s'il m'en laissait le temps.

Il était onze heures et demie. J'ai travaillé jusqu'à deux heures moins le quart. Du mauvais travail : j'avais un livre sous les yeux, mais ma pensée revenait sans cesse au café Mably. M. Fasquelle était-il descendu à présent ? Au fond, je ne croyais pas trop à sa mort et c'est précisément ce qui m'agaçait. C'était une idée flottante dont je ne pouvais ni me persuader ni me distraire.

Louis-Ferdinand CÉLINE : *Mort à crédit*. (1936), p. 152.

Monsieur Visios, il était friand aussi des récits et des découvertes... Edouard est passé avec Tom pour demander des nouvelles... Moi et maman, on avait aussi nos petites impressions... Mais papa voulait pas qu'on cause... Il tenait tout le crachoir lui tout seul... On peut dire qu'il en avait vu lui des choses prodigieuses... et des fantastiques... des inouïes... des parfaitement imprévues... au bout de la route... tout là-bas après la falaise... quand il était dans les nuages... entre Brigetonne et l'ouragan... Papa tout seul absolument isolé !... Perdu entre les bourrasques... entre ciel et terre...

A présent, il se gênait plus, il leur en foutait des merveilles. Il allait de la gueule tant que ça peut !... Maman le contredisait pas... Toujours elle était bien heureuse, quand il remportait son succès...

ARAGON : *Les Beaux Quartiers*, 1936 (Denoël et Steele), p. 173.

Vinet avait vu se produire le rassemblement, dans la stupeur. Qu'est-ce que cela signifiait ? Les copains de sa bande, brusquement figés, malgré deux ou trois des femmes d'abord qui n'avaient pas compris, s'interrogeaient autour de lui. Le candidat s'avança vers les lumières, et près du théâtre, d'où les gens sortaient, malgré les efforts des saltimbanques débordés, plusieurs des hommes qui arrivaient vinrent le rejoindre. Des ouvriers, un type des tramways. « On t'a cherché, l'avocat, il faut venir. » Ils lui expliquèrent le coup en moins de deux.

COLETTE : *Bella Vista*, 1937 (Ferenczi) pp. 139-140.

Carmen entrouvrit d'un doigt ganté de tissu suédé, le papier cristal qui protégeait mes fleurs.

— C'est des Parmes. Ça fait peut-être un peu funérailles... Mais du moment que Gribiche va mieux... On entre ? C'est au rez-de-chaussée.

— Oh ! sur cour, dit Lise dédaigneuse.

La maison de Gribiche avait été neuve vers 1840, comme beaucoup d'immeubles batignollais. Elle conservait sous sa voûte une niche à statue, et dans la cour une borne-fontaine trapue, à gros robinet de cuivre. L'édifice tout entier fondait d'humidité et de désolation.

— C'est pas mal, remarqua Lise adoucie. Carmen, t'as vu la statue qui tient le globe ?

Mais elle saisit l'expression de mon regard et se tut.

ANDRÉ MALRAUX : *L'Espoir*, 1937 (N.R.F.), p. 139.

Des journalistes, des 'responsables' de toutes sortes se baladaient derrière la barricade, à petits pas, attendant la descente des premiers ennemis sur la place pour observer l'armistice.

...Mais la place n'était habitée que par des chaises de café, pattes en l'air. L'odeur de mort et l'odeur de feu alternaient, selon le vent.

Un officier fasciste apparut au coin de la place et d'une des ruelles de l'Alcazar. Il repartit. La place fut de nouveau vide. Non plus déserte comme elle l'était chaque nuit, sous des projecteurs, mais abandonnée. Le jour la rendait à la vie, à la vie prête à revenir, aux aguets aux coins des rues comme les fascistes et les miliciens.

Maurice THOREZ : *Œuvres* (Editions sociales), t. 18, p. 35.

DÉCLARATION AUX TRAVAILLEURS D'IVRY (8 juin 1939)

Encore une fois, les travailleurs ont raison d'affirmer qu'une telle situation ne peut plus durer. Pour la sauvegarde de la paix, comme pour la défense des libertés démocratiques, comme pour la défense du pain des travailleurs, il faut que ça change. Il faut que cesse le piétinement et même la marche arrière. Il faut reprendre la marche en avant.

C'est à n'en pas douter la volonté des masses populaires. Les masses veulent un changement dans la politique gouvernementale parce qu'elle est en contradiction avec le programme du Front Populaire. Les masses ne comprendraient pas que l'on fasse plus longtemps état de difficultés pour persister dans une voie dangereuse.

Au contraire, pensent les travailleurs, il faut revenir le plus vite possible au programme du Front Populaire afin de surmonter les difficultés.

Jules ROMAINS : *Les Hommes de bonne volonté*, XVII, « Vorge contre Quinette », (Flammarion) 1939, p. 243.

Justement une sonnerie retentit. La foule soudain se tait, par une vague de silence rapide qui descend le long de l'avenue, précédé d'un 'chut !' léger qui galope comme un bourrelet d'écume. Toutes les têtes d'hommes sont découvertes. Une immense sonnerie, comme si la clique de tous les régiments de France était rassemblée sur la place de l'Etoile. Une sonnerie qui vous entre dans le torse, à la hauteur du diaphragme, comme une grande lame glacée; la sonnerie aux morts.

Jerphanion ne bouge absolument plus, et pleure. Odette lui serre la main très fort, sans presque oser le regarder, et pleure aussi, les dents serrées sur un bout de lèvre.

CHAPITRE XV

LE FRANÇAIS CONTEMPORAIN
LA PÉRIODE 1939-1965

Ce livre doit s'achever sur un essai de tableau du français de
nos jours. La plupart de ses traits ne datent pas de la dernière
période et ne dépendent pas des événements d'ordre divers qui s'y
sont produits.
Néanmoins l'exposé qui s'est poursuivi de chapitre en chapitre
au sujet du cadre où le français s'employait et se développait doit
être poussé jusqu'au bout.
Au reste cette dernière période a vu des changements notables
dont certains commencent déjà à retentir sur la langue et auront
sans doute à l'avenir de plus grandes conséquences. D'où ces deux
développements jumelés, la partie descriptive venant en seconde
place.

I. — PHYSIONOMIE DE LA PÉRIODE

1. Les grands traits des événements politiques
et sociaux en France

Au cours de la période 1939-1944, la France a connu la défaite,
l'occupation de son territoire, l'éclipse du parlement, le gouvernement autoritaire du maréchal Pétain sous l'inspiration de l'ennemi,
avec les restrictions imposées de nourriture, l'antisémitisme et les
déportations de juifs et de résistants vers les camps d'extermination,
la tendance à restreindre l'instruction et la culture, le corporatisme
opposé au syndicalisme.

D'autre part le resserrement de la conscience nationale dans la Résistance, avec à l'intérieur les organisations clandestines où les éléments communistes étaient les plus actifs, et qui sont allés jusqu'aux opérations militaires de guérillas, à l'extérieur la France libre ralliée au général Charles de Gaulle établi à Londres.

Puis en 1944 la délivrance avec les débarquements de troupes anglaises et américaines, la reconstitution d'une armée française, l'effondrement de l'hitlérisme et la capitulation de l'Allemagne.

A ce moment, établissemement d'un gouvernement provisoire de de Gaulle en Algérie, puis reconstitution du gouvernement et du parlement à Paris.

En 1945, avec l'instauration de la IVᵉ République sanctionnée par un référendum, moment de poussée démocratique. Dans le ministère de Gaulle entrée de ministres communistes, en particulier du secrétaire général du parti communiste français, Maurice Thorez, comme ministre d'état, vice-président du conseil.

La constitution comportait le vote et l'éligibilité des femmes, avec un grand retard sur l'évolution des mœurs et sur la législation de nombreux pays. Les premières femmes ont été élues dans les conseils municipaux en 1945. Aussitôt après les élections législatives, où le parti communiste venait en tête devant le parti socialiste et le parti M.R.P. (mouvement républicain populaire), on a vu les femmes siéger aux Assemblées, en particulier des communistes déjà habituées à des responsabilités syndicales. Depuis elles ont pris leur place jusque dans des secrétariats d'état, des mairies, etc., sans qu'on en ait vu encore aux grands postes de commande.

Les nationalisations des mines, de l'électricité, du gaz, d'une partie des banques et des compagnies d'assurances, sont effectuées, avec établissement d'un statut favorable du personnel.

Entre temps la Confédération générale du travail (C.G.T.) a repris son fonctionnement, ainsi que la Confédération française des travailleurs chrétiens (C.F.T.C.). A ce moment, conséquence de la puissance des groupements syndicaux, la législation sociale a été améliorée, la retraite des vieux a été instituée. Noter qu'on a commencé à s'habituer aux interventions gouvernementales dans les affaires économiques : taxation de certains prix, 'blocage' des salaires, suivant les volontés capitalistes (où dominent des grands groupements, les 'monopoles').

Le régime n'est pas arrivé à se stabiliser, entre les difficultés intérieures (retraite volontaire du général de Gaulle en 1946, éviction des communistes d'un ministère socialiste en 1947) et les conflits extérieurs : guerre contre le Viet-minh en Indochine de

1946 à 1954 puis contre le front de libération nationale en Algérie à partir de 1954.

Dans la même période, éclatement des organisations ouvrières. Les réformistes se sont groupés en 1948 dans ce qui s'est appelé la C.G.T.-F.O. (Force ouvrière). D'autre part les syndicats de l'enseignement se sont constitués en une fédération de l'enseignement national à part (F.E.N.).

En 1964 la plus grande partie de la C.F.T.C. (voir p. 274) a pris le nom de C.F.D.T. (confédération française démocratique du travail), l'ancien nom étant conservé par une petite minorité.

En mai 1958, il a été fait appel au général de Gaulle qui a instauré, avec une majorité U.N.R. (union pour la nouvelle république) dans les assemblées, une V⁰ République. Dans la nouvelle constitution, les pouvoirs du parlement sont très restreints et ceux du président prépondérants, le président étant maintenant Charles de Gaulle, dont le pouvoir personnel a été sanctionné par des référendums successifs jusqu'au bout de son septennat; après quoi il a été élu président de la république au suffrage universel (au second tour, après un scrutin de ballotage).

Si on a à noter du côté gouvernement et patronat l'emploi de l'autorité, avec débuts d'atteintes au droit de grève, on a pu voir d'autre part une tendance à la résistance massive du monde ouvrier avec alliance momentanée de F.O. avec les autres centrales.

La limite des quarante heures hebdomadaires n'étant pas respectée, les ouvriers bouclent leur budget en faisant des heures supplémentaires, les femmes travaillant aussi le plus souvent.

Par ailleurs, l'habitude des congés payés s'est établie et tend à prendre plus d'ampleur. De leur côté les commerçants réduisent les heures d'ouverture de leurs boutiques et prennent des vacances régulières. Les automobiles se sont multipliées, même chez les gens modestes, petits commerçants, petits paysans, ouvriers qualifiés. Les mêmes ont souvent des réfrigérateurs, en plus des appareils de radio et de ceux de télévision qui se sont répandus rapidement.

Le costume, toujours plus unifié sans distinction de classe, vise de plus en plus à la commodité, à l'aisance hygiénique en été, sans préoccupations de convenances traditionnelles. Les femmes portent souvent le pantalon. Elles quittent les bas aux premières chaleurs, les deux sexes se voient souvent en short, pas toujours seulement au bord de l'eau ou à la campagne. Les couvre-chefs sont devenus d'emploi restreint. Le blouson masculin a progressé et sert parfois de sorte d'uniforme à des bandes de jeunes turbulents dont il faut malheureusement tenir compte comme signe de l'époque.

Après ce tableau succinct concernant le pays vu à l'intérieur, il faut noter les relations extérieures. L'événement le plus important est la perte de l'empire colonial. Détachement de l'Indochine (accords de Genève, 1954; détachement des protectorats d'Afrique du Nord : Tunisie, Maroc), puis après huit années de combats, indépendance de l'Algérie (accords d'Evian, constitution de la République algérienne, 1962). Les autres colonies africaines y compris Madagascar constituent des républiques qui restent dans une communauté française sauf la Guinée.

Il faut noter aussi en 1956 la nationalisation du canal de Suez par le gouvernement égyptien.

Par ailleurs essai de constitution d'une organisation européenne plus ou moins supranationale (le marché commun).

Atmosphère de paix précaire, avec des périodes de 'guerre froide' et de détente. L'Union soviétique poursuit une politique visant à la coexistence pacifique avec les Etats-Unis, malgré leur impérialisme, mais la Chine populaire refuse (à l'époque où ceci est écrit) de s'y associer.

très
très
très !

2. L'enseignement et l'instruction

Il y a eu une montée de l'enseignement; malgré trop de réticences et la parcimonie des moyens financiers employés, en regard de dépenses guerrières considérables dans la même période.

Une commission pour l'étude de la réforme démocratique de l'enseignement avait été formée en 1945 et a fonctionné sous la présidence de Paul Langevin, puis après sa mort en 1946 sous celle d'Henri Wallon; le rapport de la commission Langevin-Wallon, déposé en 1946, prévoyait la scolarité prolongée pour tous au moins jusqu'à 18 ans, et d'autre part une formation des maîtres primaires en contact avec l'enseignement supérieur.

Dans une ambiance politique à prédominance d'une majorité conservatrice et docile à la volonté des monopoles capitalistes, il y a eu un net recul dans les perspectives. D'autre part le manque de crédits a rendu très difficile le recrutement de maîtres suffisamment préparés; les postes n'ont été remplis que péniblement, avec des moyens de fortune.

Ceci alors que la poussée démographique qui avait suivi la guerre, ainsi que les immigrations, gonflaient les effectifs scolaires, sauf dans des villages dépeuplés par l'exode rural. Il en est résulté une surcharge catastrophique de beaucoup de classes, avec 40 élèves ou plus au lieu du nombre raisonnable de 25, et un encombrement des universités.

Ces circonstances ont favorisé l'atteinte à la laïcité réclamée de longue date par les tenants de l'enseignement confessionnel. La loi Barangé (septembre 1951) a attribué des crédits de matériel à la fois aux écoles publiques officielles et aux écoles libres. La loi Debré en décembre 1959 a prévu un système de contrat permettant d'admettre des établissements libres comme écoles à personnel rémunéré par l'état, moyennant un certain contrôle sur la qualification des maîtres et le niveau de l'enseignement.

Au début de l'enseignement il y a l'école maternelle qui reçoit les enfants de 3 à 6 ans. Elle est actuellement menacée par des mesures réactionnaires qui tendent à remplacer les classes par des garderies avec un personnel moins rémunéré.

L'école primaire proprement dite prend les enfants de 6 à 14 ans et les mène au certificat d'études primaires (C.E.P.).

Mais un nombre croissant des bons élèves, de famille suffisamment à l'aise ou recevant des bourses, quittent l'école communale à 10 ans pour entrer dans la classe de 6ᵉ soit de l'enseignement technique, soit de l'enseignement secondaire. Ici double organisation. Les anciens lycées et collèges subsistent, amputés seulement des petites classes (primaires). D'autre part il est né des C.E.G. (collèges d'enseignement général), remplaçant les anciens cours complémentaires et prenant les élèves en 6ᵉ (comme les lycées) et les menant jusqu'à la fin de la 3ᵉ, à 15 ou 16 ans, avec les examens du B.E.P.C. (brevet élémentaire du premier cycle).

On a créé récemment des C.E.S. (collèges d'enseignement secondaire), ajoutant notamment le latin pour une partie des élèves, avec l'idée plus ou moins annoncée de supprimer dans les lycées les classes de la 6ᵉ à la 3ᵉ.

La promesse qui avait été faite de prolonger l'enseignement pour tous jusqu'à 16 ans n'a pas été tenue et les *Centres d'apprentissage* pour ceux qui quittent l'école sont en nombre très insuffisant. Toutefois les jeunes apprentis de 14 à 16 ans vont suivre des cours dans une école un certain nombre d'heures dans la semaine.

Les lycées et collèges (cette dernière dénomination tendant à disparaître) ont seuls (pour les non-normaliens) les classes de seconde et première et la classe terminale à option de philosophie, mathématiques ou sciences physiques et naturelles, couronnée par le baccalauréat.

Les élèves qui se destinent à l'enseignement peuvent passer un concours à l'issue de la 3e pour entrer à une école normale primaire, à internat en général sévère, y préparer le baccalauréat et y rester une année de plus pour recevoir l'enseignement pédagogique. Actuellement les normaliens ne fournissent qu'un dixième environ de l'effectif primaire nécessaire. Le reste est recruté parmi les bacheliers qui font d'abord des services de remplacement et qui sont admis en partie à des stages; le certificat d'aptitude pédagogique leur permet d'obtenir une titularisation.

Le personnel des C.E.G. est recruté parmi les meilleurs maîtres dont une partie ont suivi des cours d'une université obtenant certains certificats d'enseignement supérieur ou même une licence complète.

Les études en vue de la rénovation pédagogique se sont poursuivies activement surtout avec le groupe d'*Education nouvelle* et le mouvement Freinet (portant maintenant le nom d'I.C.E.M. (institut coopératif d'enseignement moderne) qui tient un congrès tous les ans et organise des stages.

L'extension des inventions modernes, leur mise en service dans les établissements d'enseignement ont ouvert le chapitre nouveau de *l'enseignement audio-visuel*, et en correspondance celui de la *linguistique appliquée* en vue duquel s'est formée une association française de linguisique appliquée (A.F.L.A.).

Les maîtres, à l'étage secondaire, sont formés à l'université. Un certain nombre d'entre eux, admis au concours, dans les anciennes écoles normales supérieures et dans les anciennes écoles normales d'enseignement primaire supérieur promues au même titre qu'elles, bénéficient de suppléments d'enseignement et d'un traitement égal à celui des maîtres débutants.

Tous se préparent d'abord à la licence et assez nombreux sont encore ceux qui sont pourvus d'un poste avec ce seul titre, mais beaucoup continuent à passer des examens tout en enseignant.

Le degré supérieur reste l'agrégation. Mais on a créé un degré intermédiaire avec un concours un peu moins difficile qu'on appelle le C.A.P.E.S. (certificat d'aptitude pédagogique à l'enseignement secondaire), ceux qui s'y préparent étant les *capessiens*. On tend ainsi à peupler les établissements secondaires, y compris les lycées, de *certifiés*, recevant un traitement inférieur à celui des agrégés. Pour ceux-ci il se manifeste la tendance à les réserver aux dernières classes des lycées et en partie aux postes de début dans les facultés. Au total un fâcheux ensemble d'économies rabaisse le niveau de l'enseignement et risque de raréfier un recrutement déjà difficile, en raison des taux des traitements universitaires, en nette infériorité par rapport à ceux de l'indusrie, du commerce et de l'armée.

On doit dire nettement qu'alors que l'afflux démographique et le désir élargi d'instruction avaient créé une forte demande, celle-ci a été insuffisamment satisfaite et qu'on reste inquiet pour l'avenir.

On doit noter que les classes avec latin et en partie avec grec sont encore recherchées par les meilleurs élèves, même d'origine populaire. (Effectif des élèves faisant du latin : environ 25 %, faisant du latin et du grec 3,5 %.) Voir encore p. 455.

D'autre part on a enfin créé une agrégation des *lettres modernes* (où subsiste paradoxalement une épreuve de latin) et on doit attendre de ce côté un progrès pour la culture non 'classique', proprement française.

Pour les langues vivantes il faut noter l'extension de l'étude du russe et le début de celle du chinois.

Pour l'enseignement supérieur, on peut noter (parmi l'accroissement total) l'afflux des étudiants à ce qu'on appelle depuis juillet 1958 les *Facultés des lettres et sciences humaines*, par une juste reconnaissance de l'importance prise par la psychologie scientifique, la sociologie, la linguistique. En conséquence, congestionnement accru de la Sorbonne à Paris et des grandes universités de province, auquel on s'est efforcé de parer par divers moyens, encore insuffisants.

Pour pallier la pénurie de personnel l'assistanat, naguère réservé aux laboratoires, a été étendu aux diverses branches de la Faculté des lettres et des sciences humaines; il y a donc des assistants, qui ne doivent rester en activité que quelques années, et depuis peu des maîtres assistants à situation plus stable; ils déchargent en grande partie les professeurs et maîtres de conférences des corrections de copies et de certains enseignements de début.

Il n'est pas superflu de mentionner l'attribution d'une longueur d'onde servant principalement aux émissions de Radio-Sorbonne, avec diffusion d'une partie des cours, principalement au bénéfice des candidats aux examens en cours de préparation de licence et d'agrégation, empêchés d'assister aux cours pour des causes diverses, en particulier les services de surveillance et aussi d'enseignement dans des banlieues plus ou moins éloignées.

Le principal événement à signaler est la création de nouveaux centres universitaires, avec une Faculté des lettres ou un Collège universitaire en tenant lieu : Amiens, Reims, Rouen, Le Havre, Orléans, Tours, Brest, Nice. (Pour l'Asie et l'Afrique, voir pp. 353, 355, 453).

C'est l'endroit pour mentionner que parmi les universités catholiques celles de Paris (Institut catholique), Lille, Lyon, Toulouse et Angers ont des facultés des lettres.

Les facultés de théologie protestantes de Paris, Strasbourg et Montpellier n'ont pas d'homologue.

En 1945 l'Université nouvelle a pris à Paris la suite de l'Université ouvrière, avec un succès accru, et des émules dans des villes de province (en particulier Marseille).

Noter aussi le succès de semaines marxistes organisées au Quartier latin depuis 1964 par le Centre d'études et de recherches marxistes, émanation du Parti communiste, des intellectuels de divers milieux, notamment des ecclésiastiques prenant part aux controverses publiques devant des auditoires surtout composés d'étudiants.

Recherche. — Le C.N.R.S. (voir p. 283) dirigé en 1945 par Frédéric Joliot-Curie a joué un rôle toujours plus grand, malgré l'insuffisance perpétuelle des crédits. Il a reçu un statut complet par le décret du 9 décembre 1959. Divers offices ont été fondés. De plus en plus on voit des savants faire carrière dans la recherche sans été pourvus d'une chaire; d'autres sont détachés de l'enseignement pour un temps plus ou moins long. On peut espérer que le plan d'équipement qui a été dressé se poursuivra en s'élargissant.

D'autre part, fait nouveau, à l'Université même on a organisé une préparation systématique à la recherche sous la forme de ce qui s'appelle le 3e cycle; la licence à quatre certificats étant considérée comme 2e cycle, le troisième comporte la préparation de certificats supplémentaires, spécialisant le chercheur, avec la préparation d'un travail original pour l'obtention d'un doctorat de recherche. Une conséquence accessoire est que le diplôme de l'Ecole pratique des Hautes études (pour ce qui concerne spécialement sa IVe section, dite des sciences historiques et philologiques) peut équivaloir au doctorat de la recherche. Liaison enfin obtenue entre l'Université encombrée des préparations d'examens et un établissement de libre recherche qui en était entièrement déchargé.

Dans l'ensemble il y a un élan donné au progrès de la science.

Non pas sans ombres. Les crédits de la recherche scientifique sont juste suffisants pour entretenir les chercheurs à vocation dessinée; or ils ne constituent qu'un petit pourcentage (on peut dire modestement un dixième) de ceux dont la vocation pourrait être provoquée par sélection de la masse des jeunes, afin de satisfaire à toutes les possibilités de recherches entrevues comme des espèces de chimères.

Il faut dire aussi que les crédits de recherche proprement scientifique ne sont qu'une faible part des crédits attribués à des recherches appliquées de diverses sortes ressortissant non du ministère de l'éducation nationale mais des autres, avec une grosse part pour des buts militaires.

Les bibliothèques publiques sont en progression. Bibliothèques municipales plus nombreuses, mieux munies, plus fréquentées, épaulées assez souvent par des 'amis de la bibliothèque' et en liaison avec des 'centres culturels'. Aussi, de plus en plus, des bibliothèques d'entreprise, surtout dans les grandes usines.

Une innovation qui date de 1945 ce sont les bibliobus, dépendant en principe de bibliothèques municipales de grandes villes, portant de la lecture dans les localités dépourvues de bibliothèques ou en possédant une très réduite.

Le goût de la lecture, la part donnée à l'achat des livres dans les dépenses des milieux très modestes, se marque par le succès des ventes populaires de livres, ou des stands de librairie dans des ventes et kermesses plus générales. On peut noter aussi l'écoulement littéraire dans les bibliothèques de gares.

Révolution commerciale récente, le *livre de poche* : des grands commerçants, d'abord aux Etats-Unis, se sont avisés qu'on pouvait gagner beaucoup d'argent en faisant des tirages de livres considérables, industrialisés de manière à réduire le prix de revient et de vente. De sorte que maintenant toutes sortes de livres de valeur, à texte intégral, anciens et récents, sont offerts non seulement dans des librairies mais dans toutes sortes de magasins où le public circule abondamment; coup d'élan magnifique pour une multiplication massive de la lecture.

Le tableau de cette période doit comprendre aussi l'accroissement des bibliothèques et des musées. La création du Musée de l'homme en 1937 a eu pour contre-coup celle du Musée des Arts et traditions populaires où s'élabore activement l'étude de l'ethnographie française, certains documents de langue compris.

Le Palais de la découverte fondé aussi en 1937 a été intégré à l'Université de Paris en 1940 : les sciences humaines y ont leur place, un petit département langue et écriture y fonctionne depuis 1948, l'étude du français y ayant un rôle.

3. Les travaux sur la langue

Beaucoup de travail a été fait sur la lancée précédente. Il reste tout à fait insuffisant faute de personnel en nombre, muni des moyens nécessaires. De nouvelles méthodes ont fait leur apparition, avec l'appoint des inventions récentes et on entrevoit des développements dont l'amorce est à noter. Voyons quelques détails, avec les lumières et les ombres.

La linguistique bénéficie d'une sérieuse mise en lumière, avec trop de limitations encore. Le certificat d'études supérieures (partie de licence) de linguistique générale, qui se prépare à Paris et dans quelques autres universités attire un public nombreux d'étudiants, notamment des candidats à l'agrégation de lettres modernes. Le certificat de phonétique, à Paris, Strasbourg et Grenoble est aussi apprécié. Mais la part de la linguistique reste insuffisante dans les certificats obligatoires des licences d'enseignement, dans les programmes et épreuves des agrégations, même de celle dite de grammaire, et encore plus de celle dite de lettres. Aussi la part de la phonétique est-elle nulle dans l'enseignement secondaire, celle de l'histoire du français extrêmement réduite, les vues sur la répartition des familles de langues dans le monde sont absentes en histoire et en géographie. Les manuels, du primaire au supérieur, reflètent cet état de choses, à quelques honorables exceptions près. Les instructions ministérielles même les plus récentes, en régression sur celles du début du siècle (voir p. 287) sont un reflet navrant d'une ignorance coupable. C'est un état d'esprit à renverser.

Parmi les circonstances heureuses il faut noter l'ouverture en 1963 d'un *centre* de linguistique quantitative à la Faculté des sciences de Paris (secrétaire René Moreau) répondant à certains besoins actuels de la linguistique.

La rédaction prend ici une allure prospective pour annoncer la réalisation à partir de 1966 d'une édition photographique de l'*Histoire de la langue française* de Ferdinand Brunot (voir p. 413) sans addition des index qui manquent et sans compléments d'information mais avec des suppléments bibliographiques dus à divers auteurs. Le volume XI laissé en manuscrit par l'auteur va paraître

avec des additions. Deux volumes : XIV et XV, dus à la collaboration de plusieurs auteurs sous la direction de Gérald Antoine, pous-
seront l'ouvrage jusqu'à nos jours.

Il restera à traiter à fond des questions à peine effleurées, avec
des dépouillements systématiques, en particulier de documents non
littéraires.

Il serait injuste de ne pas tenir compte de plusieurs histoires
de moindre envergure qui peuvent permettre au public d'avoir
une idée de la formation de la langue. C'est, entre autres, l'objectif
du présent ouvrage. (Voir les *Références*, partie A.)

De nombreux travaux partiels ont été réalisés à neuf, d'autres
datant de la féconde période précédente ont été complétés, soit
terminés, soit mis à jour, notamment pour les questions de syntaxe.
Voir à ce point de vue les *Références* du chapitre XIV en même
temps que celles de celui-ci.

En ce qui concerne l'exploitation sous toutes ses formes voir plus
loin sous 5.

Ici, un bref exposé sur l'étude du vocabulaire. On a commencé
à faire des efforts sérieux à la fois pour connaître le présent et
avoir plus d'aperçus sur le passé.

L'Académie française prépare au compte-gouttes une future édition du dictionnaire : les journaux annoncent de temps en temps
l'admission ou le refus de termes actuels. Les éditions Larousse qui
n'ont pas cessé de publier des répertoires de diverses ampleurs met-
tent une certaine coquetterie à enregistrer des nouveautés et aussi à
éliminer des termes vieillis; mais le travail est loin d'être assez
poussé. Il a paru une nouvelle édition du dictionnaire très abrégé
portant le nom de Littré-Beaujan : des exemples y ont été ajoutés,
pris à des auteurs du 20° siècle. Surtout, un lexicographe indépendant, Paul Robert, rencontrant des collaborateurs capables, a réussi
à publier un nouveau dictionnaire avec citations d'auteurs, depuis
le 17° siècle (sans copier Littré) jusqu'à peu près ces dernières
années; ouvrage exposé à des critiques, certes, mais éminemment
utile (voir aux *Références* I, 5 p. et II, chapitre XV, II, 8 p.).

Evènement enfin : les pouvoirs publics se sont décidés à dégager
des crédits pour l'établissement d'un *Trésor* de la langue française,   T. L. F.
avec une organisation siégeant à Nancy, sous la direction du grammairien Paul Imbs (d'autre part recteur de l'Université de Nancy),
avec entrée en scène d'une calculatrice électronique pour les dépouillements de textes et les classements. L'ouvrage ne doit pas être uni-
taire, mais divisé en deux parties (avant et après 1595) la seconde
étant dès maintenant en chantier.

Un autre aspect de la lexicographie, qui la relie à la plus moderne lexicologie, est l'aspect statistique.

De plus en plus on s'est préoccupé non pas seulement de dresser des lexiques propres des œuvres de tel auteur, mais de les chiffrer. De plus en plus les numérations ne se font pas de manière brute, mais de manière à étudier les constitutions des lexiques. On est devenu en effet conscient que le vocabulaire n'est pas une masse étendue et amorphe mais, comme le système phonologique et le système morphologique, doit être étudié structuralement.

D'où les numérations différentielles par catégories de mots, usage en prose et en vers et dans ceux-ci à la rime ou non, origines étymologiques (en particulier emprunts). Si des chercheurs courageux ont entrepris d'abord de lents dépouillements et de patients calculs, l'utilisation des machines électro-mécaniques, d'abord imaginées pour des opérations commerciales de grandes entreprises, puis des machines électroniques, a changé toutes les perspectives, en rapidité et en ampleur. La chose est récente, les développements sont à venir.

Dès maintenant une application pratique a été envisagée, par un développement de ce qui s'était déjà fait ailleurs dans la période précédente. On s'est préoccupé de se servir des 'listes de fréquence' d'une part pour régler par des moyens pédagogiques rationalisés l'acquisition du vocabulaire soit pour les écoliers dans leur langue maternelle, soit pour les étrangers, d'autre part pour rechercher la meilleure composition de langues artificielles.

Autre question mécanique : les perspectives de la traduction automatique provoquent beaucoup de recherches, en particulier pour le mécanisme du français écrit; et il faut tenir compte à cet égard d'une littérature qui augmente d'année en année.

C'est une vue scientifique qui inspire un ordre de recherches, dans lequel Georges Matoré a joué un rôle important aussi bien pour la théorie que pour l'exemple. C'est un point de vue sociologique : il s'agit de considérer des périodes successives, subdivisées ou non en générations, avec la considération des ambiances sociales, des mouvements d'idées dont l'examen bien conduit des vocabulaires peut amener à prendre conscience, en particulier en faisant apparaître des 'mots-clés'. L'ouvrage *L'espace humain* (1962) est particulièrement suggestif en montrant la multiplication des 'métaphores géométriques' non seulement dans les styles littéraires mais dans l'usage courant (voir des expressions comme 'sur ce plan, sous cet angle, à ce niveau, etc.' qu'on ne trouverait pas aussi foisonnantes dans des textes d'autrefois).

Derrière cette recherche scientifique on peut aussi entrevoir des conséquences pédagogiques, tant pour l'exercice pratique de la langue actuelle que pour les comparaisons avec le passé. Ici peut apparaître aussi une question de dirigisme linguistique : y aurait-il intérêt ou non à exercer certains choix ?

Cette question se pose aussi quand il s'agit des études sur les formations ou adoptions de mots nouveaux. Il semble que pour les fabrications de mots avec des éléments grecs ou latins, en particulier des suffixes et préfixes, il n'y ait pas de discussion (sauf pour certains excès). Au contraire, des conflits s'élèvent plus ou moins autour de l'abondance ou de la surabondance d'emprunts à l'anglais ; les études objectives trop rares s'accompagnent alors de polémiques.

Remarquons ici que toutes ces questions ne se traitent pas que dans les livres, mais aussi dans des revues, et que celles-ci à leur tour se divisent en revues graves à l'intention des savants et en périodiques s'adressant à un public large : c'est là qu'on trouve les polémiques et les amorces de consultations d'opinion.

Il faut ajouter, suivies assidûment par de nombreux lecteurs, les chroniques de langue paraissant dans des mensuels, des hebdomadaires et à certains jours dans des quotidiens en France, en Belgique, en Suisse et au Canada, provoquant souvent des questions parfois des critiques de correspondants, grâce auxquels les chroniqueurs ne risquent guère de manquer de sujets à traiter. Mentionnons en passant que beaucoup de chroniques reparaissent ensuite dans des recueils.

Il est à remarquer que la majorité de ceux qui prennent la plume pour écrire à la revue ou au journal, ou prendre part aux consultations, montrent à leur manière leur respect pour ce qu'ils pensent être la bonne langue et pour l'enseignement reçu en inclinant du côté conservateur, souvent avec l'envie de trancher en montrant leur savoir, plutôt qu'ils ne cherchent à s'informer des causes des changements et de leurs justifications possibles. On peut noter qu'une grande partie des échanges de vue portent sur des petits points de très médiocre intérêt. Il est piquant aussi de constater que certaines innovations s'installent sans opposition parce qu'il ne s'est pas trouvé de puriste pour les remarquer.

Au total ces échanges montrent le juste intérêt que les Français portent à la langue qu'ils ont à écrire.

La radio d'état a connu des contributions linguistiques régulières, et des séries occasionnelles. Presque tout a été supprimé lors d'une révision à esprit obscurantiste des programmes en 1964.

4. Préparations à une réforme de l'orthographe

L'orthographe est un habit de la langue, ce n'est pas la langue, quoi qu'en disent ou se l'imaginent certains, bien mal informés. D'autre part, c'est spécialement une question d'autorité. La grammaire enseignée est certes normative; il n'en est cependant aucun manuel imposé. En particulier la grammaire de l'Académie, actuellement ignorée de presque tout le monde (voir p. 286) n'a aucune autorité spéciale. En revanche c'est l'orthographe de l'Académie qui a été proclamée orthographe légale peu avant la publication de l'édition de 1835 qui a adopté le *t* dans les pluriels tels que *enfants* (au lieu de *enfans* dans les éditions précédentes) depuis 1740 : c'est celle-ci qui a fait foi depuis; quelques modifications insignifiantes ont seules été introduites dans les éditions de 1878 et de 1932-1935.

Quelle est la situation de fait ? La généralisation de l'instruction, le temps énorme passé par les maîtres primaires à inculquer l'orthographe officielle ont fait sans doute disparaître l'usage rudimentaire dit autrefois orthographe de cuisinière. Mais les difficultés inhérentes à l'orthographe n'ont permis que des résultats médiocres.

On peut constater dans les examens à l'étage primaire, soit pour l'obtention du certificat de fin d'études en dehors de l'école soit pour l'accession à certains emplois, que l'orthographe est la cause principale des échecs.

Circonstance symptomatique : l'ancienne prééminence orthographique des élèves du secondaire semble avoir disparu, avec l'amour-propre de la correction en cette matière. Les plaintes des professeurs d'enseignement supérieur au sujet des copies de licence, celles mêmes des membres du jury sur les copies des candidats à l'agrégation (quelquefois des bons candidats) sont les indices d'une sorte d'inhibition à l'application correcte de l'instrument imposé.

Les conditions en sont venues à ressembler à ce qu'on peut observer dans le sport, avec la différence entre les records des grandes compétitions et les résultats moyens de l'entraînement et du jeu. La correction au lieu d'être une habitude acquise devient une performance. Des têtes de classe qui réussissent à écrire une composition de français sans faute d'orthographe, en laissent échapper bon nombre dans une composition d'histoire ou d'histoire naturelle et en lâchent en débandade dans leur correspondance familière en attitude détendue.

L'idée doit faire son chemin que, si la sévérité des sanctions comme les astuces pédagogiques sont impuissantes, l'amélioration du rendement est à chercher dans une rectification et un perfectionnement de l instrument.

En 1939 une nouvelle activité se manifestait, celle des réformateurs déterminés mais modérés, qui établissaient des projets de *simplifications*, à appliquer au moins comme première étape ne devant provoquer que peu d'oppositions. Le projet établi en commun par Albert Dauzat et Jacques Damourette était publié en période de guerre en 1940. Les écrits de Charles Beaulieux n'avaient guère d'audience. Le projet élaboré par Roger Lallemand n'était guère connu que dans le mouvement Freinet, mais avait l'avantage de manifester l'opinion d'une partie du monde primaire. L'accueil favorable à une rénovation est à remarquer spécialement dans ce mouvement Freinet où on pourrait croire que l'exercice de la composition typographique à l'école est de nature à mieux inscrire dans la mémoire la physionomie graphique des mots.

C'est en 1950 qu'un référendum organisé dans la Marne par l'inspecteur d'académie J. Heller donnait une majorité symptomatique en faveur du réformisme chez les usagers.

La commission Langevin-Wallon, après examen d'un rapport Hubert Pernot - Charles Bruneau concluant à une réforme plus poussée, émettait un vœu en faveur de la réforme dans le rapport déposé en 1947, mais ne la mettait pas au premier plan et ne publiait pas le projet.

En 1950, le directeur de l'enseignement primaire, agrégé de grammaire, Aristide Beslais, présentait lui-même un projet modéré.

La chose devenant publique, des polémiques s'engageaient. Le public conservateur, représenté spécialement par les abonnés au journal *Le Figaro*, se prononçait une fois de plus contre toute réforme. Ces gens étaient, curieusement, suivis par certains hommes d'extrême-gauche qui, confondant une fois de plus orthographe et langue, voulaient éviter tout soupçon d'altérer le patrimoine national que la classe ouvrière doit être appelée à gérer; ils ne représentaient heureusement qu'une minorité; quant à la masse du public tant de droite que de gauche elle restait muette, et il n'était institué aucune consultation générale du monde enseignant.

Après 1952 le projet d'A. Beslais était enterré. Mais celui-ci, désormais en position de retraite, décidé à faire de nouveaux efforts auprès des pouvoirs et en essayant aussi d'éclairer l'opinion, appuyé par un vœu émis à une grande majorité par l'Académie des sciences, obtenait en 1961 la constitution d'une commission présidée par lui, composée en grande partie d'universitaires compétents, réformistes modérés.

Après de nombreuses séances de travail et la confection d'études sur divers points particuliers, un rapport général a été rédigé, et remis au ministre de l'Education nationale en mars 1965. Il a été diffusé assez largement pour que les critiques puissent s'exprimer, et mis ensuite à l'impression.

Au moment où je relis ceci en épreuve (avril 1966) le rapport a été publié. Le ministère est resté muet.

Les projets de réforme essayent chacun à leur manière et à des degrés différents à diminuer les difficultés d'apprentissage du français résultant du caractère spécial de son orthographe qui est essentiellement intellectuel.

En effet, à côté du souci général d'évoquer la prononciation qui est le propre de toute écriture à base phonétique, comme sont toutes les écritures alphabétiques, l'orthographe française est étymologique : elle évoque l'origine des mots et dans une certaine mesure leur histoire; elle est d'autre part grammaticale, écrivant certaines marques grammaticales anciennement prononcées qui n'existent plus que pour l'œil. La plus fréquemment rencontrée est le *s* du pluriel nominal qui ne se fait entendre que dans certaines liaisons. A cette part de la pratique orthographique les projets de réforme jusqu'à présent proposés ou préparés ne s'attaquent pas. Cependant la suggestion a été émise que les lettres non prononcées pourraient être distinguées graphiquement par un artifice quelconque.

Pour ce qui est de l'étymologie, les réformateurs d'à présent sont également d'avis de conserver les lettres finales (plus rarement internes) qui rattachent un mot à sa famille d'origine, ainsi *chant* à *chanter*, etc., *champ* à *champêtre* et à *campagne*. Ces finales (en partie opposées à des absences de finale) servent accessoirement à distinguer les homonymes, ainsi *vin, vint, vingt; son, sont.*

Accord encore pour conserver les équivalences *c* = *s* devant *e, i*; *c* = *k* devant *a, œ, o, ou, u; qu* = *k*.

En revanche les réformateurs simplificateurs demandent en général la suppression des lettres répétées, soit qu'elles reposent sur l'orthographe latine (comme dans *supprimer*), soit qu'elles aient été introduites secondairement, postérieurement à la période de l'ancien français, ainsi dans *celle, cette.*

Presque tous sont d'accord pour éliminer les graphies grecques *ph, th, ch, y*, inutiles pour rappeler des étymologies grecques qui resteraient claires, pour ceux qui s'en inquiètent, même si on écrivait par exemple *ʃ* et *t* (*ortografe*), à l'instar de l'italien et de l'espagnol, et de l'orthographe officielle pour certains mots français comme *ʃantôme*. Des réformateurs plus hardis entreraient dans la voie du phonétisme au mépris de l'étymologie en généralisant *j* contre *g* prononcé de la même manière, en adoptant *z* pour *s* prononcé sonore, ce qui permettrait de généraliser *s* (simple) pour la prononciation sourde (comme déjà dans *resurgir* ou *susurer*).

Tous d'ailleurs ont conscience des difficultés de toucher à la vieille machine et les plus radicaux se résigneront apparemment à ne voir accomplir d'abord qu'un premier pas.

L'essentiel est de faire ce premier pas pour sortir d'une situation devenue impossible, et d'alléger l'enseignement sans plus tarder.

5. Etendue d'emploi du français
et études sur ses variations

Le résumé de ce que nous avons à dire ici est que nos ignorances sont grandes et que peu de travail a été fait en regard de ce qui serait désirable. Enquêtes, explorations, enregistrements, examens de toutes sortes sont à faire en quantité, et bien peu de moyens sont mis en œuvre. Devant la rapidité de certains changements on pourra dire que toute une grande masse d'informations aura été misérablement perdue : au moins faut-il examiner comment on peut agir au mieux aujourd'hui, et demain, si les utilités sont reconnues et les ressources accordées.

a) L'œuvre dialectologique s'est poursuivie.

En 1945, Albert Dauzat, directeur d'études pour l'étude du français moderne à l'Ecole des Hautes études et directeur de la revue *Le Français moderne*, a lancé l'idée d'un nouvel atlas linguistique et ethnographique de la France, avec un réseau plus serré divisé en régions, et des enquêteurs et rédacteurs responsables pour ces régions. En 1964, certains atlas régionaux ont déjà paru, d'autres sont en bonne voie, d'autres pratiquement en panne.

Pour le nouvel atlas, comme pour le précédent, on s'est préoccupé de trouver au moins un bon informateur patoisant pour chaque point choisi.

b) Mais pas plus en ce milieu du siècle qu'à son début, on ne

s'est occupé de noter exactement le nombre des patois existants ou
éteints et pour ceux-ci la date de l'extinction.

On n'a pas enquêté non plus pour savoir dans chaque endroit
combien de personnes sont bilingues, parlant couramment le patois
ou le français suivant les circonstances; naturellement ces circonstances elles-mêmes ne sont pas précisées.

c) Des projets d'enquêtes et questonnaires sur ces sujets, soumis
au service de la Recherche scientifique, n'ont pas été retenus.

On ne saurait donc dire actuellement quel est le nombre de patois
vivants en France, ni quelle est leur vitalité, ni leurs modes divers
de disparition, là où ils disparaissent. Une évaluation grossière
peut donner comme ordre de grandeur environ 25.000 patois soit
du domaine d'oui, soit du domaine d'oc.

d) L'enquête n'est pas faite non plus systématiquement sur les
français régionaux ou marginaux. On ne possède que les résultats
d'enquêtes partielles réalisées par des initiatives individuelles, d'étendue et de valeur inégales. Heureusement l'intérêt est éveillé et on
peut concevoir des espoirs de travaux plus nombreux, de plus en
plus facilement réalisés à mesure que l'emploi du magnétophone
se répand chez les chercheurs et des amateurs curieux.

Certaines études pourront être dans l'avenir réalisées après coup
sur les documents accumulés. D'une part il y a les archives des
services de la Radio-télévision française, d'autre part le dépôt légal
des disques existe depuis 1943 la phonothèque nationale s'enrichit
automatiquement. Pour les deux cas les documents chantés ont leur
valeur propre à côté des documents parlés.

Les mêmes questions sont à poser pour le français dans des pays
étrangers.

e) A la radio qui agit, rappelons-le, depuis les années 20, la télévision s'est ajoutée dans la période que nous vivons. Mise en service en diverses régions depuis 1945 on peut la considérer comme
en voie d'expansion depuis 1950 et maintenant en voie de quasi-
généralisation. Ainsi c'est une masse croissante de français tenu
qui est écouté, en partie de la bouche de personnages vus en train
de parler, en France et ailleurs. Comment mesurer la force possible
de la tendance à une certaine uniformisation qui résulte de cette
situation ? Il faut penser en tout cas qu'il existe une question.

De nouvelles inventions en feront surgir d'autres : dès maintenant l'alliance de la télévision avec l'astronautique par les telstars
fait que la transmission télévisée a franchi les frontières.

Pour la situation du français dans le monde on a déjà divers indices qu'il y a une recrudescence de son étude dans des régions où il y avait eu dépression antérieure : ce sera à suivre.

f) Il est d'une spéciale importance d'examiner la situation qui résulte d'un événement capital de l'histoire contemporaine : l'accession à l'indépendance, dès maintenant (avec quelques aspirations non encore réalisées) des pays d'Asie, d'Afrique, d'Océanie naguère soumis aux impérialismes européens.

Les situations sont différentes surtout suivant que les états qui sont en question ont ou non une ancienne culture avec leur langue parlée. Mais il faut tenir compte aussi du caractère des liens précédents, du protectorat à la possession coloniale et de la politique qui a été suivie dans chaque cas par la puissance colonisante, de sa politique actuelle aussi (ou de celle d'autres puissances) sous les aspects néocolonialistes avec pressions surtout économiques. Il y a aussi des interférences avec des questions de religion.

Les questions qui se posent dans les différents pays sont celles de la langue ou des langues officielles et administratives, celles de la langue de l'enseignement aux différents degrés.

Dans la presqu'île indochinoise, après la défaite militaire de Dien Bien Phu en 1954, l'Indochine française a vécu. Le Vietnam est actuellement divisé en deux au nord et au sud du 17° parallèle. Le vietnamien, écrit autrefois en caractères chinois, a été doté dès le 17° siècle, par des missionnaires, d'une écriture pratique en caractère latins. Dès les premières phases de l'aspiration à l'indépendance, l'instruction en vietnamien a été poussée aussi rapidement que possible. Mais l'enseignement secondaire en français a formé les élites, plus ou moins conjointement avec la vieille culture dépendant de la Chine, plus exactement du bouddhisme chinois. L'enseignement supérieur en vietnamien n'a pas encore d'existence.

Conditions analogues au Laos et au Cambodge, dotés depuis longtemps d'écritures d'origine indienne comme aussi la Thaïlande.

On entend dire qu'au total l'enseignement du français lui-même est plus développé qu'au temps colonial. Les jeunes états ont besoin de pouvoir employer une langue de grande communication.

En Afrique du Nord le protectorat français a cessé pour la Tunisie et le Maroc en 1956. Après une lutte sanglante de six ans les accords d'Evian et autres dispositions ont consacré la fin de la situation créée par la conquête française de 1830 et l'existence de la République démocratique algérienne. Là se pose la question de l'arabe, langue cultivée écrite et langue religieuse, qui assure les communications avec tous les pays de langue arabe, leur radio, leur cinéma, leurs journaux et leurs livres. Enseignement plus ou moins cantonné naguère dans les écoles religieuses, allant d'ailleurs du petit atelier primaire d'apprentissage du Qoran jusqu'aux facultés de théologie et de littérature. L'administration française avait fait effort pour faire du français la langue d'enseignement, en pratiquant d'ailleurs en Algérie une politique de parcimonie, l'école n'ayant été à peu près généralisée qu'en Kabylie, pays de langue parlée berbère, non arabe, dans une vue politique.

Les états maintenant indépendants ne veulent pas abandonner ce que le français peut leur assurer de communications universelles, particulièrement scientifiques, et n'ont pas en arabe les instruments de travail nécessaires, manuels, dictionnaires et encyclopédies. Pour beaucoup d'intellectuels leur langue 'de pensée' est le français. Certains dirigeants politiques algériens ont dû véritablement apprendre l'arabe dont ils n'avaient pas la pratique, l'ayant perdue de bonne heure ou ne l'ayant même pas acquise, dans des familles 'évoluées'. Il faut tenir compte aussi des retours saisonniers ou définitifs de travailleurs manuels dont le gagne-pain est en France, et qui parfois s'y marient.

En conséquence, avec des statuts variés, non sans péripéties, un nombre appréciable d'enseignants français exercent en Afrique du Nord.

En Tunisie ils constitueraient 10 % de l'enseignement primaire, 80 % de l'enseignement secondaire, 90 % du supérieur. Au reste le gouvernement tunisien vise à l'obligation de l'enseignement primaire, en arabe, dans un bref délai, mais avec une place pour le français dans les dernières classes.

Le Maroc est moins avancé dans la voie de l'instruction. Il faut noter que bien qu'un tiers de la population soit de langue maternelle berbère, les autorités ne veulent en aucun cas favoriser cette langue et que l'enseignement en a été suspendu à l'universié de Rabat.

En Algérie, c'est l'école française qui continue donc à prédominer. Mais le régime n'a pas encore pris une forme bien définie.

La Mauritanie est aussi un pays de langue arabe, et l'école coranique y fonctionne. Mais le français est employé dans l'administration et il y a un enseignement primaire français, donné sous la tente chez les nomades; en tout quelques milliers d'élèves. Une partie vont aux deux lycées français du pays, d'autres font leurs études secondaires en France.

Dans l'Afrique occidentale et centrale les conditions sont différentes; bien qu'un certain nombre de musulmans pratiquent la lecture de l'arabe et que l'écriture arabe ait servi à écrire quelque peu
certaines langues des nègres et que des missionnaires aient pratiqué
des enseignements dans certaines langues locales, aucune langue
négro-africaine n'est devenue jusqu'ici une véritable langue cultivée;
les langues d'enseignement ont donc été et sont encore le français
dans les anciennes possessions françaises et belges, l'anglais dans
les anciennes possessions anglaises, ce qui crée deux sortes d'Afrique linguistique moderne (pour être complet il faudrait voir aussi
le rôle du portugais; un temps il y a eu aussi de l'allemand).

Pour le côté français il s'agit d'une quinzaine de républiques
figurant encore dans la 'communauté française' (parallèle au 'commonwealth britannique'), dont il faut excepter la Guinée qui a
déclaré sa volonté de rester à part, et le Congo ex-belge et les petits
états voisins. Les conditions sont variées et complexes; l'important
est de voir l'ensemble. A peine 10 % des populations sont alphabé-
tisées (la proportion étant plus forte au Congo ex-belge) avec le
français; les gens instruits fournissent l'armature administrative.
Pour les conditions à Madagascar, sans changement sensible, voir
p. 312.

Se reporter aux *Références* p. 454 pour l'enseignement supérieur.

Au total : champ d'expansion pour la culture française.

g) Les apprentissages de langues étrangères ont pris de nouveaux
aspects dans la période considérée.

Dans divers pays l'enseignement d'une langue étrangère se donne
dans les dernières années du degré primaire; le français en bénéficie pour sa part. En France c'est surtout l'étude de l'anglais qui
s'est étendue. Certaines personnes avaient même pensé à élargir
encore cet enseignement : il y a eu un mouvement pour le bilinguisme, supposant théoriquement que les jeunes Anglais seraient
mis au français comme les petits Français à l'anglais. Cette tentative n'a pas eu de durée.

L'idée de l'enseignement accéléré d'une langue étrangère est née
d'abord pour des visées militaires. Les premiers 'ateliers' d'enseignement intensif ont été créés sauf erreur aux Etats-Unis pendant
la guerre 1939-1945. On a continué pour des utilités industrielles,
là où les pays les plus impérialistes et les mieux équipés exportent
des ingénieurs aux lieux d'exploitation de matières premières et de
main-d'œuvre. (Un exemple : des ingénieurs pétroliers américains
au golfe Persique.)

Les instruments modernes sont entrés en jeu, notamment le magnétophone permet à l'élève de comparer sa prononciation à celle d'un modèle. Les variantes mécaniques sont à considérer : on peut s'entendre parler, avec un décalage minime, et recevoir certaines révélations sur ce que les autres entendent de vous.

Ces moyens sont utilisés spécialement dans le monde de l'enseignement pour les futurs professeurs de français à l'étranger. C'est ainsi qu'aux cours traditionnels donnés par les anciens moyens soit dans les cours (surtout d'été) de civilisation française et dans les écoles de l'Alliance française se sont ajoutés des centres modernes, où l'université de Besançon a pris un poste d'avant-garde. Une organisation centrale porte le nom abrégé de *C.R.E.D.I.F.* (Centre de recherche et d'étude pour la diffusion du français), à l'Ecole normale de Saint-Cloud, allié au *B.E.L.* (Bureau d'étude et de liaison pour l'enseignement du français dans le monde, 9, rue Lhomond, Paris V^e).

Auparavant le désir utilitaire d'inculquer un minimum de français aux travailleurs nord-africains avait fait naître l'entreprise dite du 'français élémentaire'. Pour la recherche du minimum de mots usuels et aussi de tournures ordinaires simples on a pour la première fois, à cette occasion, réalisé systématiquement un certain nombre d'enregistrements. L'étude des résultats a donné diverses indications intéressantes, malgré la base trop étroite de l'expérience.

Après divers examens critiques on n'a plus parlé de 'français élémentaire', mais de 'français fondamental', avec un centre d'études qui fonctionne à l'Ecole normale de Saint-Cloud. En dernier lieu, il y a été entrepris la confection de vocabulaires par catégories d'études. (Le premier paru a concerné la critique littéraire.)

h) Il a été question p. 306 du partage du territoire de l'hexagone, comme on dit depuis peu, entre le français et les patois, et il a été dit qu'une partie de ces patois sont du type d'oc. Il faut dire quelque chose de plus des limitations de l'emploi du français sur son territoire, de l'emploi à la fois parlé et écrit des petites langues, en ajoutant l'écrit parlé que constituent les émissions à la radio.

La question du rôle des petites langues dans la vie culturelle du pays a fait l'objet de débats parlementaires. La loi Deixonne, de janvier 1951, a stipulé que des postes d'enseignement supérieur seraient créés, ce qui a été fait en complétant les mesures antérieures; ainsi l'occitan, le catalan, le breton et le basque sont pourvus.

La loi Deixonne a stipulé ensuite que certains enseignements pouvaient être donnés à l'étage secondaire et que les petites langues pourraient donner lieu à des épreuves complémentaires au baccalauréat. On sait qu'il y a eu lieu dans l'application différentes fluctuations suivant les régions intéressées. Il semble qu'on n'ait pas établi de statistiques complètes en ce qui concerne le baccalauréat. Pour les ondes il faut distinguer les émissions centrales de l'O.R.T.F. et l'activité des postes régionaux d'émission. Au total, d'une manière ou d'une autre, les petites langues sont représentées, inégalement. Le dialecte alsacien a commencé à prendre une place à la télévision ainsi que le breton. C'est la station de Monte-Carlo qui émet du corse. Pour le flamand il faut s'adresser aux postes belges.

En Belgique le wallon a droit à l'antenne assez largement, et à côté de lui le picard du Hainaut.

(Voir *Références* du chapitre XIV pp. 451-452.)

6. Aperçus sur l'art littéraire

a) LA POÉSIE. Elle mérite de venir en tête, ne serait-ce que par ordre chronologique. Dans le quasi-silence forcé de l'occupation étrangère, la poésie a pris une grande activité. Des artistes déjà éprouvés ont développé leur action en partie par des poèmes inspirés par la Résistance, le plus souvent édités en publications clandestines et sous des pseudonymes. C'est le moment des poèmes importants d'Aragon, de Paul Eluard, de Robert Desnos, qui devait mourir dans un camp allemand en 1945, auxquels s'ajoutent des œuvres de René Char.

Beaucoup de poètes amateurs se sont révélés à eux-mêmes exprimant leurs sentiments de lutte, leurs deuils : les relatives facilités du vers libre ont été une incitation à certains pour s'exprimer de cette manière.

Depuis, la poésie a été très en faveur. Les recueils de poésie se publient assez facilement, s'achètent pas mal, notamment dans les ventes avec signatures d'auteur. Des petites revues naissent, certaines prospèrent, et les grandes revues littéraires font assez large place aux poèmes. Au reste il ne s'agit pas que de la poésie en français : les poètes occitans sont également actifs, les poètes wallons aussi. Les poètes et leurs œuvres reçoivent une grande place dans les programmes de radio, en récitations et en entretiens.

La forme ordinaire est le vers libre, généralement sans ponctuation, avec ou sans majuscule au début des vers (et là où il pourrait y avoir un point).

Il y a eu un retour à des formes classiques : alexandrins, généralement rimés. Telle a été dès à ses débuts la technique adoptée par Charles Dobzynsky. Un temps, Aragon s'est remis à cette facture ancienne, spécialement avec la forme fixe du sonnet, et il a entraîné des imitateurs. Mais il est revenu ensuite à la variété, et a écrit de belles choses en vers de 16 et même 24 syllabes assez souvent rimés.

La poésie chantée est en pleine floraison. Les 'tours de chant' quelquefois très longs occupent des soirées au music-hall, les concours baptisés marathons ou non remplissent des heures d'émissions radiophoniques.

Citons parmi les vedettes célèbres Georges Brassens en notant qu'il utilise largement des paraphrases de vieilles poésies et de vieilles mélodies, du temps de l'ancien français. Anne Sylvestre a renouvelé la complainte.

Les succès ne sont pas seulement très souvent répétés à la radio sur la demande des auditeurs, mais ils sont enregistrés et tirés sur disques en nombre considérable, à l'usage de très nombreux amateurs.

b) LE ROMAN. C'est le roman qui constitue la grande masse de l'imprimé, avec les journaux, et aussi comme partie des journaux. En effet chacun de ceux-ci doit avoir un ou deux feuilletons. Ceux-ci, à l'époque où nous sommes, sont rarement des ouvrages neufs présentés ainsi au public. Ce sont généralement des rééditions d'ouvrages tombés dans le domaine public, à la fois par économie, par l'assurance de fournir des lectures d'un intérêt éprouvé, et par pénurie de romans neufs accessibles à de nombreux lecteurs et se prêtant au découpage.

Les feuilletons de bas de pages se trouvent flanqués des *bandes* : récits découpés en petites images avec quelques lignes de légende. Certaines sont des paraphrases, en partie avec des citations textuelles, d'anciens livres et font connaître à bon compte quelques chefs-d'œuvre du passé, d'autres sont des fabrications à la grosse, fournies toutes faites par des agences de production surtout américaines. Quelques-unes seulement ont une valeur par des dessins et des textes originaux.

Le choix des feuilletons et des bandes dépend en partie des succès de films tirés eux-mêmes de romans.

Il faut considérer ensuite, généralement en marge de l'art littéraire, mais dans le cœur de la confection écrite, la masse des romans policiers, en séries plus ou moins 'noires', se succédant en petits volumes séparés dont les tirages sont considérables et qui sont demandés par priorité par une grande quantité de lecteurs des bibliothèques publiques. Pour ceux des ouvrages qui sont le plus appréciés, le succès au cinéma double le succès de lecture.

Ensuite les romans d'aventure, qui suivant les cas ont des dosages différents de mystères policiers ou autres, de voyages mouvementés et d'érotisme. Certains deviennent des 'têtes de vente', à tirages fabuleux.

Il arrive que le même succès enrichisse des auteurs de livres faits à intention vraiment littéraire, et d'autre part distingués par le prix Goncourt ou un autre, assurant une publicité qui fait automatiquement augmenter l'écoulement, dans une mesure variable.

C'est le cas du petit livre de Françoise Sagan : Bonjour, tristesse, qui s'est trouvé rencontrer étonnamment le goût du moment. Quel que doive être le jugement des générations futures sur l'ouvrage, l'événement aura eu lieu.

A propos de ce livre, premier nommé en raison de ce succès explosif, j'inscris une observation qu'il faudrait répéter plus d'une fois pour divers ouvrages : le récit romanesque est à la première personne, bien qu'il soit nettement en style écrit, assez loin des formes de la conversation.

A la première ou à la troisième personne on peut faire une observation analogue sur l'ensemble des ouvrages que nous avons à évoquer maintenant. Ils marquent beaucoup plus la continuité du français écrit qu'ils ne sont marqués de nouveautés. Pourtant, si on y regarde d'assez près, on voit qu'aucun n'échappe par divers détails à une datation assez nette, ceci avec les marques des tempéraments et des talents variés.

L'embarras est grand de décider qui et quoi nommer ou non, avec quelle amorce de jugement, et comment concilier la chronologie brute avec les périodes d'éclosion de certaines manières de l'art littéraire.

Il semble convénient de nommer d'abord divers auteurs dont les œuvres se répartissent de 1939 à maintenant (1965) pour passer ensuite à d'autres qui ne se montrent qu'à partir de 1950 environ. Les générations artistiques, non plus que les formations ne vont pas par dates du calendrier. Aussi bien je suis porté à écarter d'un bref tableau ceux qui bien que vivant du même air que nous ont dans leur comportement un retard d'une ou deux générations, ou plus encore.

Ceci dit, j'énumère en suivant en gros la chronologie des œuvres et des prix obtenus. Voici : outre Louis Aragon, qui poursuit sa production (voir p. 363), Vercors, révélé pendant la période de guerre (*Le Silence de la mer* 1942), Elsa Triolet, dont *Les Amants d'Avignon* sont de 1943 et ont été suivis de nombreux romans appréciés, Albert Camus dont les romans se sont succédé de 1937 à 1960, date à laquelle un accident d'auto a terminé sa carrière, Pierre Courtade, dont *La Rivière noire* est de 1953, mort prématurément lui aussi en 1963, Armand Lanoux dont *Le Commandant Watrin* a été le prix Goncourt de 1956, Roger Vailland, dont *La Loi* a eu le même prix en 1963, Simone de Beauvoir, appréciée pour ses mémoires et ses romans (*Les Mandarins* 1954), Jean-Pierre Chabrol (*La dernière cartouche* 1953, *Les Fous de Dieu* 1961) voir p. 364.

Raymond Queneau est entré dans la carrière dès 1933; son dernier succès de fantaisie est *Zazie dans le métro* (1959).

André Stil a depuis 1950 décrit d'une manière qui n'appartient qu'a lui la vie de milieux ouvriers. (Voir p. 361).

Faisons ici une place à quelques-uns des écrivains qui nous sont venus d'ailleurs : le Grec André Kédros (*Le navire en pleine ville* 1948), les Algériens Mohamed Dib (*La grande maison* 1952), Mouloud Mammeri (*La colline oubliée*); le Haïtien Jacques Roumain dont les *Gouverneurs de la rosée* (1944) ont aussi paru en créole; l'Africain Oyono (*Une vie de boy* 1956).

Pour la dernière période nous avons à noter l'apparition d'une sorte d'école dite du 'nouveau roman', avec la revue *Tel quel* qui fait des recherches de composition et de style, en se servant de la langue sous ses formes classiques et en usant très peu des libertés modernes en figures nouvelles de la phrase risquant d'autre part dans leur manière de n'être bien compris que de lecteurs délicats. Le principal point de la doctrine d'Alain Robbe-Grillet et de ses émules est la 'description objective' des choses, des allures, des gestes expressifs de mouvements intérieurs, de manière à présenter l'objet sous toutes ses faces inexorablement sans souci des sentiments qu'on peut supposer tant à l'auteur qu'au lecteur.

Dans *La Modification* (1957), qui figure la vie intérieure, souvenirs et projets d'un personnage voyageant de nuit en chemin de fer, Michel Butor a adopté et réussi une présentation originale où le *je* est remplacé par un *vous* (voir p. 364). Des autres femmes de talent sont Françoise Mallet-Joris, Nathalie Sarraute (voir p. 362), Marguerite Duras (voir p. 366), Hélène Parmelin.

La plupart de ces écrivains usent inégalement du style parlé.

Certains auteurs ont délibérément gonflé la part de dialogue et de monologue, en style de conversation très libre, avec abondance de 'gros mots'. Pas très variés : il s'agit surtout d'employer avec naturel *merde* et ses dérivés, *conerie* (écrit généralement *connerie*) et son court radical. C'est surtout Christiane Rochefort qu'il faut citer ici (*Le repos du guerrier*, 1958, *Les Stances à Sophie*, 1963) (voir p. 365). Les personnages sont d'ailleurs eux-mêmes plutôt libres dans leur conduite.

Ici, tant pour la conception que pour la facture, on trouve une espèce d'exagération de la manière de Jean-Paul Sartre (dont d'ailleurs des œuvres sont surtout à citer pour cette période : *Les chemins de la liberté* 1945 à 1949). On peut mentionner un livre, agréable sans grand poids, dont l'auteur a trouvé un moyen de multiplier l'emploi de la conversation en découpant presque entièrement l'intrigue en conversations au téléphone : Claude Martine *La preuve par l'île* (1963).

c) THÉATRE, CINÉMA, RADIOTÉLÉVISION. Pour le théâtre la période précédente s'est continuée avec des développements nouveaux. Le Théâtre national populaire (T.N.P.), sous la direction de Jean Vilar, a rempli la grande salle du Palais de Chaillot avec des pièces antiques, étrangères, françaises aussi, mais d'autrefois : la faveur d'un public en partie populaire pour Marivaux ou Lesage est symptomatique. D'autres troupes, formées par des initiatives individuelles (en particulier celle de Planchon) rencontrent des succès analogues, avec un répertoire de même ordre. Citons *En attendant Godot* de Samuel Beckett, auteur irlandais qui a écrit en anglais et en français dans le sillage de Robbe-Grillet.

Ce sont les pièces étrangères, dans leur langue même et avec les mises en scène des divers pays, qui attirent depuis 1955 le public du Théâtre des Nations au Théâtre Sarah Bernhardt (saisons de 4 mois).

Pour les nouvelles pièces françaises, après une période marquée surtout par l'œuvre dramatique de J.-P. Sartre (*Les mouches*, 1943), le courant plus ou moins fantastique et symbolique s'est poursuivi en particulier avec le théâtre de Eugène Ionesco.

Un autre courant populaire et révolutionnaire est marqué par *L'Affaire Durand* de Salacrou et les pièces d'Adamov (depuis 1950). D'Armand Gatty, *Chant public devant une chaise électrique* a beaucoup intéressé (1964).

Pour le cinéma il s'est révélé à côté de certains anciens, de nombreux auteurs dramatiques, en partie avec des films de la Résistance (René Clément *La bataille du rail*, 1944), aussi pour d'aimables tranches de vie moderne, prenant à leur manière la suite des théâtres du Boulevard (*Antoine et Antoinette* de Jacques Becker, 1946).

Diverses œuvres littéraires du passé ont étendu ainsi leur audience : *Les Misérables* de Victor Hugo, *Le Rouge et le noir* de Stendhal. Récemment le nouveau roman a pris sa place sur l'écran, notamment avec *L'année dernière à Marienbad* de Robbe-Grillet, mis en œuvre par Alain Resnais, écrit directement comme scénario (1961).

a musical !

Fantaisie nouvelle dans *Les Parapluies de Cherbourg* de Michel Legrand, les paroles sont chantées.

Beaucoup de français parlé est ainsi présenté à un nombreux public.

Le répertoire étranger est entremêlé au français : avec des films italiens, nombreux et qui ont marqué, soviétiques, japonais, indiens, américains des Etats-Unis, etc.

Des ciné-clubs et des studios spécialisés reproduisent des films plus ou moins anciens : la création d'un répertoire cinématographique remontant aux chefs-d'œuvre du 'muet' est un fait frappant.

Le théâtre radiophonique a persisté à tenir sa place dans les programmes dans les mêmes conditions qu'avant la guerre. Après la mort d'André Delferrière en 1951, sa veuve, Anita Soler, a continué avec sa compagnie jusqu'en 1965, date de sa mort.

La télévision ouvre de nouvelles perspectives à l'art dramatique. Dès maintenant la demande en sketches de pur théâtre est grande, à côté des innombrables séquences documentaires.

Ici encore, nouveau développement de l'art dramatique. Si on n'a pas de grandes révélations de pièces nouvelles à signaler, il faut dire qu'en 1965 la mise en scène du *Don Juan* de Molière par Marcel Bluwal a fait sensation.

L'histoire et la critique littéraire n'ont pas été traitées dans ce chapitre. Qu'il soit cependant mentionné ici qu'à la critique théâtrale se sont ajoutées la critique cinématographique et la critique de télévision.

Il ne sera pas question ici de choisir entre divers honorables appréciateurs qui alimentent les chroniques des journaux et des revues. Mais que soit évoqué d'un mot le souvenir laissé dans le monde des artistes par deux hommes qui sont montés sur les planches, ont écrit du théâtre et sur le théâtre, Antonin Artaud (1896-1948) et Boris Vian (1920-1959).

TEXTES DE 1939 A 1965

PAUL ELUARD (mort en 1952) : *Derniers poèmes d'amour*. (Seghers) 1963. Du fond de l'abîme, pp. 31-32.

Je parle du fond de l'abîme
Je parle du fond de mon gouffre
C'est le soir et les ombres fuient
Le soir m'a rendu sage et fraternel
Il ouvre partout ses portes lugubres
Je n'ai pas peur j'entre partout
Je vois de mieux en mieux la forme humaine
Sans visage encore et pourtant
Dans un coin sombre où le mur est en ruines
Des yeux sont là aussi clairs que les miens
Ai-je grandi ai-je un peu de pouvoir.

ANDRÉ STIL : *La Seine a pris la mer*. (Ed. français réunis), 1950, pp. 26-28 (dans la nouvelle *L'assassin*).

Il est mort deux jours après à l'hôpital d'Arras.
J'étais bouleversé. Je ne le connaissais pas, mais j'ai eu le sentiment d'avoir perdu mon meilleur copain. C'est alors que je commençai à poser des questions, prudemment, comme on touche à quelque chose de fragile :
— Il était électricien ?
— Non. Mineur.
— Mineur ? Mais qu'est-ce qu'il faisait en haut du pylône ?
Il faillit ne pas me répondre, je le lisais sur son visage. Il se décida quand même :
— Il mettait en couleur. C'était pas. son métier. Tu sais ce que c'est de faire un métier qui n'est pas le sien. Et puis travailler dans

le ciel, en pleine lumière, il n'avait pas l'habitude non plus, tu comprends. Il devait être tout ébloui, tout désemparé. Le courant avait été coupé sur un pylône. Au milieu des champs, sans point de repère, il s'était trompé de pylône. Et puis en haut, sans trop savoir, il a pris le fil à pleines mains. Ça l'a soufflé, on aurait dit qu'il explosait, comme une mouche sur le feu.

« Il avait fallu qu'il y soit forcé pour faire ça ! A trente-cinq ans, il avait vingt-deux ans de fond. C'était le roi des mineurs ! Tout ce nouveau boulot le repoussait, le pinceau, l'odeur de la couleur, grimper en haut [...] Mais il fallait bien qu'il gagne à manger, après trois mois de prison, une femme et deux gosses, et puisqu'ils l'avaient licencié. »

Elle a été vite faite mon enquête.

NATHALIE SARRAUTE : *Portrait d'un inconnu*, (Gallimard), 1967, pp. 166-167.

Quand elle n'était encore qu'une enfant, le dimanche après-midi, sur l'injonction muette mais inexorable des fées, il « la sortait ». Tout le quartier, d'ailleurs, semblait exercer sur lui la même contrainte lourde et muette pour le forcer à déambuler avec elle lentement, en la tenant par la main, parmi la foule endimanchée, le long de cette avenue morne, bordée de façades flétries, au bout de laquelle le parc aux pelouses trop éclatantes s'étend comme un vernis rutilant au bout de doigts malpropres, à la peau grise.

Ils avançaient lentement, comme entravés dans leurs mouvements par l'air tiède et un peu moite. Ils se taisaient. A l'entrée du parc, une femme vendait des jouets, des moulinets en celluloïd, des ballons, de petites poupées. Il savait, sans même avoir besoin de jeter un regard de son côté, que les yeux de l'enfant, ces yeux inexpressifs, déjà un peu exorbités comme des yeux d'insecte, se tournaient vers ces jouets mais à peine — elle ne voulait pas, il le savait, laisser voir qu'elle les regardait. Il lui semblait qu'une petite bête avide et apeurée, tapie en elle, l'observait sournoisement. Il sentait, sortant d'elle, comme de faibles et mous tentacules qui s'accrochaient à lui timidement, le palpaient. Et tout de suite il se raidissait sous ce contact répugnant et passait, regardant droit devant lui, sans avoir l'air d'entendre la marchande innocente et placide qui essayait de l'amadouer.

Louis ARAGON : *La semaine sainte*, (Gallimard), 1959, pp. 258-259.

Au fait, personne ne nous suit : on est seuls sur cette route, ou quoi ? Robert en avait fait la remarque à voix haute, et le cavalier Langlet lui répondit que les dragons avaient obliqué pas très long-temps après Saint-Denis sur la route de Calais. Probable que la division faisait un mouvement en pince sur les arrières de la Maison du Roi...

Je ne sais pas, peut-être plus loin ça se gâchera : mais ici, sur le plateau d'Ecouen, le soleil a toute la place pour lui, il y a des pay-sans de loin en loin dans les champs qui brûlent les vieilles herbes ou disposent la fumure avec des fourches et nous voilà tous à passer sur la route : Arnavon, Schmalz, Delahaye, Rostant, enfin, la clique ! on ne sent pas la fatigue, on galopera encore de nuit... Il rêve à tout cela en avançant vers Creil, Robert Dieudonné.

Alain ROBBE-GRILLET : *La jalousie*, (éd. de Minuit). 1957, p. 64.

Le long de la chevelure défaite, la brosse descend avec un bruit léger, qui tient du souffle et du crépitement. A peine arrivée en bas, très vite, elle remonte vers la tête, où elle frappe de toute la surface des poils, avant de glisser derechef sur la masse noire, ovale couleur d'os dont le manche, assez court, disparaît presque entièrement dans la main qui l'enserre avec fermeté.

Jacques ROUBAUD : *La mort m'éclabousse*. (1961), Action poé-tique, n° 27, juin 1965, pp. 46-47.

Ta mort m'éclabousse.
La nuit affleure à la girouette.
Les nuages roses se retirent par les toits.
Et je supplie la lumière je me penche
à la lueur fuyante sur ta photographie
tu regardes toujours ton verre
tu sondes l'air du silence
tu ouvres le jour torturé.
Et ton cœur sombre échappe.

Vaines ô vaines images
vaine ma peine véhémente
rien ne t'arrachera à l'ombre
l'horreur m'attend au bout de mes sommeils boueux.

Michel BUTOR : *La modification*, 1962. (Union générale d'éditions), p. 17.

Si vous avez peur de le manquer, ce train au mouvement et au
bruit duquel vous êtes maintenant déjà réhabitué, ce n'est pas que
vous vous soyez réveillé ce matin plus tard que vous l'aviez prévu,
puisque bien au contraire votre premier mouvement, comme vous
ouvriez les yeux, ç'a été d'étendre le bras pour empêcher que ne se
déclenche la sonnerie, tandis que l'aube commençait à sculpter les
draps en désordre de votre lit, les draps qui émergeaient de l'obscurité semblables à des fantômes vaincus, écrasés au ras du sol mou
et chaud dont vous cherchiez à vous arracher.

ARAGON : *Le fou d'Elsa* — *L'hiver* (Gallimard), 1963, p. 194.

Ce qui fut défi d'abord ce qui fut joute
Palabres de hérauts d'armes de la plaine au rempart
Parade où les chevaux caracolent
Et l'on compare la beauté des habits et des sabres
On va regarder des hauteurs les poudroiements de guerriers
Là-bas comme au manche d'un poignard les pierres
Un jour tourne
Et la lassitude a crû parmi les cavaliers au matin revenant des
                                              [razzias nocturnes
Et les chevaux fourbus s'efflanquent La faim
Règne

Jean-Pierre CHABROL : *La chatte rouge* (Gallimard), 1963, p. 49.

Le mal me vient, je suppose, d'une croissance géminée : j'ai
poussé comme ces arbres taillés en « U » dès qu'ils sortent de terre,

et qui allongent indéfiniment leurs deux troncs égaux, bien droits, bien parallèles, sinistres diapasons le long des murs de briques. Chaque fois que je tentais de me rejoindre, un sécateur tranchait le rejet à peine formé; et je ne sais toujours rien de l'impitoyable jardinier qui ne me quitte pas des yeux, rien de plus que n'en savent les arbres en diapason des murs de briques.

C'est ainsi, et l'Amour, et la Mort croissent par moitiés sur chacun des deux troncs, sans jamais pouvoir se rejoindre.

Christiane ROCHEFORT : *Les Stances à Sophie*, 1963 (Grasset), pp. 17-18.

— Oh écoute, tu ne pourrais pas faire une phrase sans y mettre merde ? C'est monotone à la fin.

— C'est pas moi, c'est le sujet qui veut ça.

— Quoi le sujet ? Je te parle d'être heureuse, je ne vois pas en quoi ça exige cet ingrédient.

— Moi si. Le bonheur merde.

— Ah bon ! Il soupire. Dans ce cas je n'ai plus qu'à m'en aller. Je ne sais pas ce que je fais ici. Moi qui ne songe qu'à te rendre heureuse. Oui je n'ai qu'une pensée : ton bonheur. Il repose son pain, qu'il émiettait, son regard se détourne de moi; le soleil se voile, la terre s'obscurcit. J'ai fait une faute. Je me suis exprimée. Je n'aurais pas dû. Pourquoi ne puis-je pas tenir ma langue ? Je sais pourtant ce qui arrive chaque fois. Ce qu'il faut quand on est amoureuse c'est non seulement des boules Quiès dans les oreilles mais du sparadrap sur la bouche.

Charles DOBZYNSKI : *Aux sources du temps*. Cahier un de poésie, extrait de la revue *Europe*, mai-juin 1965. p. 17.

Une forêt de visages se lève sous les eaux secouant le masque du
    grès et le plancton des millénaires,
Une forêt de pierres marche dans le tunnel du temps balayant la
    nuit d'une bourrasque de prodiges,
En route vers un autre règne, une porte   averte sur la perfection
    du matin,
Les dynasties de pierres se chevauchent
Et l'eau répand sa royauté dans ce labour du néant.

Franck VENAILLE : *Tu sens la nuit,* Action poétique n° 26,
janvier 1965, p. 18.

> Tu sens la nuit
> avec ses odeurs de maléfices
> ses interdits domptés
> la sueur de notre langage
> et la timidité de l'aube
> Tu sens la nuit

Andrée BARRET : Action poétique n° 27, juin 1965, p. 34.

Par les meurtrières là-haut qu'est-ce qu'on voit de son passé
Des caisses pleines des clairières pelées
Des aubes
Des exodes d'enfance qui s'éternisent

Marguerite DURAS : *Dix heures et demie du soir en été.* (Gallimard), 1960, pp. 181-182.

C'est Pierre qui conduit. Claire veut Judith avec. Maria la lui
laisse. Claire a les mains sur Judith. Maria s'endort très vite après
le village, une nouvelle fois. Ils ne la réveillent pas pour voir la
vallée du Jucar, mais seulement lorsque Madrid est en vue. Le
soleil n'est pas tout à fait couché ! Il est au ras du blé. Ils arrivent
à Madrid comme prévu, avant le coucher du soleil.
　— Ah, que j'étais fatiguée, dit Maria.
　— Madrid, regarde.
Elle regarde. La ville s'avance vers eux comme une montagne de
pierre tout d'abord. Puis on s'aperçoit que cette montagne se crible
de trous noirs que le soleil creuse, et qu'elle s'étale géométrique-
ment en des masses rectangulaires de différentes hauteurs dépar-
tagées par des espaces vides où la lumière s'engouffre, rose, en une
aurore lassée.
　— Que c'est beau, dit Maria.
　...Pierre ralentit l'allure, forcé de le faire tant Madrid est belle
de si loin encore.
　— La vallée du Jucar était belle aussi, dit-il. Tu n'as pas voulu
te réveiller.
L'hôtel est encore plein. Mais leurs chambres sont réservées.

II. ASPECTS DE LA LANGUE

Pour l'histoire du passé, nous sommes gênés par la rareté des documents ; pour juger le présent nous sommes embarrassés par la multiplicité des faits. D'ailleurs ceux-ci sont insuffisamment observés et classés. La tâche de tracer un tableau complet et clair est malaisée. Il est fait ici une tentative à caractère provisoire pour donner une idée de la complexité des faits, de manière véridique.

1. Les différents langages français

Une langue en général, et en particulier une langue cultivée, est un système, ou un groupement de faits comportant entre eux certains équilibres, qui est employé à un moment donné, dans un milieu donné pour exprimer et communiquer la pensée ; elle est le propre d'un groupe social : c'est un type (on dit aussi une norme) auquel chacun doit se conformer pour 'bien' parler et surtout 'bien' écrire ; il est défini plus ou moins parfaitement dans la grammaire et dans le dictionnaire, là où on en a mis par écrit. La manière dont chacun emploie la langue à chaque instant, en parlant et aussi en écrivant, comporte des variations innombrables, individuelles et momentanées ; elles tiennent à l'origine des individus, à leur éducation, à leur degré d'instruction, à leurs dons (on est plus ou moins bien doué pour parler et pour écrire), aux émotions et aux impressions du moment, à la fatigue, au désir de parler comme les autres ou de s'en distinguer, de produire un effet artistique, etc. La langue n'est définie que par certains grands traits au-dedans et autour desquels le jeu est continu.

Mais la norme elle-même n'est pas fixe dans une langue vivante. Si beaucoup de variations du langage restent isolées et sans conséquence, d'autres, non comprises dans la norme connue et plus ou

moins codifiée et la contredisant, se répètent chez un grand nombre
d'individus d'une même génération et d'un même milieu : elles
sont des marques de l'évolution naturelle de la langue. Passant
d'abord inaperçues, ou considérées comme des 'fautes', en ce qui
concerne les prononciations ou les constructions grammaticales,
comme des nouveautés choquantes ou simplement étonnantes en ce
qui concerne les mots nouveaux, elles finissent par devenir habituelle, normales. C'est donc l'usage, usage mobile, du plus grand
nombre des gens plus ou moins instruits, qui a constitué la norme
et qui en enregistre les changements.

On peut apercevoir plus facilement certaines tendances de l'évolution en observant le langage des enfants.

Ceci dit, nous pouvons reprendre pour le présent la question du
'français écrit' et du 'français parlé' (déjà abordée p. 197).

Puisque le français ne s'est pas sclérosé, puisque grâce à un effort
continu, en partie conscient, en partie instinctif des écrivains,
on n'est pas obligé de s'en tenir à la syntaxe et au vocabulaire
de modèles déterminés du passé, dans l'ensemble on écrit le langage
qu'on parle (avec les réserves faites ci-dessous); il n'y a aucune
délimitation fixe entre le français écrit et le français parlé.

Pourtant, il faut distinguer entre différents emplois de la langue
parlée. La variété qui coïncide à peu près avec la langue écrite,
telle qu'on l'enseigne, c'est la langue des discours, de l'enseignement, des explications et discussions, des annonces; c'est ce que
nous pouvons appeler le français 'tenu', ou 'distingué'.

L'usage du parlé tenu s'est étendu avec les progrès de l'instruction, la pratique de la vie politique et syndicale.

Cette extension est facilitée par l'emploi du microphone et du
haut-parleur, grâce auxquels la parole dans les grandes salles ou
en plein air n'est plus réservée à des personnes spécialement exercées.

A l'exception, il est vrai, importante de l'emploi du passé
simple, on y trouve les mêmes caractéristiques que dans les écrits :
phrases souvent longues, compliquées, dont on s'efforce de
varier l'agencement pour éviter la monotonie; vocabulaire très
étendu, de manière à pouvoir aborder tous les sujets, produire certains effets émotifs (de caractère artistique), éviter les répétitions
trop fréquentes des mêmes mots. Cependant, dans le langage tenu
parlé, il intervient beaucoup de différences de ton et de rythme
qui ne sont qu'imparfaitement rendues dans l'écriture par la ponctuation, sans parler des expressions de figure et des gestes.

en effet…

A ce français 'tenu' s'oppose le français 'courant' ou de la 'conversation' ou 'français familier'; il consiste surtout en courtes phrases échangées entre interlocuteurs; un récit lui-même (exceptionnellement un monologue solitaire) est fait en rapport avec des interlocuteurs présents ou supposés, haché d'interpellations, d'appels à l'attention. Ce langage comprend aussi des bruits variés : rires, cris, clics, grognements, soupirs, sanglots. La syntaxe peut être moins régulière, plus heurtée. Le vocabulaire est en général beaucoup plus pauvre : on traite de sujets familiers qui ne demandent pas beaucoup de variété, on recherche les répétitions plutôt qu'on ne les évite; d'autre part, entre interlocuteurs de même métier, les termes techniques peuvent se multiplier; il se crée aussi des vocabulaires particuliers entre interlocuteurs habituels d'un même groupe, notamment entre les membres d'une même famille. On recherche des mots expressifs et vifs qu'on évite dans le langage tenu, on se laisse aller à multiplier les interjections et articulations du discours : 'eh bien', 'alors', 'n'est-ce pas', 'mais je te dis que...', etc.

Outre la communauté fondamentale des deux langages, il y a des communications nombreuses entre le français de conversation et le français tenu et écrit. D'abord, chez les gens qui veulent précisément éviter le ton 'tenu', ou qui sont incapables de le soutenir dans un exposé d'enseignement ou autre, les interpellations, la syntaxe du français familier interviennent plus ou moins. Dans les écrits, le français de conversation est de plus en plus celui des dialogues dans les comédies, les drames réalistes, des scénarios de films et les romans; dans ceux-ci même, une grande partie du texte peut avoir le même ton. Une partie de la liberté gagnée par la littérature au 19ᵉ et au 20ᵉ siècles consiste justement dans les mélanges des deux registres.

Voyons maintenant une autre question, celle des milieux. Y a-t-il des langages de classes, de castes, d'autres groupements ? La réponse ne saurait être douteuse, puisque le langage est une caractéristique sociale, puisque chaque groupe délimité tend à avoir un langage différencié. Mais qu'en est-il, en fait, pour le français ?

A la campagne, là où vivent les patois, la situation est assez nette : il y a une différence tranchée entre le patois, langage du petit milieu (village, canton, au plus arrondissement), et le langage du plus grand milieu (ville capitale de la petite région, ville capitale de la province, et la France entière). En même temps, différence

24

de métier et de classe : ce sont les cultivateurs, et les artisans qui
travaillent au milieu d'eux, qui s'expriment ordinairement entre eux
en patois. La bourgeoisie, les restes de l'ancienne noblesse, les
ouvriers urbains se servent entre eux du français. Les paysans les
plus aisés, ceux qui se déplacent le plus, qui ont reçu le plus d'instruction (et en font donner le plus à leurs enfants), qui ont obtenu
quelque grade dans l'armée, usent plus souvent du français. Inversement, des propriétaires riches élevés à la campagne, des commerçants qui viennent trouver les paysans dans les fermes, des experts
en fermages et ventes, usent occasionnellement du patois.

Dans les villes, bien avant l'instruction du peuple, il s'est fait
une différenciation de classe : ainsi est né le 'français populaire'.
D'un côté, les beaux quartiers, résidence des riches, et les quartiers
commerçants, où les riches viennent faire leurs affaires, où habi-
tent les commerçants qui sont leurs fournisseurs. D'autre part, les
quartiers populaires et industriels, souvent en dehors des anciennes
limites des villes : les faubourgs. Dans toutes les grandes villes, il
s'est créé un ou plusieurs langages locaux, mais qui n'ont pas
comme les patois campagnards de liens spéciaux héréditaires avec
le latin, qui restent du français, avec des particularités limitées de
prononciation et de grammaire, et ont, d'autre part, un vocabulaire contaminé par l'argot. Ces sortes de langages, en province,
restent confinés et sans importance générale. A Paris au contraire,
le langage populaire est constamment en contact et en communication avec le français moyen employé par les classes riches.

Considérations sur lesquelles on ne saurait trop insister : le français n'est pas seulement du parisien, puisqu'il porte toute une tradition générale de civilisation ancienne et moderne, d'une manière
autonome par rapport au centre où il s'est développé, puisqu'il est
aussi bien la chose des provinciaux continuellement attirés dans ce
centre, puisque d'autre part, le français s'est répandu (et dans une
certaine mesure diversifié) dans les provinces et que le régionalisme
est important dans la littérature. Mais la base est tout de même
parisienne et l'est de plus en plus, avec la fixation de toutes les
commandes à Paris, et l'extension considérable de ce centre, fixant
le dixième de la population totale du pays (alors qu'autrefois la
cour de la royauté a souvent résidé hors de Paris). Donc, le langage
populaire de Paris a une importance prédominante et quand on
parle de français populaire, on entend par là celui de Paris.

En fait, on doit admettre que les transformations du français,
pour la prononciation et la grammaire, sont avant tout des transformations du parisien populaire, celui-ci communiquant avec le

français familier des classes privilégiées. Autrefois, le contact se faisait par l'ambiance de la rue et des rapports fortuits, aussi par la fréquentation des riches avec les domestiques (d'ailleurs généralement provinciaux, mais en relation avec le peuple parisien), avec les concierges, les filles séduites, les prostituées. De nos jours, les contacts se sont multipliés : admission des humbles dans les lycées, fréquentation de l'école primaire par un certain nombre d'enfants de bourgeois, surtout contact ou vie commune à la caserne et dans l'armée en campagne, enfin une atmosphère générale de rapprochement de fait, en particulier dans la vie politique et la vie sportive.

En conséquence, il y a lieu de décrire le français populaire de Paris, non pas seulement pour lui-même, mais pour y apercevoir des évolutions en cours du français général. (Pour les faits acquis avant le roi-soleil noter au moins la prononciation *wa* de la diphtongue *oi*, la suppression probable de *l* mouillé et la décadence du passé défini et de l'imparfait et plus-que-parfait du subjonctif.)

Passons maintenant au français 'argotique'.

L'argot proprement dit est un langage *parasite* qui ne se distingue du parler commun ni par la prononciation ni par la grammaire (sauf exceptions minimes), mais par le doublement du vocabulaire au moyen de termes qui lui sont propres. Les argots naissent dans des groupes restreints qui ont une forte conscience de leur isolement et qui se défendent plus ou moins contre les groupes environnants. La connaissance de l'argot y a plus ou moins un caractère d'initiation, suivant d'immémoriales coutumes.

Il faut distinguer deux procédés d'argot, l'un total, l'autre partiel.

L'argot à caractère total procède en transformant tous les mots, soit par intercalation, soit par allongement, soit par allongement avec transposition, soit par retournement. Ce type d'argot apparaît spontanément chez les enfants d'une famille ou dans un groupe de camarades et est une sorte de jeu de langage. Un procédé répandu consiste dans l'intercalation de *nge* (avec *g* comme dans 'gâteau') ; ainsi *jenge nenge sènge pange*, 'je ne sais pas'. Des langages de ce type apparaissent aussi dans certaines corporations ou bandes organisées ; ainsi le *louchébem* des garçons bouchers (*louchébem =* boucher) et le *javanais* de certains délinquants (*jave nave savè pava =* je ne sais pas). Ces langages n'ont aucune conséquence pour la langue commune.

L'argot à caractère partiel a beaucoup plus d'extension ; il apparaît dans les groupes plus ou moins fermés : d'une part, dans les établissements à clôture : écoles et lycées (chez les internes et externes), grandes écoles à internat (types : Ecole polytechnique, Ecole de Saint-Cyr), casernes, prisons; d'autre part, dans les groupes de hors-caste plus ou moins errants ou au moins ambulants, camelots, voleurs, prostituées, souteneurs.

Le procédé argotique essentiel est le remplacement d'un terme ordinaire par un terme figuré, une métaphore : ainsi *rond* pour 'sou', *toquante* pour 'montre', *palpitant* pour 'cœur', *lourde* pour 'porte', etc. ; il y a aussi de nombreuses déformations des mots par application de suffixes ou substitutions de finales, ainsi *rigolboche* pour 'rigolo' (lui-même argotique), *frangin* pour 'frère', et inversement par raccourcissement, ainsi *perm*(e) pour 'permission'. Il faut tenir compte aussi de l'usage de mots étrangers (*mouise*, 'misère', d'origine germanique) et dialectaux (*gnaf* 'cordonnier', mot lyonnais) et de la persistance de mots anciens, par ailleurs conservés dans des patois (*itou*, 'aussi, même').

Or il y a communication entre les milieux argotisants et le milieu général. Pour l'école et la caserne, c'est évident. D'autre part, le développement des villes, et spécialement de Paris, a rapproché d'une manière générale les ouvriers, surtout dans la période de la plus grande exploitation et de la plus grande misère, des hors-caste, eux-mêmes recrutés presque exclusivement dans les métiers pauvres, et multipliés provisoirement à cause des mauvaises conditions de vie de ces milieux. Aussi une grande partie du vocabulaire de l'argot s'est-elle déversée dans le langage populaire, et celui-ci a lui-même imité les procédés de l'argot. Par le français populaire, ces éléments ont pénétré de plus en plus, grâce aux contacts et mélanges de milieux, dans le français tout court.

On a pris l'habitude, qui crée des confusions, de dire que des gens 'parlent argot' lorsqu'ils emploient quelques termes argotiques dans leur français courant, il s'agit d'argot familier.

Il faut d'autre part se garder de confondre 'argot' et 'langue spéciale' : il est vrai que les langues spéciales se rencontrent aussi dans des milieux distincts, et quelquefois dans des milieux où l'argot est plus ou moins développé; mais la langue spéciale qui, comme l'argot, n'est caractérisée que par le vocabulaire, ne *double* pas le lexique par des substitutions; elle *augmente* celui-ci en le prolongeant, en lui ajoutant des termes nécessaires à l'activité d'un certain milieu, mais dont la connaissance est superflue dans la vie courante de tout le monde. Les termes spéciaux représentent une grande part du vocabulaire total. Ainsi on peut parler de la langue, c'est-à-dire du vocabulaire, des différents métiers, des différentes sciences, des différents arts.

Les rapports entre les différentes espèces de français, nous venons de les voir; dans le français vivant, élargi, aéré, de notre époque, elles se pénètrent de cent manières, comme les milieux eux-mêmes. Surtout, il faut bien se rendre compte que chaque individu passe fréquemment d'un registre de langage à un autre (on parle aussi de niveaux), suivant le milieu où il se trouve, suivant qu'il cause, explique, enseigne, suivant qu'il parle ou qu'il écrit, suivant qu'il écrit une lettre, un rapport, un article de journal, un roman, un poème. On parle ou on écrit d'une manière plus ou moins 'distinguée' ou 'vulgaire', ou 'grossière'.

Les distinctions nettes qui subsistent, nous avons à en tenir compte dans la description de la langue actuelle.

La langue populaire, en tant qu'elle est distincte, est celle de gens qui n'ont pas assez de culture, occasionnellement celle de gens cultivés qui font momentanément abstraction de leur culture. Mais la langue populaire, pas plus que les patois, ne se considère comme bonne langue. Si certains traits de langue populaire sont en avance sur la norme reconnue, et destinés à s'y incorporer prochainement, la plupart restent au moins provisoirement des particularités qui marquent, qui choquent. Or, le peuple des villes, dans ses éléments réfléchis et en particulier dans ceux qui travaillent à la transfor- mation de la société bourgeoise en société socialiste, aspire à s'en débarrasser par une instruction plus grande. Dans les relations de caractère largement social, dans le discours public, dans les diverses formes d'exposé (enseignement, renseignement), l'homme du peu- ple cherche à éliminer l'incorrection et la vulgarité, malgré toutes les difficultés qu'offre le maniement du français cultivé à ceux qui ne l'ont pas pratiqué dès l'enfance. Rien ne choque plus un audi- toire populaire que l'emploi de mots vulgaires ou de constructions incorrectes par un orateur cultivé qui paraît vouloir 'se mettre à sa portée'. Le français tenu est la norme pour tout le monde.

Ceci est vrai pour la campagne comme pour la ville. Le cam- pagnard aspire aussi à posséder le français commun. D'ailleurs, accent mis à part, les paysans emploient naturellement, lorsqu'ils parlent français, une langue un peu archaïque, nuancée dans la cons- truction, qui se rapproche du style tenu. Bien qu'il y ait dans une certaine mesure contagion des manières de parler du peuple pari- sien aux campagnes, soit par des contacts personnels, soit par l'intermédiaire des éléments qui pénètrent dans le français familier, le parler particulier, le 'patois' de Paris aurait grand peine à se généraliser.

Mais il y a un autre aspect du problème des classes en matière
de langue. On a dit avec raison qu'il n'y a pas de littérature populaire, la littérature tout court étant accessible au peuple et son
bien, mais qu'il y a une littérature bourgeoise : celle-ci, par ses
thèmes comme par certains traits de style, se confinant à des
milieux restreints. De même il y a une langue pédante ou puriste
ou prétentieuse, qui est propre à certaines personnes des milieux
'distingués' qui y sont nées ou qui ont choisi de s'y agréger. Elle
se caractérise par le conservatisme, le maintien systématique de
règles de la grammaire académique du début du 19ᵉ siècle, l'emploi
de formes qui même par écrit ne sont plus naturelles à Paris et dans
la région parisienne au sens large, surtout un choix de termes plus
ou moins vieillissants ou particuliers à la langue académique. L'individu qui 'parle comme un livre' se sépare plus ou moins de la
communauté sociale.

Cette langue pédante n'est pas beaucoup le fait des milieux 'deux
cents familles' maîtres des ressorts du régime bourgeois, où les
individus d'origine anciennement aristocratique côtoient des parvenus; ces groupes ne sont pas spécialement adeptes de la culture, et
les enfants y sont souvent parmi les plus déterminés amateurs de
termes argotiques. C'est plutôt le moyen d'expression d'une certaine
haute bourgeoisie moins fortunée, de la magistrature, d'une partie
du barreau, du parlement et de l'enseignement, et des lettres académiques; d'une partie seulement, car d'autres personnes des mêmes
milieux, non atteintes de purisme rétrograde, sont dans le courant
général des transformations.

Un point d'interrogation possible est à évoquer : quel est le degré,
quelle est la qualité de l'intercompréhension entre les classes et les
milieux qu'on peut y distinguer ? En général on se comprend entre
parlants français, quels que soient les niveaux de vie et d'instruction
des interlocuteurs.

Des inhibitions et des méprises risquent de se produire lorsqu'on
n'est plus sur un terrain commun de préoccupations ou si on aborde
celles-ci avec des points de vue trop différents. On manque d'observations sur ce point qui intéresse la sociologie.

C'est entre le français prétentieux et le français populaire que se
tient le français normal, langue vivante, parlée et écrite, que le
peuple, dont l'instruction augmente constamment, possède de plus
en plus et de mieux en mieux, à mesure qu'il a plus de moyens et
plus de loisirs pour en acquérir le maniement.

A vrai dire, sous sa forme tenue et non proprement artistique, celle à la fois de l'exposé oral et écrit (notamment dans la rédaction des journaux) et à la radio, le français contemporain est passablement trouble et révèle diverses incohérences. Celles-ci tiennent à des confluences des divers courants qu'on essaye de définir en les isolant, mais qui tendent à se mélanger. Il y a des mélanges et des inconstances de prononciation, de vocabulaire et même de formes et de tours syntaxiques.

Situation qui n'est d'ailleurs pas propre à notre époque, mais que seuls les historiens de la langue décèlent avec peine dans les documents insuffisants du passé. Peut-être le trouble est-il plus accusé de nos jours et sommes-nous précisément dans une époque de transition.

Il est possible qu'elle ne se prolonge pas beaucoup et que la suite soit une période où la langue tenue et enseignée recevrait des contours nouveaux dans une proportion telle qu'on éprouverait le besoin de changer les dénominations. Alors ce que nous appelons le français moderne apparaissant comme dépassé et archaïque pourrait être dénommé *français classique*, le nouvel état seul s'appelant *français moderne*. Il n'est pas tenu compte autrement ici de cette anticipation d'ensemble, mais un effort a été fait pour noter ce qui est nouveau, avec des datations dans la mesure du possible. Pour ce faire on est doublement dans l'embarras.

D'une part les documents écrits, même des lettres écrites librement, ne reflètent pas bien les faits actuels. Heureusement dès maintenant l'observation de la radio permet en partie de surmonter cet obstacle.

D'autre part on est très mal instruit sur l'usage du passé à l'étage populaire et même la connaissance du présent en est très insuffisante. Dans la suite de ces pages, il est tenu compte d'une partie de l'usage populaire, qui tend à s'incorporer à l'usage tenu et écrit, sans illusion pour ce qui concerne la connaissance de son histoire.

Au total il apparaît que les 'nouveautés' que mettrait en lumière un enseignement rectifié avec une orthographe améliorée sont en très grande majorité sûrement ou probablement plus ou moins anciennes et ne sauraient être attribuées à une sorte de mutation présente.

La date de 1939 adoptée ici comme point de repère de la description ne marque pas vraiment une coupure.

2. Prononciation

La manière dont le français se présente dans l'ensemble à l'audition a été décrite au chapitre X (p. 205) ; on peut affirmer qu'elle n'a pas changé dans l'ensemble. Dès l'époque classique l'*e* s'était amui en finale et dans les syllabes muettes à l'intérieur des mots, les groupes étaient donc déjà ceux que nous observons. Les abrégements de quelques voyelles longues qui se sont produits n'ont pas changé le rapport entre consonnes et voyelles. Si donc on procède à des numérations elles sont valables pour les deux époques.

Une première statistique à faire est celle des syllabes ouvertes, terminées par une voyelle (ainsi *ti*) et celle des syllabes fermées terminées par une consonne (ainsi *tis*).

La prédominance des voyelles éclate dans le chiffre d'ensemble qui a été obtenu quand on s'est décidé à compter : cinq syllabes ouvertes pour une fermée (voir les références au chapitre X). Mais il faudrait aller plus loin : combien y a-t-il de syllabes consistant uniquement en une voyelle, combien commencent par une consonne, combien commencent par deux (*sta*), exceptionnellement par trois (*stra*) ? Ces mensurations n'ont pas été faites à ma connaissance.

Une autre question importante pour la tonalité de la langue est la fréquence relative des différents phonèmes; voir à ce sujet les références au chapitre IX.

Il est bien difficile, même 'accents' mis à part, de décrire la prononciation du français normal d'une manière qui satisfasse tout le monde dans tous les détails : il y a pas mal de variantes, qui sont admises, au moins par les gens qui ne prétendent pas que leur prononciation est la seule bonne.

D'une manière générale, le français contemporain a gardé pour la prononciation comme pour le reste, les caractéristiques qui sont indiquées au chapitre X. Néanmoins, il y a de notables différences.

L'historien se doit de noter que certaines prononciations cataloguées comme vulgaires, par rapport aux règles du 19ᵉ siècle, ont été autrefois normales dans la société distinguée et même survivent dans des milieux de tradition très conservatrice (ainsi *ste* pour *cette* ou *cet*, *pasque* pour *parce que*).

a) Consonnes et groupes de consonnes. — Le nombre de

consonnes, comparé à l'état du 17ᵉ siècle, a été amputé d'une unité dans la série mouillée, par la disparition de *l* mouillé (*ļ*) au cours du 19ᵉ siècle (voir p. 314) au profit de *y*.

On peut mentionner que la prononciation de *y* renforcé en un groupe *ly* a été signalée à Paris comme populaire au 19ᵉ siècle (*citoilyen* pour *citoyen*), le groupe *ly* étant solide à Paris en général, ainsi dans *milieu, million*. Il est éliminé régionalement à son tour au profit de *y*, notamment dans une partie du sud-ouest et d'autre part en Belgique même chez des personnes cultivées.

Le parallèle *ñ* est mal prononcé par un certain nombre de personnes qui tendent à lui substituer *ny*. La prononciation inverse *ñ* pour *ny* (ainsi *pagnier* pour *panier* est dénoncée comme vulgaire).

Ajoutons qu'une mouillure plus ou moins accentuée des postpalatales devant des voyelles d'avant, notables dans certaines provinces, s'entend quelquefois à Paris, en prononciation plutôt vulgaire (ainsi *kʸ* dans *cœur*, *gʸ* dans *guerre*).

On a aussi à citer le très vulgaire, et sans doute de moins en moins fréquent *ty* pour *ky* ('au cintième').

On ne sait de quand il faut dater l'abandon de *h* à l'initiale des mots non emphatiques comme *haie* (voir p. 206), avec maintien seulement par emphase (la *h*aine), la conservation étant un fait régional à la fois du Midi et du Nord.

Pour les changements d'articulations il faut noter que *r* d'avant est lui aussi décidément, et inégalement, provincial. La variété de l'*r* arrière parisien est légère et tend à s'affaiblir en fin de mots. Son articulation un peu renforcée, dite grasseyée, est vulgaire.

L'assourdissement de *r* final (produisant à peu près le son de la *jota* espagnole, *ch* allemand dur) est général dans le Midi du Sud-Est et en Algérie et s'entend aussi ailleurs (la carte n'en est pas faite).

Pour ce qui est de la force, la plupart des consonnes ont conservé leur caractère solide et net.

Cependant un certain relâchement semble devoir être noté à partir de la fin du 19ᵉ siècle, surtout dans la prononciation populaire parisienne. On peut caricaturer 'avez-vous vu' en a-é-ou-u.

Sans doute faut-il mettre au chapitre du relâchement une certaine tendance concernant les assimilations.

Celles-ci ne sont pas nombreuses en français, atteignant des mots empruntés au latin; il s'agit surtout de l'assourdissement du *b* de 'absent' et analogues.

Une sonorisation de *s* en *z* se produit chez certaines personnes dans les terminaisons *-isme* (ainsi dans 'socialisme') au grand agacement des gens peu patients parmi la majorité qui prononcent avec la sourde. Pour le groupe *sr* dans 'Israël, Israélite' les prononciations se partagent entre *zr* et *sr*.

Des rencontres dues à des non prononcements de *e* résultent certaines assimilations, ainsi 'cheval' prononcé *šfal* (alors que quelques personnes pratiquent l'assimilation dans le sens inverse, disant *jval -žval*), 'je sais' prononcé *šse* et même *šše*).

Le curieux *j'ajète* (*žažet*) pour 'j'achète' assez fréquent est sans doute dû à la fausse impression que *ch* résulte d'un assourdissement dans 'j'ai acheté' [*ašté*].

C'est après la guerre 39-45 qu'on a pu remarquer le bizarre phénomène de l'assourdissement d'occlusives sonores devant *m*, nasale sonore. On entend souvent, notamment à la radio 'augmenter' prononcé avec *km*, 'admettre' et même 'à demi' prononcé avec *tm*.

Une interprétation vraisemblable est qu'il s'agirait d'un renforcement de l'occlusive en défense contre une éventuelle nasalisation. Il n'est pas possble de dire si cette prononciation est apparue spontanément à Paris ou si elle y est venue de provinces méridionales ou centrales où elle semble pouvoir être datée antérieurement.

Les finales à groupe occlusive + liquide ont fait autrefois difficulté : au début du 18ᵉ siècle la bonne société disait *peup* pour 'peuple', *prop* pour 'propre', *possib* pour 'possible', *coud* pour 'coudre'. A quel moment l'influence de l'orthographe a-t-elle rétabli les groupes chez les gens instruits (sauf des cercles très conservateurs) ? Au 19ᵉ siècle la prononciation des groupes est devenue la normale, la simplification faisant peuple ou vieil aristocrate.

On note d'autres simplifications en finale comme prononciations populaires : 'artiste' prononcé *artis*, 'anarchiste' devenant *anarchis*, *catéchisme* prononcé *catéchis*. Elles deviennent plus rares.

Situation analogue pour des groupes intérieurs plus ou moins compliqués; la simplification est attestée dans la société distinguée au début du 18ᵉ siècle, elle marque maintenant un manque d'accoutumance à l'articulation conforme à l'orthographe : type 'exclusif' prononcé *esclusif*; exprès (dans « faire exprès » est souvent réduit à *spre*; mais il existe une prononciation lourde à disjonction du groupe : *ẹkseprẹ*.

En général les groupes intérieurs de deux consonnes ne posent pas de problèmes. Notons cependant que certaines personnes achoppent sur *suggestion* réduit à 'sugestion' confondu avec 'sujétion'. L'habituel 'septembre' avec *pt*, en face de 'sept' sans *p*, est souvent remplacé, d'après ce qu'on entend à la radio, par *sètembre*.

L'influence de l'orthographe fait articuler des finales amuies.

Les usages sont capricieux; 'broc', 'aspect' restent à finale voca‑ lique, mais pour 'cric', *krik* est en concurrence avec *kri;* on entend quelquefois 'respect' avec *k* et même *kt* final, 'porc' avec un *k* repré‑ sente une espèce d'élégance mi-plaisante.

La question principale est celle des consonnes qu'on appelle cou‑ ramment doubles ou géminées, pour les phonéticiens plus exacte‑ ment des consonnes longues. Dans la prononciation française an‑ cienne elles n'avaient pas de rôle. Il s'en est présenté dans des cas rares tels que 'netteté', 'il barrera' sans *e* intérieur ou 'robe bleue'.

Pour l'emploi morphologique de la gémination, outre les *rr* de 'nous courrons, nous mourrons', il y a le cas de *yy* dans les formes telles que 'nous croyions', imparfait de l'indicatif ou présent du subjonctif opposé à 'nous croyons' présent de l'indicatif; une partie seulement des Français font la distinction en parlant.

L'influence de l'orthographe a commencé, quand au juste on ne le sait pas, à faire prononcer des consonnes répétées graphiquement.

L'observation des prononciations offre l'exemple intéressant d'un phénomène dispersé, pour lequel on ne trouve pas de constante due soit au milieu, soit à la constitution des mots. Il semble bien que la densité en soit plus grande chez les parleurs de la radio avec une recherche de la prononciation nette et assez souvent appuyée. Voici des exemples de mots où la consonne prolongée est relativement fréquente : 'collègue' (mais non 'collège'), 'grammaire' et 'gram‑ mairien', 'Hollande' (à la radio), 'attention', comportant une cer‑ taine emphase, 'immortel', 'illisible'. Noter que les liquides parais‑ sent plus propices que d'autres consonnes à cette articulation.

Dans le pronom *le* élidé en *l*, cet *l* est géminé dans une pronon‑ ciation vulgaire qui atteint quelquefois l'usage de personnes à langage tenu; ainsi le fréquent *je ll'ai vu;* aussi : 'c'est lui qui *ll'*a dit'. Il est possible qu'à l'origine il y ait un transfert, au départ du régulier 'il l'a vu'.

Autre fait : l'articulation fréquente du *p* de 'dompteur',

b) Voyelles. — D'une manière générale les voyelles françaises ont conservé leur netteté en ce sens qu'elles sont de longueur moyenne (avec peu de variations) et non modulées (diphtonguées).

Le tableau des oppositions donné au chapitre X subsiste. Il faudrait, pour une description plus complète, tenir compte des alliances de certains timbres avec certaines longueurs en considé‑ rant les emplacements dans les mots et aussi certaines utili‑ sations grammaticales de différences vocaliques. Cette mention générale sera éclairée ci-dessous par quelques exemples particuliers.

Sans doute peut-on noter pour l'époque présente une tendance
vers un moindre usage phonologique des oppositions entre voyelles.
Pour la première fois l'observation permet d'assister à la disparition en cours d'un phonème, presque certainement destinée à se
réaliser assez vite.
La voyelle *õ*, c'est-à-dire *ö* nasal, écrit *un* ou *um*, dernière des
voyelles nasales apparues en français, est en voie d'être éliminée,
remplacé par *ẽ* (*in, en, ain, ein* de l'orthographe). Ainsi *brun* se
confond avec *brin*, *un* avec *hein*. De quand date le phénomène ?
Où a-t-il commencé ? Il n'est pas du tout sûr que ce soit à Paris,
mais il s'y étend assez rapidement, semble-t-il. Il faudrait pour
mieux juger des choses une carte des patois qui ont généralisé *ẽ*
(comme ceux du Marais vendéen).
Sans qu'il y ait une disparition aussi flagrante, on a noté récemment la réduction du fonctionnement d'autres oppositions.
L'accent proprement parisien était connu pour exagérer la différence entre un *a* d'avant et un *á* d'arrière. Le premier, celui de
'patte', inclinant à aller jusqu'à un son de *e* très ouvert, ainsi dans
'Paris', le second, celui de 'pâte', se présentant dans des mots qui
ne l'ont pas en français standard, comme 'd'accord', Or les sondages récents indiquent que la distinction s'effacerait chez beaucoup de personnes, en faveur d'un *a* moyen.
Pour *e* on a l'habitude d'opposer la voyelle fermée de 'chanté' à
la voyelle de 'très', en négligeant l'existence de *e* moyen, lui-même
à plusieurs variétés comme dans 'il est beau', 'dette'.
Pour la position en finale, la distinction tranchée est enseignée,
et pratiquée dans une prononciation standard pour les formes de
verbe 'j'aimai', 'j'aimerai', comme 'aimé' distingué de 'j'aimais',
'j'aimerais' (comme 'très').. Cette distinction est en régression dans
les jeunes générations, au profit d'un *e* intermédiaire. Noter que,
comme elle ne porte que sur les 1res personnes du singulier, il n'en
résulte pas de confusion de temps de verbe; néanmoins comme on
enseigne ceux-ci avec la 1re personne, fréquente par ailleurs dans
la conversaton, il y a un trouble véritable.
La distinction de *o* fermé (de 'beau') et de *o* dit ouvert (de 'pomme') ne paraît pas menacée de la même manière. Mais avec l'accent
parisien, même en milieu bourgeois, l'*o* ouvert se confond souvent
avec *ö* ouvert (de 'peur'), ainsi dans 'comment', 'cocotte'.
Les faits concernant la voyelle à éclipse du français, l'*e* neutre
que nous appellerons muet suivant l'usage le plus courant, sont
compliqués, et donnent lieu à beaucoup de variations dans l'usage,
même chez une seule personne.

La situation actuelle était acquise dès la fin du 17° siècle dans l'ensemble, y compris le contraste entre la conversation et la récitation solennelle des vers.

Il y a une différence pour l'allongement des voyelles en fin de mot lorsque *e* a cessé d'être articulé ('parlée' distinct de 'parlé', 'finie' distinct de 'fini', voir p. 189). On ne sait pas quand cette prononciation (qui subsiste encore régionalement notamment à Genève, comme on le constate dans les émissions de la station de Sottens) a disparu dans l'usage ordinaire à Paris. Certaines personnes ont encore le sentiment d'un allongement, dont elles usent plus ou moins en récitant des vers.

Dans la poésie chantée ces *e* fantômes ressuscitent plus d'une fois en recevant une note ('dans la ru-e). Enfin le même *e* peut être employé sciemment pour éviter une ambiguïté : 'j'étais là avec mon ami-e'.

Après consonne en fin de mot *e* est généralement disparu, on ne fait pas de distinction entre *pur* et *pure* (sauf avec l'accent méridional). Mais ici encore les chansons perpétuent 'sur la rou-te' et analogues. Pour 'une, cette', voir ci-dessous.

Un fait nouveau des dernières décennies, qui va sans doute avec la multiplication des hiatus au lieu de liaisons est un recul de l'élision de *e*. On trouve des petits mots qui ont *e* prononcé devant une voyelle. Les premiers exemples signalés l'ont été pour des noms propres à initiale *h* : 'que Henri', 'de Hitler' (où on pourrait penser à *h* prononcé à l'allemande) ; mais on en observe maintenant divers autres ; ainsi « je crois que elle constitue un progrès » (parole *hésitation ?* d'un ministre à la radio, 1965).

Dans une prononciation détaillée et insistante, on peut prononcer des *e* qui disparaissent d'habitude ; ainsi on peut énoncer une interdiction en détaillant tous les *e* dans : 'je te dis que je ne le veux pas' (au lieu de 'j(e) te dis qu(e) je n(e) le veux pas'). Surtout on a l'habitude de prononcer *e* dans les mots tels que 'petit' à l'état isolé.

Une prononciation 'une' avec *e*, ainsi 'une lettre' semble s'être répandue récemment ; on l'entend spécialement à la radio, et c'est sans doute celle-ci qui est surtout responsable de son succès actuel ; on entend de même 'cette'.

La poésie, sauf dans les vers libres et la poésie populaire (voir p. 287), cause des embarras pour la récitation. Pour ne pas 'fausser' un vers, on prononce souvent, plus ou moins légèrement, des *e* qui ne sont pas de la prononciation actuelle ; ailleurs, on tourne la difficulté par des allongements de voyelle voisine, ou même de consonnes; ainsi dans le *Mithridate* de Racine (acte III, scène I), on pourra réciter :

'Mais vous savez trop bien l'histoir(e) de ma vie' (allongement de l'*a* de *oi* [*wa*] dans 'histoire'; allongement de *i* de vie pour marquer la rime féminine).

'Pour croir(e) que longtemps, soigneux de me cacher' ('croire' allongé comme 'histoire'; que, de et me prononcés avec *e*).

'J'attende en ces déserts qu'on me vienn(e) chercher' (me avec *e*; *n*, écrit *nn*, de 'vienne' légèrement prolongé).

La chute de nombreux *e* augmente sensiblement, dans le discours normal, le nombre des groupes de consonnes et par conséquent celui des syllabes fermées ou doublement fermées.

Dans certains mots, en prononciation vulgaire, et même occasionnellement dans le langage familier, il y a des 'écrasements' de voyelles autres que *e*, ainsi *djà* pour 'déjà' et pour une diphtongue *vla* pour 'voilà'. La voyelle *ou* disparaissant dans 'tout à l'heure' il en résulte une bizarrerie, une géminée : 'ttàl'heure'.

Dans le langage populaire la première syllabe de 'encore' tombe d'où : « i(l) s'est *kor* sauvé »; voir 'il tait' pour 'il était' dans le texte de Bruant cité p. 321.

c) LIAISONS. — La question des consonnes à éclipse, originalité du français, est-elle aussi délicate et complexe ?

Nous savons qu'au début du 18ᵉ siècle, la pratique était dans la conversation de la bonne société à peu près celle qu'hier encore on considérait comme populaire et grossière. Le théâtre et sans doute aussi la chaire et le barreau avaient une autre coutume plus conforme à l'orthographe qui conserve les consonnes finales amuies. C'est cette pratique conservatrice qui a imprégné l'enseignement du 19ᵉ et même 20ᵉ siècle, les prescriptions du Conservatoire national de musique et d'art dramatique servant en quelque sorte de modèle académique, jusqu'au moment récent où elles-mêmes ont cédé plus ou moins sous l'influence de l'usage, représenté au théâtre même par les acteurs du Boulevard et des théâtres d'avant-garde.

Les règles qui régissaient les scènes ont été observées aussi dans certaines prononciations oratoires emphatiques. Par exemple, *avez-vous-z-entendu* ou *vraiment-t-impossible*.

Longtemps propagées par l'enseignement de tous degrés, ces liaisons différencient dans une assez large mesure la prononciation dans la lecture à haute voix de la prononciatin courante. Comme les speakers et les conférenciers à la radio lisent généralement leurs textes, certains sont entraînés à un excès de liaisons qui ne paraît pas actuellement sans ridicule (par exemple, 'l'évolution du temps-z-en France').

Si la radio était restée sur une position ultra-pédante, on aurait pu craindre une influence rétrograde s'ajoutant à celle d'une partie des instituteurs. Mais le naturel tend nettement à prévaloir dans la pratique la plus récente, s'alignant sur un usage prépondérant. L'action de la télévision s'exerce dans le même sens.

En effet, la prononciation usuelle, même professorale et oratoire, admet de moins en moins de liaisons, et de plus en plus d'hiatus. C'est la prononciation populaire qui fait le moins de liaisons d'une manière générale. Mais dans la bourgeoisie cultivée elle-même, de génération en génération, la quantité des liaisons faites diminue chez la plupart des gens, et certains des jeunes, en pointe, rejoignent déjà la prononciation populaire. Ainsi les hommes d'âge disent ordinairement, de nos jours 'pare(r) aux difficultés', 'le temp(s) est venu'; et on entend dans la bouche de jeunes professeurs 'il fau(t) arracher', 'elles son(t) adaptées', etc. Il nous est donc donné sur ce point d'observer une évolution en cours : on peut constater qu'elle se fait avec trouble et remous : la pratique des liaisons n'est pas toujours constante chez un seul et même individu cultivé, même alors qu'il reste dans le même registre avec le même auditoire, ainsi dans un exposé professoral.

Par contraste avec les liaisons non faites, celles qui sont stabilisées prennent l'aspect de caractéristiques grammaticales; ainsi le z de 'les', 'des' et 'ces' devant un mot à voyelle initiale.

La liaison seule peut servir à distinguer les nombres : *procè(s) inique* ! (un), *procez iniques* (des). *Vous (un) ête(s) algérien?* *Vous (deux) êtz algériens?*   ⎫ *intéressant*

Le jeu des liaisons permet de déterminer la cohérence plus ou moins grande des groupes de mots séparés dans l'écriture; ainsi quand on prononce dans la jeune génération 'de pluz-en-plu(s) onéreuse', on voit bien que 'de pluz-en-plus' est un adverbe cohérent, mais séparé par un léger accent de l'adjectif qu'il qualifie.

Une partie au moins de ce qui est dit ici devait être déjà vrai au 17° siècle, mais on n'en a pas la preuve.

d) ACCENTUATION ET INTONATION. — Le français actuel ordinaire, non émotif, est remarquable par l'unité de son ton, ses faibles différences d'intensité.

L'accent final de mot sur la dernière voyelle n'est guère sensible qu'à la fin des groupes de mots, et souvent on ne le perçoit bien qu'aux ponctuations, particulièrement avec les voyelles longues devant consonne sonore; ainsi *priz* dans 'les mesures prises, que nous approuvons...'). Il en résulte une sorte de caractère intellectuel de l'accentuation générale.

En supplément de l'accent ordinaire, le français de la conversation et de la démonstration possède deux accents d'insistance, qui ne troublent pas le fonctionnement ordinaire mais s'y ajoutent. Tous deux portent sur le début des mots, surtout des mots longs, quelquefois sur un élément d'un groupe. Impossible de savoir de quand datent ces accents; il est seulement probable que leurs origines sont anciennes, mais qu'ils ont tendance à s'étendre et à prendre plus d'importance.

L'accent d'insistance émotif se marque par un renforcement de la première syllabe commençant par une consonne. Ainsi 'c'est *ass*ommant', 'c'est *épou*vantable', 'un *vau*rien', 'voilà *huit* jours que je n'ai *que* (avec *e* prononcé) des embêtements'.

L'accent d'insistance intellectuel porte sur la première syllabe du mot, même consistant en une voyelle non précédée d'une consonne; il s'accompagne généralement d'un ralentissement de la prononciation, avec détachement de plusieurs syllabes. Ainsi : 'c'est vraiment *ass*ommant', 'c'est véritablement épouvantable,' ou, dans un groupe : 'une caractéristique *très* importante'.

L'accent populaire 'faubourien' est une autre affaire, encore mal étudiée. Cet accent traîne, c'est-à-dire qu'il y apparaît des voyelles prolongées. Lorsque les syllabes qui les contiennent, comme il arrive généralement, ne sont pas finales, elles donnent l'impression justifiée ou non, d'être en même temps intenses, accentuées; on parle d'un 'déplacement d'accent'. Reste à savoir si ceci coïncide normalement avec une insistance. Exemples : 'c'es(t) un *vau*rien'; 'il a *rai*son'; 'je ne suis pas d'*ac*cord'; 'l*aiss*(e)-le donc'.

L'accent d'insistance, avec une modulation spéciale d'ironie, peut servir à nuancer un mot de la phrase, de manière à rendre à l'oreille ce que l'écriture annonce par les guillemets; ainsi 'ce sont les *bons patrons* (les soi-disant bons patrons, ceux qui se prétendent de bons patrons) qui tiennent ces raisonnements'; mais assez récemment (vers 1938), dans les discours, on a pris l'habitude de supprimer le ton ironique et de dire tout au long 'entre guillemets' (avec la ponctuation détachée, mais sans modulation, de la parenthèse); ainsi 'ce sont les bons patrons (entre guillemets) qui tiennent ces raisonnements'.

Quand le français insiste et nuance, c'est surtout par d'autres éléments que l'accent. Le fait le plus important, dans la conversation comme dans le style tenu, parlé et écrit, c'est la mise en valeur au moyen de la phrase coupée avec 'c'est' (à ce sujet voir p. 393). (Observer les deux phrases qu'on vient de lire). L'important changement qui touche à l'intonation est noté dans 4.

3. Formes grammaticales

Sans qu'on le remarque dans l'orthographe ni dans les grammaires d'enseignement basées sur l'orthographe et sur la tradition conservatrice, un certain nombre de changements se sont faits peu à peu depuis l'époque classique, et on doit marquer les grands traits propres à l'époque contemporaine.

L'exposé est divisé suivant les catégories morphologiques, mais touche à des questions de syntaxe et même de style.

a) NOM ET ARTICLE. — L'article a pris une importance relative de plus en plus grande, comme caractéristique du substantif et du groupe substantif-adjectif, et comme marque du genre et du nombre, à mesure que les restes des désinences anciennes se sont évanouies de plus en plus. Ainsi la différence du féminin et du masculin a disparu pour tous les adjectifs et participes terminés par une voyelle, puisque -*e* final n'est plus prononcé et même n'allonge plus la voyelle précédente. Pour tous les substantifs et adjectifs, la différence entre le singulier et le pluriel est extrêmement restreinte, puisque l'*s* du pluriel n'est plus prononcé du tout en général et, dans les substantifs, n'est articulé, même en liaison, que dans une prononciation pédante. De plus, à la 3ᵉ personne, la plupart des verbes, en raison de la disparition de -*t* final, ne peuvent plus marquer si le sujet est singulier ou pluriel.

Ainsi, le féminin est marqué seulement par 'la' dans : 'la mariée est jolie'. Le pluriel n'est marqué que par 'les' dans : 'les garçons aiment à courir', la liaison du -*t* de 'aiment' étant de moins en moins fréquente, celle du *s* (*z*) de 'garçons' étant pédante, artificielle.

Un cas particulier et compliqué est celui de 'un, une'; dans la prononciation moyenne actuelle, *un* en liaison n'est pas dénasalisé, mais on lui ajoute *n*, ainsi 'un enfant' (*ŏnäfä*) et *une* est prononcé avec *ü*. Mais il y a eu un moment où les gens distingués disaient *ünäfä* (on entend encore quelquefois cette prononciation) tandis que les gens du peuple disaient au féminin *ŏn*, qu'on figure par

25

'eune' (prononciation qui persiste comme prononciation populaire partielle), et sans doute de même pour le masculin en liaison. Pour les gens qui dénasalisent soit en *ü*, soit en *ö*, le masculin et le féminin ne sont pas distingués devant voyelle. C'est une des causes de certaines confusions populaires de genre : 'un orage' prononcé comme 'une orage' amène 'une belle orage'.

L'article défini s'emploie de plus en plus dans des titres, enseignes et annonces : 'les paris stupides', 'les accidents de la route', 'la chaussure élégante', 'les bijoux de X...'.

Mais d'autre part, l'emploi de substantifs sans article est multiplié par certains aspects nouveaux ou nouvellement abondants de la phrase (voir plus loin).

b) VERBES. — L'apparente fixité du verbe dans la langue écrite cache de sérieuses transformations (Pour la forme des pronoms sujets, voir au paragraphe suivant).

A l'indicatif, le passé simple ou défini est sorti de l'usage parlé parisien, le passé composé ou indéfini étant employé en toutes circonstances : pour les bourgeois nés au milieu du 19ᵉ siècle, des formes fixées comme 'ce fut beau', 'que fîtes-vous' n'étaient employées qu'avec le ton 'entre guillemets'.

Mais ce temps a continué à s'employer pour le récit écrit dans les romans, les livres d'histoire, les articles de journaux. C'est une forme grammaticale qui marque nettement une différence entre la langue écrite et la langue parlée. Bien rares sont les auteurs qui ont décidé de ne pas écrire le passé simple. Ceux qui en étaient gênés ont multiplié, d'une manière plus ou moins artificielle, l'emploi de l'imparfait descriptif, quelquefois celui du 'présent historique' qui est populairement répandu pour le récit de choses vécues ; les manuels d'histoire emploient assez souvent le futur : 'après la guerre de Cent ans, la France se relèvera'. La forme n'étant plus employée normalement, le contrôle de l'usage est inopérant et il apparaît des conjugaisons innovantes occasionnelles pour les verbes qui n'ont pas l'infinitif en -er (première conjugaison ou verbes du 1ᵉʳ groupe) ; ainsi 'on l'exclua', 'ils rièrent de bon cœur' (Analogie du 1ᵉʳ groupe).

Il faut mettre à part « il fut un temps où (j'aimais ça) » qui tend à devenir une espèce d'adverbe équivalant à 'naguère' qui est plutôt littéraire.

La situation paraît être en train de changer. D'abord le passé défini apparaît quelquefois dans la bouche d'orateurs, de professeurs en chaire, de speakers de radio pour des occasions plus ou mois solennelles. D'autre part, des instituteurs et professeurs, des écoliers et élèves de lycée, des journalistes et des écrivains à style familier ont commencé à entremêler assez souvent dans le même récit écrit les deux sortes de passé, non point sans doute au hasard, mais avec des nuances d'emploi difficiles à définir. Voici un extrait du texte imprimé d'un discours de professeur d'enseignement supérieur : 'Le bâtiment *donna* bientôt des inquiétudes. J'*ai demandé* à X... à quel moment on *commença* à songer à la reconstruction de notre maison. Et X... m'*a répondu* sardoniquement : en réalité *il a fallu* y penser dès qu'elle *fut achevée*'.

Cet usage de la synonymie grammaticale donnant de la variété au style (parallèlement à la proscription de la répétition lexicale de longue date prêchée par les maîtres à rédiger) est devenue monnaie courante chez les écrivains et foisonne dans les romans des dernières années. Ainsi de Maurice Bruzeau : *Rue du Temple* (1964) p. 113 : 'Nous nous sommes poussés dans l'escalier comme des gosses, et je bus mon troisième ou quatrième café de la matinée'.

Le passé dit antérieur qui est surtout une expression de l'achèvement ou accomplissement a subi le même sort que le passé simple : 'quand j'eus mangé...' est du style écrit; la langue parlée, et quelquefois la langue écrite, emploie le passé composé de l'auxiliaire, donc un temps surcomposé : 'quand j'ai eu mangé, je suis parti' (noter qu'on peut éviter cette forme en employant l'infinitif passé : 'après avoir mangé...'). En proposition indépendante : 'il a eu fini en moins de rien'. Les autres temps surcomposés ne sont que peu employés : 'si j'avais eu fini plus tôt je serais venu', 'quand il aura eu mangé, il partira': 'il aurait eu tout mangé en un instant'. Il existe aussi un infinitif et un participe surcomposés.

Pour l'emploi des modes, le plus important est d'examiner le fonctionnement du subjonctif, en concurrence partielle avec l'indicatif et aussi avec le conditionnel et l'infinitif.

Mentionnons ici seulement d'un mot le subjonctif indépendant complétant l'impératif ('qu'il vienne') pour examiner rapidement les emplois en proposition subordonnée. Si on ne veut pas fausser les choses, il faut distinguer soigneusement les deux aspects du subjonctif : d'une part le présent et le passé (passé composé), d'autre part l'imparfait et le plus-que-parfait. Il est de fait que le subjonctif au total n'est nullement menacé de disparition, comme on le dit quelquefois imprudemment, mais a au contraire gardé presque toutes les positions dans les développements récents, tendant même à s'étendre dans certains cas. Mais intérieurement le subjonctif présent et le subjonctif passé ont gagné sur l'imparfait et le plus-que-parfait.

En effet ces deux formes sont sorties de l'usage parlé courant de la région parisienne, et ne sont pas employées d'une manière générale dans la conversation des gens cultivés. Elles appartiennent à un registre 'distingué' et plus ou moins pédant. Dans ce registre, comme dans l'emploi écrit conforme aux règles anciennes, elles ne sont pas bornées, comme on le dit aussi trop souvent, à la 3ᵉ personne du singulier et à quelques verbes courts, mais fonctionnent également à la 3ᵉ personne du pluriel et aux 1ʳᵉ et 2ᵉ personnes, en évitant seulement quelques formes longues. Un seul exemple « c'était la seule robe du soir que je possédasse » (Françoise Sagan, *Bonjour tristesse* p. 53).

Il faut distinguer suivant que le subjonctif subordonné est en relation avec un verbe principal soit au présent soit au passé ou au conditionnel.

a) Relation avec un présent en subordonnée complétive : le subjonctif présent ou passé est régulier aussi bien en langage parlé que dans l'écrit : 'je veux qu'il vienne', 'je doute qu'il ait fini à temps'.

Remarquons ici que lorsqu'on dit que le subjonctif n'a pas de futur, c'est inexact; il y a fort bien une expression périphrastique du futur avec 'devoir'. Ainsi 'je ne crois pas qu'il doive venir'.

L'emploi de l'indicatif ('je veux qu'il vient') est soit enfantin, soit régional (particulièrement dans le Nord et en Bretagne).

On peut noter au contraire dans l'usage récent, en réapparition d'un vieil usage, conservé régionalement, l'emploi du subjonctif après certains verbes d'opinion (sans qu'il intervienne de négation), ainsi : 'voilà la façon dont nous pensons que la culture doive évoluer'.

On peut constater aussi dans les écrits récents d'assez fréquents exemples de l'imparfait (au lieu du présent) du subjonctif avec une expression spéciale de l'éventualité, tournure assez rare en français classique. Ainsi 'je souhaite de tout cœur que vous fussiez bien rétabli' (au lieu de 'que vous soyez').

b) Relation avec un conditionnel. Dans l'usage parlé ordinaire, subjonctif présent ou passé : 'je voudrais, j'aurais voulu qu'il vienne, qu'il ait fini à temps'. La règle, naguère encore appliquée sans exception, demandait pour le français écrit l'emploi de l'imparfait du subjonctif : 'je voudrais, j'aurais voulu qu'il vînt'. L'arrêté de 1901 a autorisé le présent avec le conditionnel présent. L'usage inégal des auteurs montre de fréquentes infractions à la règle. La concordance totale est régionale (certains districts de l'ouest et du nord) : 'il faudrait qu'il viendrait'.

c) Relation avec un passé. Dans la conversation : 'je voulais qu'il vienne, qu'il soit vite guéri'. Pour l'écrit la règle demande l'imparfait ou le plus-que-parfait du subjonctif. Au total, dans la littérature actuelle l'emploi de l'imparfait du subjonctif de concordance est assez fréquent et semble l'être devenu plus en dernier lieu.

Les infractions sont nombreuses. Les grammaires les voient avec indulgence quand le verbe subordonné se rapporte au présent ou à l'avenir : 'je voulais qu'il vienne' (maintenant ou demain), surtout si la forme de passé de l'indicatif est celle du passé indéfini (avec l'auxiliaire à forme de présent) 'j'ai voulu que mon fils soit bien habillé'.

Le trouble de l'usage se marque dans des mélanges : 'il fallait que ce soit lui qui reçût les souverains'.

C'est environ de 1920 que date la substitution du subjonctif à l'indicatif non en proposition complétive mais en proposition temporelle avec 'après que', fréquente dans le parlé, de plus en plus fréquente aussi par écrit. Ainsi 'après qu'il ait fini ses devoirs on l'a emmené en promenade'. Tournure non inconnue au 17ᵉ siècle, mais absente des textes jusqu'à cette inondation récente, c'est une attestation de la vitalité du subjonctif. Noter que le plus souvent il se présente au passé; c'est surtout 'après qu'il soit parti' (rarement 'qu'il fût parti') qui remplace le 'après qu'il fut parti' (sans accent circonflexe) de la règle.

Pour l'expression de la restriction (proposition dite concessive) les exemples d'indicatif au lieu du subjonctif régulier sont assez fréquents dans les écrits récents. Ainsi au lieu du littéraire 'bien qu'il eût manifestement tort il s'obstinait dans son avis' on ne substitue pas le subjonctif passé, mais l'imparfait de l'indicatif : 'bien qu'il avait tort'.

Les phrases hypothétiques à propositions interdépendantes dont l'une est introduite par 'si' sont souvent employées.

Avec 'si' le verbe est régulièrement à l'indicatif : à l'imparfait lorsqu'il y a correspondance avec une expression de l'éventuel : 'si j'étais mécontent je m'en irais'; au plus-que-parfait si la condition n'est pas réalisée : 'si j'avais été mécontent je serais parti', L'usage populaire, qui gagne même les enfants de familles bourgeoises, faisant le désespoir des maîtres, est l'emploi du conditionnel : 'si vous viendriez je serais content', ceci au moins dans la région parisienne et en Belgique. Mais l'emploi archaïque du subjonctif plus-que-parfait subsiste encore littérairement : 's'il fût venu...'.

Ici il faut ajouter ce qui concerne la proposition principale. Pour l'éventuel une seule forme le conditionnel (ce qu'on appellerait mieux suppositif) présent : 's'il venait, je serais content'. Pour l'irréel, une seule forme aussi dans la conversation ordinaire : 'j'aurais été content'. Mais chez les personnes qui emploient le subjonctif imparfait et plus-que-parfait en concordance, on peut entendre, et d'autre part on lit souvent même chez des écrivains très modernes le conditionnel passé 2° forme : 'j'eusse été content'; c'est une variante cataloguée. On rencontre des mélanges : 'les rapports sociaux eussent été ralentis et se seraient grippés si les hommes n'avaient eu entre les mains cette marchandise'.

Là ne s'arrête pas l'étude de la phrase hypothétique.

Dans la langue parlée familière on peut remarquer des emplois de la juxtaposition de deux propositions au conditionnel : 'tu tomberais là, tu roulerais jusqu'en bas'.

D'autre part, si on a dans les grammaires l'habitude qui a encore été suivie ici de parler d'abord du suppositiif dans les phrases à si, il ne faut pas oublier qu'il est souvent employé dans la conversation mais aussi dans le style écrit dans des propositions isolées : 'cet homme serait-il méchant', 'serait-ce lui qu'on entend', 'on dirait un coup de tonnerre', 'on aurait dit un bruit de foule'.

Les temps composés d'un participe avec 'avoir' (et avec 'être' dans les verbes réfléchis) sont dans un état complexe, et dans une situation sans doute transitoire. Les linguistes modernes professent, avec raison en principe, qu'un composé comme 'j'ai fait' est de plus en plus pensé comme une unité, et que le participe, n'y ayant plus d'indépendance, tend naturellement à ne plus varier. Néanmoins, la soudure n'est pas complète, pas plus que celle des pronoms avec le verbe, puisqu'on intercale certains éléments : de même que '*je* ne *veux* pas' on dit '*je* n'*ai* pas *mangé*'. La prononciation distinguée réunit, il est vrai, par la liaison 'ils on*t* entendu'; mais la prononciation populaire, et de plus en plus la prononciation courante de nombreuses personnes cultivées, sépare le participe : 'ils on(t) entendu' et la séparation est sans doute beaucoup plus fréquente dans 'tu a(s) entendu'; l'ensemble de l'auxiliaire et du participe n'est donc pas senti comme un mot unique.

Le fameux 'accord des participes' (voir pp. 194 et 287) est en fluctuation. Par écrit, on a l'habitude générale de mettre les signes graphiques du féminin et du pluriel, et dans le cas contraire on compte une faute aux élèves ou aux candidats à un examen. Toutefois, si un auteur supprime des accords, les correcteurs d'imprimerie, qui pourtant sont par force des gardiens de l'orthographe, ne rectifient pas constamment. L'expérience de ne pas rectifier quand des cas de ce genre ont été aperçus a été faite dans le présent livre et les lecteurs méticuleux en trouveront des traces.

D'ailleurs ce qui importe, c'est la langue parlée tenue; or, en ce qui concerne les participes terminés graphiquement par une voyelle, ce qui représente la presque totalité (participes en -é, -i et -u), la prononciation normale ne fait aucune distinction entre masculin et féminin. Pour les pluriels il n'y a pas non plus de marque distinctive, puisqu'on ne fait pas normalement de liaison avec s (z), par exemple dans 'je les ai vu(s) au cinéma' ou 'je les ai écri(ts) en une heure'.

La seule question qui demeure est celle des participes féminins, singuliers ou pluriels, où on articule un -s ou un -t (qui est purement graphique au masculin). Dans ce cas, l'usage est en désarroi. Il semblerait qu'en majorité les personnes parlant un français tenu font encore l'accord ('ces pages, je les ai écrites', 'la robe que j'ai mise'), et sont choquées lorsque leurs interlocuteurs ne le font pas. Mais d'autres personnes cultivées ne font pas l'accord, ou, au moins ne le font pas constamment.

Certaines personnes accordent habituellement quand le participe est en fin de phrase : 'je vous raconterai toutes les excursions que j'ai faites', 'c'est une robe que j'ai déjà mise'; il arrive que les mêmes négligent l'accord si quelque chose suit le participe : 'j'ai bon souvenir des excursions que j'ai fait cet été', 'c'est la même robe que j'avais mis hier'.

Noter que l'usage populaire semble plutôt conservateur de la variabilité, mais il n'a pas été assez observé.

Pour l'emploi des auxiliaires de mode, il faut noter la tendance à substituer de plus en plus le futur proche avec 'aller' au futur ordinaire : 'il va venir demain'. On a signalé des enfants qui ignorent tout à fait le futur simple.

Populairement et aussi familièrement le composé avec 'aller' se substitue à l'impératif négatif : 'ne va pas tomber', 'n'allez pas dire que vous ne l'avez pas vu'.

c) Pronoms. — Dans l'usage des pronoms personnels (qui aurait
pu être traité ci-dessus en tant que flexion du verbe), il y a pas
mal de différences entre le style écrit et le langage familier et
populaire.

Le pronom personnel s'est de plus en plus régulièrement employé
à côté du verbe français. C'est pourquoi le français parlé répète le
pronom lorsque deux verbes sont joints, ainsi 'nous voyons et nous
entendons' et non 'nous voyons et entendons'. De plus il tend à
insister sur le pronom sujet en ajoutant une forme lourde, ainsi
'toi, tu m'embêtes'. Populairement, on met presque constamment
le pronom de la 3ᵉ personne après un sujet exprimé par un substantif : 'le monsieur, il fume', 'le train il part dans cinq minutes'.

Mais ici on touche à un autre fait, qui est la tendance à mettre
en évidence en tête de phrase ou en queue un substantif, sujet ou
non, et à le « représenter à l'intérieur » par un pronom : « la lune,
on ne la voit pas tous les jours »; « le patron, je lui ai dit ses
vérités » ou « je lui ai dit ses vérités , au patron ». Les phrases de
ce type apparaissent dans les dialogues des romans. Mais l'emploi
au compte de l'auteur ne paraît pas se répandre. (Pour Céline
voir p. 330).

En ce qui concerne la forme, 'il' est généralement *i* devant consonne, ce qui est une prononciation déjà ancienne, qui était autrefois admise comme distinguée; mais, par restitution d'après l'orthographe, *il* avec *l* est employé dans le langage soutenu. La situation
est la même pour le pluriel 'ils'. Devant voyelle, *iz* est fréquent,
mais *ilz* s'entend en prononciation tenue ('*iz* aiment; *ilz* aiment').

Dans *elle*(*s*), *l* est généralement solide, mais familièrement on
prononce *è* devant *n* pour *ne* suivi de consonne 'èn veut pas' (en
face de 'èveut pas') et devant *s* (e) réfléchi : 'èstient mal' (pluriel
'èstiennent mal').

Populairement le féminin singulier est *a* devant consonne : 'a
pleure'. Devant voyelle c'est *al* : 'al est peureuse'. Au pluriel le
masculin est fréquemment employé au lieu du féminin 'nos poules
ils pondent bien'.

La forme vulgaire de 'lui' est *i* qu'on figure par *y* 'j'y ai dit zut'.

Populairement et familièrement 'tu' est réduit à *t* devant voyelle
't-as vu ?' 't-aimes ça ?'; la réduction devant consonne dans la
locution usuelle ('t-sais' pour 'tu sais') est vulgaire; de même la
réduction de 'vous' devant voyelle à *vz* ('vz-avez vu ?') et même à *z*
('z-avez compris ?').

Dans tous les milieux, 'on' est souvent substitué à 'nous' : 'on vient
vous voir', 'on y a travaillé toute la journée'. On joint souvent 'nous

pour marquer la distinction de groupe : 'nous, on veut bien'. Mais l'emploi de *nous* n'est pas aboli; il faudrait observer les nuances d'usage. Exemple : 'nous avons passé une bonne journée avec vous'. Quelquefois *on* remplace 'vous' : 'on est content ?' ou 'est-on content ?' pour 'êtes-vous contents ?'.

Populairement, 'tu' remplace volontiers 'on'; ainsi 'quand tu avales un remède, tu fais la grimace' au lieu de 'quand on avale un remède, on fait la grimace'. On entend aussi 'ils' pour 'on' : « voilà maintenant qu'ils disent que X... est l'assassin ».

Dans le démonstratif, la forme 'çuilà' pour 'celui-là' est populaire et aussi familière.

Pour le pronom impersonnel 'cela' il y a eu péripétie. La forme parlée 'ça' a tendu un moment à s'employer assez souvent en écrit. Mais 'cela' (généralement prononcé *sla*) a eu un regain de faveur, d'abord semble-t-il chez les instituteurs puis plus largement sous leur influence. Il y a concurrence et parfois mélange dans une même phrase : 'ça ira comme cela'.

Dans le français populaire et quelquefois dans le français familier, -*i* de 'qui' relatif est élidé devant voyelle : 'c'est eux qu'ont fait ça'. Vulgairement l'accord en personne n'est pas fait avec l'anté-cèdent pronominal : 'c'est nous qui sont les princes'..

La construction populaire comporte l'attache invariable 'que' suivie d'une proposition complète avec pronom personnel : 'c'est moi que je suis le père à Nicole', 'c'est l'affaire que je t'ai (ou que je t'en ai) parlé'. 'ce matin, j'ai pas revu l'homme que je lui ai parlé hier'.

On peut joindre ici aux pronoms l'expression composée du démonstratif et du verbe 'être' (avec ou sans 'que') : le verbe y est depuis longtemps partiellement figé, n'ayant plus que la troisième personne. L'usage tenu n'est pas fixé pour le pluriel : 'c'est eux' et 'ce sont eux' ('c'est eux que je veux', 'ce sont eux que je vois là-bas'); mais l'usage populaire ne connaît que 'c'est' invariable. D'autre part dans le même usage 'qu'est-ce que (tu dis) ?' est volontiers remplacé par 'quoi que (tu dis) ?'.

Le 'que' ainsi employé avec le pronom interrogatif s'est étendu aux adverbes interrogatifs. L'usage peu distingué est 'comment, pourquoi que tu dis ça ?'. Ce qui permet de ne pas inverser le sujet et est moins lourd que 'pourquoi est-ce que tu dis ça'.

d) Mots invariables. — La subjonction 'parce que' est souvent abrégée en 'pas-que'. Au contraire, *rs* reste prononcé dans 'lorsque' et populairement on prononce *e* après le groupe : 'lorseque'.

L'emprunt inattendu à l'anglais *because* très à la mode il y a quelques années est maintenant rare (*because maladie*).

L'affirmation 'd'accord' avec son abrégé 'd'ac' est récente à côté de 'oui' ou s'y joignant : 'oui d'accord'. Quant à 'bon !' c'est surtout un élément de remplissage.

Le fait le plus important concerne la négation avec le verbe.

On a noté dans les siècles passés qu'on employait de moins en moins 'ne' sans 'pas' (ou moins souvent 'point'), qui sont devenus peu à peu l'essentiel de l'expression négative. D'autre part, en raison de cette situation le 'ne' a commencé à paraître superfétatoire. Les premiers exemples littéraires paraissent être interrogatifs : « Fit-il pas mieux que de se plaindre ? » (La Fontaine, Livre III, XI).

L'usage populaire est difficile à suivre. Il semble probable pour la région parisienne au moins que les injonctions aient précédé les assertions ordinaires. Usage non seulement populaire mais familier : 'pleure pas', 'faudrait pas m'embêter'. Pour l'usage du parlé tenu et de l'écrit familier, il est bien difficile de suivre les progrès de l'omission, à cause de l'habitude d'écrire 'ne' alors qu'il n'est pas prononcé, la non-prononciation n'étant d'ailleurs pas voulue et restant le plus souvent inconsciente. La situation est telle que 'ne' est un élément à éclipse comme l'*e* muet et les consonnes à liaison, susceptible de paraître ou non, dans le parlé, suivant toutes sortes de circonstances : registre, vitesse de l'énonciation, nature lexicale du verbe (plus ou moins usuel), groupement phonétiques, le même individu n'étant pas constant avec lui-même, passant par exemple de 'j(e) sais pas' (*žse-pas* ou *šse* pa) à 'je n(e) sais pas' ou même 'je ne sais pas'. On peut dire en gros que l'usage populaire ou vulgaire de la région parisienne est l'absence de *ne*, qu'elle est très fréquente chez les gens cultivés, souvent avec des alternances du type 'je dis pas que je ne le dis pas'.

Pour 'tout à l'heure' 'encore', voir p. 382.

On peut noter la multiplication de l'emploi de *non* et *oui* superfétatoires en fin de phrase et aussi en tête de phrase où on trouve aussi *oui non* : ainsi dans l'interrogation familière : « tu viens, oui ? » ou « t'es pas fou, non ? » Et sans interrogation « oui (ou non ») « c'est un très beau film »; « oui non c'est tout à fait autre chose ».

Il est né récemment un adverbe, par empiétement sur les emplois d'une préposition, à l'insu des puristes qui n'ont pas protesté, il s'agit de 'y compris', naguère seulement locution prépositive devant un nom : 'tout le monde le dit, y compris les bons auteurs'; maintenant on entend dans des discours tenus, et on lit dans des écrits l'emploi devant proposition; 'y compris chez les bons auteurs' et aussi devant subjonction 'y compris quand l'auteur s'est fait relire'.

4. Phrase et style

En général, la phrase française n'est pas changée dans l'usage écrit, ni dans l'usage parlé, autant qu'on peut en juger en l'absence de documents suffisants du passé.

La proposition du type le plus courant est centrée sur le verbe, s'il s'agit de définition sur le verbe 'être' ou équivalent avec un attribut. Si la proposition est plus ou moins compliquée des éléments sont séparés dans l'écriture par la virgule, dans l'énoncé oral par un ton légèrement montant. Il en est de même pour une partie des propositions subordonnées dans une phrase complexe.

Il y a cependant à noter des faits qui attestent dans l'ensemble une réduction du rôle du verbe.

On a parlé vers les années trente du 'style substantif'. Il consiste en particulier en ceci qu'au lieu d'employer un verbe ordinaire à sens plein, on a recours comme dans les locutions verbales traditionnelles ('prendre garde', 'trouver grâce') à des verbes passe-partout à sens plus ou moins vague, sortes d'auxiliaires sémantiques ou verbes-outils, accompagnés de substantifs qui portent le sens principal. Ainsi, au lieu d'employer 'solutionner' (ou le plus ancien 'résoudre'), on dit qu'on 'cherche, trouve la solution', au lieu de dire 'qu'on a évalué les dégâts' on dit 'qu'on a procédé à leur évaluation'.

L'extension du rôle des substantifs, surtout de ceux qu'on appelle noms verbaux ou noms d'action, ne se borne pas aux combinaisons avec les verbes-outils. Ainsi : 'la réalisation de cette arrestation ne put se faire facilement' pour 'il ne fut pas facile d'arrêter [le voleur]'.

Le fait est spécialement fréquent dans les avis administratifs : 'Ne pas tenter de passer pendant la fermeture des portes (= pendant que les portes se ferment') ; 'l'administration ne sera pas responsable des accidents qui proviendraient de toute infraction à cette prescription' (= 'qui se produiraient parce qu'on aurait enfreint cette prescription' ou 'parce qu'on n'aurait pas fait ce qui est prescrit'.

L'habitude littéraire de faire de courtes descriptions à coup de substantifs, accompagnés ou non d'adjectifs, quelquefois de l'article indéfini, séparés par des points, dont la fréquence a commencé à être notable avec le romantisme (voir p. 258) marque surtout une diminution du rôle du verbe d'existence, et en même temps une tendance à multiplier des groupes de mots se terminant avec une baisse de la voix. Dans la conversation on a conservé dans ce cas l'emploi de 'il y a' ou 'il y avait', ou aussi du présentatif 'voilà' en tête, si on n'emploie pas la construction régulière de 'être' avant un attribut.

Dans les phrases de raisonnement simplifiées où un substantif en tête sans article est suivi d'une proposition relative et dont la multiplication date aussi du romantisme, c'est un verbe 'être' ou un présentatif qu'on peut suppléer : 'considérations qui ne mènent à rien' (= ce sont des considérations, voilà des considérations).

On peut écrire aussi, et il semble que l'usage s'en répand de plus en plus dans des écrits de démonstrations : 'considérations absurdes' : au lieu d'un raisonnement, c'est une constatation. Il est possible d'en dire autant dans la conversation. Mais on y trouve plutôt des adjectifs isolés : 'absurde !'

On peut dire que l'emploi littéraire (rare dans la conversation) du style indirect libre comporte aussi une restriction du rôle du verbe, puisque de courtes propositions principales sont supprimées, en laissant l'autonomie à une subordonnée avec ses temps de concordance (voir p. 296). Ainsi 'l'épicier m'a fait ses offres : il désirait que je sois content de lui, il me ferait des prix doux, il me livrerait à domicile' (le tout sans que figure 'il disait que'). En même temps il y a une atteinte à l'armature logique de la phrase. Le style indirect libre n'est plus guère employé par les auteurs récents qui usent largement du style direct du monologue intérieur.

Les phrases sans verbe sont souvent à deux termes se balançant, et sous cette forme trouvent place dans des grammaires modernes. La partie qui serait un attribut est plus souvent en tête : 'agréable lecture, ce roman', 'vraie canaille, ce garçon'. En style parlé on ajoute volontiers 'que' : 'vrai voyou que ce garçon'. En style rassis on mettrait 'c'est' : 'c'est un joueur effréné (que) ce garçon'. L'ordre inverse est fréquent aussi, mais généralement avec un ton interrogatif (ou exclamatif) : 'mon ancien camarade ? un ambitieux'; 'ce garçon ! une honte pour sa famille'.

Ce qui est vraiment nouveau semblant ne dater que d'une ving-
taine d'années et se répandant de plus en plus, c'est l'indépendance
donnée à ce qui est classiquement une subordonnée, soit avec un
relatif soit avec une subjonction; 'Il s'est produit un incident
regrettable. Qui aura des conséquences graves'. 'Il a fait l'école
buissonnière. Parce qu'il avait envie de prendre l'air, tout simplement'.

Un autre cas est celui du départ en indépendance d'un complément
de phrase ou d'un adverbe. 'On l'a mis à la porte. Avec le motif'.
'Cette pratique a été supprimée. Radicalement'.

Dans les premiers cas, il intervient une chute de voix au lieu
d'une légère élévation (avec ou sans virgule écrite); dans le dernier
cas l'interruption avec chute de voix remplace généralement un
ton égal.

De toutes manières, il y a un changement d'habitude dans les
intonations, avec beaucoup plus de coupures à baisse de voix. En
même temps, moindre souci d'une armature logique.

On peut remarquer que ces coupes, qui semblent insolites dans
le discours suivi, sont la normale dans la conversation, si on rapproche les répliques d'un interlocuteur à un autre. 'Pourquoi avez-
vous fait ça ? — Parce que ça me tentait' — 'Pour qui ces bon-
bons ? — Pour mes enfants'. 'Voilà un jeu amusant ! — Qui me
casse les oreilles'.

Envisagé sous cet angle, on peut considérer le français 'dans le
vent' (expression de mode récente en 1964) comme un nouveau
symptôme de rapprochement de l'écrit et du parlé.

Jusqu'où iront les nouveaux usages ? S'étendront-ils assez dans
la prose littéraire et autre pour changer vraiment la physionomie
de la masse du français écrit, et devenir matière régulière d'enseignement ?

5. Vocabulaire

Non seulement le lexique français total s'est de plus en plus
étendu avec le développement des connaissances, des sciences, des
techniques et des relations internationales, mais le vocabulaire de
chacun s'est étendu et meublé, avec l'habitude généralisée de lire,
l'instruction des femmes à l'égal des hommes, l'instruction du
peuple, l'expansion de la presse, du cinéma parlant et de la radio,
puis de la télévision.

Sans doute certains individus lisent peu et leur conversation est

faite de clichés monotones, cela dans des milieux divers : aussi
bien par exemple caquetages de bourgeoises dont la préoccupation
principale va des visites au bridge, que propos et blagues d'ateliers
de certains ouvriers entièrement pris par les matérialités de la vie
quotidienne; mais la vie du langage n'est pas le fait des médiocres;
il faut la chercher, dans tous les milieux, chez ceux qui ont l'esprit
actif.

Les vocabulaires ainsi accrus sont aussi moins distincts. Les milieux populaires se sont habitués à des mots longs compliqués de
groupes de consonnes difficiles; il est vrai qu'on peut encore relever
des déformations comme 'purésie' pour 'pleurésie' 'angeline' pour
'angine', 'armistie' pour 'amnistie', etc.; mais c'est de moins en
moins fréquent; des mots comme 'exposition' ou même 'supers-
tructure' etc., sont employés sans embarras notable.

Une difficulté subsiste pour les mots empruntés aux langues
étrangères, et ici on doit marquer une différence entre les personnes qui ont reçu une instruction 'secondaire' et celles qui ont été
bornées à l'instruction 'primaire', sans langue étrangère.

Ceci concerne surtout les mots anglais autres que *shampoing.*
Ainsi un mot comme 'dancing' a plusieurs prononciations; des
pédants qui connaissent la prononciation anglaise articulent l'*n* de
an et prononcent à la finale le son particulier de *-ng* en anglais et
en allemand; ainsi *ng* anglais ou allemand [*n* vélaire] se fait une
place dans le phonétisme français; la majorité des gens instruits
francisent le mots en *dāsiñ* (en orthographe française *dansigne*);
les moins instruits prononcent comme ils lisent *dāsāg* (*dansingue*)
ou *dāsĕž* (*dansinge*); de même 'boycott' est *boykott* (*boïcote*) pour
les gens cultivés, *bwako* (*boico*) pour ceux qui n'ont que la connaissance du mot écrit. Même chose pour des mots allemands; ainsi
le terme 'anschluss' employé en français à propos du 'rattachement' de l'Autriche à l'Allemagne, est *anšlus* (*annechlouss*) pour
ceux qui savent l'allemand ou fréquentent des gens le sachant,
tandis le lecteur populaire des journaux prononce à la française
āšlüs (*anchlusse*).

La généralisation de l'écoute à la radio pourra changer cette
situation; tout le monde est maintenant à même de recevoir les
mots étrangers sous forme orale; mais c'est précisément une question de savoir comment les speakers (prononcer *spikęr* ou *spikör*)
doivent eux-mêmes prononcer; ils sont constamment embarrassés
par les noms propres étrangers. Depuis quelques années ils tendent
de plus en plus à reproduire ou à peu près la prononciation d'origine.

Dans la situation actuelle, on ne peut pas dire que les abréviations de mots longs et d'origine savante, qui sont nombreuses dans le vocabulaire usuel de la conversation et qui s'écrivent de plus en plus (type : *auto*), sont plutôt populaires que générales : peut-être sont-elles en effet souvent d'origine humble, mais ce n'est pas vrai pour l'ensemble; beaucoup sont propres d'abord à certains milieux professionnels où certains objets ont été d'abord employés exclusivement; mais ces milieux ne sont pas toujours les moins instruits, lorsqu'il s'agit de techniques : les laboratoires, les théâtres, les studios fournissent autant que les ateliers d'ouvriers manuels; le triomphe de l'abréviation devenue système se trouve dans l'argot de l'Ecole Polytechnique, qui ne fait que développer la tendance de l'argot scolaire (exemple 'sympa' pour 'sympathique', qui est d'ailleurs répandu ailleurs). Donc 'auto' pour 'automobile', 'photo' pour 'photographie', 'cinéma' ou 'ciné' pour 'cinématographe', 'radio' pour 'radiophonie', 'radiographie', 'radioscopie', 'radiographiste', 'sténo' pour 'sténographie' ou 'sténo-dactylo' pour 'sténographe-dactylographe', 'stylo' pour 'stylographe', 'sana' pour 'sanatorium' sont des mots communs. Observer que ces mots raccourcis ne se généralisent que lorsqu'il s'agit de choses usuelles et que ce ne sont jamais des verbes.

Il faut mettre à part les mots à finales -*o* lorsqu'il désignent des personnes; en effet ils rejoignent d'anciens mots français en -*ot* comme 'petiot', de rares mots empruntés comme 'turco' (italien), des mots de type argotique où -*o* est substitué à un autre suffixe connu, comme 'socialo' pour socialiste, 'mécano' pour mécanicien. Aussi peut-on former des féminins comme 'typote'.

Un procédé d'abréviation récent en français, et de plus en plus répandu, consiste à composer un mot avec les initiales d'un titre complexe d'organisation ou d'une désignation d'objet en plusieurs mots : P.T.T. pour 'postes, télégraphes, téléphones'; C.G.T. pour 'confédération générale du travail'; T.S.F. pour 'télégraphie ou téléphonie sans fil'. De tels mots se prononcent en énonçant les noms des lettres, de la manière qui est traditionnelle à l'école, ainsi 'cégété'; c'est ainsi que certains auteurs se sont amusés à écrire 'téhesseffe' pour T.S.F.

Mais l'art de l'abréviation s'est raffiné : on recherche des titres où l'un des mots comporte une voyelle initiale, de manière à composer un mot prononçable, ainsi *rup* pour 'rassemblement universel pour la paix', *joc* pour 'jeunesse ouvrière chrétienne'. Le coquet 'igame' désignant un superpréfet cache 'inspecteur général de l'administration, en mission extraordinaire'.

L'un et l'autre type d'abréviation par initiales comportent des dérivés; ainsi 'cégétiste, jociste'.

Au contraire les mots abrégés par coupure se prêtent mal à la dérivation. C'est pourquoi 'photographe' est demeuré entier, et certains mots abrégés ont dû prendre deux genres : le radio s'occupe de la radio. On peut citer cependant le bizarre 'cinéaste' (forme populaire non générale 'cinémaste'), et le curieux 'traminot' composé de *tram* de 'tramway' et de *-inot* coupé de 'cheminot', lui-même dérivé de 'chemin (de fer)'.

En revanche les mots coupés se prêtent à la composition; c'est ainsi que 'bus', extrait de 'omnibus' (mot latin voulant dire 'pour tous', bravement acclimaté en français par une compagnie commerciale en 1828), a donné par sa conjonction avec d'autres amputés : 'autobus', 'aérobus', 'bibliobus'.

Mais la langue usuelle agit autrement à l'égard d'un certain nombre de termes sourcilleux, lorsque les objets entrent dans l'usage commun.

On leur cherche des équivalents plus aimables : 'aéroplane' (abrégé en 'aéro' ou 'aréo') a disparu devant 'avion' (composé artistement sur le latin *avis* 'oiseau' et concordant avec 'aviation'); on dit quelquefois 'la sans-fil'. Il peut y avoir des vicissitudes; 'vélo' abrégé du lourd 'vélocipède' avait paru céder la place à bicyclette et à l'argot familier 'bécane' en gardant un emploi constant à l'enregistrement des bagages dans les gares; mais il est redevenu usuel et a lui aussi des parents; on a connu pendant les années d'occupation les 'vélo-taxis' et on a maintenant des 'vélo-moteurs et cyclomoteurs', à côté d'autres dénominations de 'deux roues' motorisés.

Plus d'une fois, on applique une dénomination ancienne en français à une nouvelle invention, dépouillée dès lors de son nom savant (complet ou abrégé) : de même que 'ballon' a remplacé 'aérostat' (voir p. 337), 'clystère', a fini par céder à 'lavement'; 'voiture' se substitue de plus en plus à 'auto(mobile)' et beaucoup de gens sont possesseurs d'un 'poste' (poste de T.S.F.); on parle de la 'machine à écrire' (ou simplement 'machine') qui sert à 'taper' un texte.

On doit remarquer d'ailleurs que tous les termes scientifiques, techniques et commerciaux neufs ne sont pas composés par accumulation de radicaux grecs ainsi qu'on est porté à le croire d'après trop d'exemples visibles comme *électrargol, photoscopie*. Le 18° siècle avait reçu 'gaz', la jeune chimie de la fin du même siècle et du début du 19° a heureusement déformé le son et le sens de mots grecs courts pour nous donner 'le chrome', 'le brome', 'l'iode', etc. Nous avons depuis peu 'le néon'.

Un autre procédé voulu, qui évite tout recours aux langues anciennes, consiste à faire un nom commun avec un nom propre, quelquefois un peu modifié; le langage de l'électricité a 'volt' (d'après le savant Volta), l'ampère (d'après le savant Ampère); l'usage courant a adopté pour le grand seau à ordures le terme 'poubelle', d'après le nom d'un préfet de la Seine qui en a édicté l'usage en 1884.

Les éléments argotiques et grossiers ne jouent presque aucun rôle dans le langage tenu et écrit. Ils sont assez fréquents, conjointement, dans le langage familier de tout le monde. Ce sont eux surtout qui marquent le ton de la conversation et le milieu dans lequel on se situe d'une manière permanente ou occasionnelle. Les contacts des classes font que les bourgeois emploient naturellement la plupart des termes de cette espèce à la caserne, et plus tard dans la conversation libre; c'est ainsi que 'emmerdé' ou 'conerie' (souvent écrit 'connerie') sont devenus usuels, mais évidemment non admis en toutes circonstances. Les ouvriers entre eux, à l'atelier, dans la rue, à la maison, emploient plus généralement ces mêmes termes; ils les laissent de côté pour parler en public ou pour délibérer avec les patrons.

Il faut tenir compte aussi de l'élément affectif : désir d'injure, d'ironie, quelquefois de familiarité caressante, de plaisanterie; pudeur aussi à nommer par leur nom propre des objets ou des personnes alliés à un sentiment. Le 'boulot' n'a pas la même tonalité affective que le 'travail'.

Le besoin d'épancher la colère ou le désappointement, en évitant tout de même le mot grossier en certaines compagnies, a fait créer des équivalences : 'fiche' (plutôt que 'ficher'), à côté de 'foutre' et fait sur son modèle, est déjà ancien; de même 'merde' a l'atténuatif 'mince', et souvent 'crotte' dans le parler des femmes.

Au total, il y a bien des étages de classes dans le vocabulaire : mais le brassage social fait qu'il n'y a plus d'exclusivité d'usage dans l'emploi des vocabulaires.

Avec la littérature de la dernière période ce qui vient d'être dit n'est plus vrai seulement pour la conversation, mais doit être étendu à l'écrit dans une certaine mesure. Si beaucoup de romans poussent la liberté au maximum, le décorum est préservé en général dans les journaux écrits et parlés, à plus forte raison dans la masse des ouvrages d'enseignement et d'érudition.

Au tableau général qui précède, les circonstances et l'activité lexicales contribuent à ajouter des compléments.

Les circonstances, c'est en même temps les inventions nouvelles avec le double aspect scientifique et technique, et les relations entre les peuples, en ce qui concerne à la fois les industries et les modes de vie.

Il est de fait que le grand développement de l'industrie moderne tant en Angleterre qu'aux Etats-Unis a entraîné l'adoption d'instruments et de méthodes avec leurs noms d'où un certain nombre d'emprunts récents du français à l'anglais dont l'apparente abondance a provoqué des susceptibilités, des résistances, des campagnes tapageuses, entraînant des gens insuffisamment informés et peu réfléchis.

On n'a pas de statistiques sur le nombre total de ces emplois, sur leur aire d'emploi (beaucoup sont confinés dans des milieux restreints), sur leur densité dans les articles de journaux en dehors de certaines rubriques très spécialisées, sur le nombre de ceux qui sont francisés de manière généralement acceptée ou déjà remplacés ou en voie de remplacement par des mots de souche française. La quantité des indésirables n'est certainement pas très grande.

Parmi ces mots anglais les plus voyants et les plus répandus sont à finale -*ing*, comme 'parking'. Il est à remarquer que beaucoup de ces mots n'ont pas en anglais le sens du mot français, ainsi *footing,* qui ne veut pas dire 'marche à pied hygiénique' mais 'implantation sur une base'. En réalité il s'agit plutôt de l'emprunt d'un suffixe commode pour désigner certaines activités ou certains cadres d'activités (comme 'dancing'), etc. Il est amusant que sensiblement dans la même période le suffixe diminutif français -*ette* ait paru joli et commode aux Etats-Unis où on en fait grand usage (*kitchenette* 'cuisine miniature').

Il n'est pas besoin d'une statistique (qui ne serait pourtant pas superflue) pour voir que beaucoup plus nombreux sont les mots constitués avec des éléments pris au grec ancien, comme tous ceux qui se terminent en -*ique,* -*logie,* -*graphie,* -*métrie,* -*urgie,* -*isme.*

On devrait aussi tenir compte des nouveautés qui ne doivent leurs désignations qu'à des radicaux latins, comme 'radio-activité artificielle' ou 'fission (de l'atome)'.

Dans l'accroissement du vocabulaire une part importante revient à l'emploi des préfixes usuels : grecs *hyper-* et *hypo-,* latin *super-* et *sub-,* français *sur-* et *sous-* créant une nouvelle catégorie grammaticale de comparaison tant pour les noms et les verbes que pour les adjectifs : 'hypertension', 'hypotendu', 'supersonique', 'sous-alimenté', etc.

D'autres préfixes agissent aussi, comme *pré-* ('préfabriqué') *a-* (asocial, apesanteur).

Des suffixes ont aussi une pleine activité proliférante. Pour les verbes, l'élément *-er* formant des dénominatifs comme 'solutionner' (remplaçant plus ou moins 'résoudre'), 'émotionner' (se substituant en partie à 'émouvoir', 'connecter' (à côté de 'connexion') et 'contacter', etc.

Pour le substantif on a *-age, -euse,* etc., généralement déverbatifs, permettant de désigner (sans emprunts) une grande partie de l'équipement moderne en machines et de leurs activités. Quelques exemples au hasard : 'jumelage', 'trieuse', 'impondérabilité', 'apparentement', 'psittacose', 'incomplétude'.

Pour les adjectifs *-ible, -able* : exemples 'fissible' 'plus ancien « fissile » détachable'.

La jeune statistique linguistique appliquée au lexique a mis en lumière un fait étonnant : dans une période toute récente de dix ans, le vocabulaire français s'est modifié pour un quart. Dans ce quart qui a bougé, avec beaucoup de disparitions à côté des apparitions, il y a beaucoup de désignations de l'instrumentation moderne de toute espèce, y compris des méthodes intellectuelles. La partie usuelle et non technique du vocabulaire est assez peu atteinte.

Avant qu'on puisse donner une opinion ferme sur l'accélération possible des changements, des études rétrospectives devront être faites sur des périodes antérieures; naturellement l'obervation devra être poursuvie pour la suite.

COUP D'ŒIL D'ENSEMBLE
sur la conquête de la France par le français
et la prise de possession du français par les Français

Le latin, grande langue de civilisation, est devenu, sur le sol de l'ancienne Gaule, le français, grande langue de civilisation, de type linguistique différent.

La Gaule avait été soumise par l'armée romaine. Le latin, langue des Romains, était l'organe d'une civilisation matérielle notable-blement supérieure à celle des vaincus, surtout d'une administration beaucoup mieux organisée et commune à un vaste empire, et toute une culture intellectuelle nourrie des traditions et acquisitions de plus anciennes civilisations incorporées et digérées avec toute une littérature écrite tandis que celle des Gaulois était resté orale; en Europe occidentale, il a été en outre le véhicule du jeune chris-tianisme. Il s'est répandu d'abord dans les villes de Gaule, puis dans les campagnes, et en cinq cents ans environ il s'y est substitué aux anciens parlers.

Pendant une autre période de trois cents ans environ, l'empire romain se disloquant, la Gaule a été traversée et en partie recou-verte par les invasions de peuples moins civilisés (sans écriture); le latin s'y est altéré profondément dans les différentes régions; les parlers sont devenus divers et ont divergé du latin écrit; mais ils ont triomphé à la longue des langages des envahisseurs, Francs et autres, qui ont appris peu à peu le gallo-roman.

Cependant le latin (avec peu d'altérations) continuait à être écrit par la petite caste des gens instruits, presque tous membres du clergé chrétien.

C'est au moment où a commencé à s'organiser un gouvernement, une royauté, propre à l'ancienne Gaule (désormais devenue France), que pour la première fois on y a écrit, au lieu du latin, un texte dans un des parlers populaires issus du latin; celui-ci était précisément le parler de l'entourage du roi, résidant dans la région parisienne.

A partir de l'an 1000 environ et pendant une nouvelle période de cinq cents ans à peu près, le français de la région parisienne (francien) a commencé à se répandre en dehors de l'Ile-de-France comme langue d'administration, de relations commerciales, de culture, en s'écrivant de plus en plus. Dès le départ, il était plus ou moins unifié, dans l'usage des membres des classes dirigeantes, nobles, bourgeois riches à partir d'un certain moment, et de leur entourage d'inférieurs, ainsi que chez des éléments ambulants, tandis que des langages purement locaux étaient l'expression habituelle des villages et sans doute de certains quartiers industrieux des villes.

C'est donc une langue relativement cultivée qui dans certaines provinces a pénétré d'abord dans les villes, les marchés et les châteaux. La forme voisine normande s'est répandue partiellement en Angleterre dans la couche dirigeante.

L'ensemble français a rayonné ailleurs encore avec les littératures françaises, de formes dialectales légèrement différentes. D'abord concurrencé dans l'usage des poètes, premiers littérateurs en français, par les parlers frères, organes de centres provinciaux, le français 'francien' les a petit à petit dominés, pénétrés, puis éliminés, comme la royauté elle-même a peu à peu soumis les grands féodaux.

Mais au cours de ces siècles le français évoluait.

Le système de l'ancien français s'était formé peu à peu, très différent du latin; l'évolution continuant, ce système allait progressivement vers celui du français moderne.

Cependant, le latin, retrempé dans une meilleure connaissance des règles anciennes, restait la langue écrite de la justice, la seule langue de l'enseignement et de la religion, des occupations sérieuses de la caste intellectuelle.

Vers l'époque de la Renaissance (fin du 15° et 16° siècle) la royauté établissant de mieux en mieux une administration centralisée, avec des fonctionnaires plutôt bourgeois que nobles, a répandu sa langue, en a fait la langue judiciaire. Toutes les grandes villes, même du Midi, certains éléments des campagnes, ont eu le français pour langue.

Des réformateurs religieux ont pris le français comme langue de religion. Le rôle du latin a été restreint de manière considérable et définitive.

Mais la langue française, héritière du latin pour presque tous ses

usages, a emprunté, sous la plume et dans la bouche de gens nourris
de latin, un nombre considérable de mots latins à peine modifiés,
en même temps qu'à côté de la tradition chrétienne un progrès et
un tournant dans les études ressuscitaient les traditions intellectuelles
de la civilisaion gréco-latine (avec étude du grec). Véritable transfert d'une ancienne haute civilisation à une nouvelle civilisation en
ascension.

Pendant deux siècles ensuite (17° et 18°) dans le cadre de la
monarchie autoritaire, c'est la lente montée de la bourgeoisie aux
dépens de la noblesse terrienne, la lente formation du capitalisme
successeur du système féodal. Dans le même temps, affermissement
des diverses nationalités d'Europe, chacune avec sa langue.

Le français s'est alors assis, intérieurement poli, clarifié; il a eu
une littérature extrêmement brillante, dans une langue écrite qui
était en même temps à peu près la langue parlée des gens instruits
et de bonne compagnie.

Cette langue était dès lors ce que nous appelons le français moderne, formé par évolution lente de l'ancien français; et nous l'appelons moderne parce que c'est encore le nôtre : il s'est stabilisé par
l'enseignement, par l'imitation ultérieure des grands classiques du
17° siècle. L'évolution n'était pas arrêtée, mais freinée et comme
contrôlée, notamment par la rédaction des grammaires et dictionnaires inexistants auparavant, et l'étude des auteurs français postérieurs au 16° siècle.

Cette langue française se répandait, certes, de plus en plus en
France : elle était celle de la capitale Paris, de plus en plus
peuplée et importante, et de la majorité des habitants des grandes
villes; elle devait être généralement comprise même des petites
gens de la région centrale, au nord de la Loire. Mais ce français
était mal parlé dans les provinces par les gens de peu d'instruction;
écorché par le peuple même de la région centrale à peu près dépour-
vu d'instruction; non pratiqué, même non compris dans la majeure
partie des campagnes. En somme seules les couches supérieures de
la population en avaient la pleine possession.

Les éléments cultivés de celle-ci continuaient à recevoir une forte
instruction en latin, auquel le grec était souvent joint : les modèles
grecs et latins avaient une forte influence sur la littérature française.

A la fin de cette période, quand les sciences de la nature et
de l'homme ont commencé à se développer brillamment, au milieu
du bouillonnement des idées nouvelles, elles ont constitué en grande

partie leur vocabulaire avec des éléments grecs qui se sont ainsi transfusés dans la civilisation moderne de l'Europe et pas seulement en France.

Dans les pays étrangers où avait commencé à se développer des littératures nationales, la société polie lisait beaucoup les auteurs français et se servait du français même comme langue aristocratique.

Cependant le latin avait conservé une situation internationale de langue des savants, en même temps que de langue de l'église catholique (amputée des pays protestants).

Nouvelle étape, avec la Révolution française et ses premières suites, jusqu'au milieu du 19ᵉ siècle. Installation de la bourgeoisie au pouvoir, premiers développements de l'industrie avec des machines. Premiers éveils du peuple, développement de son instruction.

Au point de vue de la langue, le grand effet de la révolution française et des guerres de l'empire a été de répandre très largement le français chez les petites gens de France et jusqu'au fond des campagnes, au moins sous la forme parlée, car beaucoup de gens ont continué à ne pas savoir lire.

La France a été de plus en plus centralisée, pour la langue comme pour le reste. La grammaire a été de plus en plus codifiée, l'orthographe correcte a été imposée à tout le monde, des plus grands personnages aux plus petits employés.

Pour la grammaire, pas d'inconvénients sérieux puisqu'en fait la langue évoluait très peu dans son fonctionnement.

Mais il y aurait eu un danger de divorce entre le vocabulaire admis dans les écrits et le vocabulaire employé par tout le monde, si la littérature avait dû se fixer dans l'imitation des auteurs classiques.

Le mouvement romantique y a paré : les écrivains de cette période ont ajouté à la connaissance des langues anciennes et à l'étude des classiques français, plus ou moins influencés par les littératures de l'antiquité, la communication avec les littératures étrangères et aussi avec le français antérieur au 17ᵉ siècle. Ils ont ouvert une ère proprement moderne; dans leur style, ils ont rompu la barrière entre les mots 'nobles' et 'non nobles', ils ont assuré la liberté du vocabulaire français.

Vers le milieu du 19ᵉ siècle, nouveaux changements profonds, début d'une période que nous vivons encore. Accélération brusque dans le développement des techniques nées de la science moderne :

chemins de fer, bateaux à vapeur, photographie, télégraphe, bicyclette, automobile, avion, phonographe, cinéma, radio. Concentration industrielle, heurt des impérialismes, impuissance de la bourgeoisie à gouverner les forces qu'elle a créées, à maintenir dans la servitude le peuple qu'elle a dû instruire pour les besoins des industries mécanisées. Dans cette agitation, le peuple commençant son ascension, prenant conscience de sa force, de ses droits, de ses possibilités d'organisation du monde, et arrachant peu à peu à la bourgeoisie des concessions, diverses libertés qui permettent d'autres marches en avant. Au milieu de cette période, l'instruction, enfin, a été généralisée.

En conséquence, tous les Français ont eu accès à la compréhension, à l'étude, au maniement de la langue normalisée, de la langue écrite. Par un mouvement inverse, les écrivains, en général, évitant de se borner aux ressources d'expression de la langue classique des siècles passés, ont prolongé et élargi la révolution faite par les romantiques; ils ont rapproché la langue littéraire de la langue de la conversation contemporaine : le français écrit est resté vivant.

Ainsi, en même temps que la masse des Français était admise à prendre possession de la langue française cultivée, la conquête de la France par le français a été virtuellement terminée : les patois campagnards continuent à vivre en grande partie, mais tous les patoisants apprennent à lire et écrire le français.

Le latin de son côté est de moins en moins pratiqué même par la bourgeoisie : il devient une matière d'enseignement parmi les autres et dont beaucoup de gens cultivés se passent très bien.

A notre époque, les luttes d'influence ne sont plus entre langue moderne et langues anciennes, mais entre les différentes grandes langues modernes de civilisation, parmi lesquelles le français n'est qu'une unité, mais qui sont liées par des histoires qui se ressemblent en gros, par la communauté d'une grande masse de vocabulaire savant d'origine gréco-latine; aussi bien c'est l'ensemble de la civilisation européenne avec ses projections dans le reste du monde qui continue à sa manière les anciennes civilisations des pourtours de la Méditerranée.

Et maintenant, cette langue française cultivée, qui a commencé son développement à partir de la région parisienne et continue à y avoir son grand centre avec l'immense développement de la capitale, mais qui n'a jamais été seulement un patois parisien, qui a été

façonnée, polie, codifiée, puis assouplie par ceux auxquels les préro-
gatives de la naissance et de la richesse donnaient la possibilité de
s'instruire en corps, elle est devenue le bien de tout le monde; tout
le monde en France, à Paris comme ailleurs, accède à ses richesses,
à ses raffinements, subit ses complications ou ses manques.

Le peuple, dans son mouvement d'ascension, n'apporte pas un
autre langage à lui substituer. Il se sert du français cultivé comme
d'un instrument de la vie nouvelle qu'il travaille à organiser.

Les destinées ultérieures de la langue française seront liées à
celles de la population laborieuse du pays, dans le jeune monde
nouveau des machines et de l'instruction pour tous.

RÉFÉRENCES

Il n'est pas question de donner un répertoire bibliographique complet, mais essentiellement de diriger le lecteur sur les travaux grands ou petits qui lui permettront de mieux compléter l'étude.

Des ouvrages bibliographiques ont été d'ailleurs indiqués et certains ouvrages qui ne sont pas parmi ceux qu'il faut absolument connaître ont été cités parce qu'ils comportent des directives de lecture.

Préférence a été donnée aux livres, périodiques et articles en français, en poussant jusqu'à 1966, sans prétention à l'exhaustivité sur aucun point, sauf pour les histoires et les grammaires historiques complètes. A partir de 1964 divers travaux ont pu échapper à l'information.

Certains articles de revues et des contributions à des mélanges que le lecteur français risquerait de ne pas rencontrer ont été cités pour leur valeur.

De courtes appréciations sur le contenu et le caractère d'une œuvre doivent aider au choix des lectures.

Un effort a été fait pour citer les premières et dernières éditions : cette besogne de patience constitue par elle-même un fragment de vues historiques, et d'autre part renseigne pratiquement sur les chances de trouver les livres en librairie.

Les éditeurs ont été indiqués ainsi que les lieux d'édition. L'absence d'indication signifie Paris. Le nombre de pages renseigne sur l'importance matérielle de l'ouvrage, même en l'absence de la mention du format qui est généralement l'in-octavo (grand ou petit). Pour les formats inférieurs on trouve surtout les 11,5 × 17,5 de la collection *Que sais-je* des Presses universitaires de France (Paris) qui se sont multipliés dans ces dernières années.

La règle adoptée de ne pas alourdir le texte et de ne mettre aucune note en bas de page a fait placer dans les références quelques citations dont les noms d'auteur figurent à l'index. Il est aussi traité brièvement de certains sujets ayant donné ou donnant lieu à controverse, également avec insertion de noms à l'index.

La note brève sur la confection du livre (pp. 11–12) s'arrête à la remise du texte à l'impression.

Je dois ajouter qu'ayant voulu augmenter un peu le nombre des textes cités et les rapprocher au maximum de leur figure originale, j'ai bénéficié de l'aide d'André Giachetti, assistant à la Sorbonne, et de Rosine Bouzige, certifiée.

La première épreuve ayant été reçue en décembre 1965, Jacques Pohl a bien voulu la relire; je lui dois beaucoup de suggestions, dont je le remercie vivement; sa précieuse aide m'a été continuée pour les épreuves suivantes. De janvier à juillet 1966, j'ai eu l'assistance de Zohra Riahi, licenciée de français et d'arabe, qui a participé activement à la correction des épreuves et aux derniers compléments d'extraits littéraires.

De novembre 1966 à mars 1967, Marie-Odile Briot, diplômée d'études supérieures, a participé à la correction des épreuves et à la confection de l'index.

J'espère que les lecteurs apprécieront la richesse de cet index et excuseront les manques qu'ils pourront y remarquer ainsi que certains décalages d'une page.

Je crois bon de dire que l'état de ma vue a ralenti mon travail et, je le crains, augmenté les chances de manques et de menues erreurs, pour lesquels je demande l'indulgence d'une manière générale, en remerciant à l'avance tous ceux qui voudront bien me communiquer des observations.

Abréviations.

En dehors des abréviations usuelles (p. = page, éd. = édition), les abréviations suivantes, non signalées dans le texte, ont été employées quelquefois :
c. r. = compte rendu
B.S.L. = Bulletin de la Société de Linguistique de Paris
Fr. mod. = Français moderne
R.L.R. = Revue des Langues Romanes
P.U.F. = Presses Universitaires de France
M.C. = Marcel Cohen
Pour une = Pour une sociologie du langage
Cinquante années = Cinquante années de recherches avec bibliographie 1955
Dam. P. = Damourette et Pichon. Essai de grammaire
C.N.R.S. = Centre National de la Recherche Scientifique.

A. Instruments d'étude sur l'histoire du français

1) HISTOIRE DU FRANÇAIS EN GÉNÉRAL

Emile LITTRÉ : *Histoire de la langue française.* Paris, 1862, 2 vol. (Périmé).
Ferdinand BRUNOT : *Histoire de la langue française, des origines à 1900.*
Paris (A. Colin), t. I à X (18 vol.), de 1905 à 1943 ; t. XI (en préparation,
cité BRUNOT : H.L.F.).
   Mine de documents rassemblés par F. Brunot et quelques collaborateurs (dont Alexis FRANÇOIS qui a rédigé le tome VI) ; bel ouvrage d'ensemble, mais qui fait apparaître les trous de notre documentation et la
nécessité de continuer les recherches ; arrêté au début du 19ᵉ siècle à
la mort de l'auteur (fin 1937). (Est continué par Ch. Bruneau, t. XII.
L'époque romantique, voir p. 448 ; t. XIII, voir p. 449) En 1966, l'achèvement de l'œuvre (avec réédition des tomes épuisés) est mise sous la
responsabilité de Gérald Antoine. Voir plus de détails p. 342.
   Pour le 19ᵉ siècle, voir les chapitres du même auteur dans L. PETIT
DE JULLEVILLE : *Histoire de la langue et de la littérature française, des
origines à 1900.* Paris (A. Colin), t. VII, 1899, chap. XVI et t. VIII, 1899,
chap. XIII.
rdinand BRUNOT et Charles BRUNEAU : *Précis de grammaire historique de
la langue française.* Paris (Masson), 1ʳᵉ éd. 1932 (remaniement d'un
ouvrage de F. Brunot de 1887), 3ᵉ éd. (citée ici) 1949, dernier tirage
1964, XXVII–642 pages.
   En introduction, *Sommaire chronologique de l'histoire de la langue
française,* puis : *Phonétique, Les mots, Formes et fonctions, Syntaxe, La
phrase, Le vers français, Index.*
A. DARMESTETER : Voir sous 5.
C.-A. SECHEHAYE : *Eléments de grammaire historique du français.* Genève,
1909–1910.
K. VOSSLER : *Frankreichs Kultur im Spiegel seiner Sprachentwicklung.*
Heidelberg, 1913.
   Compte rendu par A. MEILLET dans *B.S.L.,* 1913, pp. 287–290.
   Point de vue idéaliste sur le caractère du français.
Ch. VOSSLER : *Langue et culture de la France. Histoire du français littéraire
des origines à nos jours.* Traduction sur la 2ᵉ édition, 1929 et préface
d'Alphonse JULLIAND. Paris (Payot), 1953, 341 p.
Kr. NYROP : *Grammaire historique de la langue française.* Paris (Picard) et
Copenhague. 6 vol., 1914–1929.
   Grande collection de faits tirés des livres, en particulier pour la syntaxe et pour le sens des mots.
   *Histoire externe de la langue. Livre I: Le français, langue littéraire;
livre II: Le français, langue nationale et internationale* (Bibliographies
en fin de chapitres).

E. LERCH : *Hauptprobleme der französischen Sprache* (Problèmes principaux de la langue française). Berlin–Hambourg, I, 1930, 350 p. C. r. par A. Meillet dans *B.S.L.*, t. 31, 1931, pp. 136–139 ; II, 1931, 348 p. C. r. par A. Meillet dans *B.S.L.*, t. 32, 1931, pp. 27–30.

E. LERCH : *Französische Sprache und Wesensart* (Langage et vie en France). Francfort, 1933, 304 pages. Voir compte rendu de A. MEILLET dans *B.S.L.* 1933, pp. 96–99.

W. von WARTBURG : *Evolution et structure de la langue française*, 1934 ; 6ᵉ éd. 1962 (Leipzig et Berlin). Compte rendu par A. MEILLET dans *B.S.L.*, 1935, pp. 82–85 (Francke), 1946, x–321 pages.

En tête, *indications bibliographiques ;* à la fin, *index.* – Histoire continue du français et description de l'état actuel ; effort pour caractériser 'l'esprit' du français aux différentes époques.

Voir du même auteur : *La structure de la langue française et ses fondements historiques*, pp. 162–177 dans *Problèmes et méthodes de la linguistique*, Paris (Presses Universitaires), 1946, VII–214 pages (trad. de l'allemand), où beaucoup de développements concernent l'histoire du français.

M. K. POPE : *From Latin to modern French* with especial consideration of anglo-roman (phonology and morphology). Manchester University Press, 1934, XXXII–571 pages ; 2ᵉ éd. 1961, XXXII–571 pages.

Alfred EWERT : *The French Language*. Londres (Faber and Faber), 1933, XII–437 pages. (Seconde édition sans modification. 1949)

I. General and external history. – II. Preliminary considerations. – III. Phonology. – IV. Orthography. – V. Morphology and syntax. – VI. Vocabulary.

Appendice A. Selections. [Donne 18 textes assez longs, du Serment de Strasbourg à La Fontaine.] Appendice B. Select bibliography. Index Verborum.

M. V. SERGIEVSKYI : *Histoire de la langue française*. Manuel pour les établissements d'enseignement supérieur (en russe), Moscou, 1938, 288 pages et 6 cartes (2ᵉ édition 1947).

Albert DAUZAT : *Tableau de la langue française*. Origines. Evolution. Structure actuelle. Paris (Payot), 1939, 303, p. ; en livre de poche 1967.

Donne en résumé le contenu de l'*Histoire* du même auteur (voir ci-dessous).

– *Les étapes de la langue française*. Paris (Presses Universitaires), 1944, va être réimprimé, 136 pages.

Résumé clair, contenant les faits essentiels. (Théorie de la *germanisation* à l'époque franque et de la *dégermanisation progressive*. Terme de *régression* en ce qui concerne les restitutions de sons anciens conservés dans la notation orthographique.)

Giovanni ALESSIO : *Grammatica historica francese,* Paris, 1931.
– *Le origini del francese*. Florence (Sansoni), 1964, VIII–232 pages.

Fernand DESONAY : *La vivante histoire du français*. Bruxelles (Baude), 1946, 132 pages.

Pas toujours d'esprit juste.

Albert DAUZAT : *Précis d'histoire de la langue et du vocabulaire français*. Paris (Larousse). 1949 ; dernière édition : 1956, 251 pages.

Au début, notions d'histoire de la littérature française ; perspectives à rectifier en partie. Orientation commode pour le vocabulaire.

– *Phonétique et grammaire historiques de la langue française* (Même lieu), 1950, 305 pages.

Eugen LERCH : *Historische französische Syntax*, Leipzig. I. 1925, XVI–327 pages.

Ouvrage de l'école de Vossler, voir compte rendu par A. Meillet dans *B.S.L.,* t. 27, 1927, pp. 100–102. II, 1929, xvii–449 pages, c. r. par A. Meillet dans *B.S.L.,* t. 30, 1930. pp. 136–137.

Albert DAUZAT: *Histoire de la langue française.* Paris (Payot), 1930; 1937, 588 pages.

Introduction *(Le développement de la langue française; l'étude du français).* 1ʳᵉ partie: *Histoire interne, le mécanisme.* Livre I: *Les sons;* livre II: *Les mots;* Livre III: *Rapports grammaticaux.* – 2ᵉ partie: *Histoire externe de la langue.* Livre I: *Le français, langue littéraire;* Livre II: *Le français langue nationale et internationale* (Bibliographie en fin de chapitre).

Roland DENIS: *Les vingt siècles du français.* Montréal (Fides), 1950, 440 p.

Ouvrage court, intérêt spécial pour le français au Canada.

André THÉRIVE: *Libre histoire de la langue française.* Paris (Stock), 1954, 315 p.

Antonio SAURO: *Grammatica storica della lingua francese,* Bari, 1952, 3 fascicules. I, Fonetica, 266 p. II, Morfologia, 146 p. III, Morfologia del verbo, 106 p.

E. BOURCIEZ: *Précis historique de la phonétique française,* Paris, (Klincksieck), 1889. Dernière édition 1958, 333 pages.

Moritz REGULA: *Historische Grammatik des Französischen,* Heidelberg. I, *Lautlehre,* 1955, 250 pages. II, *Formenlehre,* 1956, 190 pages, III, *Syntax,* 1966, 336 pages.

M. BORODINA: *Phonétique historique du français avec éléments de dialectologie.* Manuel à l'usage de l'enseignement supérieur, Léningrad, 1961, 154 pages, 10 cartes.

Plan personnel, cartes linguistiques.

– *Morphologie historique du français.* Moscou, 1965, 230 pages, 13 cartes.

Manuel court pour l'enseignement personnel comme le précédent.

Charles BRUNEAU: *Petite histoire de la langue française.* Paris (Armand Colin). Tome I: *Des origines à la Révolution,* 1955, 384 p.; t. II: *De la Révolution à nos jours,* 1958, 368 p.

L'histoire littéraire est au premier plan.

Marcel COHEN: *Notes de méthode pour l'histoire du français.* Moscou, 1958, 99 pages.

Sorte de résumé du présent ouvrage, avec quelques petits compléments, qui ont été utilisés ici.

Alexis FRANÇOIS: *Histoire de la langue française cultivée des origines à nos jours.* Genève, 1959, t. I: xviii–409 p.; t. II: 306 p.

Ouvrage répondant bien à son titre; utiles indications au sujet des travaux sur la langue.

N. A. KATAGOCHINA, M. S. GUREVA, K. A. ALEXANDROV: *Istoria francuskovo iazyka.* Moscou, 1963, t. I jusqu'au 18ᵉ siècle.

Manuel pour l'enseignement supérieur.

Jozsef HERMAN: *Précis d'histoire de la langue française,* Budapest, Tankönivkiado, 1967, 347 pages (en hongrois).

A utiliser en outre:

Ad. TOBLER: *Mélanges de grammaire française,* traduit de l'allemand, 1905.

L. PETIT DE JULLEVILLE: *Notions générales sur les origines et l'histoire de la langue française.* Paris (Delalain), 1ʳᵉ éd. 1883; dernière 1931; va être réédité, 235 pages.

Petit ouvrage clair et pratique, avec des textes commentés de toutes les époques (à partir du 17ᵉ siècle, extraits des préfaces du Dictionnaire de l'Académie française).

Le Chauvinisme linguistique, les Cahiers de contre-enseignement prolétarien n° 16. Paris (Bureau d'édition), 1934, 72 p. (auteur : Leboucher-Mounin). Utile critique de diverses idées.
Voir aussi les parties consacrées au français dans les ouvrages sur les langues romanes, bibliographie du chapitre IV.
Marcel COHEN : *Grammaire et style, 1550–1950* ; cinq cents ans de phrase française. Paris (Editions sociales), 1954, 240 p.
Compléments aux références du chapitre VI.

2) OUTILLAGE BIBLIOGRAPHIQUE

Il a paru en 1935 un ouvrage de bibliographie raisonnée mais inégale (dont l'étude doit servir spécialement pour les chapitres XIV et XV) : *Où en sont les études de français,* manuel général de linguistique française moderne, publié sous la direction de Albert DAUZAT, Paris (d'Artrey), 1935, 344 pages ; il a été réimprimé en 1949, avec un supplément de 32 pages.
Il comprend :

Pierre FOUCHÉ, Albert DAUZAT : *Phonétique et orthographe,* pp. 13–62.
G. GOUGENHEIM : *Morphologie et syntaxe,* pp. 63–110.
Gaston ESNAULT : *La sémantique,* pp. 111–138.
Oscar BLOCH : *Lexicologie et dialectologie,* pp. 139–186.
Albert DAUZAT : *Français régional, français populaire, onomastique,* pp. 187–226.
Ch. GUERLIN DE GUER : *La langue des écrivains,* pp. 227–342.

Depuis 1947, on a pu recourir à R. L. WAGNER, *Introduction à la linguistique française.* (Lille-Genève), 142 pages : Ire partie : Linguistique et linguistique française [considérations méthodiques] ; IIe partie bibliographique, pp. 58–139 [utile orientation, qui demande peu de corrections].
Ce travail a été complété en 1955 par le *Supplément bibliographique* (1947–1953), 71 p. avec index alphabétique.
Voir aussi la partie française de l'ouvrage de A. KUHN (ci-dessous, p. 426).

Un instrument de travail très riche (non exhaustif) qui remonte dans le passé est Louis KUKENHEIM : *Esquisse historique de la linguistique française et de ses rapports avec la linguistique générale.* Leyde, 1962, VI–205 p. 2e éd. revue et augmentée 283 pages, 1966.

Plusieurs revues sont à consulter pour les articles de fond, les comptes rendus et des informations diverses.
En France, la *Revue de philologie française* (1889–1932), *Romania* (depuis 1872), la *Revue des langues romanes* (depuis 1870), la *Revue de linguistique romane* (depuis 1925), *Le français moderne* (depuis 1933), *Vie et langage* (depuis 1952), *Le français dans le monde* (depuis 1961).
Ne sont pas énumérées ici des revues de romanisme en langues autres que le français, auxquelles des renvois sont faits occasionnellement dans les références ; paraissent en français à l'étranger : la *Revue roumaine de linguistique* (Bucarest) depuis 1956 et les *Etudes de langue et littérature françaises* (Tokyo), n° 6, en 1965.
En outre le *Bulletin de la Société de linguistique de Paris* (cité *B.S.L.*).

Des communications sur le français sont quelquefois présentées à la Société de linguistique.

Une *Société pour l'étude de la langue française* (S.E.L.F.) fonctionne avec des séances publiques mensuelles depuis 1964, émet des comptes rendus dactylographiés.

Le français a sa place dans les grands répertoires.

Bibliographie linguistique, à Utrecht, publiée par le Comité international permanent des linguistes depuis 1939. Recherche l'exhaustivité. Indique notamment les comptes rendus pour chaque ouvrage.

Bulletin signalétique du Centre national de la recherche scientifique, division « Sciences du langage », depuis 1944. Donne des résumés en partie critiques.

On devra penser à dépouiller les Actes des Congrès.

Récemment : *Actes du 9ᶜ congrès des romanistes*. Paris (Klincksieck), 1965.

Penser aussi que des contributions utiles se trouvent dans des Mélanges présentés en hommage à des savants.

La linguistique française a une petite part dans les programmes de la radio-télévision française.

3) Descriptions du français (avec notions historiques)

Ferdinand BRUNOT : *La pensée et la langue* (Méthode, principes et plan d'une théorie nouvelle du langage appliquée au français). Paris (Masson), 1ʳᵉ édition 1922 ; dernière 1964, xxxvi–954 pages.

Inventaire des ressources du français, à la fois historique et actuel, rangé d'après les notions exprimées. Il existe de cet ouvrage un résumé : *Manuel de langue et de style français,* par FREI et CUÉNOT. Paris (Masson), 1935, 272 p.

J. DAMOURETTE, E. PICHON : *Des mots à la pensée* (Essai de grammaire de la langue française 1911–1940). Paris (d'Artrey), 7 vol. (1927–1930–1933–1934–1936–1943–1950), 485, 539, 715, 630, 883, 744, 419 pages.

La plus grande collection de faits recueillis publiée jusqu'à présent. Terminologie compliquée ; ouvrage de consultation malaisée.

Complété par : 1) Table analytique. Liste des témoins oraux. Liste des auteurs cités, 1952. 2) Table des auteurs cités à titre d'exemples grammaticaux, 1956. 3) Glossaire des termes spéciaux ou de sens spécial employés dans l'ouvrage, s.d.

Georges GOUGENHEIM : *Système grammatical de la langue française.* Paris (d'Artrey), 1939 ; réimpression en 1962, 373 pages.

Exposé bien classé, d'une manière neuve, suivant les enseignements de la phonologie.

Albert DAUZAT : *Le génie de la langue française.* Paris (Payot), 1943 ; 1954, 359 pages.

La prononciation. Le vocabulaire. Les formes grammaticales et leurs fonctions. La syntaxe. L'expression littéraire.

4) Histoire de la prononciation et de l'orthographe

Charles THUROT : *De la prononciation française depuis le commencement du 16ᵉ siècle, d'après les témoignages des grammairiens.*

Paris (Imprimerie Nationale), 1871. T. I, vii–568 pages ; 1883, t. II. 775 p. Index et préface par G. Paris, xviii–75 pages.

Ambroise-Firmin DIDOT : *Observations sur l'orthographe française suivies d'un exposé historique des opinions et systèmes sur ce sujet depuis 1527 jusqu'à nos jours*. Paris (Didot), 1867, 253 p. [2ᵉ édition, 1868].

Charles BEAULIEUX : *Histoire de l'orthographe française*. Paris (Champion), 1927. T. I : Formation de l'orthographe, des origines au milieu du 16ᵉ siècle ; t. II : Les accents et autres signes auxiliaires.

— *L'orthographe française actuelle, mélange de celle de Robert Estienne et de celle de Ronsard*. Bordeaux (Taffard), 30 pages.

Adrien MILLET : *Les grammairiens et la phonétique ou l'enseignement des sons du français depuis le 16ᵉ siècle jusqu'à nos jours*. Paris (J. Monnier) 1933, 197 pages.

Maurice GREVISSE : *Code de l'orthographe française*. Bruxelles (Baude), 1948, 2ᵉ édition 1952, 248 pages.
Avec historique et documents.

5) DICTIONNAIRES (AVEC ÉTUDES HISTORIQUES ET ÉTYMOLOGIQUES)

E. LITTRÉ : *Dictionnaire de la langue française*. Paris (Hachette). 4 vol., 1863–1872 et un supplément, 1877 (avec éditions ultérieures) ; dernière édition 1939. Récemment chez des éditeurs différents a reparu sous différentes présentations, sans modification du texte.
Pour l'histoire, voir la préface et son complément et, à chaque mot, les exemples des origines au 16ᵉ siècle.
Le supplément contient une étude de Marcel DEVIC sur les mots français d'origine orientale.

Adolphe HATZFELD, Antoine THOMAS, Arsène DARMESTETER : *Dictionnaire général de la langue française du commencement du 17ᵉ siècle jusqu'à nos jours*. Paris (Delagrave), 2 vol., 1890–1895 ; dernière édition 1964.
Dates des mots ; étymologies.
Il y est joint, de A. DARMESTETER, un *Traité de la formation de la langue*, auquel il est renvoyé à propos des mots répertoriés, pour le mode de formation étudié historiquement, procédé qui ne se trouve dans aucun autre dictionnaire. Ce *Traité* n'a pas été remplacé. On doit y ajouter, du même auteur, *Le Cours de grammaire historique de la langue française*, en 5 petits volumes, publication posthume terminée en 1897 (Delagrave), actuellement hors commerce ; de plus *la Vie des Mots* (Delagrave, 1887, réimprimé en 1925, épuisé), 312 p.

Ernst GAMILLSCHEG : *Etymologisches Wörterbuch der französischen Sprache*. Heidelberg, 1928 (1ʳᵉ édition, de 1911 à 1920).

Walther von WARTBURG : *Französisches etymologisches Wörterbuch*, différents lieux d'édition, en dernier Bâle ; publication commencée en 1950, en voie d'achèvement, 14 volumes entièrement parus, 3 volumes en cours.
Ouvrage monumental, comprenant les formes patoises. Supplément 1957.

Oscar BLOCH (avec la collaboration de W. von Wartburg et préface de A. Meillet) : *Dictionnaire étymologique de la langue française*. Paris (Presses Universitaires), 1932, 2 volumes. Edition refondue par W. von W., 1 vol., 1949 ; 4ᵉ édition, 1964, xxxi–651 pages.
Préface importante, par A. Meillet. Ouvrage riche, notamment en aperçus sur les autres langues romanes.

Albert DAUZAT : *Dictionnaire étymologique de la langue française*. (Larousse),

1938, xxxvii–762 pages. Seconde édition, 1943, avec un supplément (pp. 763–774) ; *nouveau dictionnaire étymologique et historique,* par Albert Dauzat, Jean Dubois, Henri Mitterand, 1964.

Ouvrage à jour, muni d'introductions utiles (notamment liste de racines grecques et latines entrant dans la composition des mots).

L. CLÉDAT : *Dictionnaire étymologique de la langue française,* (Hachette), 620 pages, 1ère éd., 1912, 3e éd., 1914.

O. CAILLON : *Dictionnaire étymologique,* Edsco, 664, 2e éd., 1962, 1332–64 pages.

LEBRUN ET TOISEUL : *Dictionnaire étymologique de la langue française,* 2e éd., (Nathan), 1937, 902 pages.

LAURENT et RICHARDOT : *Petit dictionnaire étymologique de la langue française.* Paris (Delagrave), 1893 ; dernière édition 1943, épuisé.

Certains dictionnaires sont indiqués plus loin à propos de différentes périodes.

Dans l'avenir il faudra compter avec le *Trésor de la langue française* (voir p. 343).

L'Académie française avait projeté un *Dictionnaire historique ;* seule la lettre A en 4 volumes a paru de 1858 à 1894.

6) HISTOIRE DE LA LITTÉRATURE FRANÇAISE

Un ouvrage récent à bibliographie soignée est l'*Encyclopédie de la Pléiade* N.R.F.) : *Histoire des littératures.* III : *Littératures françaises, connexes et marginales* sous la direction de Raymond Queneau, 1958, xviii–2058 pages. Tient compte des littératures dialectales, des petites langues, de l'activité en dehors de France ; comporte des tableaux synchroniques.

Une vue nouvelle est constituée par le *Manuel d'histoire littéraire de la France,* par un collectif sous la direction de Pierre Abraham et Roland Desné, aux Editions Sociales. Tome I : *Des origines à 1600,* 1945, 412 pages, 11 dépliants donnant les tableaux synchroniques de la vie politique, économique, artistique (Nouvelle édition revue et complétée, 1971). Tome II : *De 1600 à 1715,* 1967, 469 pages, 9 dépliants. Tome III : *De 1715 à 1789,* 1969, 624 pages, 16 dépliants. Tome IV : *De 1789 à 1848,* 1972. Deux volumes, 640 pages et 620 p., 10 dépliants. Les tomes V et VI sont en préparation.

(Voir aussi p. 420 sur L'Encyclopédie française).

B. Références et citations classées par chapitres

CHAPITRE PREMIER

LA FONCTION LANGAGE
LES ÉTUDES LINGUISTIQUES

J. VENDRYES : *Le langage (Introduction linguistique à l'histoire).* Collection
« L'évolution de l'humanité ». Paris (Albin Michel), 1921, XXXII–439
pages (Dernier tirage avec appendice, 1950, un nouveau prévu en 1967).
Manuel d'orientation passant utilement en revue les questions que se
pose la linguistique dans ses différentes parties. Bibliographie abondante.
Index de termes linguistiques et de noms de langues cités dans le livre.
Certains points de vue sont critiqués dans *Le chauvinisme linguistique*
(voir p. 416). A compléter par des lectures plus actuelles.

J. MAROUZEAU : *La linguistique ou science du langage.* Paris (Geuthner),
1re éd. 1921 ; dernière 1960, 127 pages.
Utile ouvrage d'orientation avec bibliographie.

Michel LEJEUNE : *Le langage et l'écriture* dans *L'évolution humaine.* Paris
(Quillet), 1934, t. III, pp. 291–340 (illustrations et cartes).

Le langage, par plusieurs auteurs, dont A. Meillet, 2e partie du t. I de l'*Encyclopédie française,* consacré à *L'Outillage mental,* 1937.
Utiles notions théoriques, avec beaucoup d'exemples pris au français,
et des descriptions de langues d'autres types.
Voir en outre, dans la même *Encyclopédie :*
le t. VIII : *La vie mentale,* sous la direction de H. Wallon, où on trouvera notamment des notions sur le fonctionnement normal et pathologique
du cerveau en ce qui concerne le langage ;
les t. XVI et XVII (Arts et Littératures) sous la direction de Pierre
Abraham, en particulier dans le t. XVI, section B, chap. III : *Le langage*
(avec un article important de Jean-Richard Bloch) ; au t. XVII, IIIe partie,
section A., chap. III : *Sur l'art littéraire* (A. Thibaudet).

Ferdinand de SAUSSURE : *Cours de linguistique générale,* publié par Ch. Bally
et Albert Séchehaye. Lausanne-Paris (Payot), 1916, 10e édition, 1967.
Indispensable à connaître pour le développement ultérieur de la linguistique.
Pour la critique de la distinction langue-parole, voir M. C. : *Pour une
sociologie du langage,* p. 90 et pour d'autres observations : *Synchronie ?*
dans *Steinitz Festschrift,* 1965.

Robert GODEL : *Les sources manuscrites du cours de linguistique de F. de
Saussure,* Genève, 1957.

Marcel COHEN : *Instructions d'enquête linguistique.* Paris (Institut d'ethnologie), 1928, 125 pages ; nouvelle édition 1950, 143 pages ; avec courte
bibliographie.

– *Questionnaires linguistiques,* même lieu, même date. Nouvelle édition en
1950 (Commission d'enquête linguistique, Nimègue).

Marcel Cohen : *L'évolution des langues et des écritures*. Paris, 1948, 23 pages, aux éditions du *Palais de la Découverte*, où se trouvent une salle *Langage* et une salle *Ecriture*.
— *Le langage (structure et évolution)*. Paris (Editions sociales), 1950, 150 pages. [Epuisé]. (Résumé dans *Linguistique et matérialisme dialectique*, Gap, 1948, et *Cinquante années de recherches*, pp. 38–52).
André Martinet : *Eléments de linguistique générale*, A. Colin, 1963.
On devra consulter les périodiques et les collections, ainsi que le Bulletin de la Société de linguistique, les Conférences de l'Institut de linguistique de Paris, les Travaux du Cercle linguistique de Prague.
Marcel Cohen : *Cinquante années de recherches linguistiques, ethnologiques, sociologiques, critiques et pédagogiques*. Bibliographie complète. Rééditions et éditions d'études diverses *(Recueil publié par ses amis)*. Paris, Imprimerie nationale, 1955, 387 pages. Linguistique générale, pp. 8–176 ; linguistique française, pp. 299–340.
Jean Perrot : *La linguistique*. Paris (Presses Universitaires de France), coll. « Que sais-je », 1953 ; 5ᵉ éd., 1963.
Spécialement utile pour l'histoire de la linguistique.

Phonétique — phonologie

Maurice Grammont : *Traité de phonétique*. Paris (Delagrave), 1ʳᵉ édition 1931 ; dernière 1963, xii–480 pages.
La première partie (pp. 9–150) donne l'essentiel des notions descriptives sur le langage articulé.
B. Malmberg : *La phonétique*. Paris P.U.F. collection « Que sais je » (1ʳᵉ édition, 1954), 127 pages. (Bonne initiation courte bibliographie).
N. Troubetzkoy : *Principes de phonologie*, traduction J. Cantineau, 1949.

Technique du corps. — Invention

Marcel Mauss : *Techniques du corps* dans *Journal de psychologie*, 1935, pp. 271–293 et *Manuel d'ethnographie*, 1947.
Marcel Cohen : *Cinquante années de recherches*, p. 54.

Physiologie humaine

Pensée de A. Meillet, dans l'*Encyclopédie française*, t. I, 1 ; 32–3 :
La supériorité intellectuelle de l'homme sur tous les animaux, même du type le plus élevé, se manifeste depuis les périodes les plus lointaines de la préhistoire par l'emploi d'outils. Pour couper un objet, l'homme prépare une lame tranchante au lieu de s'attaquer directement à l'objet qu'il veut diviser. Il opère donc par une voie indirecte.
De même, s'il veut qu'un autre homme lui apporte un fruit, il émet des sons tels que : « Apporte-moi une pomme ». Au lieu de montrer l'objet désiré et de faire signe qu'on le lui apporte, il recourt à une émission vocale. Ici encore, l'homme procède par voie indirecte, et il peut ainsi désigner un objet qu'il n'a pas le moyen de montrer...

Pour la physiologie du cerveau :
W. PENFIELD et L. ROBERTS : *Langage et mécanismes cérébraux.* Traduit de
l'anglais. Paris (P.U.F.), 1963.

Pour certains aspects de la question pensée et langage :
Marcel COHEN : *Faits linguistiques et faits de pensée* dans le *Journal de psychologie,*
décembre 1947 (reproduit dans *Cinquante années).*
Robert GODEL : *Etre et devenir* dans *Cahiers F. de Saussure.* 9, pp. 33–50.

Langage et société

Marcel COHEN : *Recherches sur société et langage.* Paris (Tourneur et Constans),
I, 1948, 44 p. : II, 1949, 33 p.
Matériaux pour une sociologie du langage. Paris, Maspéro, 1971, 2 vol. de
179 et 169 pages. Abondantes références.
Pour la théorie biologique de J. Van Ginneken, voir M. C. : *Matériaux
pour une sociologie,* pp. 46–47 du T. I.

CHAPITRE II

LES FAMILLES DE LANGUES — L'ORIGINE INDO-EUROPÉENNE DU LATIN

Ancienneté de l'homme et premières étapes de la civilisation

Les préhistoriens tendent à reculer jusqu'à 25 millions d'années environ le
temps où se seraient dessinées les lignes devant aboutir aux singes d'une
part, aux hommes de l'autre. D'après les dernières découvertes de restes
fossiles en Afrique du Sud on situe entre 2 millions et 1 million et demi les
australopithèques dont déjà la capacité crânienne était intermédiaire entre
celle des singes et celle des hommes (avec apparemment non complexité
correspondante) et qui auraient eu les premiers outils. D'après les dernières
découvertes dans la vallée de l'Omo, au sud de l'Abyssinie, il semble qu'on
devrait reculer les premières traces d'hominisation à 3 millions d'années.
L'étape suivante, vers 1 million serait celle du *zinjanthrope* ayant des outils
moins rudimentaires, mais dont il n'est pas sûr qu'il ait connu le feu.
Le *pithécanthrope* (trouvé à Java) se situerait vers − 600.000, le *sinanthrope*
(trouvé en Chine) à − 500.000 (avec le feu), l'homme de Néanderthal
aurait prospéré environ de − 100.000 à − 30.000 (ayant une capacité
crânienne sensiblement égale à celle des hommes actuels, et l'outillage en
silex perfectionné dit moustérien). *L'homo sapiens* ou actuel daterait de
− 30.000, la civilisation magdalénienne avec l'art développé se situant vers
− 20.000.

On peut consulter.

Marcellin BOULE et Henri-Victor VALLOIS : *Les hommes fossiles,* éléments de
paléontologie humaine. Paris (Masson), 4ᵉ édition, 1962, 584 pages (la
première édition de M. Boule était de 1921).
Ouvrage à compléter pour les dernières découvertes :
Jean PIVETEAU, dans *Traité de paléontologie.* T. VII Primates, Paris (Masson),
1957, 675 pages, 639 figures.

Robert JULIEN : *Les hommes fossiles de la pierre taillée.* Paris (Boubéi), 1965, 665 pages, 149 figures.

Philip V. TOBIAS : *New discoveries in Tanganyika. The bearing on hominoid evolution* dans *Current Anthropology,* octobre 1965 (revue paraissant 5 fois dans l'année à Chicago) et consulter ce qui suivra dans ce périodique.

Les familles de langues

Les langues du monde par un groupe de linguistes sous la direction de A. MEILLET et Marcel COHEN. Collection de la Société de linguistique, XVI, Paris. (Champion, 1924); XVI–811 pages, avec 18 cartes séparées. Seconde édition en 1952 (publications du Centre national de la Recherche scientifique, XLII–1926 pages). Reproduction photomécanique en 1964. Nouvelle édition en projet.

Pour la méthode comparative :

A. MEILLET : *La méthode comparative en linguistique historique.* Oslo (et Paris), 1925, VIII–17 pages.

— *Introduction à l'étude comparative des langues indo-européennes.* Paris (Hachette), 8ᵉ édition, 1937, XIV–517 pages (nouveau tirage en 1949).

Avec un historique des études comparatives, des indications bibliographiques, et un index des termes définis.

Pour la répartition des langues indo-européennes et quelques autres, et diverses questions de méthode :

A. MEILLET : *Les langues dans l'Europe nouvelle,* avec un appendice de L. TESNIÈRE sur la *Statistique des langues de l'Europe nouvelle.* Paris (Payot), 1ʳᵉ éd. 1918 ; 1928, XII–495 pages, 1 carte.

Donne aussi des statistiques sur les langues du monde en général. La carte d'Europe donne le détail de ce qui n'est qu'esquissé dans la carte du présent livre, p. 29. Le chapitre XII concerne l'extension des langues communes, en particulier du français en France.

Albert DAUZAT : *L'Europe linguistique.* Paris (Payot), 1940 (paru en réalité en 1944) ; 1953.

Ouvrage résumé, utile à côté du précédent par diverses mises à jour et des indications complémentaires.

Pour le *basque* qui nous intéresse spécialement comme langue non indo-européenne parlée en France, consulter, outre *Les Langues du monde,* l'ouvrage postérieur de Marcel COHEN : *La grande invention de l'écriture et son évolution.* Paris (Imp. Nat.), 1958, avec renseignements divers dus à René Lafon (références à l'Index sous *basque* et *ibère,* carte de la péninsule ibérique, p. 134). C'est d'après René Lafon, qu'ici (p. 34 et p. 60) le basque est donné comme reste moderne de l'*aquitain.* Mais René Lafon n'exclut pas pour autant l'hypothèse d'une liaison ancienne de l'ibère (maintenant perdu) avec l'aquitain ; voir *Revue internationale d'onomastique,* juin 1965, pp. 81–92, l'ensemble étant en relation avec le Caucase.

OBSERVATIONS de A. MEILLET : *Méthode comparative,* pp. 18–21 :

C'est le prestige d'une civilisation supérieure qui amène une population à changer de langue.

Cette supériorité n'est pas nécessairement d'ordre matériel. Elle peut consister en une organisation sociale particulièrement adaptée aux besoins d'une époque et d'une région données. Il n'y a pas de raison de croire que la nation dont l'indo-européen commun était la langue ait disposé de moyens supérieurs à ceux de ses voisins, qu'elle ait par exemple été plus avancée pour l'agriculture ou pour le travail du métal. Ce qui caractérise les anciens peuples de langue indo-européenne, c'est le sens de l'organisation sociale et la puissance d'initiative de leur aristocratie. Cette organisation ne comportait pas de pouvoir central. Chaque chef de famille était maître dans sa grande famille. Chaque chef de tribu était indépendant des autres. Tout au plus y avait-il des confédérations provisoires et instables...

A se disperser... et à porter des extrémités de l'Asie aux extrémités de l'Europe leur type d'organisation sociale avec leur langue, les peuples de langue indo-européenne ont perdu le sens de leur ancienne unité nationale et de leur unité linguistique. Les nouveaux groupes qui se sont constitués sur chacun des domaines occupés ont perdu a leur tour leur unité... On est parvenu de cette manière à un monde moderne où presque chaque pays a sa « langue commune »...

Il y a là un état de choses nouveau et qui n'est pas susceptible de durer : à la longue la multiplication des « langues communes » dans l'Europe d'aujourd'hui, en un temps où il y a au fond unité de civilisation matérielle et intellectuelle, est une anomalie.

Chacune des grandes « langues communes » du passé doit exprimer un type de civilisation. Et c'est pour cela que la plupart des langues du monde paraissent remonter à un nombre restreint de langues communes... Il serait risqué de mettre les aires linguistiques en rapport exact, constant, régulier avec des aires de civilisation. Mais un rapport est certain. Et ce sera l'une des tâches de l'étude de l'homme dans l'avenir que de relier les langues communes aux aires de civilisation...

CHAPITRE III

LE LATIN : SA STRUCTURE, SON EXPANSION ET SON MORCELLEMENT

Le latin classique

A. MEILLET : *Esquisse d'une histoire de la langue latine.* Paris, 1958 ; 1952, (Hachette), XIV–293 pages.

Giacomo DEVOTO : *Storia della lingua di Roma,* Bologne (L. Capalli), 1940, 429 pages.

J. MAROUZEAU : *Introduction au latin.* Paris (Belles-Lettres), 1941, réduite 1954, VIII–179 pages, complétée par : *Récréations latines.* Toulouse-Paris (Didier).

A. ERNOUT et A. MEILLET : *Dictionnaire étymologique de la langue latine. Histoire de mots.* Paris (Klincksieck), 1932, 4ᵉ édition, 1950 ; 1960, XVIII–820 pages. Indique les mots survivant dans les langues romanes.

Comme petite grammaire latine :

Jacques MICHEL : *Grammaire de base du latin,* Anvers, 1960, 3ᵉ éd., Anvers-Paris (Klincksieck), 1964, 249 p.

Latin vulgaire et bas latin

R. A. Haadsma et J. Nuckelmans : *Précis de latin vulgaire.* Groningue (Wolters), 1963, 137 p. avec textes et indications bibliographiques.

Benjamin Nadel : *Les inscriptions latines de la diaspora occidentale et le latin vulgaire* dans *Kwartalnik neofilologiczny,* X, 163 pp. 263–272.

K. Stecker : *Introduction à l'étude du latin médiéval.* Lille (Girard), 1948 ; 3ᵉ éd., Genève (Droz), 1963, 76 p.

Veikko Väänänen : *Considération sur l'unité du latin vulgaire.* Communications et rapports du premier congrès de dialectologie, 1961. Louvain, 1965, III, pp. 267–272.

J. Herman : *Aspects de la diffusion territoriale du latin sous l'empire.* B.S.L. T. 60, 1965, pp. 53–70 [d'après l'étude des inscriptions].

Veikko Väänänen : *Le latin vulgaire des inscriptions pompéiennes.* Berlin, 1959.

Même auteur : *Le latin, langue parlée et langue écrite. Réactions et régression,* dans *Actes du Xᵉ congrès international de linguistique et de philologie romanes.* Strasbourg, 1962 (Klincksieck), 1965, t. II, pp. 417–425.

Le dictionnaire de Du Cange : *Glossarium ad scriptores mediae et infimae latinitatis* a paru en 1678 et a servi de base aux travaux ultérieurs. Dernière réimpression en 10 volumes, 1939 et années suivantes.

Un service du Nouveau Du Cange sur fiches fonctionne à l'Académie des Inscriptions et belles-lettres. L'exploitation de ce fichier a déjà fourni : *Novum glossarium mediae latinitatis ab anno DCCC usque ad annum MCC. Edendum curavit consilium Academiarum consociatarum. Operi conficiendo praefuit Franz Blatt,* Hafniæ, Munksgaard, 22 × 31 cm.

Sont parus 5 fascicules (non numérotés) :

1) *Index scriptorum,* 1957, 194 p.
2) *L,* 1957, 231 p.
3) *Ma,* 1959, pp. 1–278.
4) *Meabilis-Miles,* 1961, pp. 279–487.
5) *Miles-Mozitia,* 1963, pp. 488–882.

Pour la littérature : voir Jean-Pierre Foucher au chapitre V, p. 434.

Pour l'écriture et l'orthographe du latin et des langues romanes, voir :

Marcel Cohen : *La grande invention de l'écriture et son évolution.* Imprimerie nationale, 1958, avec planches, cartes et bibliographie. En particulier : chapitre IX, x, chapitre X, vi (orthographe), chapitre XI, vi (tracés).

L'écriture et la psychologie des peuples. Armand Colin, 1963, 380 pages in-4°, en particulier : 12, *L'écriture latine et la civilisation occidentale du 1ᵉʳ au 16ᵉ siècle* par Robert Marichal (avec carte) ; 17, *Les écritures latines. Extensions passées et récentes,* par Marcel Cohen (avec carte).

Langues romanes

W. Meyer-Luebke : *Grammatik der romanischen Sprachen* (4 vol.). Leipzig, 1890–1902. En français : *Grammaire des langues romanes,* Paris 1899–1906.

Edouard Bourciez : *Eléments de linguistique romane.* Paris (Klincksieck), 1910. 4ᵉ édition, 1946 ; 1956, xxiii–782 pages.

Walter von Wartburg : *Les origines des peuples romans,* trad. Cl. Cuénot de Maupassant. Paris (Presses Universitaires), 1941, 208 pages, avec 5 cartes en appendice, 18 croquis géographiques dans le texte et 1 planche (monnaies).

Nouvelle édition allemande Tübingen, 1961.
De plus, les livres sur les langues diverses cités ci-dessus pour le cha-
pitre II.
— *Die Ausgliederung der romanischen Sprachräume.* Berne (Francke), 1958,
158 p. et 188 cartes en dépliants.
Compte rendu par R. L. Wagner dans *B.S.L.,* 1951, pp. 110–115.
Gliederung, traduction en français Allières et Straka, B.S.L., 1968, p. 74.
Carlo TAGLIAVINI : *Le origine delle lingue neolatine.* Bologne (R. Patron), 1952,
580 p. Mise au point de cours publiés depuis 1927.
Iorgu IORDAN : à partir d'une première publication en 1932, éditions et traductions successives : *Linguistica (evolutie, curenti, metoda).* Bucarest 1962,
440 p. *Einführung in die Geschichte und Methoden der romanischen Sprachen-
wissenschaft.* Traduction et complément de Werner Brauner. Berlin (Aka-
demie-Verlag), 1962, 521 p. avec Maria MANOLIU : *Introducere in linguistica
romanica.* Bucarest, 1965, 296 p.
        Du même auteur : compte rendu de Tagliavini, Vidos et Elcock dans
Revue de linguistique, 2, Bucarest, 1963.
B. E. VIDOS : *Manuale di linguistica romanza,* Florence (Olschski), 1960, 439 p.
Mise au point (par G. Francescato) d'un ouvrage publié d'abord en hollandais ; première partie méthodologique.
W. D. ELCOCK : *The romance languages.* Londres (Faber and Faber), 1960,
573 p. Surtout historique de la formation des langues.
Alvin KUHN : *Die romanischen Sprachen.* Berne (Franke), 1951. Très abondante
et minutieuse revue des travaux sur les langues romanes, en gros 1940
à 1950, prenant le relais de bibliographies antérieures.
Stanislas LYER : *Syntaxe du gérondif et du participe présent dans les langues
romanes.* Droz, 1924, 345 pages.
Willy BAL : *Introduction aux études de linguistique romane.* Didier, 1966, 275 p.
Maria ILIESCU : *Ressemblances et dissemblances entre les langues romanes du
point de vue de la morpho-syntaxe verbale,* R.L.R. t. 33, nos 129–130
(janvier–juin 1969) pp. 113–132.
M. BORODINA : *Le parler de Chabag* R.L.R. t. 27, nos 107–108 (juillet–décembre
1963) pp. 470–480.
A. ROSETTI : *Sur le neutre en roumain, Revue roumaine de linguistique* t. XIII
n° 1 (1968) pp. 3–10.

Pour le vocabulaire :
W. MEYER-LUEBKE : *Etymologisches Wörterbuch der romanischen Sprachen.*
Heidelberg, 1911–1920, 3ᵉ éd., 1955.

En plus des indications qu'on trouvera dans certains des ouvrages cités
ci-dessus on pourra se reporter au chapitre indo-européen des *Langues du
monde* (cité p. 423), afin de compléter la liste des langues romanes. On devra
encore ajouter d'autres renseignements.
        Noter en particulier le réto-roman, langue officielle en Suisse dans le
canton des Grisons (romanche, en orthographe indigène *rumantscha,* ou ladin),
ayant une existence provinciale en Italie (frioulan), le catalan partagé entre
l'Espagne et la France, le sarde en Sardaigne. Ajouter que des dialectes
compris dans certaines grandes langues ont une littérature, ainsi le sicilien
en Italie, le wallon en Belgique ; noter aussi la position particulière du
moldave devenu langue officielle, avec l'emploi de l'écriture cyrillique.
Pour les textes, voir *Crestomatie romanica,* p. 432.

Sur la recomposition

Un fait important dans le passage du latin au préroman et aux langues romanes est la recomposition. (Voir BRUNOT: *H.L.F.*, I, p. 1118). Des verbes composés, au lieu de poursuivre dans leur entier l'évolution phonétique, ont été refaits avec leurs éléments sous forme ancienne. Ainsi l'ancien français *enfraindre* (l'orthographe *enfreindre* est secondaire) ne continue pas *infringere* mais *in-frangere* la forme recomposée (formes correspondantes en occitan et en italien). De même *déchoir* remonte à *indecadere* recomposé, non à *decidere*.

Le latin *perficere* a disparu, mais le français a un nouveau composé : *parfaire*. Voir VÄÄNÄNEN : *La langue parlée* (cité ci-dessus p. 425), pp. 422-425.

Pour les composés qui ne sont plus sentis comme tels :

G. S. NICHOLSON : *Un nouveau principe d'étymologie française*. (Droz), s.d. 1936, 393 p.

CHAPITRE IV

LA LENTE FORMATION DE L'ANCIEN FRANÇAIS DANS LE HAUT MOYEN AGE

Origines françaises en général :

Franck BOURDIER : *Préhistoire de France*. Paris (Flammarion), 1967, 412, 152 figures. (Orientation bibliographique pp. 383-397.)

H. VALLOIS : *Anthropologie de la population française*. Toulouse–Paris (Didier), 1943, 131 p.

Camille JULLIAN : *De la Gaule à la France*. Paris, Hachette, 1ʳᵉ édition, 1922, 256 pages. Dernière édition sans changement, 1938.

Réserves à faire sur les interprétations dans ce livre et les deux suivants.

Ferdinand LOT : *La Gaule*. Les fondements techniques, sociaux et politiques de la nation française [jusqu'à 481]. Paris (Fayard), 1947, 585 pages.

J. J. HATT : *Histoire de la Gaule romaine 120 avant J.C. – 451 après J.C.*, Payot 1959, 405 pages.

J. M. DUVAL : *La vie quotidienne en Gaule*. Hachette, 1952, 364 pages.

Louis-René NOUGIER : *Densité humaine et population néolithique*, dans le *Bulletin de la Société préhistorique de France*, 1949 p. 126. Il y a vraisemblance pour le chiffre de 5 millions à l'époque néolithique, alors qu'on a avancé les chiffres suivants : 6.700.000 avant la conquête romaine, 8.500.000 après celle-ci, 10 millions au maximum à l'époque carolingienne.

Etude de détail :

R. CHEVALLIER : *La centuriation et la colonisation romaine de la Cispadane* dans la *Revue des études latines*, 1959.

– *La France, des origines à la Guerre de Cent ans*. Paris (Gallimard), 1941, 277 pages.

Le gaulois

Henri HUBERT : *Les Celtes et leur expansion jusqu'à l'époque de la Tène* (Collection « L'Evolution de l'Humanité »). Paris (Albin Michel), 1932 ; 1950, XXVI-303 pages.

– *Les Celtes depuis l'époque de la Tène et la civilisation celtique.* Même collection, 1932 ; 1950, XVII–368 pages.

Albert GRENIER : *Les Gaulois.* Paris (Payot), 1945, 422 pages.

Georges DOTTIN : *Manuel pour servir à l'étude de l'antiquité celtique* (Champion).

Joshua WHATMOUGH : *Dialects of ancient Gaul.* Edition microfilmée, Ann Arbor, 1959, 5 bobines.

J. M. DUVAL : *La préparation du recueil des inscriptions gauloises.* Etudes celtiques, IX-1, 1960.

Voir des listes de mots d'origine celtique dans DARMESTETER : *Traité* (cité, p. 418), p. 11 ; F. BRUNOT : *Histoire* (cité p. 413), I, p. 55 ; GAMILLSCHEG : *Et. Wt.* (cité, p. 418), fin.

En dehors des mots entiers un élément important est le suffixe de nom de lieu dérivé de nom de personne emprunté sous la forme latinisée : -*acus* qui a donné les noms de lieux méridionaux en -*ac* et *iac* après un *i ;* dans le nord, noms en -*ay* et en -*y.*

Se reporter d'autre part à :

Johannes HUBSCHMIED : *Preromanica. Studien zum vorromanischen Wortschatz der Romania, mit besonderer Berücksichtigung der frankoprovenzalischen und provenzalischen Mundarten der Westalpen.* Thèse de Zurich 1949, 44 p. Outre les éléments celtiques on y trouve des éléments présumés pré-indo-européens.

Sur *calanque, gave, grève, garenne* et *roche,* voir le dictionnaire étymologique de O. Bloch et V. Wartburg sous ces mots.

Il y aurait toute une littérature à indiquer sur la 'celtomanie' qui tend à grossir l'influence de l'héritage gaulois sur la constitution du français et les réfutations auxquelles elle a donné lieu.

Au chapitre VI (p. 109), un effort a été fait pour montrer les possibilités d'influence du substrat.

Pour un essai d'explication de la voyelle *ü* sans recours au celtique voir notamment A. HAUDRICOURT et A. JUILLAND (cité p. 436). A. MANSIET : *Le substrat celtique dans les langues romanes. Les problèmes et la méthode. Travaux de linguistique et de littérature.* I, Strasbourg, 1961. Superficiel, mais références utiles.

Pour la fin du gaulois, voir notamment :

HUBSCHMIED : *Sprachliche Zeugen für den späte Aussterben des Gallischen,* dans *Vox romanica,* 1938.

Johann SOFER : *Der Untergang der gallischen Landessprache und seine Nachwirkungen,* dans *Zeitschrift für keltische Philologie und Volksforschung,* 22, 1941, pp. 92–132.

Edouard Bachellery m'a obligeamment fourni une note sur l'extinction du gaulois :

Sur toute l'étendue des terres conquises par les Romains, le latin est très vite adopté par les classes dirigeantes. Mais le celtique continue à être parlé par le peuple, bien qu'une foule de mots latins soient de bonne heure empruntés (voir les graffitis de la Graufesenque Aveyron), 2e moitié du 1er siècle de notre ère).

Jusqu'à quand le peuple a-t-il continué à parler gaulois ? DOTTIN : *La langue gauloise,* pp. 69–71 (voir aussi Léo WEISGERBER : *Die Sprache der Festlandkelten* ap. Zwanzigster Bericht (1930) der Römische Germani-

schen Kommission, plus particulièrement pp. 176–179). Voir aussi J. M.
DUVAL : *La vie quotidienne en Gaule,* pp. 48–50, etc.) énumère une série
de témoignages rapportés par les auteurs anciens, qui tendent à prouver
que le gaulois était encore parlé aux 3ᵉ et 4ᵉ et même 5ᵉ siècle de notre
ère. Mais le témoignage de saint Jérôme : Commentaire à l'Epître aux
Galates II, Migne, *Patrol.* XXVI, c. 382 (les Galates parleraient la même
langue que les Trévires), a pu, comme beaucoup d'autres témoignages
de ce genre, être reproduit par l'auteur d'après un texte antérieur. La phrase
de Sidoine Apollinaire, *Epist.* III, 3, reproduite par BRUNOT : *Histoire de la
langue française,* I, p. 21, note d'après laquelle la noblesse arverne viendrait
seulement de se débarrasser de la langue celtique, ne nous donne pas de
date très précise non plus. Dans certains cas, il peut s'agir d'un bas-latin
grossier qualifié de « celtique ».

Ce qui est plus sûr, ce sont les inscriptions sur pesons de fuseau de
Saint-Révérien (Nièvre), qui prouvent qu'au 3ᵉ siècle le gaulois était parlé
couramment par le peuple dans le Morvan (J. LOTH : *Comptes rendus de
l'Académie des Inscriptions,* 1916, pp. 168–186).

Dans les vallées alpestres de Suisse les recherches de J. U. HUBSCHMIED
(*Drei Ortsnamen Gallischen Ursprungs* dans *Zeitschrift für deutsche Mundarten,* XIX, 1924, 169 sqq. pourtant critiqué par E. MURET : *Romania,*
L, pp. 439–452) semblent bien prouver qu'à l'arrivée des Germains au
5ᵉ siècle les Gallo-romains connaissaient encore la signification de leurs
noms de lieux celtiques composés puisqu'ils ont été traduits exactement en
allemand. Voir aussi MEYER-LUEBKE dans *Zeitschrift für Ortsnamenforschung,*
IV, 184.

Malgré l'incertitude de tout cela, voici l'idée que je m'en fais : le bas
peuple, devenu rapidement bilingue, a continué de parler gaulois dans les
campagnes jusqu'aux 3ᵉ et 4ᵉ siècles, plus longtemps dans les régions
montagneuses ou reculées que dans le reste du pays. Dans les régions les
plus reculées, au 5ᵉ siècle, il comprenait encore assez la signification des
noms de lieux celtiques composés pour pouvoir à l'arrivée des Germains,
en traduire exactement les termes. Mais ceci est une explication conservatrice. Peut-être parlaient-ils encore celtique dans les vallées suisses ?

Voir aussi Walter von WARTBURG : *La fusion du grec, du gaulois et du
latin en occitan* dans les *Actes du Xᵉ Congrès de linguistique et philologie
romanes, Strasbourg, 1962.* Paris, 1965, T. I. pp. 3–11, avec carte.
Etude de quelques mots.

Récemment François FALC'HUN a entrepris la révision de l'opinion trop
légèment accréditée par divers savants que le gaulois avait entièrement
disparu de la péninsule armoricaine comme du reste du pays avant l'arrivée
des envahisseurs de langue britonique. Voir notamment : *Le breton forme
moderne du gaulois,* dans les *Annales de Bretagne,* décembre 1962.

Langues non celtiques

On est mal instruit sur les langues non celtiques en Gaule ; on tente de
tirer tous les renseignements possibles des noms de lieux et autres. Voir
René LAFON : *Noms de lieux et noms de personnes basques et ibères :
état actuel des problèmes* dans *Revue internationale d'onomastique,* juin
1965, pp. 81–92.

Franck BOURDIER : Préhistoire (ci-dessus p. 427), Chapitre XV, *Les persistances préhistoriques et le problème du substrat bascoïde*, où il est question en particulier de la possibilité d'expliquer des noms de lieux et des termes de français et d'argot sans étymologie reconnue par des comparaisons avec les termes basques.

La survie du latin

F. LOT : *A quelle époque a-t-on cessé de parler latin ?* Dans *Archivium latinitatis medii aevi.* Paris, 1931, vol. VI, pp. 97–159.

Henri-François MULLER : *L'époque mérovingienne.* Essai de philologie et d'histoire. New York (Vanni), 1945, 299 pages.

L'auteur pense que la 'langue vulgaire' aux 7ᵉ-8ᵉ siècles n'était pas sensiblement différente de la langue écrite de cette période et que la différenciation des langues romanes n'est pas antérieure au 9ᵉ siècle.

D'autre part il a fait une tentative intéressante pour mettre en rapport les changements linguistiques entre latin classique et roman avec un changement de mentalité en tenant compte surtout de la conception chrétienne de la personne ; résultats à discuter de près.

Voir un article de Pauline Taylor dans *Word,* 1949, résumant le livre ; compte rendu de G. Gougenheim dans *Bulletin de la Société de linguistique* 1947, et des critiques de Gordon M. Messing dans *Language,* 1947, une opinion favorable de Pierre Groult dans *Word,* 1951, une vive contradiction de Margaret Schlauch dans un périodique polonais en 1952 ; à ce sujet voir Marcel COHEN : *Pour une sociologie du langage,* pp. 160–161.

La question de la survie du latin a été reprise dans Gérard MOIGNET : *Essai sur le mode subjonctif en latin post-classique et en ancien français,* 1959 ; il conclut que le latin a continué à évoluer en tant que tel jusqu'aux environs du milieu du 8ᵉ siècle. Voir le compte rendu par Marcel Cohen dans *L'Année sociologique,* 1961, pp. 538–540. Voir d'autre part pour les circonstances économiques, E. SALIN : « *La civilisation mérovingienne* », t. I, 1950 et Maurice LOMBARD : « *L'or musulman du 8ᵉ au 11ᵉ siècle* », dans *Les Annales,* avril–juin 1947.

Le germanique

Pour les invasions germaniques et les éléments germaniques en français, voir Paul LEVY : *La langue allemande en France.* Lyon–Paris (I.A.C.), 1950. Vol. I : introduction avec bibliographie abondante ; y ajouter MUSSET : *Les invasions.* Paris, P.U.F., 1965, 2 vol., 331 et 244 pp.

Pour le vocabulaire voir en outre DARMESTETER : *Traité...* (cité p. 418, pp. 14–16 ; GAMILLSCHEG : *Wörterbuch* (cité p. 418), fin.

Le francique salien ou occidental est le premier élément germanique à considérer pour la première période. Il est très mal connu faute de textes. On dispose de mots isolés à titre de gloses dans la *lex salica.* En outre il est utilisé dans les dictionnaires étymologiques en grande partie sous forme de mots restitués par comparaison avec d'autres idiomes germaniques. L'ouvrage de Johannes FRANK : *Altfränkische Grammatik.* Göttingen, 1909, ne traite pas du francique salien mais seulement du francique ripuaire ou rhénan.

Pour la répartition des différents langages franciques, voir Friedrich ENGELS : *Der fränkische Dialekt.* Traduction française publiée à la suite de *L'origine de la famille, de la propriété privée et de l'Etat.* Paris (Editions sociales), 1962, pp. 244–268.

Pour les langages des Wisigots et des Burgondes, on ne reconnaît que quelques noms propres (voir ci-dessous : toponymie). Mais on a émis l'hypothèse que la physionomie particulière du franco-provençal (voir p. 80) pouvait tenir en partie au séjour des Burgondes dans cette région. Voir W. v. Wartburg : *Die Ausgliederung...* (cité p. 426), p. 67 etc. et Alvin Kuhn : *Die romanischen Sprachen* (cité p. 426), p. 294.

Pour l'installation des Germains, voir aussi :

Charles Verlinden : *Les origines de la frontière linguistique en Belgique et la colonisation franque.* Bruxelles (La Renaissance du Livre), 1955, 139 pages. Avec une abondante bibliographie et des cartes. Contredit par Jean Stengers dans *Latomus* 1959, pp. 366-395 et 593-611.

W. von Wartburg : *Das burgundische Superstrat im frankoprovenzalischen Wortschatz* dans *Zeitschrift für Romanische Philologie,* Tübingen, 1964, pp. 1-140.

A propos des Normands :

Adigard des Gauthries : *Les noms de personnes scandinaves en Normandie de 911 à 1066,* Mélanges Adolf Basel, 1955, pp. 215-216.

Pour les étapes postérieures, il y a eu un stock nordique de termes de navigation et autres venu en partie par les Normands, puis un stock néerlandais, enfin des emprunts à l'allemand.

La dégermanisation

Ce terme a été quelquefois employé pour parler de la relativement courte durée d'emploi de certains termes empruntés au germanique.

Sur le fait (sans le nom), voir :

Oscar Bloch : *De quelques caractères du vocabulaire français,* dans *Conférences de l'Institut de linguistique de l'Université de Paris.* IV, 1936, pp. 14-15.

Les plus anciens documents

(concerne en partie le chapitre suivant, voir p. 433)

Gloses. Voir Brunot : *H.L.F.,* t. I, pp. 139-141.

Les gloses les plus importantes sont celles dites de *Reichenau* (abbaye près du lac de Constance) en latin et germanique et celles de *Kassel* (Allemagne occidentale) en latin et germanique, ou roman et germanique. Publiées dans Foerster et Koschwitz et dans B. Pottier (ci-dessous p. 432). *Serments de Strasbourg.*

Le manuscrit unique de la *Chronique de Nithard,* conservé à la Bibliothèque nationale de Paris, est une copie exécutée à Soissons vers 1000. La *Chronique* a été éditée en 1588 par Pierre Pithou (sans traduction des « Serments ». Auparavant, Jean Bodin avait donné en 1577 le texte français du « Serment »), avec une traduction. L'histoire est à suivre dans Armand Gasté : *Les Serments de Strasbourg,* Tours, 1887. Le texte n'a pas cessé d'être étudié depuis.

Brunot : *H.L.F.,* t. I, pp. 142-146. (Avec un fac-similé).

F. Lot : « *Le dialecte roman des Serments de Strasbourg* », dans *Romania,* 1935, pp. 145-163. (Serait indéterminé. Il n'y avait sans doute pas de gens de l'Ile-de-France dans la petite armée de Charles le Chauve ; lui-même devait pratiquer plutôt le picardo-wallon).

Robert A. HALL jr.: *The Oaths of Strasburg. Prunices and classification*, dans *Language* 1953, pp. 317–321.

Arrigo CASTELLANI: *Le problème des Serments de Strasbourg*, VIIIe Congresso di studi romanzi, Florence, 1956, 24 p.

Pour A.C.: rédigés en aquitain du nord, c'est-à-dire en poitevin. Compte rendu par H. GUITER, *Revue des Langues romanes*, LXXIV, 1960.

Guiter rappelle la thèse d'A. Alphand († 1952), selon qui les Serments de Strasbourg seraient rédigés en languedocien (14–12–45 «Bernard de Septimanie et les Serments de Strasbourg»). [Résumé par J. POHL].

John A. REA: *Again the Oaths of Strasburg*, dans *Language* 34, 1958, p. 367. Soutien contre Hall qu'il ne s'agit pas de pré-français mais de français du Nord.

Réplique de Robert A. HALL jr.: *Yet again the Strasbourg Oaths*, dans *Language* 1959, pp. 24–25.

Robert A. HALL jr.: *Graphie und Phonologie in den Strassburger Eiden*, dans *Archiv für das Studium der neueren Sprachen und Literaturen*, avril 1966, pp. 437–439.

Helmut LÜDTKE: *Nochmals zum Problem der Strassburger Eide*, ibidem, pp. 439–440.

Pour le sermon sur Jonas: édition par G. de POERCK dans *Romanica Gandensia*, 1955 (voir *B.S.L.*, t. 53, 1957–1958, p. 91).

Chronologie des anciens textes.

Guy de POERCK: *Les plus anciens textes de la langue française comme témoins de l'époque*, dans la *Revue de linguistique romane*, janvier–juin 1963, pp. 1–34.

Essai de chronologie d'après les dates où les textes sont connus par des manuscrits (Eulalie et Jonas au 10° siècle, les Serments de Strasbourg au début du 11e siècle). La deuxième partie de l'article est une étude sur quelques points de morphologie.

Recueils des anciens textes.

W. FOERSTER et E. KOSCHWITZ: *Altfranzösisches Uebungsbuch*. Erster Teil: *Die ältesten Sprachdenkmäler*. Leipzig. 2e éd., 1946, 216 p. (épuisé).

— *Crestomatice romanică*, vol. I. Bucarest 1962. Partie française: *Des Serments de Strasbourg à François Villon*, pp. 465–609.

Le volume contient des recueils analogues pour les autres langues romanes.

Albert HENRY: *Chrestomathie de la littérature en ancien français*. Berne (Francke), 1953. Deux tomes en un volume: 351–176 pages.

Bernard POTTIER: *Textes médiévaux français et romans, des gloses latines à la fin du 15e siècle*. Paris (Klincksieck), 200 pages.

Louis Carolus BARRÉ: *Les plus anciennes chartes en langue française*. Coll. chez Klincksieck. T. II en 1964.

Maurice ARNOULD a découvert deux chartes du Hainaut de 1194 et 1195. La première a été publiée à la fin de 1965 dans *Mélanges d'histoire publiés à la mémoire du professeur Paul Bonenfant*, Bruxelles, 1966.

ONOMASTIQUE

Noms de lieux

Albert DAUZAT: *La toponymie française*. Paris (Payot), 1939; 1960, 338 p.

A. DAUZAT et Ch. ROSTAING: *Dictionnaire étymologique des noms et lieux en France*. Paris (Larousse), 1963, XII–737 p.

Ernest NÈGRE : *Les noms de lieux en France*. Paris (A. Colin), 1963, 232 p. (pour Adigard des Gauthries, voir p. 431).

Th. PERRENOT : *La toponymie burgonde*. Paris (Payot), 1942, 304 pages.

Paul LEBEL : *Principes et méthodes d'hydronymie française*, Collection de l'Université de Dijon, Paris, 1956, 424 pages.

Noms de personnes

Albert DAUZAT : *Dictionnaire étymologique des noms de famille et prénoms de France*. Paris (Larousse), 1951, 604 pages ; réimpression 1961, 652 pages.

CHAPITRE V

L'ANCIEN FRANÇAIS ET LA PÉRIODE FÉODALE

La société

Marc BLOCH : *La Société féodale. La formation des liens de dépendance*. Paris (Collection « Evolution de l'Humanité », A. Michel), 1939 ; 1949, XXVI–473 pages.

— *La Société féodale, Les classes et le gouvernement des hommes*. (Même lieu), 1940 ; 1949, XVIII–288 pages.

— *Les caractères originaux de l'histoire rurale française*. Oslo (et Paris), 1931, XVIII–266 pages.

(Renseignements donnés par Marc Bloch dans une lettre du 2 mai 1940 : à Paris au 12ᵉ siècle, un serf ne peut pas être fait prêtre, mais il peut être affranchi *ad tonsuram*. Dans les documents de ce temps, on rencontre souvent des prêtres serfs surtout en Bourgogne.)

Henri PIRENNE : *Les villes au Moyen Age*, essai d'histoire économique et sociale. Bruxelles (Lamertin), 1927, 206 pages.

Intéressant ; a été critiqué de divers côtés, voir notamment Maurice LOMBARD : *L'or musulman du 7ᵉ au 11ᵉ siècle* dans *Annales*, avril–juin 1947, et G. B. PELLEGRINI : *L'elemento arabo nelle lingue neolatine con particulare riguardo all'Italia*. Spoleto, 1965.

L'art du Moyen Age et la civilisation française (Collection « L'Evolution de l'Humanité », Paris, A. Michel), 1935. Deuxième partie (par Gustave COHEN) : *L'art littéraire*, pp. 279–428.

En face de la page 102, carte des mondes catholique, byzantin, musulman.

Histoire du Moyen Age, dans *Histoire générale*, dirigée par G. GLOTZ. Paris (Presses Universitaires). tome VIII, 1933. Henri PIRENNE, Gustave COHEN, H. FOCILLON : *La civilisation occidentale au Moyen Age*, en particulier : Gustave COHEN : *Le mouvement intellectuel, moral et littéraire de la fin du 11ᵉ au milieu du 15ᵉ siècle*, pp. 195–417.

Avec bibliographie. Situe la littérature française dans l'ensemble des littératures de l'Europe occidentale.

Dialectes et patois. (Voir aussi p. 451.)

Albert DAUZAT : *Les patois*. Paris (Delagrave), 1927, 207 pages, 2ᵉ édition 1938 ; 1946.

Notions diverses sur le patois en France, anciennement et de nos jours. Cartes. Bibliographie.

Atlas de France, publié par le Comité national de géographie. Carte n° 81. Langues et patois.
Voir encore ci-dessous, p. 370 et p. 371.
BRUNOT : *H.L.F.,* vol. I : *Les dialectes de la langue d'oui,* pp. 309-331, étudient les évolutions différentes des anciens dialectes, y compris le francien (ce qui vient en complément au chap. VI ci-dessous), en tenant compte des œuvres littéraires.
Louis REMACLE : *Le problème de l'ancien wallon.* Liège, 1948, 230 pages. (Compte rendu par R. L. WAGNER dans B.S.L., 1949, pp. 114-117).

Pour les dialectes occitans, brèves indications dans BRUNOT : *H.L.F.,* vol. I, pp. 308-309.
Pierre BEC : *la langue occitane. Collection* « Que sais-je », 1963, 128 pages. Bibliographie.
Jean ROUQUETTE : *La littérature d'oc.* Collection « Que sais-je », 1963, 128 pages.
On devra se rapporter au volume de l'*Encyclopédie de la Pléiade* (cité p. 419) : *Littératures dialectales,* pp. 1419-1514.
Voir aussi *Géographie linguistique,* p. 285.

Textes et littératures

V. L. SAULNIER : *La littérature française du Moyen Age.* Collection « Que sais-je », 1945 ; 6ᵉ éd., 1964, 136 pages. Abondante bibliographie.
Paul ZUMTHOR : *Histoire littéraire de la France médiévale.* Paris, P.U.F., 1954, 344 pages.
Pour la poésie : Edmond FARAL : *Les jongleurs en France au Moyen Age.* Paris, Champion, 1910, 839 pages.
Pour le caractère dramatique de la poésie de cette époque, qui éclaire certains détails du style et de la langue, voir Anna Granville HATCHER : *Epic patterns in old French : a venture into style and syntax,* dans *Word,* 2, 1, avril 1946, pp. 8-24.

Pour l'abondante littérature en latin : Jean-Pierre FOUCHER : *La littérature latine du Moyen Age.* Collection « Que sais-je », 1963, 128 pages. Bibliographie.

Musique.

Petit ouvrage d'ensemble : Armand MACHABEY : *La musicologie.* Collection « Que sais-je », 1962, 128 pages. Bibliographie.
Sur les notations : Armand MACHABEY : *La notation musicale.* Collection « Que sais-je », 1952 (réédition en 1960), 128 pages, avec bibliographie, Marcel COHEN : *La grande invention de l'écriture et son évolution.* Imprimerie nationale, 1958, chap. XIII et notes.
Pour la période féodale : Jacques CHAILLEY et collaborateurs : *Précis de musicologie,* Paris (P.U.F.), 1958, pp. 120-125 (indications bibliographiques).
Emile HARASZTI : « *Improvisateurs de langue vulgaire et de latin au quattrocento* », dans *Revue belge de musicologie,* 1955, pp. 3-12.
Armand MACHABEY : « *Les « plaintes » d'Abélard. Remarques sur le rythme musical au 12ᵉ siècle* » dans *Romania,* 1961, pp. 71-95.
Solange CORBIN : *La notation musicale neumatique. Les quatre provinces lyonnaises.* (Thèse) Paris, 1957 (dactylographiée).

Universités.

Ouvrage plus important que son titre ne l'indique : Istvan HAJNAL : *L'enseignement de l'écriture aux universités médiévales.* Budapest, Académie des Sciences, 1954. En français avec résumé en russe, 189 pages.

B. BISCHOFF : *Eine verschollene Einteilung der Wissenschaften* (Une classification des sciences disparues). Archivium historium der Literaturen des Mittelalters. Frankfurt, 1958 (paru en 1959), 25, pp. 5–20 (Pour le 13ᵉ siècle, une division autre que le *trivium* et le *quadrivium*).

Indications sur des débuts d'usage du français dans BRUNEAU : *Petite histoire,* t. I, pp. 36–37 et 72–74. (Diffusion de la traduction française de BOÈCE : *De consolatione philosophiae*).

Ecriture et les livres manuscrits.

Charles HIGOUNET : *L'écriture romaine,* Collection « Que sais-je », 1955, Chapitre V.

E. de GROLIER : *Histoire du livre.* Collection « Que sais-je », 1954, chapitre II : Le livre au moyen-âge.

David DIRINGER : *The hand produced book.* Londres, etc. (Hutchinson), 1953, 603 pages. Nombreuses planches.

– *Illumination and binding of the hand produced book,* ibidem.

Compléter par le chapitre suivant.

CHAPITRE VI

LA STRUCTURE DE L'ANCIEN FRANÇAIS

Phonétique et grammaire.

Pour la période de formation, voir les références des chapitres II (langues romanes) et IV. En particulier BOURCIEZ : *Eléments* (cité p. 415). Deuxième partie. *Phase romane primitive* et BRUNOT : *H.L.F.,* vol. I.
Recueil de textes.

G. PARIS et E. LANGLOIS : *Chrestomathie du Moyen Age.* Paris (Hachette), 1ʳᵉ édition 1897, 3ᵉ édition, 1903, XCVI–368 pages (réimpressions postérieures) ; dernière 1957.

En introduction, petite grammaire historique de l'ancien français. Textes avec traduction, pas de lexique.

J.-R. CHEVAILLIER et P. AUDIAT : *Les textes français* (Moyen Age). Paris 1932 ; 1962, 128–XLI pages.

En tête, petite grammaire sous le titre « Index grammatical », textes non traduits, glossaire.

SCHWAN-BEHRENS : *Grammaire de l'ancien français,* traduction par Oscar Bloch. 4ᵉ édition, Leipzig, 1932. *Phonétique et morphologie,* 316 pages (avec une riche bibliographie) et *Matériaux pour servir d'introduction à l'étude des dialectes de l'ancien français* (avec carte).

Joseph ANGLADE : *Grammaire élémentaire de l'ancien français.* Paris (A. Colin), 1917 ; nouvelle présentation, 1965, V–275 pages.

Contient une bibliographie, à laquelle on peut ajouter : BONNARD-SALMON : *Grammaire sommaire de l'ancien français avec un essai sur la prononciation au 14ᵉ siècle.* Paris-Leipzig, 1904.

L. CLEDAT : _Grammaire élémentaire de l'ancien français._ Paris (Garnier), 352 pages.

Ed. FARAL : _Petite grammaire de l'ancien français._ Paris (Hachette), 1941 ; 1963, 42 pages.

G. RAYNAUD DE LAGE : _Manuel pratique d'ancien français._ Picard 1964, 294 pages (dans le cadre de textes expliqués).

Pierre GUIRAUD : _L'ancien français._ Collection « Que sais-je ? », 1963, 128 pages, Vues personnelles de méthode.

Lucien FOULET : _Petite syntaxe de l'ancien français._ Paris (Champion), 1re éd. 1919, 3e édition, 1930, VI–393 pages, dernière 1965, XI–395 p.

A.-G. HAUDRICOURT et A.-G. JUILLAND : _Essai pour une histoire structurale du phonétisme français._ Paris (Klincksieck), 1949, 147 pages.

Voir WAGNER : _Phrases en si_ (cité p. 439) chap. VIII.

Vocabulaire

Comme _dictionnaire_ on a eu d'abord LACOMBE (voir p. 446) et LACURNE DE SAINTE-PALAYE : _Dictionnaire historique de l'ancien langage françois depuis son origine jusqu'au siècle de Louis XIV,_ composé au 18e siècle (voir p. 219), publié par L. Favre, à Niort, entre 1875 et 1880 (jusqu'au mot quiquermesse).

Juste après cette publication a commencé à paraître le _Godefroy_ (voir p. 284 en 10 volumes, Paris (Vieweg-Bouillon), de 1881 à 1902 ; 1937–1938, et un abrégé de celui-ci en un volume par BONNARD DE SALMON Paris, Leipzig, 1901. TOBLER-LOMMATZSCH : _Altfranzösisches Wörterbuch,_ à partir de 1925. Berlin, puis Wiesbaden. Volume VII en cours (59e livraison 1960 m paradis). Raphaël LEVY : _Le trésor de la langue des Juifs français au moyen âge :_ University of Texas Press, Austin, 1964, XIX–237 p.

Il faut tenir compte des _Historiques_ dans le dictionnaire de Littré.

Il serait injuste d'oublier comme précurseur Ménage qui avait dépouillé des textes d'ancien français (voir p. 188).

Des dictionnaires courts sont :

H. VAN DAELE : _Petit dictionnaire de l'ancien français._ Paris (Garnier), 1940, 536 pages.

R. GRANDSAIGNES D'HAUTERIVE : _Dictionnaire d'ancien français,_ Moyen Age et Renaissance. Paris (Larousse), 1947 ; 1963, XII–592 pages.

Points particuliers

(P. 99). Consonne _s_ : G. BARCZI : _Les mots d'emprunt vieux français en hongrois et l'histoire de l'amuissement des_ s _préconsonantiques et finales du français_ dans _Mélanges linguistiques offerts à Emil Petrovici._ Bucarest, 1958, pp. 71–79.

Période 13e–14e siècle sort de _s_ (passage de _s_ à _h_ et zéro).

(P. 112–113). Restes de la déclinaison latine : il existe, non loin de Liège (Belgique) un endroit appelé _Francorchamps_ = Francorum campus.

(P. 114). Pluriel en -_s._ Le nominatif pluriel en -_as_ se trouve dans des textes latins médiévaux et dans des inscriptions en dehors de France ; on lui a attribué une origine osco-ombrienne. Cependant, sur le domaine gallo-roman au moins, c'est l'explication par l'analogie qui doit prévaloir (voir B.S.L. t. 42 (1942–1945), p. 96).

(Pp. 117–123). Jean STEFANINI : *La voix pronominale en ancien et en moyen français* dans *Annales de la faculté des lettres d'Aix*, 1962, 753 pages.
Paul IMBS : *Les propositions temporelles en ancien français*. Paris, Les Belles lettres, 1957, XII–608 pages.
(Pp. 124–129). Parmi les concurrences de mots, celle de *tête* et de *chef*, pratiquement conclue seulement au 16ᵉ siècle, est spécialement intéressante ; en effet pendant longtemps on a considéré que *testa* ayant désigné à l'origine surtout une poterie, son emploi indiquait une influence argotique sur l'ancien français, or le sens de 'crâne' avec emploi spécialement chirurgical est d'époque latine. Voir ERNOUT-MEILLET sous *testa* et *testum ;* les dictionnaires étymologiques sous *tête, têt, chef* et l'article de E. BENVENISTE dans *Word,* août-décembre 1954, pp. 255–256.
(P. 124). Les emprunts latins dès les plus anciens textes ont donné lieu à une vue générale ; voir G. GOUGENHEIM : *La relatinisation du vocabulaire français* dans *Annales de l'Université de Paris,* janvier–mars 1959, avec diverses références, pp. 5–18, dont l'article du même auteur : *La fausse étymologie savante* dans *Romance Philology*, I, 1948, pp. 277–283 sur des rattachements faux de mots français à des mots latins.
Une étude importante centrée sur quelques mots, mais accompagnée d'une introduction méthodique et d'une large bibliographie est K. J. HOLZMANN : *Le développement du vocabulaire féodal en France pendant le haut Moyen Age (Étude sémantique).* Genève–Paris (Droz-Minard), 1957, 202 pages.
Pour la dégermanisation, voir ci-dessus p. 431.

CHAPITRE VII

LE MOYEN FRANÇAIS (14ᵉ ET 15ᵉ SIÈCLE)

Littérature et grammaire

La formation du génie moderne dans l'art de l'Occident. Collection « L'Evolution de l'Humanité ». Paris (Albin Michel), 1936. Première partie (par Gustave COHEN) : *La littérature, expression de la Société* (14ᵉ–15ᵉ siècles), pp. 13–150. Voir aussi l'ouvrage de G. COHEN cité pour le chapitre V.
Pierre GUIRAUD : *Le moyen français.* Collection « Que sais-je », 1963, 125 pages. Utile orientation en particulier sur la question de l'orthographe au 16ᵉ siècle.

Vocabulaire

Mario ROQUES : *Recueil général des lexiques français du Moyen âge* du XIIᵉ au XVᵉ siècle. I : Lexiques alphabétiques (Paris, Champion), t. I, 1936, XXXIII–523 p. ; t. II, 1938, XX–462 p.
W. von WARTBURG, dans *Problèmes*, (voir p. 356), p. 206, note l'influence de Nicole Oresme (1330–1380), traducteur d'Aristote, sur le latin ; celui-ci accompagne souvent des mots nouveaux de leur équivalent plus ancien, ainsi *traîner ou traire, vélocité et astivité.* Ceci indique une prise de conscience du changement de vocabulaire.

A propos du même Oresme : Gunther KLUGE : *Der neue Wortschatz in Oresmes « Traité de la Monnaie » (1361)* dans *Wissenschaftliche Zeitschrift der Humboldt-Universität zu Berlin.* Gesch. und Sprachwiss. Reihe VII, 1956–1957, n° 2, pp. 113–114.

Style

Sur la prose du 15ᵉ siècle en général, une étude précise de Jens RAS-MUSSEN : *La prose narrative française au 15ᵉ siècle.* Copenhague, 1958, 198 pages. (Compte rendu par G. GOUGENHEIM dans *B.S.L.*, 55, 1960, pp. 140–142).

Ksenija KOVANOVIC : *Remarques sur les procédés de remaniement des textes au Moyen âge* dans *Bulletin des jeunes romanistes,* n° 5 (1962), pp. 23–29.

Halina LEWICKA : *La langue et le style du théâtre comique français des 15ᵉ et 16ᵉ siècles. La dérivation.* Varsovie–Paris (Klincksieck), 1960, 404 pages.

Urszula DEMBSKA-PROKOP : *Un problème de la syntaxe française. L'expression de la conséquence dans les chroniques de J. Malleret et chez quelques autres prosateurs.* Kwartalnik neofilologiczny, X, 1963, pp. 333–363.

L'étude des mots savants n'épuise pas la question de vocabulaire aux 14ᵉ-15ᵉ siècles. On peut rappeler, parmi les faits curieux, que c'est en 1460 qu'est attesté pour la première fois le mot *bijou,* pris au breton *bizou* qui devait remplacer à peu près *joyau* à radical latin connu mais à histoire peu claire.

L'imprimerie

Lucien FEBVRE et Henri-Jean MARTIN : *L'apparition du livre.* Ed. Albin Michel, 1959, 558 pages, 24 planches, 1 carte.

CHAPITRE VIII

LE MOYEN FRANÇAIS (16ᵉ SIÈCLE)

A. DARMESTETER et A. HATZFELD : *Le 16ᵉ siècle en France. Tableau de la littérature et de la langue.* Paris (Delagrave) 3ᵉ édition en 1885–6, 301 pages ; accompagné de : *Morceaux choisis des principaux écrivains du 16ᵉ siècle.* 1933, 384 pages. (Réimpressions postérieures).

Lazare SAINÉAN : *La langue de Rabelais.* Paris (de Boccard), 1922, 2 volumes, 1923.

Floyd GRAY : *Le style de Montaigne.* Paris (Nizet), première partie, 1958. Grammaire, 264 pages (Suite non parue).

Un lexique de la langue des *Essais* se trouve au tome V de l'édition de Bordeaux (1939), fin.

Edmond HUGUET : *Dictionnaire du français du 16ᵉ siècle.* Paris, Champion, depuis 1925. Dernier fascicule paru en 1966 n° 63–4 (jusqu'à *travailleuse*).

G. GOUGENHEIM : *Grammaire du 16ᵉ siècle.* Lyon–Paris (C.I.A.C.), 1951, 258 pages.

Pierre GUIRAUD : *Moyen français*, voir ci-dessus p. 438.

Pour la syntaxe, voir Robert-Léon WAGNER : *Les phrases hypothétiques commençant par «si» dans la langue française des origines à la fin du XVIe siècle.* (Droz) 1939, 552 p.

Halina LEWICKA : *Survivances de l'ancien complément déterminatif sans préposition dans le français des 15e et 16e siècles.* dans *Omagiu lui Alexandru Rosetti*, Bucarest, 1965.

Sur les grammairiens du 16e siècle, voir BRUNOT : *H.L.F.*, Livre II, Chapitre II, *Efforts pour constituer une grammaire*, p. 124 et suite.

Pour les dictionnaires, voir p. 441.

Pour la prononciation : Bror DANIELSSON : *La prononciation du français au 16e siècle d'après John Hart (1551, 1569, 1570)* et G. LEDOYEN DE LA PICHONNAYE (1576) dans *Mélanges Fernand Mossé*, Didier, 1959, pp. 75–86.

Seven Gösta NEUMANN : *Recherches sur le français des 15e et 16e siècles et sur sa codification par les théoriciens de l'époque.* Etudes romanes de Lund, 1954, 224 pages. C. r. par Cl. CHEVALIER dans *Fr. mod.*, avril 1961, pp. 149–151.

Pour le vocabulaire : Bartina H. WIND : *Les mots italiens introduits en français au 16e siècle.* Thèse d'Amsterdam, 1928 (Dewinter), 226 pages. Avec introduction théorique.

Orthographe

Charles BEAULIEUX : *Histoire de l'orthographe française.* Tome I : *Formation de l'orthographe au milieu du XVIe siècle.* Paris (Champion) 1927. 367 pages. Tome II : *Les accents et les autres signes auxiliaires.* Paris (Champion), 1927, xx–134 pages.

Robert Estienne a fait du «praticianisme», système factice, une réalité. Complément du tome I de *l'Histoire de l'orthographe française*, 1955, 47 pages (tirage à part du Bulletin de la Société des bibliophiles de Guyenne) Paris, (Marcel Didier).

Diffusion des imprimés

Jean-Pierre SÉGUIN : *L'information en France avant le périodique (500 canards imprimés entre 1529 et 1631)* dans *Arts et traditions populaires*, 1963, pp. 20–32, 119–245, 263–280 ; bibliographie, illustrations.

Pierre BROCHON : *Le livre de colportage en France depuis le 16e siècle*, Paris (Gründ), 1954, 152 pages, avec bibliographie et illustrations.

Pour les dictionnaires du 16e siècle, voir ci-dessous chapitre IX.

CHAPITRE IX

LE FRANÇAIS CLASSIQUE DE 1594 A 1715

Histoire de la littérature

Antoine ADAM : *Histoire de la littérature française du 17e siècle.* Paris (Domat-Monchrétien), 5 vol., 1949–1956.

Manuel d'histoire littéraire de la France, tome II, de 1600 à 1715, 1966, 497 p., 9 tableaux en dépliants (voir p. 419).

Prononciation

Témoignages divers rapportés dans THUROT (voir p. 417) et MEILLET (voir page 418).

Théodore ROSSET : *Les origines de la prononciation moderne étudiées au 17ᵉ siècle d'après les remarques des grammairiens et les textes en patois de la région parisienne.* Paris (Armand Colin), 1914, 421 p. (Pour l'appendice, voir p. 443.)

Géraud DE CORDEMOY : *Discours physique de la parole,* Paris 1668, in-12, XXX–201 pages ; rééditions postérieures ; édition critique par M. Leroy et J. Pohl prévue pour 1968.

Source de la leçon du maître de philosophie dans Molière : *Le bourgeois gentilhomme,* Acte II, scène 4.

Marcel COHEN : *Le français en 1700 d'après le témoignage de Gile Vaudelin.* Paris (Champion) 1946, 92 pages et 6 pages en fac-similé. Mise en œuvre de deux fascicules en orthographe phonétique combinée par Gile Vaudelin (1713 et 1715).

André MARTINET : « *Notes sur la phonologie du français vers 1700* » dans *B.S.L.* T. 43 (1946), pp. 13–26. Cet article est écrit à propos de l'ouvrage précédent, où il critique avec raison l'interprétation de quantités longues des voyelles *a, o, eu* indiquées par Vaudelin en différences de timbre. Il faut savoir néanmoins qu'en dehors du contraste *é è* généralement reconnu à cette époque, d'autres différences de timbre ont été notées par certains grammairiens. La grammaire de Port-Royal (voir p. 187) distingue formellement les *o* ouvert et fermé (reproduit dans THUROT, p. 213).

Indications sur la prononciation d'après Richelet. Voir ci-dessous.

De plus Th. ROSSET : *E féminin au XVIIᵉ siècle* dans Mélanges Brunot, 1904, pp. 433–450.

Grammaire.

Pour les grammairiens du temps, voir spécialement dans :

BRUNOT : *H.L.F.,* tome IV, la langue classique, 1ʳᵉ partie, livre premier, chapitre premier.

— Dans *l'Histoire littéraire de la France,* t. II (voir ci-dessus), le chapitre de D. Coste.

A. HAASE : *Syntaxe française du 17ᵉ siècle,* traduit de l'allemand par M. Obert. Paris (Picard), 1898, XVI–478 pages ; 4ᵉ éd. Delagrave 1935, 448 p.

J. A. QUILLACQ : *La langue et la syntaxe de Bossuet.* Tours, (A. Cattier) 1903. 820 pages. Contient des dépouillements de Bossuet et d'autres auteurs.

Utiliser en outre Vaudelin (voir ci-dessus Marcel COHEN) et le dictionnaire DUBOIS-LAGANE ci-dessous (où Vaudelin n'a pas été utilisé).

Question des passés : un décompte fait sur le *Discours de la Méthode* de Descartes a donné 160 passés composés contre 78 passés simples. (Voir *Fr. mod.,* juillet 1965, p. 235, analysée par I. Vildé-Lot d'un travail de P. P. DAV : *Observations relatives à l'emploi du passé simple et du passé composé dans le Discours de la Méthode,* paru dans un recueil de romanisme à Léningrad en 1959.

Orthographe

Dans *H.L.F.*, t. IV, 1re partie, BRUNOT a consacré tout le Livre deuxième à *la forme extérieure de la langue, l'orthographe.*

Il faut noter en particulier (pp. 96-114) ce qui concerne le Sieur DE SOMAIZE : *Le dictionnaire des Précieuses*, 1661 *(sous Orthographe)* et la tentative du professeur et réformateur de l'orthographe Louis de L'ESCLACHE : *Véritables règles de l'ortografe francèse ou l'Art d'aprandre an peu de tams à écrire corectemant.*

A ce sujet voir aussi C. VOILE : *La leçon d'orthographe du Bourgeois gentilhomme* dans *Le français moderne*, 1935, pp. 55–64 et MONNEROT DUMAINE : *Ortografe* (cité p. 446), p. 19.

Pour la préparation orthographique du dictionnaire de l'Académie, voir Charles BEAULIEUX : *Observations sur l'orthographe de la langue françoise.* Paris (Champion), s.d. (1951), 268 pages et 102 fac-similés.

Pour le dictionnaire de Richelet voir l'extrait reproduit p. 203.

Le *dictionaire* (sic) de Bayle (voir p. 188) est imprimé à peu près dans la même orthographe réformée que celui de Richelet.

Voir W. Van der Wijk : *La première édition du Dictionnaire François de Richelet*, thèse d'Amsterdam, 1923.

Pour VAUDELIN, voir ci-dessus.

Vocabulaire

Charles BEAULIEUX : *Liste des dictionnaires, lexiques et vocabulaires français antérieurs au Thrésor de Nicot (1606)*, dans *Mélanges Ferdinand Brunot*, pp. 272–398.

Le premier dictionnaire véritable du français avec des exemples est, mis sous le nom de Robert Estienne (mort en 1559), le premier dictionnaire de Nicot, paru en 1573. Le titre est Robert ESTIENNE : *Dictionnaire françois-latin, augmenté outre les précédentes impressions, d'infimes dictons françois, spécialement des mots de la marine, vénerie et falconnerie recueillis des observations de plusieurs hommes doctes, entre autres de M. Nicot... réduit à la forme et perfection des dictionnaires grecs et latins.*

Dans ce dictionnaire, le latin figure à portion réduite. Il a été réédité plusieurs fois jusqu'en 1628 (après la publication du *Thrésor*).

Thrésor de la langue française tant ancienne que moderne, auquel entre autre choses, sont les mots propres de marine, vénerie et faulconnerie, cy devant ramassez par Aimar de Ronconnet... reveu et augmenté en cette dernière impression de plus de la moitié par Jean Nicot... avec une grammaire françoyse et latine, ensemble le nomenclator de Junius mits par ordre alphabetic, et creu d'une table particulière de tous les dictons. (Réimprimé en 1614 et 1624). Le latin figurait encore dans ce dictionnaire.

Pour les mots employés par Nicot, non répertoriés à leur place, voir Oscar Bloch dans *Mélanges Brunot*, pp. 1–13 et H.L.F., t. III, première partie, p. 86 note (ci-dessus p. 217).

Les dictionnaires français-latins du 17e siècle ne sont pas cités ici.

Un précieux document pour le lexique est en 1648 : Antoine OUDIN : *Curiositez françoises pour supplement aux dictionnaires, ou recueil de plusieurs belles propriétés avec une infinité de Proverbes et Quolibets pour l'explication de toutes sortes de livres.*

Pour les dictionnaires français de la fin du siècle voir pp. 188 et 217.

Ouvrages modernes.

Edmond HUGUET : *Petit glossaire des classiques français du 17ᵉ siècle.* Paris (Hachette), 1907 ; 1936, VIII–409 pages.

— *L'évolution du sens des mots depuis le 16ᵉ siècle.* Paris (Droz), 1934, XI–347 pages.

— *Mots disparus ou vieillis depuis le 16ᵉ siècle.* Paris (Droz), 1955, 356 pages.

G. CAYROU : *Le français classique. Lexique de la langue du 17ᵉ siècle.* Paris (Didier), 1923 ; 1964, 888 pages et 48 illustrations hors texte.

J. DUBOIS – R. LAGANE : *Dictionnaire de la langue française classique.* Paris (Belin), 1960, 508 pages.

Beaucoup de remarques de grammaire et d'orthographe et un certain nombre de prononciations sont reprises dans un utile index grammatical.

H. R. BOULAN : *Les mots d'origine étrangère en français* (1650–1700). Amsterdam, 1934.

Pour la connaissance des vocabulaires particuliers des écrivains, on a disposé d'abord des lexiques de la collection des Grands écrivains de la France, mis en orthographe du 19ᵉ siècle (Hachette) et pour Molière du lexique de Livet (1896–1897), l'effort portant seulement sur une collecte complète pour l'ensemble de l'œuvre. Une étude comme celle de Jacques-Gabriel CAHEN : *Le vocabulaire de Racine,* Paris (Droz) 1946, 251 pages, était essentiellement qualitative.

Depuis 1952, une nouvelle méthode est instituée. On publie des index distincts pour chaque œuvre en distinguant pour les vers les mots qui apparaissent à la rime, et en pratiquant des numérations, spécialement des calculs de fréquence.

Une collection due à Pierre GUIRAUD (avec certaines collaborations) a paru à la librairie Klincksieck (Paris) : pièces de Corneille, Racine, Regnard, Rotrou.

Le Centre d'étude du vocabulaire français dirigé par B. Quemada à Besançon, disposant de moyens mécanographiques, annonce comme disponibles un certain nombre d'index de textes littéraires du 16ᵉ au 20ᵉ siècle. Certains ont été ou vont être publiés par la librairie Larousse. (Consulter les Etudes de linguistique appliquée, Paris, Didier.)

D'autres travaux se font à Manchester sous la direction de P. Wexler.

Charles MÜLLER a décrit la méthode et a donné une bibliographie : *Les index de vocabulaire* dans *Bulletin des jeunes romanistes,* Strasbourg, n° 4, décembre 1964.

Il a consacré un ouvrage entier à l'analyse d'une seule pièce : *Essai de statistique lexicale (L'illusion comique de Pierre Corneille),* Paris (Klincksieck), 1964, 204 pages.

Une étude intéressante sur un vocabulaire spécial est Bernard QUEMADA : *Introduction à l'étude du vocabulaire médical (1600–1710).* Besançon (Université) et Paris (Les Belles-Lettres), 1955, 199 pages.

Un nouveau livre de lui a paru à temps pour que je puisse l'utiliser (voir le compte des mots de Corneille, p. 217) : *Etude statistique et lexicale : le vocabulaire du théâtre de Pierre Corneille,* Paris (Larousse), 1967, 380 pages. Il remercie dans l'avant-propos le Centre de Besançon pour les travaux préparatoires.

Pour la situation des langues régionales, voir, outre H.L.F. :

Henri PEYRE : *La royauté et les langues provinciales*. Paris, 1933 (et 1937), 272 pages ; dans ce livre, p. 109 :

« *Aujourd'hui, non seulement la religion n'apparaît pas comme un fait politique*, mais l'Etat moderne adopte à son égard l'attitude primitive de la royauté à l'égard de la langue : il l'ignore. Par contre, l'Etat moderne *voit dans la langue un fait politique qui mérite les faveurs de sa politique.* » (Au contraire la royauté se préoccupait vivement de l'unité religieuse).

De plus, les ouvrages de Brun, cités p. 452.

Pour la littérature pseudo-populaire et le langage de la banlieue parisienne :

Charles NISARD : *Etude sur le langage populaire ou patois de Paris et de sa banlieue*. Paris (Franck), 1872, 454 pages.

Théodore ROSSET, l'ouvrage cité ci-dessus, p. 440 et son appendice : *Dix conférences en patois* (1649-1668). Paris (Armand Colin), 1911, 86 pages.

La plus grande partie de ces textes a été rééditée avec une étude plus poussée. *Agréables conférences de deux paysans de Saint-Ouen et de Montmorency sur les affaires du temps (1649-1651)*. Edition critique par Frédéric Deloffre (Ed. Les Belles Lettres), 1961, 210 pages avec 6 planches et cartes hors texte. En appendice, une étude complète de la langue.

CHAPITRE X

STRUCTURE DU FRANÇAIS MODERNE

Voir en particulier l'ouvrage de G. GOUGENHEIM cité p. 416, et certains des ouvrages cités à propos du chapitre XV.

Liaisons

Voir notamment BRUNOT : *La pensée et la langue* (cité p. 417), p. 102, sur le fait que la prononciation distinguée du 17ᵉ siècle n'observait pas certaines liaisons qui ont été imposées au 19ᵉ siècle, ainsi : « Irons-nou(s) à Paris » (sans *z* entre *nous* et *à*). De nombreux autres exemples se trouvent dans l'ouvrage d'après *Vaudelin* cité p. 440.

Ordre de fréquence des phonèmes du français

Il est difficile à déterminer, variant suivant la matière et les conditions des statistiques. Il n'est donné ici aucune conclusion. On pourra consulter les travaux de P. CHAVASSE dans les *Comptes rendus de l'Académie des sciences* de 1943 et dans les *Annales des télécommunications* de 1948, qui ont été utilisées par les auteurs cités ensuite :

Marguerite DURAND, dans les *Actes du sixième congrès international des linguistes*. Paris, juin 1948 (Klincksieck, 1949), pp. 572-582, a montré toutes les 'embûches' qui menacent ces sortes de statistiques.

Je possède d'elle une feuille manuscrite donnant sa propre statistique, sans indication de la manière dont elle est obtenue. Elle est reproduite ici (avec l'orthographe française au lieu de l'orthographe phonétique) et un rangement par ordre de fréquence.

été	10,7%	on	2,4%
r	8,7	n	2,3
ity	7,7	v	2
l	7,6	z	2
s	7,4	e	1,9
a	7,3	f	1,3
t	5,7	in	0,9
d	5,3	j	0,9
k	4,2	g	0,8
an	3,6	eu	0,7
p	3,4	b	0,7
o	3,2	ch	0,4
u	3,1	un	0,2
m	3	gn	0,05
ou + w	2,8		

Voir Pierre R. Léon : *Problèmes de méthode en phonétique corrective* dans *Le français dans le monde*, n° 1, janvier–février 1963, pp. 9–12 et n° 15, mars 1963, pp. 9–12, reproduisent un tableau de J. Cl. Lafon.

Une étude se trouve dans Jean-Claude Lafon : *Message et phonétique*, P.U.F., 1963, pp. 141–154 pour le français écrit et le français parlé.

Des données résultant de textes courts de Bossuet, Chateaubriand et Valéry se trouvent dans Jacques Duron : *Langue française langue humaine*. Larousse, 1962, p. 163.

Voir aussi Pierre Guiraud : *Les structures aléatoires de la double articulation*, B.S.L., 58, 1963, pp. 135–155.

Voir encore Maurice Delamain : *Plaidoyer pour les mots*, Stock, 1968, pp. 123–126 et 182–183. Isutomu Akamatsu : *Quelques statistiques sur la fréquence d'utilisation des voyelles nasales françaises*, La linguistique, 1967, n° 1, pp. 75–80.

Grammaire

La partie consacrée aux verbes a été allégée d'un tableau des formes et de leur emploi pour lequel on pourra se reporter à une grammaire usuelle. Je désigne Marcel Cohen : *Grammaire française en quelques pages* (Paris, Sédes), 1966, p. 24, tableau pp. 30 et 31 où les formes surcomposées ont la place qui leur est due, sauf pour l'infinitif et le participe.

Ici quelques détails au sujet de ces formes qui comportent deux fois l'auxiliaire *avoir* ou à la fois l'auxiliaire *avoir* et l'auxiliaire *être*. Leur emploi en proposition subordonnée temporelle est d'exprimer à la fois antériorité et accomplissement, ainsi : « quand il a eu fini de manger il est parti se promener », « quand il a été arrivé, on s'est mis à table » ; en proposition indépendante c'est une expression de l'accomplissement plus ou moins brusque : « le chien a eu tout mangé en un instant ».

Ces formes sont peu fréquentes dans le français général à l'exception du passé surcomposé remplaçant le passé antérieur de la langue écrite, comme dans les exemples ci-dessus ; elles se rencontrent rarement dans les textes.

Il se trouve que dans les textes que nous possédons de l'ancien français seul le plus-que-parfait surcomposé est attesté. En moyen français on a relevé quelques exemples du passé, ainsi dans le *Recueil de farces inédites du 15ᵉ siècle* publié par Gustave COHEN à Cambridge, Massachusetts en 1949 (LIII, p. 433): «Point n'ay si tost eu parlé qu'i m'a pris; j'en suis tout esmeu!»

A l'époque classique des grammairiens ont nommé et décrit les surcomposés.

Il convient de se reporter à l'article fondamental de Lucien FOULET dans *Romania* L. I, 925: *Le développement des formes surcomposées.* Voir en outre A. DAUZAT: *Histoire,* § 347 et 348; Pierre DELATTRE: *Le surcomposé réfléchi en subordonnée temporelle* dans *Le français moderne,* avril 1950, pp. 95–108. Dam. P., tome V, 1936 à partir du § 1775, voir références à la table analytique; références à des textes et observations au vol. Grevisse: *Le Bon usage,* § 661 avec historique.

Paul IMBS: *Emploi des temps,* chapitre VI, pp. 131–136 où des références ne sont pas précisées. H. LEKBE: *Etat présent des études sur les formes surcomposées* dans *Kwartalnik neofilologiczny.* Varsovie, IV, 1957, pp. 158–163, en polonais, avec une abondante bibliographie.

Un livre entier a été consacré à ce sujet: M. CORNU: *Les formes surcomposées en français.* Berne, 1953, XI–261 pages, tenant compte des usages provinciaux, d'une manière encore insuffisante. Voir à ce propos A. DAUZAT dans *Le français moderne,* 1954, pp. 259–262.

C. r. par BONNARD dans *Romanic philology,* août 1960, pp. 61–68, avec une citation du Roman de Renart.

Voir depuis: Robert LE BIDOIS: *Plaidoyer pour les temps «surcomposés»* dans le *Monde* du 20 octobre 1962. J. POHL: *Témoignages,* 1963, pp. 74–79 et M. C. dans *l'Humanité,* 11 juillet 1966 et notes postérieures.

Vocabulaire

Les études sur sa composition sont insuffisantes.

La *Grammaire française* (cours supérieur) de BRACHET et DUSSOUCHET (Hachette) 1888, donne p. 14 d'après le dictionnaire de l'Académie de 1878 un total de 32.000 mots dont 12.000 populaires et 20.000 savants. Sur les 12.000: 4.200 simples et 8.000 dérivés français.

Des sondages rapides pour les mots créés en français ont donné lettre A: environ 50%; lettre B: environ 33%; lettre D: environ 33%; lettre E: environ 40%; lettre F: environ 40%. – Evaluation globale de Dubois: *Grammaire* (cité p. 462), p. 61: 63%.

Longueurs de mots:

Annemarie SCHÖNHAGE: *Zur Struktur des französischen Wortschatzes. Der französische Einsilber* (Structure du vocabulaire français. Le monosyllabe français) dactylographié. Bonn, 1948, 70 pages + 101 pages.

C. r. par G. GOUGENHEIM dans *Fr. mod.,* 1952, pp. 66–68.

«Sur le vocabulaire qu'elle a pris pour base Mˡˡᵉ Schönhage s'est livrée à des opérations de classement et de statistique qui aboutissent à de nombreux tableaux, qu'elle commente avec pertinence. Elle remarque d'abord que dans le vocabulaire français la première place revient aux mots de trois syllabes

(37%) suivis de près par ceux de deux syllabes (36%). Puis viennent ceux
de quatre syllabes (13%) et d'une syllabe (10%). Le nombre de mots de
plus de quatre syllabes est très réduit. »
   Sur le même sujet : Charles MÜLLER. *La longueur moyenne du mot dans
le théâtre classique* dans *Cahiers de lexicologie*, II, 1964, pp. 29–44.
   Longeur moyenne des mots moindre en français qu'en anglais et espagnol.
Voir André CLASSE : *Redundancy* dans *Mélanges Daniel Jones*, 1964,
pp. 43–45.
   Je ne connais pas d'étude de la longueur des propositions et des phrases.

CHAPITRE XI

LE FRANÇAIS CLASSIQUE DE 1715 A 1789

   Se reporter à l'*Histoire* de BRUNOT spécialement détaillée pour cette
période. (Tome VI dont la deuxième partie en deux volumes est signée de
Alexis FRANÇOIS (pour L'*Histoire* de ce dernier voir p. 413).
Ferdinand GOHIN : *Les transformations de la langue française pendant la dernière
moitié du 18ᵉ siècle*. Paris (Belin), 1903, 399 pages.
   Une étude de vocabulaire importante est Gunnar von PROSCHWITZ : *In-
troduction à l'étude du vocabulaire de Beaumarchais*. Stockholm (Romanica
Gotheburgensia V ; dépositaire en France : Nizet), 1956, XII–387 pages.
   Du même auteur : *Le vocabulaire politique du 18ᵉ siècle avant et après
la Révolution. Scission ou continuité ?* dans *Le français moderne*, avril 1966,
pp. 187–192.
   Parmi les trop rares études sur des auteurs particuliers, la seule complète
est Frédéric DELOFFRE : *Une préciosité nouvelle. Marivaux et le marivaudage.
Etude de langue et de style*. *Les Belles-lettres*, 1955, 603 pages.
   L'indexation systématique des principaux auteurs du 18ᵉ siècle par des
équipes de jeunes lexicographes est actuellement en cours.
   Pour le dictionnaire de Trévoux on a noté les chiffres suivants : édition
de 1704, 30.000 ; en 1740, 45.000 ; en 1771, 60.000.
   On peut noter au 18ᵉ siècle un début d'études sérieuses sur l'ancien
français. Pour Lacurne de Sainte-Palaye, voir p. 436. Il ne faut pas omettre
François LACOMBE : *Dictionnaire du vieux langage françois, enrichi de
passages tirés des manuscrits en vers et en prose, des actes publics, des
ordonnances de nos rois* etc. Paris (Panckouke) 1766, pet. in 8, 498 pages.
Supplément en 1767, contenant aussi la langue romane ou provençale et
la normande du 9ᵉ au 15ᵉ siècle, avec une étude d'histoire de la langue
(y compris les Serments de Strasbourg). Du même auteur en 1768 : *Dictionnaire de la langue romane ou du vieux langage françois.*
   Pour la *langue poissarde*, voir l'ouvrage de NISARD cité ci-dessus pour le
chapitre IX, p. 443.
   Pour l'*orthographe*, des tentatives de réformes sont à citer (voir MON-
NEROT-DUMAINE : *L'ortografe*, pp. 17–18).
   Le grammairien Nicolas Beauzée étant devenu rédacteur à l'*Encyclopédie*
en 1755 et chargé des articles *Orthographe et Néographisme* y exposait un
système complet de réforme.
   En 1756, Ch. Duclos, secrétaire perpétuel de l'Académie, rééditant la
grammaire de Port-Royal, se manifestait réformiste.

En 1771, Noël-François de Wailly a publié *Moyens simples et raisonnés de diminuer les imperfections de notre orthographe, de la rendre aisée...,* Paris, 1771. Restif de la Bretonne a publié au t. XVI de *Monsieur Nicolas,* pp. 4689–4713, quelques pages, avec orthographe réformée, de son ouvrage : *Le glossographe ou la langue réformée,* resté inédit et dont le manuscrit a disparu. (Voir P. L. JACOB : *Bibliographie et iconographie de tous les ouvrages de Restif de la Bretonne,* 1875, pp. 446–454).

CHAPITRE XII

RÉVOLUTION ET EMPIRE

Paul LAFARGUE : *Critiques littéraires.* Paris (E.S.I.), 1936, pp. 35–85. La langue française avant et après la Révolution ; pp. 87–120. Les origines du romantisme.

Max FREY : *Les transformations du vocabulaire français à l'époque de la Révolution* (1789–1800). Paris (Presses Universitaires), 1925, 297 pages.

Large utilisation des ouvrages du temps ; avant Mercier (voir p. 243) notamment : *Nouveau dictionnaire français* pour servir à l'intelligence des termes mis en vogue par la Révolution (1792) ; *Le Néologiste français,* vocabulaire portatif des mots les plus nouveaux de la langue française (1796).

Charles de POUGENS : *Vocabulaire de nouveaux privatifs français,* Paris, 1794.

Ferdinand BRUNOT : *Du caractère de quelques innovations dans le lexique français de l'époque révolutionnaire et impériale.* Comptes rendus de l'Académie des inscriptions et belles-lettres, 26 février 1937. (Cite des mots neufs qu'on avait encore le scrupule de traduire pour les lecteurs : *termophylax* ou *conservateur de la chaleur* ; mais, bientôt après *phantascope,* sans traduction.)

Voir la citation de H. Peyre, ci-dessus, p. 443 et dans l'*Histoire* de BRUNOT, t. IX, p. 13 *bis,* cette déclaration de Talleyrand à la Constituante : «...Cette foule de dialectes corrompus, dernier reste de la féodalité, sera contrainte de disparaître » ; de plus, p. 97, le rapport de Talleyrand de septembre 1791 et p. 207, la citation du rapport de l'abbé Grégoire de mai 1794, fait après enquête, notamment : « On peut assurer sans exagération qu'au moins six millions de Français, surtout dans les campagnes, ignorent la langue nationale, qu'un nombre égal est à peu près incapable de soutenir une conversation suivie... »

En 1800 est né le *Dictionnaire universel de la langue française,* de Claude BOISTE, qui devait atteindre sa 14ᵉ édition en 1857. En 1819 il avait 60.000 mots (voir p. 449).

CHAPITRE XIII

LE RÉGIME DU SUFFRAGE RESTREINT

Charles BRUNEAU : *L'époque romantique* [1815-1852], constituant le t. XII de l'*Histoire de la langue française* de F. Brunot, 1948, XIX-593 pages (pour la suite voir chapitre XIV).
Riche bibliographie en particulier pour les grammaires et dictionnaires, sans les encyclopédies.
Paul LAFARGUE : *Critiques littéraires,* pp. 121-158. La légende de Victor Hugo. Intéressant, mais à équilibrer par des considérations différentes.
Georges MATORÉ : *Le vocabulaire et la société sous Louis-Philippe.* Genève (Droz) — Lille (Girard), 1951, 369 pages.
Georges MATORÉ : « *Les notions d'art et d'artiste à l'époque romantique* » dans la *Revue des sciences humaines,* Lille, août-septembre 1951, pp. 120-137. Avec un schéma : Les champs notionnels d'art et artiste, et les champs voisins en 1834.
J. GREIMAS : *La mode en 1830.* Thèse dactylographiée soutenue à Paris en 1948.

Pour des auteurs particuliers.

Jean MOUROT : *Chateaubriand. Rythme et sonorité dans les* Mémoires d'outre-tombe. *Le génie d'un style.* Paris (A. Colin), 1960, 372 pages.
J. M. GAUTIER : *Le style des Mémoires d'Outre-tombe de Chateaubriand.* Droz-Minard, 1959, 246 pages.
Robert DAGNEAUD : *Les éléments populaires dans la langue de la* Comédie humaine *de H. de Balzac.* Quimper, 1954, 292 pages.
G. MAYER : *La qualification affective dans les romans d'Honoré de Balzac.* Paris (Droz), 1941, 406 pages.

Grammaires.

Il faut citer d'abord un gros ouvrage dont l'autorité a été longtemps sans conteste : Ch. Pierre GIRAULT-DUVIVIER : *La grammaire des grammaires ou analyse raisonnée des meilleurs traités sur la langue française,* ouvrage mis par l'Université au nombre des livres qui doivent être donnés en prix dans les collèges et reconnus par l'Académie française comme indispensables à ses travaux et utiles à la littérature générale. Paru en 1811. La cinquième édition revue avec beaucoup de soin et considérablement augmentée, 1822 (dédiée au Roi), en deux volumes, 1474 pages, avec une table analytique de 90 pages.
La grammaire pratique, entre toutes les mains, a été Noël et Chapsal, 1re édition en 1823, 80e et dernière en 1889. J'ai sous les yeux la 57e de 1877. *Grammaire française* sur un plan méthodique avec de nombreux exercices... par M. NOEL, inspecteur général de l'Université et M. CHAPSAL, professeur de grammaire générale, 220 pages.

Dictionnaires.

Sous le régime de la Charte et sous Louis-Philippe, l'activité d'édition des dictionnaires a été vive. A côté du dictionnaire de l'Académie (1835) : 28.000 mots, on a vu des suppléments édités à Paris et à Bruxelles. Un complément de 1842 atteignait 100.000 mots.

Au même moment, le Boiste réédité allait jusqu'à 110.000 et le Landais jusqu'à 140.000. Pour d'autres dictionnaires voir Ch. Bruneau.
Voir aussi Jean-Baptiste RICHARD : *L'enrichissement de la langue française, dictionnaire des mots nouveaux*. Paris, 1ʳᵉ éd., 1842, 2ᵉ éd., 1845, 197 pages.

CHAPITRE XIV

LE RÉGIME DU SUFFRAGE UNIVERSEL

Généralités

De F. BRUNOT, dans Petit de Julleville, t. VIII, pp. 829–830 (voir p. 413). «...Il est hors de conteste que la marche progressive de la démocratie a déterminé un changement correspondant dans le langage, et que la langue moyenne, neutre et correcte des classes bourgeoises, en même temps qu'elle a été dépossédée par l'écriture artiste des écrivains, a été envahie par le parler libre et coloré des classes populaires. »
Charles BRUNEAU : *L'époque réaliste*. Première partie : *La fin du romantisme et le Parnasse*. Paris (A. Colin), 1953, tome XIII de *H.L.F.* Consacré en grande partie à Victor Hugo à partir de 1852. La riche bibliographie ne comprend pas les grammaires et les dictionnaires. Il y a un index. La deuxième partie sur la langue littéraire jusqu'à 1885 parut au début de 1972.
Le t. XIV annoncé avec le titre : *Le symbolisme (1886–1914)* n'a pas paru non plus (voir p. 342).
Pour la bibliographie sur l'enseignement, les études linguistiques en dehors de la dialectologie, l'orthographe, voir le chapitre suivant.

Art littéraire

Les études encore trop peu nombreuses sur la langue des auteurs du 19ᵉ siècle sont cataloguées dans le livre *Où en sont...* (voir p. 416) chap. VI et supplément pp. 26–32 avec les listes d'auteurs étudiés et non étudiés, et dans Ch. Bruneau, cité ci-dessus. Sont cités ici les ouvrages les plus importants surtout parmi les plus récents.
Max FUCHS : *Lexique du journal des Goncourt*. Moulins (Crépin-Leblond), 1911, XXXI–154 pages.
Albert THIBAUDET : *Gustave Flaubert*. Paris (Plon), 1922, chap. X : Le style de Flaubert.
Maurice SCHÖNE : *La langue de Flaubert*, à propos de la correspondance (langue écrite et langue parlée). Paris (d'Artrey), 1946, 72 pages.
Paul LAFARGUE : *Critiques littéraires* (voir p. 367), pp. 159–163. *Sapho* (d'A. Daudet), pp. 193–211. *L'Argent* (de Zola).
Marc BALLOT : *La langue et le style des romans rustiques d'Eugène Le Roy*, thèse de Bordeaux, 1943 parue en 1949 (Imprimerie Delbrel).
Marcel CRESSOT : *La phrase et le vocabulaire de J.-K. Huysmans. Contribution à l'histoire de la langue française pendant le dernier quart du 19ᵉ siècle*. Paris (Droz), 1938, XIV–604 pages. (Livre riche en enseignements.)

E. Frey : *La langue de J. K. Huysmans*, Mélanges Brunot, pp. 163–188.

Thelma Fogelberg : *La langue et le style de Paul Adam*. Paris (Droz), 1939, 239 pages.

Henri Mitterand : *Zola journaliste*. Paris, (A. Colin), 1962, 311 pages.

P. Nardin : *La langue et le style de Jules Renard*. Paris (Droz), 1942, 351 pages.

Sur Jules Verne et divers autres auteurs de romans d'aventures, voir Marcel Cohen : *Remarques à propos de la manière d'écrire de Jules Verne* dans *Im Dienst der Sprache*, Halle a. S. (Niemeyer), 1958, pp. 135–158.

Pour le style indirect libre, voir à l'index.

La méthode des index différenciés (voir pour le 17ᵉ siècle, p. 441) a été appliquée par P. Guiraud d'abord aux poésies de Stéphane Mallarmé, 1953, puis à Verlaine et Rimbaud.

Pour Baudelaire : *Les fleurs du mal*, concordances, index et relevés statistiques établis au Centre d'étude du vocabulaire du français à la Faculté des lettres de Besançon, 1 volume, 246 pages, Paris, Larousse, 1965.

Début d'études pour le vingtième siècle.

Pierre Guiraud : *Index des poèmes de Paul Valéry*. Groningue, 1953, 42 pages.

– *Index des mots d'Alcools de Guillaume Apollinaire*. Groningue, 1952 29 pages.

– *Index des cinq odes de Claudel*, 1953.

Maurice Goudeket : *Colette et l'art d'écrire* dans *Annales de la Faculté des lettres d'Aix XXIII*, 1959, pp. 21–39 (succint).

Paul Imbs : *Essai sur la syntaxe dans le français contemporain d'après Aurélien d'Aragon*, dans *Le français moderne*, 1948, pp. 95–107 et 191–209.

René Georgin : *Comment écrit Aragon*, *Défense de la langue française*, février 1966, pp. 17–19.

Léo Spitzer : *Une habitude de style (le rappel) chez. M. Céline*, *Le français moderne*, 1935, pp. 193–208.

Louis-Ferdinand Céline : *Les Cahiers de l'Herne*, nᵒ 5, avril 1965.

Marc Hanroz : *Céline*, Gallimard 1961. Chapitre sur le style.

Pour Marcel Proust voir Le Bidois : *Inversion* (voir ci-dessous p. 465).

Monique Parent : *Le rythme dans « Chroniques » de Saint-John Perse* dans *Centre de philologie et de littérature romanes*. Strasbourg, 1961, 6, pp. 109–117.

Jolàn Kelemen : *Le système de l'emploi des temps du passé dans l'Etranger de Camus*, dans *Acta linguistica*. Budapest, 1964, pp. 327–341.

Voir encore p. 461.

Versification

Pour la période envisagée : *Encyclopédie française*, XVI et XVII. (Voir ci-dessus, p. 420) et Jean-Richard Bloch : *Naissance d'une culture*. Paris (Rieder), 1936, 181 pages.

Maurice Grammont : *Le vers français*, *Ses moyens d'expression*, *Son harmonie*. Paris, 1904 5ᵉ éd. 1964 (508 p.). Delagrave.

– *Petit traité de versification française*. (Armand Colin), 1908, 142 pages, nouvelle présentation, 1966.

Marcel Cohen : *Strophes de chansons françaises*, dans *Europe*, janvier 1949 et *Récitation et chant* dans *Le français moderne*, 1950 (avec références bibliographiques), reproduit dans *Mélanges Marcel Cohen*, Mouton, 1970.

André SPIRE : *Plaisir poétique et plaisir musculaire*. Essai sur l'évolution des techniques poétiques. New York (Vanni), Paris (Corti), 1949, in-8, 547 pages (bibliographie abondante).

Cinéma

Voir principalement Georges SADOUL : *Histoire générale du Cinéma*, 1946-1952, 5 volumes, Paris (Denoël).
La *Revue internationale de filmologie* a commencé à paraître en 1947 aux P.U.F. (un article de Marcel Cohen : *Ecriture et Cinéma* en octobre 1947) ; elle est publiée à Milan depuis 1962.

Dialectologie. Parlers régionaux (voir aussi p. 433)

(Les indications données ici valent aussi pour le chapitre XV).
L'étude des parlers locaux après son essor au 19ᵉ siècle, n'a plus cessé de se développer, malgré la parcimonie des crédits qui lui sont attribués et, en conséquence, le trop petit nombre des chercheurs.
Pour l'orientation générale en France et au dehors voir Sever POP : *La dialectologie*, Louvain, 1950, deux volumes, 1334 pages.

Bibliographie des questionnaires linguistiques (1) dans *Orbis* III, 1954.
Instituts de phonétique. Archives phonographiques, Louvain, 1956.
L'*Atlas linguistique de la France* de GILLIÉRON et EDMONT a paru à Paris, chez Champion, de 1900 à 1912.
A ce sujet : Sever POP : *Atlas linguistique de la France*. Notes sur les cahiers de l'enquête d'Edmond Edmont, Orr dans *Studie*, 1953.
Il y a lieu de lire dans sa complication le livre de Jules GILLIÉRON : *Généalogie des mots qui ont désigné l'abeille*. Paris (Champion), 1919, 360 pages.
D'autre part, Albert DAUZAT : *La géographie linguistique*. Paris (Flammarion), 1922, 200 pages (Nouvelle édition en 1944).
Karl JABERG : *Aspects géographiques du langage*. Paris (Droz), 1936, 199 pages avec 19 cartes.
Pour le nouvel *Atlas linguistique et ethnographique de la France* par régions, dont plusieurs parties ont déjà paru, voir *Où en sont* (cité p. 416) supplément p. 24 dans *Le français moderne* les articles et notes d'Albert DAUZAT de 1945 à 1955. Pour la suite, voir la même revue. *Orbis* et la *R.L.R.*
Pour les atlas régionaux déjà parus voir le prospectus des Editions du C.N.R.S.
Pour la suite des études dialectologiques en général, consulter la revue *Orbis* (depuis 1952).

Pour la répartition actuelle des langues parlées en France :
Dans PETIT DE JULLEVILLE, t. VIII, 1899 : *Cartes des frontières linguistiques*.

Des croquis se trouvent dans A. DAUZAT : *L'Europe linguistique* (voir p. 423), 2ᵉ partie, chap. II, La France.

Statistiques approximatives des Français parlant des langues régionales : occitan (parlers d'oc), 9.500.000 ; corse (italien), 300.000 ; catalan, 185.000 ; basque, 100.000 ; breton, 1.000.000 ; flamand, 200.000 ; alsacien, 1.300.000.

Pour la Suisse une statistique de 1941 donne pour les parlants français 844.000 (contre 2.390.000 pour l'allemand).

Pour la situation dans le Val d'Aoste, voir *L'ethnie française* n° 5 (sept.–oct. 1970) pp. 19–21 et n° 6 (nov.–déc. 1970) pp. 7–9.

En Belgique, les chiffres qui ont été donnés pour le recensement de 1947, effectué dans une atmosphère troublée, ont été : français seulement 2.910.503 ; néerlandais seulement 3.554.230, français et néerlandais 1.325.911.

Pour le Luxembourg, voir René REIMEN : *Esquisse d'une situation plurilingue* (français, dialecte germanique, allemand) dans *Linguistique* (Paris, P.U.F.), 1965, n° 2, pp. 89–102.

On note en Bretagne bretonnante après 1940 un recul intérieur du breton : des curés ont renoncé au prêche et même au catéchisme en breton. D'autre part, alors que les Bretons illettrés n'écrivent de lettres de leurs mains dans aucune des deux langues, certains particularistes correspondent entre eux en breton. Il a paru en 1969 une utile brochure : *Livre blanc et noir de la langue bretonne*, Ar. Falz n° 4, Galv, Brest. On y trouve un croquis montrant l'extension maximale du breton au 9ᵉ siècle et ses reculs successifs. Divers moyens sont indiqués pour étendre l'enseignement du breton.

Au pays basque il n'y a pas de recul aussi sensible qu'en Bretagne. Toutefois on voit des ménages mixtes adopter le français avec leurs enfants.

Pour les émissions à la radio j'ai résumé à la p. 355 des indications dues à la complaisance de diverses personnes que je remercie ici.

Je m'abstiens de tout développement sur les querelles linguistiques en Belgique qui vont jusqu'au tragique, et peuvent avoir de sérieuses conséquences politiques.

Pour l'étude des parlers régionaux, je donne ici un essai de bibliographie. On devra consulter :

Kurt BALDINGER : *L'importance du vocabulaire dialectal dans un thesaurus de la langue française* dans *Lexicologie et lexicographie françaises et romanes.* Colloque de Strasbourg, novembre 1957, éditions du C.N.R.S., 1961, pp. 150–163, suivi de *Bibliographie provisoire concernant le français régional*, pp. 164–173.

Du même auteur : *Contribution à une histoire des provincialismes dans la langue française* dans *R.L.R.*, janvier–juin 1957, pp. 62–92.

Quelques ouvrages concernant l'extension du français en France et les français régionaux :

Auguste BRUN : *Recherches historiques sur l'introduction du français dans les provinces du Midi.* Paris (Champion), 1923, xvi–505 p.

— *L'introduction de la langue française en Béarn et en Roussillon.* Paris (Champion), 1923, 85 p.

— *La langue française en Provence, de Louis XIV au félibrige.* Marseille, 1927, 169 pages.

— *Le français de Marseille.* Etude de parler régional. Marseille. 1931, 151 p.

— *Parlers régionaux.* Paris-Toulouse (Didier), 1946, 158 p.

Jean SÉGUY : *Le français parlé à Toulouse*, Toulouse (Edouard Privat), 1950, 132 pages.

L. MICHEL: *Le français de Carcassonne,* dans *Annales de l'Institut d'études occitanes,* 1949–1950, 50 pages.

En plus du livre de A. Dauzat sur les patois:
Paul LEVY: *Histoire linguistique d'Alsace et de Lorraine.* Strasbourg (Faculté des Lettres), 1939, 2 volumes (des origines à 1918).
A. DAUZAT: *Le village et le paysan de France.* Paris (Gallimard), 1941, chap. IX: Dialectes et patois, pp. 169–186.
W. von WARTBURG: *Bibliographie des dictionnaires patois.* Paris (Droz), 1934, 145 pages. Supplément par Hans-Erich Keller et Jean Renson, 1953, 56 p.
Eugen HERZOG: *Neufranzösische Dialekttexte.* Leipzig, 1906. Recueil de textes patois.
   Pour les littératures dialectales, voir *L'Encyclopédie de la Pléiade* (cité p. 434).

LE FRANÇAIS HORS DE FRANCE

Frank L. SCHOELL: *La langue française dans le monde.* Paris (d'Artrey), 1936, 377 pages.
Ministère des Affaires étrangères [de France]. Direction générale des Affaires culturelles et techniques. *Rapport d'activité 1964,* 168 pages, 21 × 27. En particulier pp. 125–146. Tableau 7: *Situation de la langue française dans le monde,* avec carte hors-texte.
Jacques DUPREY: *La langue française dans le monde actuel et sur les rives du Rio de la Plata,* Montévidéo (A. Monteverdi y Cⁱᵃ S.A.), 1963.
   Premier tome: *La langue française dans le monde actuel.*
   Noter que des revues paraissent en français dans certains pays étrangers, notamment en Roumanie et au Japon.
   Ci-dessous quelques références pour des études linguistiques.
A. LANLY: *Le français d'Afrique du Nord,* Paris, P.U.F., 1962 367 pages.
Pompilius PRADEL: *La langue française en Haïti.* Mâcon (Imprimerie Protat), 1961, 278 pages.
Morris E. GOLDMAN: *A comparative study of creole french dialects.* La Haye, Mouton, 1964, 143 pages.
Ed. POUSLAND: *Etude sémantique de l'anglicisme dans le parler de Salem* (Nouvelle Angleterre). Paris (Droz), 1933, 311 pages.
Marilyn J. CONWELL and Alphonse JUILLAND: *Louisian french grammar.* La Haye, Mouton, 1963, 207 pages.
J. K. HOLLYMAN: *L'ancien pidgin français parlé en Nouvelle-Calédonie* dans *Journal de la Société des océanistes.* décembre 1964, pp. 57–64.
S. Hassam A RASSOOL: *Le patois créole de l'île Maurice, Vie et langage* n° 201, décembre 1968, pp. 757–761.
Pour la Martinique: Gilbert GRATIANT: *Fab compè zicaque,* poèmes en créole, Editions des horizons caraïbes (Martinique).
— *Bibliographie des créoles et dialectes régionaux français d'outre-mer modernes, Le français moderne,* avril 1965, pp. 117–132.

   Pour l'enseignement en français dans des pays d'Asie et d'Afrique j'ajoute aux pages 352–353 ce qui concerne l'enseignement supérieur. Dans les anciennes colonies françaises il y a des universités ou des instituts à Dakar (Sénégal), Bamako (Mali), Abidjan (Côte d'Ivoire), Conakry (Guinée), Yaoundé (Cameroun), Brazzaville (république du Congo), Tananarive (Madagascar), soit d'administration nationale, soit avec rattachement à l'administration française. Pour les détails et pour l'ancien Congo belge, voir W. Bal, p. 470.

Langues auxiliaires internationales. Pierre BURNEY : *Les langues internationales*. Collection « Que sais-je », 1962, 128 pages. Bibliographie. M. MONNEROT-DUMAINE : *Précis d'interlinguistique générale et spéciale*. Paris (Maloine), 1960, 270 pages. Donne un répertoire d'environ 320 essais de langue internationale.

CHAPITRE XV

I. — PHYSIONOMIE DE LA PÉRIODE

1. *Evénements en général*

On peut consulter comme memento : Pierre DURAND : *Vingt ans. Chronique 1945-1965*. Editions sociales, 1965, 445 pages, qui ne cache pas son orientation à gauche. Il ne fait pas assez ressortir la matière en tableaux, mais se termine par d'utiles index.

2. *Enseignement*

Le projet de réforme élaboré par une commission sous la présidence de Paul Langevin, et après sa mort de Henri Wallon, a été publié en 1946 par le ministère de l'Education nationale sous le titre de *La réforme de l'enseignement soumise au ministère de l'Education nationale* (48 p.).

Le texte en est inclus dans le volume *Le plan Langevin-Wallon de réforme de l'enseignement comprenant le compte rendu d'un colloque*, Paris, P.U.F., 1964, 298 pages.

Un plan gouvernemental de réorganisation de l'enseignement a été publié au *Journal officiel* du 11 juin 1966.

Des propositions pour une réforme démocratique de l'enseignement, établies par la commission de l'enseignement auprès du Comité central du Parti communiste français sont publiées dans le numéro de février 1967 de la revue *L'Ecole et la nation*.

Des documents utiles en même temps qu'une argumentation polémique se trouvent dans : Maurice LOI : *Le désastre scolaire*. Editions sociales, 1962, 308 pages, et Georges COGNIOT : *La Laïcité et la réforme démocratique de l'enseignement*. Editions sociales, 1963, 287 pages.

On trouve beaucoup de renseignements chiffrés dans J. ARNAUD et A. GISSELBRECHT : *Aperçus sur l'enseignement privé en France*, dans *La nouvelle critique*, juillet-août 1959, pp. 27-89.

A titre d'indication pour l'enseignement supérieur officiel : le nombre d'étudiants à la Faculté des lettres et sciences humaines de l'Université de Paris a été en 1938, 11.383 ; en 1948, 13.152 ; en 1965 (pour les Facultés de Paris et de Nanterre), 31.080 ; en 1966, 38.135.

Enseignement du latin (et du grec). Il serait intéressant d'avoir des renseignements sur les classes classiques : nombre, en particulier dans les nouveaux C (ollèges d') E (nseignement) S (econdaire), nombre et origine sociale des élèves.

A titre de curiosité on peut noter qu'au cours de ces dernières années ont été éditées des traductions latines d'œuvres appréciées en français. D'Antoine de SAINT-EXUPÉRY l'aviateur écrivain : *Le petit prince :* Antonius A. SANCTO-EXUPERIO, *Regulus,* Hazan, 1940.

De Françoise SAGAN : *Bonjour tristesse :* Francisca SAGANA : *Tristitia Salve.* Paris, Julliard, 1963.

On peut noter d'autre part qu'on a perdu l'habitude de mettre des passages inconvenants en latin « qui bravent l'honnêteté ».

3. *Orthographe*

Pour l'orthographe actuelle voir :

Ortho vert. Dictionnaire orthographique et grammatical, par André SÈVE et Jean PERROT, Nice (Germain Boyer). Editions Edsco de Chambéry, en 1946, nouvelle édition 1963, 638 pages.
Utile en particulier comme répertoire grammatical.

Maurice GREVISSE : *Code de l'orthographe française.* Editions Baude (Paris-Bruxelles), 1re édition 1948, réédition 1952, 248 pages.
Avec une partie historique et des reproductions d'autographes.

N. CATACH, articles dans *Le français moderne,* avril 1963, octobre 1965 et avril 1966 (à suivre).

Mouvements de réforme.

Sur le référendum Heller, voir *F. mod.* 1951, p. 134.

De la commission Beslais : *Rapport général sur les modalités d'une simplification éventuelle de l'orthographe française.* Didier, 1965, 139 pages.
Proposition pour une réforme modérée, avec une courte annexe documentaire.

La question de l'orthographe, publication du Centre d'études et de recherches marxistes, s. d. [1965], 33 pages, contient, outre des considérations théoriques et des spécimens de diverses orthographes, des indications historiques et une courte bibliographie.

Dr MONNEROT-DUMAINE : *L'ortografe du 21e siècle.* Editions du Scorpion, 1964, 355 pages.
Premier livre publié dans une orthographe à peu près pareille à celle préconisée par le rapport Beslais. Du même auteur, dans la même orthographe, un article dans les *Lettres françaises* du 3 mars 1966.

Hervé BAZIN : *Plumons l'oiseau. Divertissement.* Editions Bernard Grasset, 1966, 277 pages, présente sous une forme humoristique un projet personnel, que l'auteur ne prend pas à son compte pour une utilisation pratique.

4. *L'art littéraire*

Une première apparition des auteurs de la dernière période dans la littérature linguistique est :

Gérald ANTOINE : *La langue parlée et sa représentation littéraire dans le français contemporain* dans *Actes du Xe congrès international de Linguistique et philologie romanes* (Strasbourg, 1962). Paris (Klincksieck), 1965, volume II, pp. 443-451.

Depuis 1961 J. Petit publie à la Librairie Didier un volume de morceaux choisis extraits de romans parus dans l'année, sans distinction de l'âge des auteurs (indiqué dans de courtes notices). Collection utile pour un aperçu du style de chaque auteur. Paris, *Roman 1961 à Roman 1965,* en moyenne 250 pages.

On peut signaler aussi une journée de colloque dont les exposés ont été publiés sous le titre de *Formes et techniques du roman français depuis 1940* dans les *Cahiers de l'Association internationale des études françaises,* n° 14, mars 1962, pp. 113–207. A signaler en particulier : Bernard PINGAUD : *La technique de la description dans le jeune roman d'aujourd'hui.* Cè n'est pas une étude linguistique.

Jean BLOCH-MICHEL : *Le présent de l'indicatif.* Essai sur le nouveau roman. Paris (Gallimard), 1963, 143 pages.

Critique de l'école en question, non étude linguistique.

5. *Etendue d'emploi du français*

Il n'est pas possible d'évaluer exactement ce qu'on appelle la francophonie, les évaluations plus ou moins hasardées varient de 90 à 200.000.000 de personnes usant plus ou moins du français (pour l'anglais on parle de 500 millions environ).

II. — ASPECTS DE LA LANGUE

Avertissement. Ce qui suit est une tentative provisoire pour compléter à certains égards et prolonger tant bien que mal les ouvrages. *Où en sont* (voir p. 416). WAGNER : *Introduction* (voir p. 416) ; KUHN (voir p. 416) ; KUKENHEIM : *Esquisse* (voir p. 416) et de plus la liste qui se trouve à la fin de Carl Theodor GOSSEN : *Bemerkungen zur französischen Syntax und Dialektologie* dans *Orbis ;* I, 2, 1952, pp. 442–450 auxquels on devra se reporter et d'où sont extraites des indications qu'il a paru utile de présenter aux lecteurs du présent livre sans leur imposer une recherche. On ne peut cependant pas les dispenser de se reporter aux périodiques dont les tables des matières entières ne pouvaient pas être déversées ici.

Un effort a été fait pour ne rien omettre d'essentiel ou de marquant dans ce qui est venu à la connaissance de l'auteur. Il a procédé à une répartition générale par matières, en regrettant de n'avoir pas pu achever le travail par un classement intérieur plus poussé de toutes les parties.

1. *Note sur la manière de nommer l'état actuel du français*

La rédaction nuancée de la conclusion du paragraphe général (p. 375) est une prise de position à la fois contre l'état d'esprit 'crise du français', avec vue pessimiste sur le présent et l'avenir, et contre ce qu'on peut presque appeler la campagne du néo-français. Ici donc quelques précisions et des indications de dates.

Le livre de Charles BALLY : *La crise du français. Notre langue maternelle à l'école* Neuchâtel-Paris, 1930, 153 pages, destiné surtout à la Suisse, n'était pas alarmiste : il demandait surtout une réforme de l'enseignement pour relier la tradition et la reconnaissance de l'évolution, mais le titre même du livre faisait écho à ses inquiétudes.

Les mises en garde prennent souvent une forme excessive qui alarme sottement le public au lieu de l'instruire.

Ainsi, on trouve dans *Vie et langage* de décembre 1963 sous la signature de Maxime CHASTAING un article intitulé : « *Le Français sera-t-il patois créole* », à propos de tests opérés sur des étudiants qui, pris à l'improviste, n'avaient pas su bien distinguer entre apologie et panégyrique.

Dans le même périodique, en janvier 1964, André RIGAUD écrit : « Si l'on songe que la R.T.F. qui touche chaque jour des millions d'auditeurs pourrait être un merveilleux instrument de redressement, on éprouve une certaine angoisse en constatant qu'elle apporte au contraire souvent sa contribution au travail d'érosion qui désagrège peu à peu le français. » (Or on peut se louer de la bonne qualité moyenne des émissions qui, d'ailleurs, se maintiennent en général dans une attitude traditionnelle avec une certaine tendance pédante).

Et voici, signé de Michèle LOI dans *L'Ecole et la nation* d'avril 1964 dans un article à la louange d'Etiemble (voir p. 64) : «...l'indignation et l'ironie mesurent l'ampleur de la catastrophe : le français se meurt».

Le développement du présent chapitre montre au contraire le peu d'ampleur des changements, qu'on les juge mauvais ou bons.

Mais il faut aussi considérer cette autre manière de poser la question : ne faut-il pas dresser un constat des changements en donnant un nouveau nom à la langue lorsqu'elle n'est pas maintenue dans la forme enseignée, et notamment lorsqu'elle admet toute une partie du lexique non encore enregistrée, ou enregistrée avec réticences ?

Raymond QUENEAU a risqué une première fois le terme de 'néo-français' dans un article des *Lettres françaises* du 26 mai 1946, intitulé *Connaissez-vous le chinook ?* qui a été reproduit dans *Bâtons, chiffres et lettres* (Gallimard, 1950), voir p. 46 bas. Il a défini son idée en 1955 dans la préface de l'*Anthologie des jeunes auteurs*, Paris, 1955 (recueil de textes d'ailleurs pas spécialement 'avancés') où il s'est exprimé en ces termes (pp. 10–11) : «Personne ne nie qu'il existe actuellement des différences entre le français écrit et le français parlé, certains disent même un abîme. Plus exactement il y a deux langues distinctes. L'une qui est le français qui vers le 15e siècle, a remplacé le 'francien'... et ce que l'on pourrait appeler le néo-français qui n'existe pas encore et qui ne demande qu'à naître. Il est en gestation... » Supposant ensuite la parturition réalisée, il demande l'exercice résolu d'un bilinguisme, avec deux états de langue ayant chacun leur correction distincte.

Le terme une fois lancé a eu du succès et a été employé avec des acceptions diverses, même par son géniteur. Je n'ai qu'une documentation d'occasion et je pose seulement quelques jalons.

En date du 3 février 1960, Robert LE BIDOIS intitulait son article du *Monde* : « N.F. » ; mais l'interprétait 'nouveau français', terme affectant le vocabulaire. C'est distinct des fantaisies orthographiques et argotiques (*doukipudonktan*) que Raymond Queneau se permet comme romancier et où se situerait le néo-français.

Dans *La Pensée* n° 96 de mars–avril 1961, sous le titre : *Le « néo-français », réalité ou illusion ?* Jean DUBOIS incline plutôt à admettre le terme en raison de considérations composites : d'abord l'uniformisation progressive du français, puis diverses innovations phonétiques, morphologiques et syntaxiques ; c'est la structure qui est en question.

En 1962, ont paru de Raymond QUENEAU les *Entretiens avec Georges Charbonnier*, sans index ; à la p. 73 on trouve ceci : « Au lieu de « français parlé », j'aimerais mieux dire « néo-français » ou quelque chose comme cela ; il est écrit, et étant écrit, il devient l'objet et le sujet des mêmes règles et de la même élaboration linguistique qu'une autre langue, c'est-à-dire qu'il y a aussi bien des valeurs de style en français parlé, en néo-français qu'en français écrit ou français dit classique. »

Pourquoi ne pas admettre la compénétration de différents registres dans un seul français vivant ?

Face au même problème, André THÉRIVE dans *Procès de langage*, 1962, voir p. 459) balance entre français nouveau et bas-français (pp. 88 et 93) et dit p. 132 : « dans le bas-français civil comme dans le néo-français militaire... » (Là il ne s'agit que du lexique).

Mais le français de nos jours n'est pas comparable au latin du 7ᵉ siècle.

Dans *Les Mots français* d'H. MITTERAND p. 99, avec un titre : « Le néo-français », il est question uniquement de vocabulaire. De même, dans *Vie et langage* de juin 1963, p. 332 : « atteindre le but : ridiculiser le néo-français anglomane de nos contemporains ».

François GOBLOT : *Quel français enseigner? Cahiers pédagogiques* nᵒ 77, octobre 1968, pp. 16–24.

Laissons de côté cet intrus de 'néo-français' ; il suffit de parler quand il est besoin de français contemporain, français actuel ou français d'aujourd'hui.

2. Choix d'études sur la question du français d'aujourd'hui

Charles BALLY : *Traité de stylistique française.* Heidelberg–Paris, 1909, 2ᵉ édition, Paris (Klincksieck), 1930, dernier tirage 1951, xx, 331 pages.
   Livre important qui a fait époque.
– *Le langage et la vie.* Paris (Droz), nouvelle édition, 1935.
   Pp. 102–107. Langue écrite et langue parlée : « La langue écrite est toujours la manifestation d'états d'esprit, de formes de pensée, qui ne trouvent pas leur expression dans la langue ordinaire... Dans la conversation, la situation est presque toujours donnée... Au contraire, quand on écrit il faut créer soi-même cette situation. »
   A ce propos, voir dans la revue *Europe*, juin 1938, Pierre GUEGUEN : *L'homme, la nature et la technique du langage.* Pour Raymond QUENEAU : voir ci-dessus p. 457. De même pour Ch. Bally : *La crise du français.*
Ch. BALLY : *Linguistique générale et linguistique française.* Berne (Francke), 2ᵉ édition, 1944, 440 pages.
Henri FREI : *La grammaire des fautes* (Genève, Leipzig), 1929, 317 pages.
   Livre riche en aperçus importants dans l'esprit dit de la « linguistique fonctionnelle ». Beaucoup de renseignements sur le français 'avancé' vu de Genève. A conseiller pour la théorie et pour l'étude de la langue.
André THÉRIVE : *Le français, langue morte ?* Paris (Plon), 1923, xv–227 pages.
DUBEUX : *Le français, langue vivante,* dans *Revue des Cours et Conférences,* 1923–4.
André THÉRIVE : *Querelles de langage.* Paris, Delamain-Boutelleau, trois séries, 1929, 1933, 1940.
   Combat le 'style gendarme' : « Les pires ennemis de la bonne langue, ce sont la prétention, l'artifice et le pédantisme ».

Lazare SAINÉAN : *Le langage parisien au XIXᵉ siècle*. Paris (de Boccard), 1920, 590 pages.

Georges GOUGENHEIM : *La langue populaire dans le premier quart du XIXᵉ siècle* d'après le Petit dictionnaire du Peuple de J.C.L. P. DESGRANGES (1821). Paris (Les Belles Lettres), 1929, 223 pages.

Henri BAUCHE : *Le langage populaire*. Paris (Payot), 1920, 288 pages ; nouvelle édition, 1947.

Georges DUHAMEL : *Discours aux nuages*. Edition du Siècle, 1934, pp. 7–65 ; *aventures et mésaventures du langage*.

Albert DAUZAT : *Etudes de linguistique française*, Paris (d'Artrey), 1946, 350 pages, épuisé.

Maurice SCHÖNE : *Vie et mort des mots*. Paris (Presses Universitaires), 1947.

René GEORGIN : *Pour un meilleur français*. (Editions André Bonne), s.d. [1951], 288 p.
   Documentation intéressante, avec index. Orientation conservatrice.
   Du même auteur, chez le même éditeur, puis aux Editions sociales françaises sept autres livres d'intérêt inégal jusqu'en 1966, dont *La prose d'aujourd'hui*, 1956, 352 pages, index.

André THÉRIVE : *Clinique du langage*. (Grasset) 1956, 316 pages.
   En particulier critique du purisme.

– *Procès de langage*. (Stock) 1962, 281 pages, index.
   Documents et discussions de lecture intéressante.

Maurice GREVISSE : *Problèmes de langage*. (Presses universitaires de France). Trois recueils d'articles : *1961*, 348 pages ; *1962, 359* pages ; *1964, 364* pages.
   Documentation d'esprit libéral.

Marcel COHEN : *Regards sur la langue française*, Paris (Sedes), 1950, 142 pages.

– *Nouveaux regards sur la langue française*. (Editions sociales) 1963, 316 pages.

– *Encore des regards sur la langue française*, ibidem 1966, 315 pages.

– *Toujours des regards sur la langue française*, ibidem, 1970, 352 pages.

– *Une fois de plus des regards sur la langue française*, ibidem, 1972, 368 pages.
   Recueils d'articles dont beaucoup traitent de questions de grammaire. Dans l'ensemble, tentatives de démystification.
   Sur les chroniques de langue il existe une thèse de l'Institut national de documentation par Philippe COMMERE, 1964, 46 p. dactylographiées.
   Il faut maintenant consulter, sous la direction de B. Quemada, *Bibliographie des chroniques de langage publiées dans la presse française*, I, 1950–1965, Didier, 1970.

Marcel COHEN : *Changements dans l'ordre des mots en français contemporain* dans *Fr. mod.*, 16 (1948), pp. 11–18.

– *Sur l'attraction en français*, dans *Fr. mod.*, 16 (1948), pp. 81–88.

– *Observations à propos de l'ordre des mots en français contemporain* dans *Journal de Psychologie* (janvier–mars 1950), pp. 59–73.

– *Emplois nouveaux de oui et non en français*, dans *B.S.L.*, 48, nº 136 (1952), pp. 157–165.

A. SAUVAGEOT : *Français écrit, français parlé*, (Larousse). 1962, 235 p. (sans index).

Pierre GUIRAUD : *Le français populaire*. Collection « Que sais-je », 1965, 119 pages.

Albert DOPPAGNE : *Trois aspects du français contemporain*. Larousse, 1966, 215 pages.

Sverker BENGTSSON : *La défense organisée de la Langue française*, Acta Universitatis Upsaliensis, 1968. Compte rendu par Aurélien Sauvageot dans *Vie et langage*, 201 (décembre 1968), p. 762.

3. Etude d'ensemble du français

Il est donné ici comme essai une liste composite comprenant des grammaires complètes destinées à l'enseignement de différents degrés ou au public éclairé, des descriptions sans usage scolaire déterminé, des syntaxes, des ouvrages de stylistique.

La liste comprend certains ouvrages du 19ᵉ siècle.

Il est difficile et il serait trop long de suivre le mouvement des ouvrages offerts à la clientèle scolaire, avec des progrès à certains moments et aussi malheureusement des régressions en ce qui concerne l'enseignement linguistique (phonétique, grammaire historique). Un effort est fait pour observer les conditions dans la plus récente période au moyen de comptes rendus rédigés par Marcel COHEN dans *l'Ecole et la Nation*, par intervalles, depuis avril 1961. Il manque un ouvrage d'ensemble sur la constitution et l'histoire de la grammaire française.

Les études partielles sont à chercher dans les divisions suivantes (pour G. GOUGENHEIM et certains autres ouvrages, voir p. 416).

LARIVE et FLEURY : Pseudonymes de deux encyclopédistes Auguste-Nicolas MERLETTE et HAUVION qui avaient une éducation linguistique. Leur premier cours a paru en 1865 et a dès lors concurrencé Noël et Chapsal. Le succès s'est poursuivi après la mort des auteurs (Merlette disparu en 1880). J'ai sous les yeux la *Troisième année de grammaire,* chez Armand Colin, 1951, 408 pages (quelques notions phonétiques et notions d'histoire).

C. AYER : *Grammaire comparée de la langue française.* Bâle, etc., 1876 ; 4ᵉ éd. 1885, XIV–709 p.
Premier ouvrage scolaire tenant compte de l'histoire de la langue.

BRACHET et DUSSOUCHET : ouvrages de divers degrés. J'ai sous les yeux *Grammaire française,* cours supérieur. Hachette, 1888, 504 pages (Notions phonétiques avec une figure ; quelques indications historiques ; pour BRACHET, voir p. 445).

PLATTNER : *Ausführliche Grammatik der französischen Sprache,* 5 volumes Karlsruhe. 1899–1908. Complet sans originalité.

G. MICHAUT et P. SCHRICKE : *Description de la langue française.* Paris (Hatier), 1934, X–596 pages. Intéressant (épuisé, non réédité).

G. et R. LE BIDOIS : *Syntaxe du français moderne.* Paris (Picard), 2 vol. 1935–1938 ; réédition en 1967, 560–792 p. Riche ouvrage.

M. GREVISSE : *Le bon usage.* Grammaire française, Gembloux (Belgique), (Duculot) 1ʳᵉ édition, 1936 ; 8ᵉ édition, 1964, 1192 pages. L'ouvrage le plus complet, avec des historiques. D'emploi indispensable.

Alf LOMBARD : *Les membres de la proposition française. Essai d'un classement nouveau,* extrait de *Moderna Språk* (Malmö), t. XXIII, 1929.

Marguerite LIPS : *Le style indirect libre.* Paris (Payot), 1926, 240 pages. 1927.

Kr. SANDFELD : *Syntaxe du français contemporain.* I. *Les pronoms.* Paris (Champion), 1928, XV–490 pages. II. *Les propositions subordonnées.* Paris (Droz), 1936, III. *L'infinitif.* Copenhague, réédition en 1966.

Jules MAROUZEAU : *Précis de stylistique française.* Paris (Masson), 1941, 173 pages, 2ᵉ édition, 1946, 1963 (Bibliographie).

Ph. MARTINON : *Comment on parle en français.* Paris (Larousse), 1927, 1963, 600 pages.

Edouard PICHON : *Structure générale du français d'aujourd'hui,* dans : *Conférences de l'Institut de linguistique* (année 1935). Paris (Boivin), 1937. pp. 6–24.

A. BLINKENBERG : *L'ordre des mots en français moderne,* 2 vol. Copenhague, 1928–1933.

C. de BOER : *Syntaxe du français moderne.* Leyde (P.U.F.), 1947 ; 1962–1963, 352 pages.

Walter von WARTBURG et Paul ZUMTHOR : *Précis de syntaxe du français contemporain.* Berne (A. Francke), 1947, 356 pages ; 1958, 400 pages.

Robert A. HALL jr. : *French,* Languages monographs n° 26, Baltimore, 1948, 56 pages. Voir critique par M. C. dans *B.S.L.,* 1949, p. 135.

Georges GALICHET : *Essai de grammaire psychologique.* Paris (Presses Universitaires), 1947, 224 pages.

    Ajoute à la description des idées a priori. Ce défaut encore exagéré doit faire utiliser seulement avec une sévère critique la *Physiologie de la langue française* du même auteur (même éditeur), 1949, 1964, 136 p.

Albert DAUZAT : *Grammaire raisonnée de la langue française,* Lyon (I.A.C.), première édition, 1938 ; nouvelle édition 1947, 482 pages.

Charles BRUNEAU et Marcel HEULLUY : *Grammaire française* (Delagrave) 1937 (586 pages, avec notions historiques et phonétiques ; trop sommaire pour le détail de la syntaxe).

Marcel COHEN : *Grammaire française en quelques pages.* 1948, 51 pages ; édition nouvelle, Sédes, 1965, 85 pages.

    Sommaire pour les formes. Quelques nouveautés en particulier à propos de la phrase.

H. C. HARMER : *The french language today.* Its characteristics and tendances. Londres, etc. Hutchinson, 1954, 352 pages. Personnel. A lire.

Kurd TOGEBY : *Structure immanente de la langue française.* Copenhague 1951 ; réédite à Paris (Larousse), 1965, 208 pages.

    Critique par M. C. dans *B.S.L.,* t. 47, 1951, pp. 125–127, approbation par R. L. WAGNER *dans B. S. L.,* t. 48, 1952, pp. 59–60. Plan personnel, à lire avec critique.

Aurélien SAUVAGEOT : *Les procédés expressifs du français contemporain.* Paris (Klincksieck), 1957, 242 pages (Compte rendu par J. KELEMEN dans *Acta linguistica hung.* X, 1960, pp. 195–199). Plan et idées personnels avec observations utiles.

Maurice FISCHER et Georges HACQUARD : *A la découverte de la langue française.* (Hachette) 1959, 538 pages. D'un ton en rapport avec le titre. Des critiques à faire.

R. L. WAGNER *dans B.S.L.,* t. 48, 1952, pp. 59–60. Plan personnel à lire (Hachette), 1962, 640 pages. C. R. par M. C. dans *l'Ecole et la nation* (fév. 1965).

    Essai de présentation en partie nouvelle, contestable sur divers points.

Jacques POHL : *Cours de grammaire française.* Namur 1961, 244 pages.

    Vues personnelles ; intéressant.

N. STEINBERG : *Grammaire française.* I. Moscou 1959 (réimpression : 1962), 369 p. II. Moscou 1963, 267 p. Etude intéressante ; à utiliser.

J. Claude CHEVALIER, Claire BLANCHE-BENVENISTE, Michel ARRIVÉ, Jean PEYTARD : *Grammaire Larousse du français contemporain.* (Larousse) 1964, 415 p. C. R. par M. C. dans *l'Ecole et la Nation* (nov. 1966).

    Intéressant. Des points à discuter. Des nouveautés partielles.

E. A. Referovskaia et A. K. Vassilieva : *Essai de grammaire française,* Cours
théorique. Moscou, 1964, 352 pages. Points à discuter.

Jean-Marie Laurence en collaboration avec Aurèle Daoust : *Grammaire
française.* Grammaire résumée et code grammatical. Montréal, 1957, 567
pages. En tête, abrégé d'histoire ; phonétique.

Jean Dubois : *Grammaire structurale du français. Noms et pronoms* [mais
aussi des notions sur le verbe]. Larousse, 1963, 192 pages. C. R. par M. C.
dans *l'Ecole et la Nation* (nov. 1966).
    Présentation nouvelle de certains faits en accord avec des théories
récentes.

Marcel Cohen : *Le français de tous, Cahier du Centre d'études et de recherches
marxistes,* n° 95, 1971.

H. W. Klein : *La répartition des auxiliaires avoir et être en français moderne*
dans *Centre de philologie et de littérature romanes.* Strasbourg, 1961, 6,
pp. 99–107.

Gérard Moignet : *L'adverbe dans la locution verbale.* Québec, 1961, 36 pages.

    Il faut connaître et utiliser avec la critique voulue les ouvrages plus ou
moins normatifs de 'mises en garde', en particulier :

Joseph Hanse : *Dictionnaire des difficultés grammaticales,* 1949 (réimprimé
sans changement en 1965), 758 pages.

Adolphe V. Thomas : *Dictionnaire des difficultés de la langue française.*
Larousse, 1956, xii–435 pages.

Etienne Le Gal : *Ne dites pas, mais dites* (Delagrave) 1961, *Ecrivez, n'écrivez
pas* (Delagrave) 1956, *Parlons mieux* (Delagrave) 1953 et *Le parler vivant
au 20ᵉ siècle. L'usage en face de la règle* (Denoël) 1961, 176 pages. Le
dernier, utile leçon de non-purisme.
    (Voir encore § 7 p. 465).

4. *Langage enfantin*

Antoine Grégoire : *L'apprentissage du langage (Les deux premières années).*
Liège-Paris (Droz), 1937, 288 pages ; II, *La troisième année et les années
suivantes,* même lieu, 1947, 491 pages.
    Beaucoup d'observations excellentes ; quelques réserves à faire sur cer-
taines interprétations. Courte bibliographie.

Marcel Cohen et autres auteurs : *Etudes sur le langage de l'enfant.* Editions du
Scarabée, 1962, 195 pages. Bibliographies.

A propos de la langue écrite : Roger Thabault : *L'enfant et la langue écrite.*
(Delagrave), 1944, 231 pages, dernière édition 1959.

5. *Argot et langue populaire*

    Pour l'argot et le langage populaire, avec la bibliographie de l'ouvrage
Où en sont... et les indications p. 416 voir en particulier :

Gaston Esnault : *Le poilu tel qu'il se parle.* Paris (Bossart), 1919, 603 pages.
Edition 1925.

— *L'Imagination populaire. Métaphores occidentales.* Paris (Presses Universitaires),
1925, 348 pages.

Marcel COHEN : *Le langage de l'Ecole polytechnique,* dans Mémoires de la Société de linguistique, t. XV (1908–1909). Reproduction dans *Cinquante années* (voir p. 421).

— *Note sur l'argot,* dans le Bulletin de la Société de linguistique, t. XXI, 1919, réédité dans *Le lingue estere,* Bologne, 1950. Donne la théorie du langage parasite.

Dictionnaire récent : Gaston ESNAULT : *Dictionnaire des argots,* (Larousse) 1965, XVII–644 pages. Ouvrage incomplet, expurgé ; riche pour l'argot scolaire.

Dans Michel POLAC : *Dictionnaire des pataquès.* (Editions du Seuil), 1964, aux pp. 231–252 un bon document du français parlé populaire d'après un enregistrement magnétique.

Voir aussi divers titres, p. 458 pour le langage populaire.

6. Phonétique et phonologie

P. FOUCHÉ : *L'état actuel du phonétisme français,* dans : Conférences de l'Institut de linguistique de l'Université de Paris (année 1936). Paris (Boivin), 1938, pp. 37–67.

Maurice GRAMMONT : *Traité pratique de prononciation française.* Paris (Delagrave), 3ᵉ édition, 1926 ; 1914–1963.

Ch. BRUNEAU : *Manuel de phonétique pratique.* Paris (Berger–Levrault), 1937, 153 pages.

Ph. MARTINON : *Comment on prononce le français.* Paris (Larousse), 2ᵉ édition, 1913 ; 1927–1954, XII–414 pages.

Kr. NYROP : *Manuel phonétique du français parlé,* 1ʳᵉ édition, 1900, 8ᵉ édition refondue et pourvue d'un appendice par Alf LOMBARD. Gyldendal (Danemark), 1963, 243 pages.

G. GOUGENHEIM : *Eléments de phonologie française. Etude descriptive des sons du français au point de vue fonctionnel.* Strasbourg (Faculté des Lettres), 1935, 136 pages.

— *Réflexions sur la phonologie historique du français,* dans *Travaux du Cercle linguistique de Prague,* vol. 8, 1939, pp. 262–269.

H. VAN DAELE : *Phonétique du français moderne.* Paris (Colin), 1927, 123 pages.

L. P. KAMMANS : *La prononciation française d'aujourd'hui.* Editions Baude (Paris-Bruxelles) 1956, 276 pages.

— *Guide pratique de la prononciation française.* Ed. Baude, 1964, 133 pages.

André MARTINET : *La prononciation du français contemporain.* Paris (Droz), 1945, 249 pages.

N. CHIGAREVSKAIA : *Traité de phonétique française. Cours théorique.* Moscou 1962, 268 pages.

Conçu de manière personnelle.

André MARTINET : *La description phonologique avec application au parler franco-provençal d'Hauteville (Savoie).* Genève (Droz), 1956, 112 pages. Première enquête, réalisée dans un camp d'officiers prisonniers en Allemagne.

P. FOUCHÉ : *Les divers états du français au point de vue phonétique* dans le *Fr. mod.* ; 1936, pp. 199–216.

Georges STRAKA : *La prononciation parisienne. Ses divers aspects et ses traits généraux* dans le *Bulletin de la Faculté de Strasbourg,* 1952, 48 pages.

— *Album phonétique.* Québec, Université Laval, 1965.

Un cahier de 34 pages et 188 feuillets de croquis au trait en partie d'après des radiographies, et des photographies.

B. MALMBERG : *Le système consonantique du français moderne,* Etudes de phonologie et de phonétique (Etudes romanes de Lund, VII) 1943. C. R. par M. Martinet, B.S.L. 1942–1945, pp. 106–110.

Pour des questions particulières :

H. PERNOT : *L'e muet.* Paris (Didier), 1929, 90 pages.

Marg. DURAND : *Etude expérimentale sur la durée des consonnes parisiennes.* Paris (d'Artrey), 1936, 103 pages (épuisé).

Vl. BUBEN : *Influence de l'orthographe sur la prononciation du français moderne.* Bratislava et Paris (Droz), 1935, 244 pages.

Marcel COHEN : *Sur le français à la radio en France,* dans *Proceedings of the third international congress of phonetic Sciences.* Gand, 1938.

LANGLARD : *Les liaisons en français.* Paris (Champion), 1928, 160 pages.

Petit manuel utile, plus actuel que la plupart des grammaires, mais retardant sur l'usage le plus récent. (Voir en outre p. 382).

Hunter KELLENBERGER : *The influence of accentuation on french word order.* Princeton-Paris (Presses Universitaires), 1932, 107 pages.

J. MAROUZEAU : *Accent affectif et accent intellectuel,* dans Bulletin de la Société de Linguistique de Paris, t. XXV (1924), pp. 80–86 (avec références et discussions) ; voir encore sur le même sujet : L. Roudet dans le t. XXVI, pp. 104–108 ; des articles sur le même sujet, on peut citer celui de Gill dans *Le Français moderne,* t. IV, 1936. Voir aussi P. Fouché, dans *Où en sont...,* pp. 25–31 et 53, Marouzeau, *Précis de stylistique,* 1ʳᵉ édit., pp. 44 et W. v. Wartburg, *Evolution,* 3ᵉ édit., pp. 273–276.

Ruth REICHSTEIN : *Etudes des variations sociales et géographiques des faits linguistiques* dans *Word,* 1960, pp. 55–59.

Observations faites à Paris.

R. JAKOBSON and J. LOTZ : *Notes on the freach phonemic pattern* dans *Word,* 1949, pp. 151–158.

Analyse d'une phrase. Bibliographie.

Alf LOMBARD : *Le rôle des semi-voyelles dans la prononciation française.* Lund, 1964, 46 pages.

Georges STRAKA : *Contribution à l'histoire de la consonne R en français* dans les *Mélanges Väänänen* (Neuphilologische Literatur). *Helsinki,* 1965.

Vladimir UHLIZ : *L'évolution phonologique et le type du français* dans *Romanistica pragensia,* III, 1963.

Accent tonique. Albert DAUZAT : *Phonétique et grammaire historique,* p. 118 : « A côté de l'accent principal coexistent souvent un ou des accents secondaires, dans les groupes comme dans les mots. Dans les mots longs, sa place n'est pas fixe... » Cet enseignement a été repris par André RIGAUD dans *Vie et langage* d'août 1964, p. 488.

Il est affirmé d'une manière un peu différente, mais très circonstanciée et avec citations (non précises) d'autres autorités, par N. Chigarevskaia (citée p. 463). Il n'est pas conforme à mon expérience, et on le chercherait en vain dans divers ouvrages de phonéticiens éprouvés.

Des observations devront être faites, avec des instruments permettant d'apprécier de très petites différences d'intensité.

A propos de l'accentuation, voir Elise RICHTER : *Das psychische Geschehen und die Artikulation* dans *Archives néerlandaises de phonétique expérimentale,* T. XIII, s. d., pp. 41–71. Cet auteur rapporte que le poète Mortier lui avait dit que sa femme, née en 1840, pensait l'accent d'insistance ignoré au début du 19ᵉ siècle.

Un bon document de français parlé est, aux *Archives de la parole* (Paris, 19, rue des Bernardins), le disque 5001-2, dialogue de Ferdinand Brunot (professeur d'origine lorraine) avec un tapissier parisien.

7. *Morphologie, syntaxe et stylistique*

Liste incomplète et non classée d'études partielles, pour prolonger le § 3 : livres et articles qui ont paru importants.

Marg. DURAND : *Le genre grammatical en français parlé.* Paris (d'Artrey) 1936, 302 pages.

A. MEILLET : *Sur la disposition des formes simples du prétérit,* dans : *Linguistique historique et linguistique générale.* T. I, 1921.

Albert DAUZAT : *Le fléchissement du passé simple et de l'imparfait du subjonctif* dans *Le français moderne.* Avril 1937, pp. 97–112.

L. TESNIERE : *L'emploi des temps en français.* Bulletin de la Faculté des Lettres de Strasbourg, 1927, 32 pages.

G. GOUGENHEIM : *Etude sur les périphrases verbales de la langue française.* Paris (Les Belles Lettres), 1929, 383 pages.

B. FOUCHE : *Le verbe français.* Paris (Belles Lettres), 1931, 443 pages.

Robert LE BIDOIS : *L'inversion du sujet dans la prose contemporaine (1900–1950) étudiée plus spécialement dans l'œuvre de Marcel Proust.* Editions d'Artrey, 1952, XVII–448 pages.

Gustave GUILLAUME : *Le problème de l'article et sa solution dans la langue française.* Paris (Hachette), 1919, 318 pages.

Livre riche en enseignements où se dessine par endroits la doctrine aventurée de l'auteur.

— *Temps et verbe. Collection linguistique.* Champion, 1929, 134 pages, réédité en 1965 avec préface de Roch Valin, 360 pages.

Première présentation de ce que G. Guillaume a appelé plus tard la *chronogénèse.*

Andreas BLINKENBERG : *Le problème de la transitivité en français moderne.* Essai syntacto-sémantique. Copenhague, 1960, 366 pages.

M. A. BORODINA : *Flexion verbale en français moderne* résumé dans *Fr. mod.,* juillet 1964, pp. 238–240.

Poul HOYBYE : *L'accord en français contemporain.* Copenhague, 1944, 328 pages.

H. STEN : *Les temps du verbe en français moderne.* Copenhague, 1952, 264 pages.

Félix KAHN : *Le système des temps de l'indicatif chez un Parisien et chez une Bâloise.* Genève (Droz), 1954, 218 pages.

C. r. par M. C. dans *B.S.L.,* 1955.

Paul IMBS : *L'emploi des temps verbaux en français moderne.* Paris (Klincksieck) 1960, 270 pages.

Marcel COHEN : *Le subjonctif en français contemporain,* 1re éd. 1960 ; 2e éd. Sédes 1965, 265 pages.

M. PRIGNIEL : *Le suffixe populaire -o* dans *Fr. Mod.,* janvier 1966, pp. 47–63.

Wolfgang POLLAK : *Studien zum Verbalaspekt im Französischen* dans *Sitzungsberichte der Österreichischen Akademie Phil. hist. Kl.,* 23 n° 5, 1960.

E. BENVENISTE : *L'antonyme et le pronom en français moderne* dans *B.S.L.* t., 60, 1965, pp. 71–87. Etre et avoir, B.S.L., L.V. (1960).

Alf LOMBARD : *Les constructions nominales dans le français moderne. Etude syntaxique et stylistique.* Upsal-Stockholm, 1930, VIII–298 pages, avec diverses références à d'autres ouvrages.

Lennart CARLSSON : *Le degré de cohésion des groupes substantif + de + substantif en français contemporain.* Uppsala, 1966, *Acta Universitatis Upsaliensis.*

C.R. de E. Ucherek in *Kwartalnik Neofilologiczny* XVII, 1970, 2, pp. 173–179.
Pierre GUIRAUD : *La syntaxe du français*. Collection « Que sais-je », 128 pages, Bibliographie.
— *La grammaire*. Collection « Que sais-je », 1958, 127 pages.
Ernst GAMILLSCHEG : *Historische französische Syntax*. Tübingen (Niemeyer), 1957.
    Réparti par sujets, non histoire continue.
Lucien TESNIÈRE : *Eléments de syntaxe structurale*. Paris (Klincksieck), 1959 700 pages avec 390 illustrations et 1 carte, résumé dans *Esquisse d'une syntaxe structurale*, même lieu, 1953.
    Système personnel d'analyse avec des 'stemmas'. La dernière partie sur la *translation* (changements de fonctions) peut être utilisée sans ralliement à la théorie et pratique de l'auteur.
Gérald ANTOINE : *La stylistique française, sa définition, ses buts, ses méthodes* dans *R.E.S. (Revue de l'enseignement supérieur)* 1959, n° 1, pp. 42–62. *La coordination en français*. Editions d'Artrey, t. I, 1958, pp. 1–700, t. II, 1962, pp. 701–1409.
    Ouvrage très riche, aussi en vues théoriques et références.
A. SAUVAGEOT : *L'extension de la phrase nominale en français* dans *Le français dans le monde*, mars 1963, pp. 12–13.
Iu. STEPANOV : *Francuzcka Stilistika*. Moscou, 1965, 355 pages.
J.P. VINAY et J. DARBELENET : *Stylistique comparée du français et de l'anglais*, Didier, 1958, 331 pages.
Alfred MALBLANC : *Stylistique comparée du français et de l'allemand*, Didier 1961, 351 pages.
Henri BONNARD : *La classe du neutre en français* dans *Le français dans le monde*, n° 21, décembre 1965, pp. 8–11.
    Pour la question particulière du style direct et du style indirect, après M. LIPS, voir Urszula DAMBSKA-PROKOP : *Le style indirect libre dans la prose narrative d'A. Daudet*. Cracovie, 1960, 58 pages.
    C. r. par R. L. WAGNER dans *B.S.L.*, t. 58, 1963, pp. 139–140.
J. A. VERSCHOOR : *Etude de grammaire historique et de style sur le style direct et les styles indirects en français*. Thèse de Paris imprimée à Groningue en 1959, 100 pages.
    C. r. par R. L. WAGNER dans *Fr. Mod.*, juillet 1960.
A. Kalik TELJATNIKOVA : *De l'origine du prétendu « style indirect libre »* dans *Fr. Mod.*, octobre 1965, pp. 284–294 et avril 1966 pp. 123–136.
    Etude importante. L'auteur propose de dire 'discours direct impropre'.
E. BENVENISTE : *Structure des relations d'auxiliarité*. *Acta linguistica hung*. IX, I, 1965.
Gérard MOIGNET : *Le pronom personnel en français*. Essai de psycho-systématique historique, Klincksieck, 1965, 179 p.
    Il est utile de comparer les faits occitans :
G. RONJAT : *Essai de syntaxe des parlers provençaux modernes*. Mâcon, 1913 (réédité à Montpellier en 1930).
Charles CAMPROUX : *Etude syntaxique des parlers gévaudanais*. Paris, P.U.F., 1958, 514 pages.

8. *Vocabulaire, formation des mots, sémantique*

    Lexicographie en général.
    Le travail des vocabulistes est énorme, il faudrait en faire une étude spéciale, avec les vicissitudes de l'édition. Il n'est pas tenu compte ici de

certains ouvrages maintenant disparus du marché, pour ne donner que des indications succinctes sur les principaux ouvrages généraux actuellement disponibles.

Les dictionnaires spéciaux de toutes sortes de techniques, nécessaires à consulter pour une histoire complète de la langue, se sont multipliés et foisonnent d'année en année. Aucun n'est cité ici.

Pour les grands dictionnaires :

La prochaine édition du *Dictionnaire de l'Académie* est en lente préparation. D'après les communiqués paraissant dans la presse, le travail en est encore dans la lettre C.

Le plus étendu des dictionnaires Larousse est le *grand Larousse encyclopédique* en 10 volumes, paru de 1960 à 1964, comprenant 165.270 articles, avec un *Supplément* en 1969.

La première édition du *Dictionnaire encyclopédique* Quillet en 6 volumes est de 1934 ; le dernier remaniement est de 1963.

A signaler aussi : *Le dictionnaire Quillet de la langue française* en 3 volumes, paru en 1946, réédité en 1959.

Paul ROBERT : *Dictionnaire alphabétique et analogique de la langue française* en 6 volumes, paru de 1960 à 1964 contient 50.000 articles ; un *Supplément* a paru en 1970.

Le dictionnaire du français contemporain a paru chez Larousse en 1966.

Le grand Larousse de la langue française a commencé à paraître en 1971.

Un premier tome du *Trésor de la langue française* dont il est question p. 343 (19ᵉ et 20ᵉ siècles ; A à AFFIN) est sorti au début de 1972.

Voir aussi Alphonse JUILLAND : *Dictionnaire inverse de la langue française*, éditions Mouton, 1965, 503 pages.

Pour les petits dictionnaires :

Le Petit Larousse a commencé à paraître en 1908 ; il a généralement une édition annuelle ; celle de 1966 comporte 73.000 articles.

Le dictionnaire usuel Quillet-Flammarion a paru en 1956 ; édition en couleurs en 1963.

Le petit Robert est de 1967.

D'autres ouvrages sont parus ou en préparation dont une série dirigée par H. Mitterand, chez Hachette et Tchou, où je signale spécialement J. P. COLIN : *Nouveau dictionnaire des difficultés du français*, 1970.

Une innovation dans la formule des dictionnaires, celui de Maurice Davau, Marcel Cohen, Maurice Lallemand : *Dictionnaire du français vivant*, Bordas, 1972. Après la prononciation du mot, son étymologie ; puis, et voici la nouveauté, une phrase exemple simple mais complète, incluant le mot dans un sens particulier que le contexte aide à cerner ; suit la définition du mot dans la phrase ; autant de sens, autant d'exemples et de définitions ; l'emploi du mot apparaissant par surcroît.

Etudes de locutions.

Maurice RAT : *Dictionnaire des locutions françaises*. Larousse, 1957, XVI–430 pages.

Pierre GUIRAUD : *Les Locutions françaises*. Collection « Que sais-je », 1961, 125 pages ; petite bibliographie.

Yvonne de DONY : *Lexico del lengaje figurado*. Buenos Ayres (éd. Desclée de Brouwer, 1961, 884 pages). Espagnol, français, anglais, allemand, avec index dans chaque langue et bibliographie.

Francuzko-ruskii Frazeologičeski slovar (Dictionnaire de locutions francorusses), par 6 auteurs dont G. V. GAK. Moscou, 1963, 1112 pages.

Etudes de fréquence.

Outre les recherches sur la fréquençe dans un but scientifique, des travaux ont été faits à des fins pratiques d'une part pour la confection de langues universelles, d'autre part pour l'enseignement de vocabulaires simplifiés.

J. B. HAYGOOD : *Le vocabulaire fondamental du français.* Paris (Droz), 1936, 170 pages. (Réimpression photographique. Genève, Droz, 1952) (contient des statistiques).

Le français élémentaire. Ministère de l'Education nationale, 1954, 68 pages, critiqué dans Marcel COHEN et un groupe de linguistes : *Français élémentaire ? Non.* Editions sociales, 1955, 115 pages.

L'élaboration du français élémentaire, 1956, reparu en 1964 sous le titre de *L'élaboration du français fondamental* (1ᵉʳ degré) par G. GOUGENHEIM, A. SAUVAGEOT, P. RIVENC, R. MICHÉA. Paris (Didier), 302 pages. Important en particulier pour l'étude des fréquences.

Georges GOUGENHEIM : *Dictionnaire fondamental.* Didier, 2ᵉ éd., 1958, 281 pages ; choix de 3.000 mots.

E. VERLEE : *Basis Woordenboek voor de franse taal.* Anvers, 1954, 259 pages.

Gilles PHILIFERT : *Evaluation du vocabulaire* dans *Revue de l'Ecole nationale des Langues orientales,* 2. 1965, pp. 25–36.

Un élève de sixième disposerait de quinze à vingt mille mots.

Etudes diverses en partie avec des moyens mécaniques.

Publications du Centre d'études de Besançon : Bulletin d'information depuis 1960.

R. MICHÉA : *Répétition et variété dans l'emploi des mots,* dans *B.S.L.* 64/1, 1969, pp. 1–21.

Les *Cahiers de lexicologie* depuis 1959.

Etudes de linguistique appliquée depuis 1962.

On peut joindre ici la *Traduction automatique* depuis 1960, organe de la société ATALA.

Etudes théoriques.

Georges MATORÉ : *La méthode en lexicologie.* Domaine français. Paris, Didier, 1953, 126 pages.

Georges MATORÉ : *L'espace humain.* Paris (Editions de la Colombe), 1962, 299 pages.

G. RUCKEN : *Remarques sur l'évolution du vocabulaire français des idées* dans *Revue de linguistique.* Bucarest, 1963, 4, pp. 23–36.

Formation des mots.

Ed. PICHON : *Les principes de la suffixation en français.* Paris (d'Artrey), 1946, 30 pages.

Jean DUBOIS : *Etude sur la dérivation suffixale en français moderne et contemporain.* Larousse, 1962, 118 pages.

Composition et évolution du vocabulaire, choix d'études.

Henri MITTERAND : *Les mots français.* Collection « Que sais-je », 1963, 2ᵉ éd. 1965, 128 pages, avec bibliographie.

Pierre GUIRAUD : *L'étymologie.* Collection « Que sais-je », 1964, 2ᵉ éd. 1967.

Aurélien SAUVAGEOT : *Portrait du vocabulaire français.* Larousse, 1964, 236 pages.

Georges GOUGENHEIM : *Les mots français dans l'histoire et dans la vie.* Paris, Picard, I, 1962, 331 pages, II, 1966, 203 pages.

Jean DUBOIS : *Le vocabulaire politique et social en France de 1869 à 1872.* Larousse, 1962, 460 pages.

Jean GIRAUD : *Le lexique français du cinéma des origines à 1930,* sans nom d'éditeur, 1958, 262 pages.

Louis GUILBERT : *La formation du vocabulaire de l'aviation.* Larousse, 1965, 711 pages en 2 vol.

Ane GOLDIS : *Quelques modifications du vocabulaire de la langue française actuelle* dans *Revue de linguistique.* (Bucarest) 1962, n° 2, pp. 351-383.

E. PICHON : *L'enrichissement lexical dans le français d'aujourd'hui* dans *Fr. Mod.,* 1935, pp. 209-222 et 325-344.
Contre l'antinéologisme.

J. DUBOIS, L. GUILBERT, H. MITTERAND, J. PIGNON : *Le mouvement du vocabulaire français de 1949 à 1960 d'après un dictionnaire d'usage,* dans *Fr. Mod.,* 1960, avril, pp. 86-106 ; juillet, pp. 196-210.
Comparaison de deux éditions du *Petit Larousse,* le résultat a été la constatation que près du quart du vocabulaire avait bougé, soit par l'apparition et la disparition de mots entiers, soit par des modifications de composition, soit par des changements de valeur.
Pour la question particulière des emprunts :

Pierre GUIRAUD : *Les mots étrangers.* Collection « Que sais-je », 1965, 126 pages. (Bibliographie sommaire.)
Très utiles listes d'emprunts.

M. VALKHOFF : *Les mots français d'origine néerlandaise.* Amersfoort, 1931.

René ETIEMBLE : *Le babélien,* 3 fascicules. Paris (Sédes), 1959-1962.
– *Parlez-vous franglais ?* Gallimard, 1964, 378 pages.
C. r. par M. C. dans l'*Ecole et la nation,* n° 136. 1965, pp. 57-59.
– *Le jargon des sciences.* Paris (Hermann), 180 pages.

Félix DE GRAND COMBE : *L'anglomanie en français* dans *Fr. Mod.,* 1954, pp. 187-200 et 267-276.

Fr. MACKENZIE : *Les relations de l'Angleterre et de la France d'après le vocabulaire.* I : Anglicismes français ; II : Gallicismes anglais. Paris (Droz), 1939.

Louis GUILBERT : *L'anglomanie et le vocabulaire technique* dans *Fr. Mod.,* 1959, pp. 272-295.

Bruno MIGLIORINI : *Entre la France et l'Italie. Echanges de mots* dans *Vie et langage.* Août 1963, pp. 406-419.

Marie-André LAJAUNIE : *Les avatars d'un suffixe émigré, Vie et langage,* juillet 1962, pp. 532-542.

St. ULLMANN : *Précis de sémantique française.* Berne, 1952, 334 pages.
– *Semantics.* Oxford, 1962, réimpression en 1964, 278 pages.
C. r. par J. Dubois dans *Fr. Mod.,* octobre 1963, pp. 305-306.

Pierre GUIRAUD : *Les mots savants.* Collection « Que sais-je », 1968, 115 pages.

Pierre GUIRAUD : *La sémantique.* Collection « Que sais-je », 1955, 118 pages ; petite bibliographie.

COMPLEMENTS

P. 417. *Orthographe.*
Léon CLÉDAT : *Notions d'histoire de l'orthographe* (Le Soudier), 1910, 152 pages.
P. 435. *Universités.*
Antoine LÉON : *Histoire de l'enseignement en France.* Collection « Que sais-je », 1967, 128 pages. Bibliographie sommaire.
P. 439. *Orthographe.*
Jacques PELETIER DU MANS : *Dialogue de l'Ortografe e prononciacion francoese*

(1555), suivi de la *Réponse de Louis Meigret,* édité par Robert C. Porter, Genève (Droz), 1966, 230 pages.
P. 441. *Vocabulaire.*
Randle COTGRAVE : *A dictionarie of the French and English tongues,* Londres 1611 ; a été réédité en 1959 (Caroline university press).
P. 450. *Art Littéraire.*
Gérald ANTOINE : *Les cinq grandes odes de Claudel ou la poésie de la répétition,* Paris (Minard), 1959, 96 pages.
Roger CAILLOIS : *La poétique de Saint-John Perse.* Paris (Gallimard), 1959, 216 pages.
P. 451. *Dialectologie.*
M. A. BORODINA : *Problèmes de géographie linguistique,* Moscou, 1966, en russe avec résumé en français 220 pages, nombreux croquis dans le texte.
P. 453. *Le français hors de France.*
Willy BAL : *Le français en Afrique noire,* dans *Vie et langage,* février 1967, pp. 62–69 et mars 1967, pp. 122–128.
Environ 5 millions de francophones.
P. 65–68, renseignements sur l'enseignement supérieur. Au Congo-Kinshasa, trois universités ; de plus une au Burundi et une au Rwanda.
P. 460. *Etudes d'ensemble du français.*
Maurice CALVET et Pierre DUMONT : *Le français au Sénégal,* Interférences du Wolof dans le français des élèves sénégalais *Bulletin de l'I.F.A.N.,* T. XXXI, série B, n° 1, janvier 1969.
Pour l'Asie voir Ley HIAN : *Asie francophone* dans *Vie et langage,* août 1968, pp. 516–521.
Jules MAROUZEAU : *Aspects du français* (Masson), 1950, 213 pages.
– *Notre langue* (Delagrave) 1955, 279 pages.
Thomas S. THOMOV : *Français parlé et écrit* dans *Actes du Xe Congrès des romanistes, Strasbourg, 1962* (Klincksieck), 1965, pp. 427–442. Exposé général.
Ernest RICHER s.j. : *Français parlé, français écrit,* Bruges-Paris, 1964, 197 pages.
Voir c. r. négatif de Marcel Cohen dans l'*Ecole et la nation,* novembre 1966, p. 53.
P. 465. *Morphologie.*
Gustave GUILLAUME : *Langage et science du langage,* Paris (Nizet) et Laval (Presses universitaires), 1964, 287 pages. Recueil d'articles dont la plupart traitent du français. Méthode générale à critiquer.
Alexandre LORIAN : *L'hypothèse en français moderne* (Minard), 1964, 128 pages.
P. 466. *Vocabulaire.*
Louis GUILBERT : *Le vocabulaire de l'astronautique* (Larousse), 1967, 361 pages.

COMPLEMENTS AUX OUVRAGES DE MARCEL COHEN

Sur l'étude du langage enfantin, Paris, *Enfance,* n°s 3–4, mai–septembre 1969, pp. 205–272. (Réimpression de l'article paru en 1952, avec un avant-propos inédit.)
Matériaux pour une sociologie du langage, t. I et II, Paris, Petite collection Maspéro, 1971, 180 p. et 170 p.
Une fois de plus des regards sur la langue française, Paris, Editions sociales, 1972, 368 p.
En collaboration avec M. DAVAU et M. LALLEMAND : *Dictionnaire du français vivant,* Paris, Bordas, 1972, XVII + 1342 p.

INDEX

a 38 98 101 103 104 105 106 107 108
  109 206 207 392 444
-a 73 96 111 113 146 212
à 207 380
ă 207 380
ā 39
ã 108 207
â 207
a d'arrière 380
a d'avant 380
a moyen 380
a- 403
abbaye 68 77 85 90
Abbaye (l') 294
abbé 77
Abidjan 453
-able 149 403
ablatif 42 47 112
Abraham Pierre 419 420
abréviation 95 131 152 236 376 399
  400
abréviations techniques 399
abricot 170
abstrait (mot) 44
abstrait (art) 292
Abyssinie 34 58 88
Académie de Berlin 222
Académie française 187 188 191 196
  223 224 242 250 252 286 287 288
  296 301 343
Académie Goncourt 296
Académie des sciences 347
accent 203 209
accent (déplacement d') 384
accent faubourien 308 384
accent final de mot 383
accent graphique 40 131 165 196 222
  224
accent d'insistance 384

accent d'intensité 41 52 103 105 189
  208 383 384 464
accent du Midi 80 110 308
accent parisien 380
accent régional 241 307 309 373
accent tonique 40 41 103 109 110
  113 118 128 149 208 376 464
accentuation 109 118 383
accessoire (mot) 41 113 209
accord 194 211 287 391 393
accusatif 41 43 47 96 100 111 112
  113 123
acrem 103
actes officiels 143
acteur 308
actif 44 120
action 214
Adam Antoine 439
Adam Paul 450
Adamov 359
adhérer 149
adjectif 41 44 110 115 116 117 123
  124 144 145 146 149 150 166 168
  169 192 209 212 213 214 225 385
  396 403
adjudant 170
administration 90 128 139 142 147
  181 234 236 250 404
adverbe 213 214 215 216 394 397
ae 38 105
aerdre 149
aérobus 400
aéroplane 400
aérostat 237 400
affaiblissement 24 52 95 97 99 100
  102 103 111 166 167 189
affirmation 194 216
afghan 30
a fortiori 148

africaines (langues) 40
Afrique 83 271 311 453
Afrique centrale 353
Afrique du Nord 34 36 51 66 271 310 311 316 351 352 453
Afrique occidentale 353
Afrique du Sud 30
-age 403
Agréables conférences de deux paysans de Saint-Ouen et de Montmorency sur les affaires du temps (1649–1651) 443
agrégation 280 283 338 339
ai 107 144 191 207 235 252
aigrĕ 103
ain 207 380
Aix 60
Akamatsu Tsutomu 444
al 392
Alain 290 324
Alaman 67
albanais 29 33
Albigeois 87
alcade 170
Alcuin 70
alémanique 32 81
Alembert (d') 220
Alessio Giovanni 414
Alésia 62
Alexandre 31 36
alexandrin 130 187 251 258 356
Alexandrov K. A. 415
Alexis (Vie de saint) 86
Algérie 248 310 311 316 334 335 352 377
Allemagne 37 72 157 159 182 222 239 252 264 265 334 398
Allemand 31 32 33 37 38 40 41 72 81 111 119 126 170 240 253 306 312 316 353 398 (voir bas-allemand)
allemand (bas-) 32
allemand (adjectif) 182 253 254 282
Allemand 239 268
aller (auxiliaire) 391
Alliance française 354
allongement (des voyelles) 381
almanach 161
Alpes 58
alphabet 28 32 33 39 40 196
Alphand A. 432
Alpins 58
Alsace 32 67 181 265 305 306 355 453

alsacien 9 32 67 78 81 304 452
Alsacien 240 308
Alsace-Lorraine 272
altaïque 33
alternance 146 190 207 210
alternance vocalique 118 146 190
âme 150
Amérindiens 52
Amérique 29 140 156
Amérique centrale 69
Amérique du Nord 176
Amérique du Sud 51 52 69
amo 44 45
ampère 401
amui, amuissement 16 38 96 97 100 189 196 376 378 382
Amyot 161
an 207
analogie 113 114 115 116 117 119 120 146 225
analphabétisme 278
analyse 222 250
analytique 210
anarchie 267 270
angevin 81
Anglade Joseph 435
anglais 29 30 32 33 37 38 81 98 99 125 140 253 272 310 312 313 316 345 353 398 402
Angleterre 32 37 69 77 88 89 140 159 226 248 253 402 405
anglicanisme 159
anglo-normand 110
angoisse 195
Angoumois 80
animer 150
anschluss 398
antécédent pronominal 393
antépénultième 41 103
antithèse 257
anthropologie, anthropologiste 20
Antilles 176 310
Antoine André 302
Antoine Gérald 413 455 466 470
-an(t)s 224
apesanteur 403
Apollinaire Guillaume 293 325 450
Apollinaire Sidoine 429
apostrophe 165 196 294
apparentement 403
appartenance (voir complément)
après que 389
après s'amuser 308

Aquitaine 67
Aquitains 60
aquitain 33
arabe 21 30 33 89 90 91 128 170 310 311 316 352 353
arabe classique 310
Arabes 69 87
Aragon 299 330 355 356 358 362 364 450
araméen 30
archaïsme 37 193 257 372 374 378 390
architecture 89 157 179 219
Archives de la parole 465
-ard 126
argot 295 370 371 372 401 463
argot familier 372
argot scolaire 399
aristo 236
aristocrate 227
aristocratie 227 247 248 254
Aristophane 302
Aristote 143 179 222
armée 233 239 265 268 270 371
arménien 29 33
Armorique 63
Arnaud Jacques 454
Arnauld 187
Arnould 432
arpent 65
Arras 88
Arrivé Michel 461
arrondi 207
art 18 76 89 141 179 247 254 276 279 448
Artaud Antonin 360
l'Art de dicter 143
article 41 53 110 111 113 146 165 168 193 209 211 212 213 214 385 386 396
article défini 117 146 193 212 385 386
article indéfini 193 212 385 396
article partitif 193 212
articulation 37 38 100 103 109 110 111 205 206 314 377 378 379
artillerie 141
Artois 181
aryen 27 30
-asc 58
Asie 23 27 28 29
Asie centrale 33
Asie mineure 30 31 33 59 140

asocial 403
aspect 45 120 121 194 213
assimilation 98 346 377 378
assonance 107 130
assurances sociales 274
atelier 218
ateliers 76
ateliers nationaux 264
Atlas linguistique 285 434 451
attelage avec collier d'épaule 76
attribut 123 210 211 213 214 215 395 396
attribution (voir complément)
au 207
Aubigné (d') 160
Aucassin et Nicolette 88
Audiat P. 435
Augier Emile 301
Auguste 62
auriculaire 168
Australie 30
Australiens 21
auteurs étrangers 220
auteurs français 406
auto 399
autobus 400
automobile 272 335
Autriche 222 264 398
auvergnat 81
Auvergnats 308
auxiliaire 45 53 54 117 122 194 210 213 315 387 390 395
auxiliaire de mode 391
avestique 30
avion 276 400
avocat 234
avoir 117 121 122 390
ay 107 108
Ayer C. 460

b 37 40 95 96 101 102 206 308 377 445
Babeuf 243
baccalauréat 338
Bachellery Edouard 428
Bagaudes (insurrection des) 63
Bakounine 267 268
Bal Willy 426 470
Baldinger Kurt 452
Balkans 31 36 52
ballon 237 400

Ballot Marc 449
Bally Charles 421 456 458
balte 29
baltique 32
Balzac (Guez de) 195
Balzac (Honoré de) 248 254 256 258 259 262 448
Bamako 453
bande 356
banlieue 181
banque 169 248
banqueroute 169
banquier 266
Barangé (loi) 337
'Barbares' (les) 66
Barbey d'Aurevilly 295
Barbusse Henri 299 326
Barczi G. 436
barreau 382
Barré Louis Carolus 432
Barrès Maurice 297
Barret Andrée 366
bas-allemand 67 109
bas-latin 50 53 102 105 129
Basoche 142
basque 9 33 36 60 67 78 81 238 304 306 355 452
Bastille (prise de la) 233
Baty Gaston 302
Bauche Henri 459
Baudelaire Charles 292 450
Bayeux 69
Bayle 188
Bazin Hervé 455
béarnais 81
Béarn 452
Beaulieux Charles 347 418 439 441
Beaumarchais 220 230
Beauvoir (Simone de) 358
Beauzée Nicolas 222
bec 143
Bec Pierre 434
bécane 400
because 394
Becker Jacques 360
Beckett Samuel 359
Becque Henri 301
Bédier Joseph 133
béjaune 143
B.E.L. 354
Bel J. J. 227
Belgique 9 32 306 309 314 345 354 355 377 390 452

Bénédictins 221
Bengtsson Sverker 460
Benveniste Emile 437 465
berbère 34 310 352
Berlin 182
Bernardin de Saint-Pierre 231
Bernstein Henri 301
Berquin 221
berrichon 81
Berrichons 308
Besançon (université de) 354
Bescherelle 284
bésicles 142
Beslais Aristide 347 455
Bible 31 32 70 141 158 160 183
bibliobus 341 400
bibliothèque 283 341
bicyclette 271 400
biens nationaux 233
bière 170
les Bijoux indiscrets 220
bilingue 78 164 305 310 350
bilinguisme 54 64 68 78 90 353
Bischoff B. 435
Bituriges 61
bizarre 170
Blancs 34
Blanche-Benveniste Claire 461
blanc-russe 32
Blanqui Auguste 249 267
blé 69
bleu 69
Blinkenberg A. 461 465
Bloch Jean-Richard 298 299 300 302 303 327 329 420 450
Bloch Marc 433
Bloch-Michel Jean 456
Bloch Oscar 416 418 428 431 435
Bluwal Marcel 360
Bochiman 58
Bodin Jean 431
Boèce 435
Boer (C. de) 461
Boileau 180 186 187 188 254
Boiste Claude 447 449
boîte 169
Bonnard Henri 445 466
Bonnard et Salmon 435
Bordeaux (université de) 355
Borodina M. 415 426 465 470
Bossuet 180 195 201 440 444
bouc 65

Boucicaut 267
bouddhisme 351
Bouhours 188
Boulan H. R. 442
Boulanger 269
Boule Marcellin 422
boulevard 170
boulot 401
Bourbons 247 248 254
Bourciez E. 415 435
Bourdier Franck 427 429
bourg 77
bourgeois 77 264 269 275 279 280
    386 389 401
bourgeoisie 84 88 140 141 156 177
    218 232 235 247 248 254 263 264
    266 267 268 272 277 279 370 374
    383 407 408
Bourges 61
bourguignon 81
boussole 141
boussole 169
Bouzige Rosine 411
boycott 316
Brachet 445 460
brachycéphales 58
braguette 62
Braibant Charles 298
braie 62 65
Brassens Georges 356
Brazzaville 453
Bréal Michel 284
bref brièveté 38 39 129
Brésil 28 51 52 69
Brest 305
Bretagne 31 58 63 67 181 305 388
    452
breton 9 31 63 67 78 81 305 306
    355 452
Breton André 299 328
briser 65
Britanniques (Iles), britannique 31 59
britonique 63
Brochon Pierre 439
brome 401
Bruant Aristide 294 321 382
brun 69
Brun Auguste 443 452
Bruneau Charles 11 342 347 413 415
    435 448 449 461 463
Brunot Ferdinand 72 284 286 288 342
    413 417 427 428 429 431 434 435
    439 440 443 446 447 449 465

bruyère 65
Bruzeau Maurice 387
Buben VI. 464
Budé Guillaume 162
budget 226
bulgare (vieux) 32 33
Burgondes 67 80
Burney Pierre 454
bus 400
Butor Michel 358 364.
Byzance 36 67 89 90
byzantin 89 90

c 37 94 96 97 98 206 348
č 94 98
c' 211
c orthographe 164
cabarets artistiques 294
cabinet de lecture 221
cacahouète 316
café 219 249
café-concert 267
Cahen Jacques-Gabriel 442
Cahiers de doléances 233
Cahiers de lexicologie 468
Caillois Roger 470
Caillon O. 419
calanque 428
Calvet Maurice 470
Calvin 160 161
calviniste (*voir* réformé)
camarade 170
Cambodge 351
campagne 64 65 68 221 268 276 279
    305 309 369 373 404
Camproux Charles 466
Camus Albert 358 450
Canada 9 29 176 222 307 309 310
    345
C.A.P.E.S. 338
Capet Hugues 69 76
Capétien 69 76 85 140
capitalisme 156 219 248 263 266 269
    270 334 336 406
Caracalla 62
caractère (voir écriture)
caractères étrusques, grecs, latins 61
carbonarisme 249
Carcassonne 453
Carlsson Lennart 465
Carolingiens 76
cartésianisme 222

cas 41 42 48 110 111 112 115 117 144
caserne 372 401
casque 68
Castellani Arrigo 432
Catach Nina 455
catalan 51 80 81 354 452
catéchisme 306 452
catégorie 44
cathare 87
cathédrale 78 88 124
catholicisme 156 177 183
Catholicon 143
catholique 33 90 155 157 159 177 183 219
Castille, castillan 51
Caucase 30 33
caucasien 28 34
Caudebec 69
causatif 214
cavalerie 141 169
Cayrou G. 442
cédille 165 196
cela, ça 393
Céline Louis Ferdinand 299 330 450
Celtes 35 59 63 64 67
celtibères 59
celtique 25 26 29 31 35 59 61 108 109 127 128 217 238 303 428 429 (voir gaulois)
celtisation 60 108
celui-là 393
cent 25
Cent Nouvelles nouvelles 143
centralisation 141 181 185
C.E.R.M. 340
certaineté 149
certitude 149
cerveau 18 422
César 60 62
c'est 385 393
césure 130 258
Cézanne Paul 291
C.G.T. 399
ch 38 40 94 96 98 206
ch (k) 169 348
Chabrol Jean-Pierre 358 364
Chailley Jacques 434
chaire 167
chaire 382
chaise 167
chambellan 68
Champ Fleury 165

chamito-sémitique 34
Champagne 140
champenois 81 84
La Champmeslé 179
chancellerie 88
Chandeleur 112
changement de langue 63 124 367 368 385 386 403
changement (emploi écrit de la langue) 226
changement de sens 126 129
changements de prononciation 225 377
chansons 82 381
chanson de geste 83 87 91
Chanson de Roland 83 86 87 132
chants d'église 129
Chaplin Charles 303
Chapsal 250 448 460
char 61 63
Char René 355
Charlemagne 67 69 70 71 87 162
Charles X 247
Charles le Chauve 67 71
Charte 247
Chastaing Maxime 457
Chateaubriand 238 246 254 444 448
Châteaudun 61
château fort 77 141
Châtelet 302
châtié (*voir* tenu) 296
Chatrian 297
le chauvinisme linguistique 416
Chavasse P. 443
chef de guerre 68
chef de terre 68
chemin 65
chemin de fer 248 263 289
chêne 65
Chénier André 244
Chevaillier J. R. 435
Chevallier R. 427
Chevalier Claude 439
chevauchement linguistique 78
Chifflet 187
chiffre 89
Chigarevskaia Nina 463 464
chimistes 227
chinois 40 311 339
chirurgie 143 437
chrétien 180
Chrétien de Troyes 87 132 134

christianisme 50 53 64 66 159 169
    404
chrome 401
chronique 88 89 289
Chronique de Nitard 431
Chroniques de Saint-Denis 88
chuintante 94 98 99 206
chypriote 28
Cicéron 49
ciné 399
cinéaste 400
ciné-clubs 360
cinéma 276 303 359 369 397
cingler 69
cinq 25
citoyen 62
civilisation 22 28 37 54 66 75 157
    158 314 370 404 408 424 (voir:
    langue de civilisation)
Clair René 303
classe 36 77 156 185 186 249 251
    263 268 269 274 277 370 374 401
Classe André 446
classe (conscience de) 267
classe (langage de) 182 186 316 369
classes privilégiées 370 371
classicisme 254
classique 48 86 175 176 197 227 242
    254 258 281 339
classique (auteur) 242 259 279 290
classique (enseignement) 281
classique (époque) 191 194 205 257
    376 385 445
Claude 62
Claudel Paul 293 302 325 450
Clédat L. 419 436 469
Clément René 360
clerc 88 90 110 128 142 169 404
clergé 68 85 141 159 169 177 219
    232 241 248 250 268 271 277 278
    279 404
clic 17 210
climat 58
cloche 65
Clovis 67
club 226
clystère 400
CNRS 283 340 350
coche, cocher 170
code Napoléon 232 code civil 237
Cœur Jacques 141
Cogniot Georges 454

Cohen Gustave 433 437 445
Cohen Marcel 415 416 420 421 422
    423 425 430 434 440 444 450 451
    459 460 461 462 464 465 468
Colbert 177 181 182
Colette 299 331 450
collège 161 280 281 337 338
Collège de France 162 165 242 248
    252
colonel 169
colonie 176 181 222 271 310
colonisation 57 62
colportage 221
comédie bourgeoise 301
comédie 49 161 259
Comédie française 250 255
comes 42 43
Comité de Salut public 233
commerce, commerçant 64 248 249
Commines 142
commune 77 88 241
Commune de Paris 233 267
communication 15
communications 65 181 218 265 307
    313
communisme, communiste 266 274
    282 334
compagnies (grandes) 248
compagnon, compagnonnage 249
comparaison (catégorie grammaticale)
    402
comparaison, comparatisme 21 23 25
    26 30 121 252
complément 118 168 213 214 215
complément d'appartenance 42 211
    213
complément d'attribution 42 112 118
complément circonstanciel 112 213
    215
complément de direction 41
complément d'instrument 42
complément de matière 42
complément de nom 41 112 124 145
    211 (*voir* objet)
complément d'objet 41 112 118 123
    145 147 194 210 211 213 214 215
complément d'origine 42
complément de phrase 397
complément propositionnel 397
complément de relation 41
complété 213

composées (formes) 121 213
composés (mots) 126
composé (voir temps)
composé (terme) 211
composition 126 213 226 315 400
compréhension 83
Comte Auguste 250
Conakry 453
Concile de Tours 71
concession 389
concordance 388 389 390 396
Condé 180
Condillac 222
conditionnel 46 120 121 122 123 190
    295 296 309 387 388 390
conditionnel passé 2ᵉ forme 390
conditionnel présent 389 390
C.F.D.T. 335
C.F.T.C. 274 334 335
C.G.T. 270 274 278 282 334 399
C.G.T.F.O. 335
Confessions 223
Congo 353 453 454 470
conjonction 210 215 216
conjugaison 42 44 53 113 117 118
    119 120 123 146 213 214
conjugaison latine 46
connecter 403
connerie 359 401
conquête romaine 60
conscription 236
Conseil d'état 237
conservation 114 117 119 128
conservatisme linguistique 374 382
    385
conservatoire 250 382
conserve (langue de) 53
consonne 16 24 26 28 30 37 38 39 53
    94 95 96 97 99 100 103 110 113
    120 143 144 150 151 164 166 167
    190 196 205 206 207 209 225 314
    376 377 379 381 382 392
consonnes doubles, géminées, longues
    151 192 379 382
consonnes finales 111 128 143 166
    189 224 382
consonnes (groupes de) 143
consonnes initiales 143
Constantinople 50 140 157
constrictive 16
construction 141 186
consul 236
Consulat 236 238 241 242

contacter 403
contacts 64 68
contamination 114
contes 82 220
continue 16 37 95 206
contrainte 114 184
contrainte de système 114 115
contre-rejet 258
Convention 241 242
conversation 209 296 315 381 388
    389 390 396 397 399 401
Conwell Marilyn J. 453
Cooper Fenimore 298
Copeau Jacques 302
Coquelin aîné 301
Corbin Solange 434
Cordemoy (Géraud de) 440
cordes vocales 15 17 206
Corneille Pierre 179 190 195 199 217
    290
Dʳ Corneille Pierre 303
Corneille Thomas 188 217
Cornu M. 445
Cornu (Mᵐᵉ) 282
corporation 77 88
correspondances (lettres) 49 180 184
    188 306 343
corse 81 355 452
Coste Daniel 440
costume 267 275
Cotgrave Randle 469
coton 89
couchitique 34
coupée (phrase) 208 216 226 397
coupure 400
cour 177 178 180 182 187 221 248
Courbet 291
couri(r) 189
cours du soir 282
Courtade Pierre 358
Courteline 301 322
courtisan 192
courtois (roman) 87 88
coutume 9
craindre 65
-*cratie* 227
création (*voir* termes nouveaux)
CREDIF 354
crédit 266
créole 64 310
Cressot Marcel 449
Le Creusot 248 266

crise du français 456
critique 290 360
croate 33 40
croisade 83 86 87 88 89 90
croyance 9
cubisme 291
Cuénot 417
cuis (je) 25
cuisinière 251
cum 38
cunéiforme 30 33
cyclomoteur 400
cyrillique 32 33 40 52

d 37 40 95 96 97 100 144 206 445
d orthographe 164
Dada, dadaïsme 299
Dagneaud Robert 448
Dakar 453
Dambska-Prokop Urszula 438 466
Damourette 347 417
dancing 398
Danemark, danois 32 69 252
Danielsson Bror 439
Dante 157
Danton 236
Danube (vallée du) 59
Daoust Aurèle 462
Darbelenet J. 466
Darius 30
Darmesteter Arsène 284 413 418 428
    430 438
datation 83
datations auteurs 299
datif 42 112
Daudet Alphonse 296 319 449
Dauzat Albert 347 349 414 415 416
    417 418 419 423 432 433 445 451
    453 459 461 465
Dav P.P. 440
Debré 337
début de mot 96 97 98 99 100 101
    103 166 384
Déclaration des droits de l'homme
    233
déclinaison 37 39 41 42 43 44 48 53
    110 111 113 115 139 144 145 146
    148
déficit 226

définition 214 395
dégermanisation 431
Deixonne (voir loi Deixonne) 354
déjoindre 149
Delacroix 254
Delamain M. 444
Delattre Pierre 445
Delferrière André 304 360
Deloffre 443 446
démocrate, démocratie 227 270
démocratisation 263 264
démonstratif 212 393
dénasalisation 192 385 386
Denis Roland 415
dentale 37 206
département 234 236 239
De Poerck 432
déponent 45 46 120
député 236 247 262 264
dérivé 226
Descartes 183 199 219 440
Deschamps Eustache 143
désinences personnelles, casuelles 42
    44 45 48 111 112 117 119 120 122
    146 193 210 213 385
Desmoulins Camille 236
Desné Roland 419
Desnos Robert 355
Desonay Fernand 414
détachable 403
deux-roues 400
déverbatif 403
Devic Marcel 418
Devoto Giacomo 424
dh 73 94
Diaghilev 302
dialectal 161 166 185 304 372
dialecte 26 28 31 32 35 51 59 78 83
    93 161 166 185 305 306 307 433
    451
dialectes de l'Est 111 120
dialectologie 285 349
Dib Mohammed 358
Dickens Charles 298
diction 224
dictionnaire 49 143 162 187 188 217
    252 284 367 406
Dictionnaire de l'Académie 204 217
    223 224 252 343 448 467 supplé-
    ment 448
Dictionnaire de Furetière 217 223
Dictionnaire philosophique 229

Dictionnaire de Trévoux 223
Diderot 220 230 253
Didot Ambroise Firmin 287 418
Diez 252
différienciation (*voir* morcellement)
    27 28 31 33 35 50 151 307 404
différenciation (forces de) 115
digramme 40
diphtongaison 109
diphtongues 38 105 107 110 144 167
    190 205 379
diplomatique 239
direction (*voir* complément)
diriger 149
dirigisme 185
Diringer David 435
discours 205 236 251 289 368 397
Premier discours contre le conspirateur
    Catilina 49
disjoindre 149
disque 465
distingué 49 186 368 373 376 385
divergences (parlers locaux) 77
divisions administratives dans la Gaule
    celtique 60
divorce 197 271
dj 98 102
djà 382
Dobzynsky Charles 356 365
Dodieu 243
Dolet Etienne 165
dolicocéphales 58
dolmens 58
domaine royal 74
dôme 60
Domergue 242 243
Donat français 143
Dony (Yvonne de) 467
Doppagne Albert 459
Dorat 160
Dostoïevski 298 302
doter 150
Dottin Georges 428
doublet 89 150 191
douer 150
drame 255
Dreyfus 269 282 287
droit 90 143 182 242
droit de grève 266 335
droit au travail 264
Druide 59 63
Du Bellay 161 163
Dubeux 458

Dubois Jacques (Sylvius) 163
Dubois Jean 419 442 445 457 462
    468
Du Cange 425
Ducasse Isidore 297
Duclos 222
Duclos Ch 446
Duhamel Georges 294 298 300 459
Dujardin Edouard 297
Dullin Charles 302
Du Marsais 222
Dumas Alexandre fils 301
Dumas Alexandre père 255 256
Dumont Pierre 470
-dun 61
Durand Pierre 454
Durand Marguerite 443 465
Duras Marguerite 358 366
Duron Jacques 444
Durtain Luc 298
Duruy Victor 280 282
Dussouchet 445 460
Duval J. M. 427 428 429
dy 102
dz 98 99

e 38 94 97 98 101 103 105 106 107
    108 111 119 120 144 162 167 189
    190 192 207 348 376 378 380 381
    382 445
e fermé 380
e moyen 380
e neutre, muet, caduc, instable, sourd
    103 105 106 108 109 110 113 144
    162 189 207 210 251 258 308 380
    381 382 394
e ouvert 224 380
ẹ 105 107 108 109 189 207
ę 105 106 107 108 109 144 167 190
    191 207 224 252
ə 103 105 110 189 207
-e 114 115 119 146 189 192 193 211
    212 308 381
é 162 166 190 207
è 107 162 189 190 191 207 392
ê 207 224
ẽ 108 167 207 380
ē 189
échange 265
école 175 183 241 305 337 371
Ecole Centrale 282
écoles centrales 241
Ecole des Chartes 282

école chrétienne 183 277 279
écoles (grandes) 282 399
école libre 337
l'Ecole et la nation 457 460 462
école normale 241 277 338
Ecole Normale supérieure 242 281 282 284 338
Ecole polytechnique 282 399 463
Ecole Pratique des Hautes Études 282 285 349
école privée 278 279 280
école publique 277 279 337
Ecole de Saint-Cyr 282
Ecosse 31
écrasement (de voyelle) 382
écrit familier 394
écrit parlé 354
écriture 28 30 31 32 33 34 39 40 61 94 151 163 164 165 186 196 251 342 351 368 383 395 399 404
écriture alphabétique 348
écrivain 139 141 168 179 180 186 195 197 219 220 226 236 248 254 289 298 308 315 368 387 396 408
Edmont Edmond 285 451
Education nationale (ministère de l') 348
Education nouvelle 338
effacement 110
égéen 28
église 67 77 84 86 90 128 158 159 161 183 219 233 241 253 314
église catholique 159 407
Egypte 28 34 311
ein 108 207 380
Elbeuf 69
électrargol 400
électricité 219 276
élision 209 381 393
elle (prononcé *è*) 392
elle(s) 113 118 194
Eloi (Saint) 71
éloquence 180 236 268
Eluard Paul 355 361
émancipation 299
embrayer 65
émission (*voir* radio)
emmerdé 401
émotionner 403
empereur 77
Empire (premier) 232 233 236 237 241 242 248 252 254
Empire romain 36 39 50 140 404

Empire (second) 264 266 267 271 282 283 287 292
employé 251
emprunt 226
emprunts de mots 54 65 125 126 127 128 129 147 148 149 168 169 195 217 257 310 316 345 377 398 399 402 403 436
en 207 (graphie de *ã*)
en 380 (graphie de *ẽ*)
Encyclopédie 220 446
Encyclopédie française 419 420 450
Encyclopédie de la Pléiade 419 434 453
encyclopédique 188 223
enfants 114 124 368 371
enfants (littérature pour) 221 298
enfantin (emploi) 388
Engels Friedrich 266 430
enjambement 258
énoncé oral 395
enseignant 347
enseignement 38 50 54 63 87 90 92 114 117 159 176 177 182 183 198 221 222 225 238 240 241 242 249 250 251 277 278 279 282 286 289 306 312 336 345 349 368 375 382 397 405
enseignement audio-visuel 338
enseignement libre 279 337
ouvrages d'enseignement et d'érudition 401
enseignement technique 281
-ent 120 166
entier 150
entre deux guerres 272
-en(t)s 224
épervier 69
épithète 213
épopée 86 87 292
équivalence 401
-er 118 120 189 225 403
Erasme 157 162 314
Erckmann 297
Ernout Alfred 424 437
-és 224
Esclache (Louis de l') 441
esclavage 76
esclave 61
esmer 149
Esnault Gaston 416 463
Espagne, Espagnol 28 29 30 33 36 51 52 67 69 82 87 89 140 156 239

espagnol 29 81 111 169 170 182 195 310 312 316 348
esperanto 313
esperluète 223
Esquimaux 58
essais 220 290
Estienne Henri 163
Estienne Robert 162 196 418 441
estimer 149
estonien 34
estre 224
et 131
& 131 223
et cetera 148
état 140 181 241 242 250 273 277
Etats généraux (1789) 233
état de langue 75 92 110 164 286 456 457
état de société 75
Etats-Unis 30 51 69 272 307 310 336 341 353 402
ethnie 22
ethnique 26 27
Etiemble René 469
étranger 221 253 274 407
être 26 46 117 120 121 122 123 214 224 390 395 396
étrusque 33 35
études 70 161
étymologie 127 150 163 164 188 217 284 286 344 348 (*voir* formation)
étymologique 196 348
eu 107 109 207 308
Eulalie 72 432
-eur 166 225
Europe 23 27 28 29 32 33 34 54 58 61 86 89 140 156 157 158 176 210 234 252 264 265 271 272 289 404 406
eus 118
-euse, -trieuse 403
eux 118
évêques 77
éventualité (expression de l') 388 389 390
Evian (accords d') 351
évolution 20 36 37 39 42 50 51 53 54 65 93 105 110 113 114 126 128 139 144 166 175 184 185 191 197 217 234 294 316 368 383
évolution de la langue 368 371 406
évolutions phonétiques 95 96 100 110

111 112 113 114 115 117 126 127 150 210 286
évolutionnisme 286
Ewert Alfred 414
exact 168
exclamation (interjection) 216 396
exception 42 114 115
existentialisme 300
exode rural 273 337
expansion 35 36 140 406
explosive 16
extension 304
ey 106 107 108
-ēy 108
Eyzies (les) 57
-ez 120 224

f 37 95 96 99 102 116 206 224 349 445
fableau, fabliau 87 91
fabrication de mots 209 217 445
facile 149
factitif 214
Faguet Emile 288
fait linguistique 37 79
fait social 37 79
Falc'hun François 429
Falloux (loi) 277
familier 50 186 236
famille de langues 20 22 23 25 30 33 34 51 342 423
famille de mots 150 196
Faral Edmond 434 436
farce 161
Farce de maître Pathelin 142
fascisme 273 274
« fautes » de langage 368
fauteuil 68
Febvre Lucien 438
fécondation 149
fédéralisme 240
félibres 306
féminin 96 111 113 114 115 117 118 145 146 166 189 192 193 194 211 212 385 386 391 392
femme 192 271 275 278 280 281 282 334
F.E.N. 335
Fénelon 195 202
féodal 37 51 66 76 86 91 140 141 247
féodale (période) 75 90 92 93 94 97 118 180 185
féodalité 234 271

Féraud (abbé) 223
fermeture 24
feroïen 32
feu 23
feudataires 77
feuer 23
feuilleton 356
fibules 61
fiche 401
fief 140
fifre 170
le Figaro 347
figuratifs 292
films étrangers 360
finance 177 269
fin de mot, finale 26 53 96 97 98 100
    101 102 103 104 110 111 113 118
    121 190 191 372 376 378 380 381
    385
finio 44 45
finnois 21 34
finno-ougrien 21 34
Fischer Maurice 461
fissible 403
fissile 403
fission 402
fixation 175
fixée (langue) 197
flamand 32 66 78 81 304 306 452
Flandre 67 181
Flaubert 295 318 449
Fleury 460
flexion, flexionnel 41 44 117 145 210
    214 392
Focillon H. 433
Foerster 432
Fogelberg Thelma 450
fonction 15 18 210
fonction grammaticale (*voir* gramma-
    tical, grammaire) 23 111 210 213
fonctionnaire 141 268
fonctionnement 10 19 36 41 93 214
    234 380 384 387
football 316
footing 402
force (des consonnes) 37
formation des mots 48 54
forme 294
forme (*voir* morphologie)
formes grammaticales 225 226
fort 103
Fort Paul 293 323
fortem 103

Fouché Pierre 416 463 465
Foucher Jean-Pierre 425 434
fouilles archéologiques 64
Fould 266
Foulet Lucien 436 445
Fouquet 177
Fourier, fouriérisme 249 267
fourreau 68
fradra 74
fradre 74
Franc 9 68 80 404
Franc Nohain 294
Francs saliens 66 67
français 9 10 28 29 30 33 34 37 40
    54 66 67 69 74 82 89 90 93 98 99
    102 103 106 109 110 111 118 120
    121 122 125 126 128 140 141 142
    143 147 149 150 159 160 161 162
    163 165 168 169 170 175 181 182
    183 184 185 187 189 191 196 197
    198 205 206 218 221 222 226 227
    232 234 235 236 238 239 240 241
    242 243 247 250 251 257 259 263
    272 277 281 284 287 289 304 305
    306 308 309 310 311 312 313 314
    315 342 348 350 351 352 353 354
    367 369 370 371 372 373 376 377
    380 384 398 400 402 404 405 406
    407 408
français (ancien) 36 57 74 75 82 84
    86 88 89 92 93 94 95 98 100 101
    102 103 104 105 106 109 110 111
    112 113 114 115 116 117 118 119
    120 121 122 123 124 127 128 129
    130 131 143 144 145 148 150 151
    167 193 194 196 198 212 223 252
    284 290 405
français argotique 371
français d'aujourd'hui 458
français canadien 310
français classique 175 206 218 222
    375 388
français commun 78 185 308 373
français contemporain 333 375 376
    385
français correct 235
français courant, de la conversation,
    familier 369
français cultivé 373 408 409
français dialectal 142
français écrit 74 82 120 197 236 285
    289 357 368 369 388 389 397 401
français élémentaire 354 468

français (enseignement du) 242 306 307 309 375
français (espèces de) 369 370 371 372
français familier 369 371 373 393
français fondamental 354
français de France 310
français (histoire du) 342
français (langages) 367
français (limitation de l'emploi du) 354
français littéraire 91 185 198 226 253 254
français (lutte du) 74
français marginal 350
français du Midi 84 310
français moderne 92 96 100 102 103 109 110 112 113 117 119 120 121 122 123 124 139 173 175 257 307 349 375 405 406
Français moderne (le) 349
français moyen 370
moyen français 117 139 143 144 146 147 148 226 252
français (naissance du) 69 70 74
français normal 235 236 238 374 376
français parlé 69 89 128 197 285 310 368 369 392 397 401
français patoisé 309
français populaire 370 372 374 391 392 393
français populaire de Paris 371
français prétentieux 374
français proprement dit ou français du Nord 51 80 84 88 92
français provincial 307 309 350 451
français standard 380
français tenu 350 368 369 373 375 391
français 'dans le vent' 397
français (usage du) 238 239 241 263 274 276 305 314 349
français vulgaire 393
Français 404 408
France Anatole 297
France 9 37 66 67 69 71 72 74 84 85 89 90 91 140 155 156 157 159 161 169 176 181 182 183 184 185 192 196 219 221 238 239 240 241 243 247 248 251 253 259 263 264 265 271 272 274 278 284 290 291 302 303 304 306 309 313 314 333 345 349 352 353 404 406 407 408 409 451

francien 81 84 85 93 95 98 110 128 141 185 186 405
francique 67 68 109 111 430
francisation 309 398 402
franc-maçon 266 269 278
François Alexis 413 415 446
François Ier 157 159 162
francophonie 456
franco-provençal 78 80 81 106 431
Francs Saliens 66 67
Frank Johannes 430
Franklin 219
Frédéric II 222
Frei Henri 417 458
Freinet Célestin 280 338 347
frêle 149
fréquence 114 214 344 376 444
Frey Max 447
fricative 16 37 53 102 206
frioulan 51
Froissart 142 153
Fronde (la) 177 181
Front populaire 274
frontières entre langages parlés 82
fs 116
Fuchs Max 449
Furetière 188 217 223
futur 45 120 121 122 123 386 391
futur antérieur 121 122
futur historique 386
futur proche 391

g 37 53 68 94 95 96 98 99 101 107 109 144 206 349
g, gu 98 206
ǧ 98 102
Gak V.G. 467
galéjade 316
Galichet Georges 461
Galice 52
gallican 159 177
« gallo » (Bretagne française) 305
Gallo-Romains 62 68 69
gallo-roman 65 82 99 103 109 128 212 304 404
Gamillscheg Ernest 418 428 430 466
Gand (université de) 306
garant 69
garde nationale 248 264 265 268 270
garenne 428
Garnier 69
garrot 65
Garten 69

gascon 81 181
Gasté Armand 431
Gatti Armand 359
Gauguin 291
Gaule 35 36 57 59 60 62 70 80 81
404
Gaulle (Charles de) 334 335
gaulois 9 31 57 59 63 427 428 429
Gaulois 9 35 36 58 60 61 63 404
Gautier Théophile 292 295
Gauthries (Adigard des) 431
Gautier J. M. 448
gave 428
gaz 400
gazette de Théophraste Renaudot 180
Gemier Firmin 303
géminées (consonnes) 205 379
-gène 227
Genève 161 253 381
génitif 41 42 47 112 145
genre 41 44 111 146 210 211 212 213
385 400
gens (honnêtes) 186 187 223
gens instruits 406
gens de lettres 197
gens de métier 226
gens du monde 139
géographie linguistique 285
George (Mademoiselle) 237 255
Georgin René 450 459
Germains 22 53 62 66 68
germanique 9 25 26 29 31 32 33 53
65 67 68 69 81 89 96 99 103 109
119 123 125 126 127 128 129 182
217 238 304 306 430
germanisation 99
gérondif 47 123 213
gestes 17 368
Giachetti André 411
Gide André 299
Gilliéron Jules 285 451
Ginneken (J. van) 422
gingival 206
Giono Jean 299
Girardin (Emile de) 249
Giraud Jean 468
Giraudoux Jean 298 302
Girault-Duvivier Ch. Pierre 242 448
Gisselbrecht André 454
glaner 65
Gloses 431
glotte 16 206 207
Glotz G. 433

gn 96 101 206
gobelet 65
Goblot François 458
Godefroy 284 436
Godel Robert 420 422
Godin 267
Gœthe 253 255
Gohin Ferdinand 446
Goldis Ane 468
Goldman Morris E. 453
Goncourt Jules et Edmond 295 321
449
Goncourt (Prix) 301 357
Gorki Maxime 298 303
gosier 65
Gossen Carl Theodor 456
Gots 67
Goudeket Maurice 450
goudron 89
gouge 65
Gougenheim Georges 416 417 430
437 438 443 445 459 460 463 465
468
gouvernail 141
gouvernement 221 268 277 404
Gray Floyd 438
grammaire 41 54 69 92 110 124 144
167 185 187 192 197 222 223 225
241 250 257 286 311 315 367 370
371 389 390 396 406 407
grammaire de l'Académie 286
grammaire comparée 30 252 284
(*voir* comparatisme)
grammaire (enseignement de la) 346
grammaire française 242
grammaire générale 222 242
grammaire historique 163 252
grammaire de Port-Royal 446
grammaire scolaire 252 286 346 385
396 460
grammairiens 38 39 41 106 114 139
165 166 185 190 191 194 225 243
252 256
grammatical 37 39 41 44 53 54 117
125 126 193 348 379 383 402
Grammont Maurice 288 293 421 450
463
Grande-Bretagne 67
Grand Combe (Félix de) 469
Grandsaignes d'Hauterive R. 436
Granville Hatcher Anna 434
-graphie 402
Gratiant Gilbert 453

Gréban Arnoul 142
grec 25 26 29 30 31 35 36 38 41 60
  63 90 91 94 157 161 162 163 169
  176 222 226 227 237 241 242 280
  281 314 315 339 345 400 401 402
  406 454
Grèce 30 88 176 254
gréco-latin 157 158 221 253 406
grecque (civilisation) 90 157 158 179
  238
grecque (écriture) 33 40 348
Grecs 28 49 50 227
greffe de civilisation 227
Grégoire (abbé) 447
Grégoire Antoine 462
Grenade 140
Grenier Albert 428
grève 428
Grevisse Maurice 418 445 455 459
  460
Grimaldi 58
Grolier (Eric de) 435
Groult Pierre 430
groupe 125 184 (social) 185 186 367
  369 401
groupes (de consonnes) 95 100 101
  104 105 110 115 116 119 128 129
  143 205 206 376 377 378 382
groupe de hors-caste 372
groupe de langages (*voir* famille de
  langages)
groupes de mots 208 383 396
groupe du nom 213
groupe phonétique 376
groupe substantif-adjectif 385
Gueguen Pierre 458
Guerlin de Guer Ch. 416
guerre 68
guerre de 1870 265 267
guerre de 1914–1918 272
guerre de Cent ans 140
guerres de religion 155 169
Guesde Jules 269
guetter 69
Guilbert Louis 468 469 470
Guillaume Gustave 465 470
Guillaume le Conquérant 69
Guillaumin Emile 297
guillemets 384
Guinée 353
Guiraud Pierre 436 437 439 442 444
  450 459 466 467 468 469
Guiter H. 432

Guizot 248
Gureva M. S. 415
Gutenberg Jean 141
gutturales 37 38 206
Guyot Desfontaines 227
g^y 377
gz 206

h 38 68 94 96 98 102 103 108 109
  167 192 206 377 381
Haadsma R. A. 425
Haase A. 440
Hacquard Georges 461
Hainaut 355
Haïti 310 453
halte 170
Hajnal Itsvan 435
Hall Robert A. junior 432 461
Hamp Pierre 299
Hanroz Marc 450
Hanse Joseph 462
Haraszti Emile 434
Harmer H. C. 461
Hatt J. J. 427
Hatzfeld Adolphe 284 418 438
Haudricourt A. 428 436
haut-allemand 67
Hauvion 460
havre 69
Haygood J. B. 467
heaume 68
hebdomadaire 220
Hébert 235 245
hébreu 21 32 34 158 162 163
Heulluy Marcel 461
Henri IV 177
Henry Albert 432
hérité 127
Herman J. 415 425
Herzog Eugen 453
hiatus 101 110 144 167 205 224 381
  383
hiérarchie 76 247
hiéroglyphes 33
Higounet Charles 435
Hindous 30
histoire 88 114 127 129 176 220 255
  256 263 290
histoire du français 222 256 283 284
  285
histoire de la langue 250 252 263 268
  283 284 375
historiens 75 84 106 226

hittite 33
hollandais 32 182 196
Hollande 32 182 183
Hollyman J. K. 453
Holzmann K. J. 437
homonymes 196
hommage 77
hommes libres 61
Hongrie 34 222 264
hongrois 34 54 436
hôpital 150
hôtel 150
Hoybye Poul 465
Hubert Henri 427
Hubschmied Johannes 428 429
Hugo Victor 176 254 255 256 257
    258 260 261 266 291 292 294 295
    317 360
Huguet Edmond 438 442
Huismans Joris-Karl 296 449 450
humanisme 158 159 221 252 278 280
hydrogène 227
hygiène 169
hyper- 402
hypertension 403
hypo- 402
hypotendu 403
hypothétique 389 390

i 38 94 95 97 98 102 105 108 109 131
    144 167 192 207 224 348 392
-i 113
ī 39 105 167 194
ĭ 39 105 194
Ibères 60
-ible 149 403
-i (infinitif en *-i*) 309
I.C.E.M. 338
idem 148
identificatif 212
idéologue 237
igame 399
il 113 118
il prononcé *i* 392
Ile de France 84 85 405
il, ill 206
Ile Maurice 310
Iliescu Maria 426
ille 113 118
ils 194 392 393
il y a, il y avait 396
imagerie 86
Imbs Paul 343 437 445 450 465

immense 195
imparfait 119 121 122 147 190 225
    295 296 386 389
impératif 47 120 213 216 387
impératif négatif 391
impérialisme 234 239 263 271 272
    312 336
impersonnel 117 210
impondérabilité 403
impressionnistes 291
imprimerie 141 156 163 169 438 439
imprimeur 131 165 196
in 207 380
incomplétude 403
Inde, indien 27 28 30 33 40 222
indépendance (acquisition de l') 351
indéfini 12
indicatif 45 119 120 121 194 315 386
    387 388 389
indien 29
indien mexicain 316
indigène 64
indo-aryen 30
Indochine 311
indo-européen 20 25 26 27 28 29 33
    34 35 36 42 53 58 423 424
indo-iranien 30
indo-germanique 27
Indus 28
industrie 141 156 178 247 248 269
    271 402 407
infinitif 47 121 122 123 147 166 189
    213
infinitifs en *-ar* 78
infinitifs en *-er* 78 118 119 120 121
    166 189 225
infinitifs en *-ir* 120
influences étrangères 108
information 276
-ing 398 402
initiale (syllabe) 41 104 377 382
-inot 400
insécurité 77
Institut 242 284
instituteur 277 278 279 280 287 288
    307 346 383 387
institutions sociales 76 264 277
instruction 36 85 110 156 181 225
    239 241 250 251 276 283 288 289
    304 307 310 311 336 346 368 370
    373 374 397 408
instruction religieuse 70
instrument (*voir* complément)

intègre 150
intégrité 150
intelligence 18
intensité (*voir* accent)
interdentale 73 97 110
interférence 23 191
intérieure (syllabe) 41
interjection 216
Internationale 266 274
international 313
interpellation 42 369
interrogatif 212
interrogation 123 194 209 216 393 394 396
interview 316
intervocalique 24 96 99
intonation 215 216 383 385 397
invasions 50 404
invention 18 421
inversion 257
iode 401
Ionesco 359
-*ique* 402
-*ir* 120 223 225
Iran 27
iranien 29 30
Iranien 30
-*ire* 225
Irlande, irlandais 25 31 59
irréel 390
islandais 32
-*isme* 377
Italie 30 31 33 35 36 49 51 59 66 155 157 169 239 264 265
Italie du Sud 89
italien 33 40 41 51 52 81 82 89 98 149 168 169 170 182 311 348 452
Italiotes 64
italique 31 35
-*ité* 149

j 38 94 96 98 99 102 131 165 206 349
j (orthographe) 165 196
Jaberg Karl 451
Jacob P. L. 447
Jakobson Roman 464
j'ajète 378
jansénisme 177 183
janséniste 183 187
jardin 69
Jaune 34

Jaurès Jean 269 274
javanais 371
Jérusalem 89
Jeanne d'Arc 140
Jésuites 183 221 223
jeu 9
jeune fille 271
joc 399
Joinville 88
joli 69
Joliot-Curie Frédéric 340
Jonas (Sermon) 72 432
jongleur 86
journal 181 182 220 235 253 265 268 269 270 289 306 312 345 347 356 375 397 401 402
Journal de la langue française 222
journal de Paris 221
Journal des Savants 180
journaliser 236
journalisme 237 249 290
journaliste 236 387
Jouvet Louis 302
Joyce James 300
Julien Robert 423
Juilland A. G. 428 436 467
Jullian Camille 427
Julliand Alphonse 413 428 453
jumelage 403
jupe, jupon 89
justice 54 84 140 159 405
j'val 378

k 17 37 40 53 65 94 95 96 97 98 101 105 107 109 110 206 348
Kabylie 352
Kahn Félix 465
Kahn Gustave 293
Kaléidoscope 237
Kammans L. P. 463
Katagochina N. A. 415
Kédros André 358
Kelemen Jolán 450 461
Kellenberger Hunter 464
Keller Hans-Erich 453
kh 38
Kifkif 316
Kipling Rudyard 298
Klein H. W. 462
Kluge Gunther 438

km 378
kor 382
Koschwitz 432
Kovanovic Ksenija 438
koynè 31
ks 38 206
Kuhn A. 416 426 431 456
Kukenheim Louis 416 456
kw 37 95
*k*ʸ 377
ky 377

l 37 95 101 103 104 105 116 150 166
  167 206
l 101 206 314 377
l' mouillé 101 102 192 206 314 371
  377
l (orthographe) 164
la (voir article)
labiale 37 38 206
Labiche 301
labiodentale 102 206
La Bruyère 180 182 195 202
La Boétie 161

Lacombe François 223 436 446
Lacurne de Sainte-Palaye 223 436
  446
Lafargue Paul 447 448 449
La Fayette 219
Laffitte 248
Lafon J. Cl. 444

Lafon René 423 429
La Fontaine 180 195 200 242 258
  394
Lagane R. 442
laïcité 337
laïque 277
laisse 130
Lajaunie Marie-André 469
Lallemand Roger 347
Lamartine 176 255 260
Lamennais 249
Lancelot Claude 187
Lancelot 132 153

Landais 449
  (*voir* langue)
langage 7 10 15 16 17 18 19 20 21
  35 65 124 184 186 210 222 276
langage administratif 351 395 405
langage affectif 401
langage cultivé 307 405

langage enfantin 462
langage familier 50 150 382 401
langage grossier, populacier 221 235
  236 373 401
jeu de langage 371
langage local 370
langage parasite 371
langage de Paris 185 370
langage populaire 181 238 299 370
  372 392
langage (vie du) 398
Langevin Paul 336 454
Langevin-Wallon (commission) 347
  454
Langlard 464
Langlois E. 435
langue (organe) 16 17 192 206
langue 31 39 49 63 114 115 126 127
  129 155 181 197 210 218 222 226
  242 247 257 277 283 287 289 294
  333 342 343 353 367 374 (*voir* langage)
langue(s) 9 21 24 26 28 32 33 34 35
  36 40 41 42 50 51 52 54 57 86 93
  113 125 128 165 168 182 185 191
  220 272 299 301 314 346 347
langue administrative (*voir* langage
  administratif)
langue ancienne 313 401
langue aristocratique 407
langue (bonne) 345
langue (chronique de) 345
langue de civilisation 10 32 35 36 54
  63 84 93 182 307 309 310 311 313
  367 404 405
langue commune 32 59 186 311
langue courante 150 259 372
langue (crise de la) 367
langue cultivée (*voir* langage cultivé)
langue distinguée 186 373
langue diplomatique 182 239 272 313
langue écrite 39 40 49 54 85 117 145
  148 185 186 188 191 197 225 226
  263 289 296 299 374 386 387 388
  389 391 401 404 405 406 408
langue (emplois de la) 368 373
langue étrangère 312 313 353 398
langue (étude de) 283
langue familière (*voir* langage familier)
langue internationale 313
langue judiciaire 405

langue littéraire 50 54 185 259 307 311
langue morte 162 198 259 281
langue nationale 51 53 66 125 235 239
langue d'oc 81 93 109 350 354
langue officielle 306 307
langue d'oïl (ou langue d'oui) 80 81 82 109 185 305
langue parlée 40 49 52 53 70 71 85 125 145 162 186 194 195 197 225 259 289 290 296 298 374 386 387 388 389 406
langue parlée familière 390
langue parlée tenue 391
langue pédante, puriste, prétentieuse 374
langue (« petite ») 310 354
langue poissarde 221
langue populaire (voir langage populaire)
langues provinciales (voir régionales)
langues régionales 50 51 159 182 185 186 239 240 241 252 304 305 306 307 443 451
langue de relations commerciales 405
langue religieuse 311
langue de la religion 405
« langue du roi » 142 185
langues romanes voir romanes
langue savante 53 90 150 162
langue des savants 407
langue soignée 235 292
langue spéciale 372
langue usuelle 400
langue véhiculaire 83
langue vivante 226 280 339 367 374
langue vulgaire 71 90
Languedoc 62 80
languedocien 81
Lanly A. 453
Lanoux Armand 358
Laos 351
lapon 34
Larive 460
Larousse 284 314 343 467 468
La Salle (J.-B. de) 183
latérale 206
latin 9 25 26 30 31 34 35 54 62 63 65 66 70 84 90 91 92 93 94 95 99 103 105 109 111 117 118 120 121 123 124 139 145 146 147 149 150 151 161 162 163 168 169 182 183 184 185 186 194 198 212 221 222 226 241 242 279 280 281 313 314 337 339 345 370 377 402 404 405 406 407 408 424 454
latin (adjectif) 121 123 126 129 144 158 175 176 195 196 210 217 237 241 251 316 348 379
latin (bas) 50 53 99 102 105 120 122 129 425
latin classique et littéraire 48 49 51 53 70 105 111 119 120 123 128 162 424
latin (description) 35 à 50
latin écrit 69 70 150 404
latin (écriture) 33 34 52 73 94 311 312
latin post-classique 100
latin (survie du) 430
latin (transformation) 57
latin (usage du) 70 88 91 143 160 186
latin vulgaire 48 49 50 53 63 93 105 188 425
latine (culture) 157
latine (déclinaison) 41 42 43 44 110 111 116 144
latine (littérature) 35 48 88 90 91 158 168 184 425
latine (période) 147 168
latinisation 40
latinisme 152
Latium 35
Laurence Jean-Marie 462
Laurent 419
lavement 400
Lautréamont 297 319
Lavoisier 227 244
le (voir article)
le (pronom) 118 379
Lebek Henrik 445
Le Bidois G. 460
Le Bidois Robert 445 457 460 465
Lebrun 419
Leconte de Lisle 292
lecteur 220
lecture 141 151 161 183 186 221 225 251 382 397
Ledoyen de la Pichonnaye G. 439
Lefèvre d'Etaples 160
Le Gal Etienne 462
légal 150
Léger (vie de Saint) 72
légiférer 236

légistes 141 163
lego 44 45
Legrand Michel 360
Lejeune Michel 420
Lemaire de Belges 160
Lemaître Frédéric 255
Léon Antoine 469
Léon Pierre R. 444
Léonard de Vinci 155 157
Lerch E. 414 415
Leroux Pierre 250
Le Roy Eugène 297 323 449
Leroy Maurice 440
les (voir article)
les (pronom) 118
Lesage Alain-René 228 359
letton 32
lettres 39 40 164
lettres modernes 339
lettres finales 348
Lettres persanes (les) 220
leur 112 118
lèvres 16 109
Lévy Paul 430 453
Lévy Raphaël 436
Lewicka Halina 438 439
lexicographie 19 217 344
lexicologie 19 217
lexique (*voir* vocabulaire)
lexique (d'une œuvre) 344
Leygues Georges 287
li 112
liaison 143 193 209 211 225 251 348
    381 382 383 385 386 394 443
liaison (verbes de) 214 390
libertin 179
libre (voyelle) 104
Liège (université de) 306
Ligures 58 60
limites dialectales 79
limousin 81
linge 141
lingua franca 311
linguiste 18 23 27 38 39 40 283
    390
linguistique 9 10 19 24 92 126 222
    286 287 342
linguistique (adjectif) 54 85 90 91 181
    238 239 281 345 404
linguistique appliquée 338
linguistique (atlas) 349
linguistique comparative 30 (*voir*
    grammaire comparée)

linguistique quantitative 342
Lips Marguerite 460 466
liquide 95 206 379
littéraire (langue, style, genre, art)
    30 51 52 80 82 85 86 87 88 91 93
    162 175 181 182 253 254 257 258
    289 308 396
littérature 12 30 32 33 76 82 84 86
    87 88 89 90 142 143 147 157 159
    162 169 176 179 180 181 197 218
    220 221 226 238 247 252 253 254
    279 306 313 369 370 374 389 401
    406
littérature ancienne 281
littérature bourgeoise 374
littérature écrite 63 404
littérature pour enfants 221 256
littérature étrangère 281 290 407
littérature féodale 82 85 91 117 124
    128 148 252
littérature française (*voir* littérature)
littérature d'idées 161 238
littérature nationale 407
littérature en langue régionale 305
Littré 284 343 413 418
Littré-Beaujean 343
lituanien 32
Livet 442
livre 141 156 159 163 179 181 182
    184 251 401
livre de poche 341
ll 204
le 113
lock-out 316
locution 213 214
-logie 402
logique 42 187 221 396 397
loi 234
Loi Maurice 454
Loi Michèle 457
loi Debré 337
loi Deixonne 354
lois phonétiques 24 191
Loire 67 80
Lombard Alf 460 463 464 465
Lombard Maurice 430 433
Lommatzsch 436
longueur 38 39 129 189 205 209 379
longueurs de mots 445
Lorian Alexandre 470
loque 308
lorrain 81 84 99 110 304 308
Lorraine 67 181 265 453

lorsque 394
Lot Ferdinand 427 430 431
Loth J. 429
Loti Pierre 296
Lotz J. 464
Louis 69
Louis le Germanique 71 72
Louis XI 140 141
Louis XIII 170 177
Louis XIV 177 182 183 195 218 223 371
Louis XV 218
Louis XVI 218 219
Louis XVIII 247
Louis-Philippe 248
Louisiane 176 310 453
Louvain (université) 306
Louvois 177
loyal 150
Lüdtke Helmut 432
Ludwig 69
lui 118 392
Lugne-Poë 302
« lumières » 220
lunettes 142
Lutèce 61 64
luthérien (*voir* réformé)
Luxembourg 452
ly 377
lycée 242 250 280 281 337 338 371
Lyon 64 80 248 268

m 37 95 100 101 107 108 120 206 378
-*m* 111
macédonien 33
macédo-roumain 52
Machabey Armand 434
machine 266 276 407
Mackenzie Fr. 469
Mac-Mahon 268
Macpherson 253
Madagascar 312 353
Madeleine 57
magyar 34
magdalénien 57
magnétophone 350 354
Mahomet ou l'imposteur 220
main 103
maîtres 77 241
majuscule 131 356
malayo-polynésien 21
Malblanc A. 466

malgache 312
Malherbe 186 188
Mallarmé Stéphane 292 320 450
Mallet-Joris Françoise 358
Malmberg B. 421 464
Malraux André 299 331
mălus 39
Mameri Mouloud 358
mandchou 34
mandjou 34
Manet 291
Manon Lescaut 220
Mansiet A. 428
manuel 286 342 346
manuel d'histoire 386
manuel d'histoire littéraire de la France 419 440
manum 103
manuscrit 131 141 152 157
Maquet Auguste 256
Marat 233 236
marche 9 68
marchés 64 78 86
Marguerite de Navarre 160
mariage 275
Mariage de Figaro 220
Marichal Robert 425
marine 126

Marivaux 229 359
Marle 252
Maroc 271 351 352
Marot Clément 160
Marouzeau Jules 420 424 460 464 470
marquis 68
Marseille 60 240 305 452
Marseillais 61
Marseillaise (la) 237 240 245
Martin Henri-Jean 438
Martin du Gard Roger 298 299 300 327
Martine Claude 359
Martinet André 421 440 463 464
Martinique 310
Martinon Ph. 461 463
Marx Karl 7 266
masculin 113 114 115 116 117 118 145 189 192 193 194 211 212 385 386 391 392
Massif central 58
matelas 89
matérialistes 220
matière (complément de) 42

Matignon (accords) 274
Matoré Georges 448 468
Maupassant (Guy de) 296 320
Mauriac François 299
Mauritanie 352
Mauss Marcel 421
Mayne-Reid 298
Mayer G. 448
Mazarin 177
Mazarinades 181
me 118
médiéval 75
méditer 149
Méditerranée 31 58 408
Méditerranéens 58
mégalithes 58
Meigret Louis 165
Meillet Antoine 12 414 415 418 420
   421 423 424 437 440 465
Méliès Georges 303
mélodie 208
mémoires 88
Ménage 188 436
menhirs 58
Mercier Sébastien 231 238 243 447
Mercure de France 180
merde 359
Mérimée 256
Merlette Auguste-Nicolas 460
Mésopotamie 28
mésopotamien 33
Messing Gordon M. 430
métaphore 372
métiers 223 370
-*métrie* 402
Meyer Paul 288
Meyer-Luebke W. 426 429
Michaut G. 460
Michaux Henri 294
Michéa R. 468
Michel L. 453
Michel Jacques 424
Michelet Jules 249 258 262 291
microphone 368
Midi 181 189 307 308 377 378 452
Migliorini Bruno 469
migration 22 66
militant 270
millénaires
— 4ᵉ 26 28
— 6ᵉ 28
— 5ᵉ 26
— 1ᵉʳ 28

— 2ᵉ 28 33
Millet Adrien 418
Millet Jean-François 291
mimique 18 210 368
mince 401
ministère 268
Mirabeau 236
Mirbeau Octave 302
mise en garde 462
missionnaires 353
Mistère de la Passion (le) 142
Mistral 80 306
Mitterand Henri 419 450 458 468
mode (la) 126 190 191 237 238
modes (du verbe) 44 120 121 213 387
mode de vie 402
moderne (enseignement) 280
modernité 299
modulation 41 110 379
Morel Auguste 300
moi 118
Moignet Gérard 430 462
moindre effort 24
moine 68
moldave 52
Molière 179 181 192 195 200 217
   302 303 360
momentané(e) 16
monarchie 218
monarchie de juillet 253
Monet Claude 291
mongol 34
monnaie métallique 61

Monnerot-Dumaine 441 446 454 455
monologue intérieur 297 396
monosyllabes 209

Montaigne 160 161 162 171
Montesquieu 220 229
Montgolfier 237
montgolfière 237
Montherlant 299 328
Montluc 160
morceaux choisis 176
morcellement (*voir* différenciation)
Moreau René 342

morphologie = formes grammaticales
   19 41 44 93 110 111 112 113 114
   115 117 119 120 121 123 144 168
   175 185 193 205 211 212 234 235
   250 285 308 315 379 385 386
Mortier 464
mot 25 26 39 40 41 48 54 95 96 110

111 113 118 125 126 128 129 145
149 150 168 169 190 192 195 208
209 210 211 217 223 226 236 238
287 316 344 368 369 376 379
mots allemands 398
mots anglais 398 402
mots-clés 344
mots commerciaux 400
mots étrangers 372 398
mots familiers 223
mots (gros) 359
mot invariable 393
mots de liaison 213
mots longs 398 399
mots (longueurs de) 445 446
mots nouveaux 223 238
mot-outil 113 210 211
mots 'peuple' 236
mots raccourcis, coupés 399 400
mots savants 91 100 127 128 147 148
150 217 237 399 400
mots scientifiques 400
mots techniques 223 369 372 400 403
mots triviaux 257 373
La Mothe Le Vayer 188
mouchoi(r) 189
moujik 316
moukère 316
moulin à eau 76
moulin à vent 76
Mounet-Sully 301
Mourot Jean 448
mouton 65
moyen âge 75 176
moyen âge (haut) 57 82 84 110
198
moyen(s) d'expression 23 185 287
moyenne (voyelle) 109
Müller Charles 442 446
Muller Henri-François 430
Muret E. 429
mūrus 42 43
musée 283 341
Musée de l'homme 341
Musée des arts et traditions populaires 341
music-hall 294
musique 130 179 254 291 434
Musset (Alfred de) 255 256 258
musulmans 353

n 17 26 37 95 100 105 107 108 166
167 192 206 209 385 392

ñ 96 101 108 206 377
Nadel Benjamin 425
naissance 77 139
Napoléon 232 234 237 243 246 247
254
Napoléon III 264 265 266 267
Narbonne 62
Nardin Pierre 450
nasale 16 37 38 39 108 109 166 191
206 207 378 380
nasalisation 109 167 378 380
nation 21 27 54 77 176 185 234 249
251
national (esprit) 140 159 253 334
national (patrimoine) 347
nationalisation 334
nationalisme linguistique 306
naturaliste (école) 296
navigation 141
Néanderthal (l'homme de) 57
néerlandais 30 32
négation 168 211 216 388 394
Nègre Ernest 433
nègres 353
négro-africaine (langue) 353
néo-français 456 457 458
néologismes 125 195 236 237 238 257
265 315 345 368 400
néon 401
netteté (des voyelles) 379
Neumann Seven Gösta 439
neutre (genre) 44 53 116 146
nez 16 17
Nicholson G. S. 427
Nicot 188 217 441
Nisard Charles 443 446
Nithard 71
niveau 373
nivellement (*voir* anologie, normalisation) 111 113 114 115
Nobel (Prix) 301
noble, noblesse 77 140 156 177 218
219 232 234 248 370
Noël 250 448 460
Noire (mer) 59
nom 41 44 113 124 144 145 146 167
175 192 193 211 212 213 214 348
385 402 (*voir* substantif)
nom commun 401
noms gaulois 61
noms de métier 225
noms propres 398 401

noms verbaux (noms d'action) 395
nombre 41 111 210 211 213 385
nombre des mots du français 445 446
  448 449
nominatif 41 42 96 111 112 115
noms de lieux 67
non 394
Nord 377 388 389
nordiques 58
noria 170
normalisation (*voir* analogie, nivellement)
normand 81 84 89 98 99 190 431
Normandie 69 72
Normands 69 72
normano-picard 87 99
normatif 346
norme 185 186 317 367 368 373
Norvège, norvégien 32
Nougier Louis-René 427
nous 118 392
nouvelles 220 289
Nouvelle-Calédonie 453
Nouvelle Héloïse (la) 220

Nuckelmans J. 425
numération 217 344 376 445
ny 101 377
Nyrop Kr. 413 463
Nouvelle Revue française (la) 300
Nouvelle-Zélande 30
o 38 94 97 98 102 105 106 107 108
  165 206 207 308 348 380
ô 207
o 105 207 380
ǫ 105 106 207 380
ö 105 107 109 167 206 207 380
ö̧ 207
õ 108 207
ö̃ 207
ö̧̃ 167 207 380
ō 105
ȯ 105
-o 399
ön 385
objet (complément d') *voir* complément
obligation scolaire 276
oc (langue d') *voir* langue d'oc 67 128
occitan 51 67 80 88 97 98 99 103 106
  108 125 297 306 354 370 452
occlusive 16 37 95 96 98 206 378

occlusive + liquide 378
oculaire 150 168
œ 38 105 106 207
œu 207
oi 106 107 167 190 191 196 224 235
  252 371
oïl *ou* oui (langue d') *voir* langue d'oïl
Olivet (abbé d') 224
Olivotan 160
ombrien 35
Omo 422
on 118 119 392 393
onomastique 432 433
-*ons* 120
-*ont* 120
opinion 221 268 269
opposition significative 114
opposition vocalique 379 380
optatif 46
oral 207 395 398 404
orateur 236
oratoire (art) 180
oratoire (prononciation) 383
oratoire (style) 386
oratoire 183
Orbis 451
ordre des mots 48 53 122 123 145
  147 168 190 193 194 210 211 213
  214 215 216 226 396
Oresme 143 437 438
oreille 168
orientalisme 158 254
origine (*voir* complément)
origine du langage 18
orthodoxe 33 54 90
orthographe 25 37 38 39 40 70 94 95
  98 99 100 123 130 144 145 149 150
  151 162 163 164 165 169 191 192
  193 196 197 213 222 224 225 241
  243 250 251 287 288 289 346 347
  348 375 378 379 380 382 385 391
  392 398 407 439 441 455
orthographe académique 242 250 287
  346
orthographe étymologique 348
orthographe grammaticale 348
orthographe latinisante 150
orthographe officielle 349
orthographe (réforme de l') 224 243
  252 346 347 348 446 455
-*osc* 58
osque 35
Ossètes 30

Ossian 253
ostiak 34
-ot 399
ou 38 97 102 106 206 207
Oudin Antoine 441
Où en sont les études de français ?
    416 448 451 456
Ouest 389
oui 394
ouralien 34
ouralo-altaïques 34
outil 18 421
outil grammatical 113 210
ouverture 24 38
ouvrier 249 263 264 266 267 268 269
    270 273 275 278 335 370 372 401
ow 107
oxygène 227
oy 106
Oyono 358

p 37 40 95 96 164 206 224 308
p barré 131
pactiser 236
pagi, paganus 60 pagensis 61
païen 61
pair 247
palais (de la bouche) 16
palais (architecture) 179
Palais de Chaillot 359
Palais de la découverte 341
palatale 37 101 206
Palatinat 239
Palissy Bernard 160
pantalon 249
Pantalon Phœbus 227
papier 141
papier-monnaie 219
Papin Denis 178
parce que 393
parchemin 141
Paré Ambroise 162
Parent Monique 450
parenté de langue 21
parfait 45 46 121
Paris 61 64 74 85 89 90 161 166 168
    192 219 235 240 248 249 272 305
    307 308 309 334 340 342 370 372
    374 377 380 381 406 409 443
Paris Gaston 284 435
Parisii 61
parisien 181 185 190 192 206 207

279 308 309 314 370 373 377 378
    386 388 390 394 405
Parisiens 309
parking 402
Parlement 140 141 269 271
Parlement de Paris 177
parlementaire 236 264
parlementaire (système) 264
parler(s) 20 30 31 32 35 51 98 304
    310 404
parlers africains 310
parlers d'oc 80
parlers locaux 84 285 309 377
parlers romans 80
Parmelin Hélène 358
Parnasse 292
paroisse 65
parole 17
parti politique 268
participe(s) 47 123 189 194 209 213
    385 390
participes (accord des) 287 391
participe futur 47
participe passé 120 122 123 287
participe passé d'obligation 47
participe passif 47 120
participe présent 47 123
Pascal 183 199
passage d'une langue à une autre 64
passé 45 120 121 122 147 388 389
passé antérieur 121 122 387
passé composé (indéfini) 12 45 121
    122 194 195 386 387 389
passé simple (défini) 12 45 46 119
    121 194 195 296 298 308 315 368
    371 386 387
passé surcomposé 387
passif 45 120 123
passion 220
Passion du Christ 72
patois 9 35 51 77 83 85 125 145 181
    183 185 186 238 239 240 241 251
    277 278 285 304 305 308 309 350
    354 369 370 372 373 380 408 433
    446 447
patoisants 408
patois francisé 309
patte 308
pays 61 65
paysan 61 177 218 232 273 370 373
Pays-Bas 157 158 161
Pays de Galles 31
pédant 187 189

Péguy Charles 290 323
pehlevi 30
peinture 89 157 254 291
pèlerinages 78
Peletier du Mans Jacques 469
Pellegrini G. B. 433
Pellerin 302
Penfield W. 422
Péninsule ibérique 66
pensée 18 (conception : 42 367)
La Pensée 457
pénultième 41
Pépin 70
Perdiguier Agricol 249
père 25
période, style périodique 49 147 168
    183 195
périodique 221
périphrase 257
perluète 223
Pernot Hubert 347 464
Perrault 180
Perrenot Th. 433
Perrot Jean 421 455
perruque 249
personnes 44 45 117 118 119 120 121
    147 193 194 208 210 213 215 393
1re personne 357 380 388
2e personne 388
3e personne 357 385 388 392
perspective 291
Pétain 333
Petit J. 456
Petit Jehan de Saintré 143
Petit de Julleville 284 413 415 449
    451
petit russe (*voir* ukrainien)
Pétrarque 157
peuple 21 22 86 177 187 189 192 197
    230 241 249 254 255 266 267 277
    304 370 373 374 385 397 407 408
    409
peuplement 427
Peyre Henri 443 447
Peytard Jean 461
ph 169 224 348
Phèdre (auteur) 242
phénicien 28
Philifert Gilles 468
Philippe André 300
phonème 16 25 26 152 376 380 443
    444
Philippe-Auguste 85

Philippe le Bel 140 143
Philippe de Valois 140
philologie 163 252
philologues 84
philosophe 169 222
philosophie 90 162 178 180 183 220
    221 290
Philotechnique (association) 282
phonème 16 25 26 152 376 380 443
    444
phonétique 16 19 23 24 25 37 39 40
    42 94 95 113 117 121 123 126 192
    285 342 348 421 463
phonétique (loi) 191
phonétique (orthographe) 40 252 348
    349
phonétiques (éléments) 68 125
phonographe 294
phonologie 19
phonothèque 350
photographie 276
photoscopie 400
phrase 23 48 49 93 118 124 147 168
    175 195 205 208 211 214 215 216
    226 257 293 315 368 369 385 394
    396
phrase complexe 216 395
phrase coupée 208 216 226 397
phrase courte 295
phrase (fin de) 391 392
phrase de description 396
phrase de raisonnement 396
phrase (rejet en tête de) 392
phrase relative 216
phrase sans verbe 315 396
physiocrate 227
physiocratie 227
physiologie humaine 421
picard 81 84 88 98 99 142 316 355
Picasso 291
pièces françaises 222
Pichon Edouard 461 468
Piémont 222
Pignon Jacques 469
Pirenne Henri 433
Pinchon J. 461
Pingaud Bernard 456
pirlouète 223
Pitoëf Georges 302
Piveteau Jean 422
Plan Langevin-Wallon pour la réforme
    de l'enseignement 454
Planchon 359

Plantagenet 140
Plattner 460
Plaute 49 50
plébiscite 264
Pléiade 160 168 453
ploutocratie 227
pluriel 26 41 42 44 112 113 115 116
    117 118 119 120 145 146 147 166
    189 194 211 212 213 215 348 385
    388 391 392
plus-que-parfait 121 122 225 389
poèmes 82
poèmes épiques 129
poésie 87 129 155 158 178 184 253
    257 292 293 294 355 381
poésie chantée 294 356 381
poésie latine 221
poésie populaire 381
poète 130 168 184 355 405
Pohl Jacques 411 432 440 445 461
point (ponctuation) 396
point (sur l'i) 131
poissard 221
poitevin 81
Poitiers 64
Poitou 80
Polac Michel 463
politique 50 54 155 180 225 226 236
    247 266 268 333 368 371
Polytechnique (association) 282
Pollak Wolfgang 465
Pologne, polonais 32
ponctuation 131 208 356 368 384
Pop Sever 451
Pope M. K. 414
populacier 236
populaire 86 88 129 150 160 166 235
    248 251 264 275 375 377 378 382
    383 386 399
populaires (mots) 127 128 147 148
    150 169 217 308
population 451 (*voir* peuplement)
porc, sanglier 25
Porto-Riche (Georges de) 301
Port-Royal 183 195 197 446
Portugal, portugais 28 29 30 51 52
    69 109 140 312 353
possessif 212
poste 141 178 219
poste (radio) 400
postpalatale 377
Pottecher Maurice 303
poteries 61

Pottier Bernard 431 432
poubelle 401
pouchtou 30
Pougens (Charles de) 223 284 447
Poulaille Henri 299
Pousland Ed. 453
Pradel Pompilius 453
préceltique (substrat) 109 217
pré 149 403
prêche 306 452
préfabriqué 403
préférer 149
préfet 236
préfixe 48 126 129 150 402 403
prégermanique (substrat) 109
préhistoire 422
pré-indo-européennes (racines) 58
prépalatale 38 206
préposition 41 42 53 111 112 118 124
    145 212 213 214 215 394
préroman 52
présent (verbe) 45 119 120 121 122
    190 388
présent historique 123 386
présentatif 396
presse 265
Prévert Jacques 294
Prévost (l'abbé) 220
Prigniel M. 465
primaire (enseignement) 241 251 277
    279 280 286 310 336 337 342 346
    347 371 398
primaire supérieur 281
primate 20
prince 77
prison 372
procédés grammaticaux 26
procès 214
Proche-Orient 31 140
professeur 387
progrès 142
prolétariat en faux-col 272
pronom 110 117 118 146 175 209 211
    212 213 390 392
pronom complément 211 214
pronom impersonnel 393
pronom neutre 117
pronom personnel 117 193 194 214
    391 393
pronom sujet 41 44 113 118 168 189
    193 213 392
pronominal 194 214
prononciation 38 41 52 72 90 92 94

95 106 107 108 110 124 143 150
162 165 166 167 175 185 189 190
191 193 194 196 197 205 206 209
213 224 225 235 250 285 307 308
314 348 354 368 370 371 375 376
377 378 379 381 383 385 391 398
prononciations 379 392
prononciation courante, distinguée,
populaire 390
prononciation vulgaire 382
propagande 64
proposition 208 210 214 216 395
proposition incidente 49
proposition indépendante 387 390
proposition infinitive 123 215
proposition principale 46 124 215 216
390 396
proposition relative 215 396
proposition subordonnée 46 49 124
147 215 388 395 396 397
Proschwitz (Gunnar von) 446
prose 142 147 258
prose française 299
prose littéraire 397
protestant 156 177 182 183 (*voir* réformés)
Proudhon 250 267 270
Proust Marcel 299 300 326 450
provençal 80 81 99 305 306 316
Provence 60 62 452
province 83 161 166 176 180 181 187
221 238 307 308 309 370
provinces 140 156 160 176 181 192
239 267 308 314 377
provincial 168 187 189 190 195 241
257 308 316 377
Prusse, vieux prussien 32
psittacose 403
P. T. T. 399
public 141 142 221 222 224 249 254
345 347
publiciste 236 249
pudeur 276
purisme 223 235 345 374
Pyrénées 80

q 131 206
Qoran 352
qu 37 206 348
qualification 212 213 214 215
qualité 41 169
quantitatif 212

quantité 39 41 105
quasi 148
que (conjonction) 215
que 393 396
Quemada Bernard 442 459
Queneau Raymond 358 457 458
Queste du Graal (la) 142
qu'est-ce que 393
qui 117 393
Quillacq J. A. 440
Quillet 467
Quillet-Flammarion 467
Quinet Edgar 249
Quinze Joyes de mariage 143
quoi 117
quoi que (interrogatif) 393

r 101 166 192 206 377
Rabat (université de) 352
Rabelais 160 168 171 290
raccourcissement 372
race 21 22
racine 23
Racine 179 181 195 201 217 382
radical 26 41 45 48 126 127 128 129
146 150 210 213
radicaux grecs 400
radicaux latins 402
radio 276 294 303 306 307 335 345
350 354 356 375 379 383 397 398
452
radio 399
radio-activité artificielle 402
radio-télévision française 350
Radio-Sorbonne 339
raide 191
raison 178 220 222 224
Ramus 165
Ramuz 299
Rapport général sur les modalités d'une
simplification éventuelle de l'orthographe française 455
Rasmussen Jean 438
Rassool Hassam 453
Rat Maurice 467
Raynaud de Lage G. 436
Raynouard 252
Rea John A. 432
réalisme 291
rece(p)voir 224
recherche 283 340 341
récit 387

récit romanesque (écrit) 357 386
récitation 381
réclame 237
recomposition 427
rectitude 149
réduction 110 111 129 150 167 380 392
Référovskaia E. A. 462
Réforme, réformé 155 157 159 161
Réforme de l'enseignement 336
régime (cas) 112 113 115 116 118 124 145 146
régionalisme 370
registre 369 373
règle 95 96 113 114 147 176 179 184 187 188 191 194 250 252 256 257 258
réglementation (de la langue) 166 185
Régnier (Henri de) 293
régression 103
Regula Moritz 415
régularisation 114 197
régional 306 307 381 388 389
régulier 120
Reichstein Ruth 464
Reimen René 452
Reims 62
Reinhardt 302
rejet 258
relatif 397
relation (langue de) 32 83
relation (*voir* complément)
relation (notion de) 169
relations internationales (entre peuples) 397 402
religion 33 63 90 159 169 177 178 182 183 219 277 279 313
reliques (vocabulaire) 65
Remacle Louis 434
remettez-vous 308
Remi (les) 62
remorquer 169
Renaissance 75 155 157 158 159 163 164 180 184 191 405
Renaissance carolingienne ou d'Alcuin 70
Renard Jules 450
Renaudot Théophraste 180 182
renforcement 24 53 95 113 378
Rennes (centre d'études de l'université de) 355
Renoir Auguste 291
Renoir Jean 303

Renson Jean 453
reportage 289
représentatif (régime) 264
républicain 234 264 273 277
républicaniser 236
République (seconde) 264 266
République (troisième) 267 268 269 271 278
République (quatrième) 334
République (cinquième) 335
rescapé 316
Résistance 334 355
Resnais Alain 360
respect 119
Restauration 242 247 253
Restif de la Bretonne 243
restitution 225 392
rétique 51
Révolution (1789) 218 221 232 233 235 236 237 238 239 241 242 252 254 289 407
révolution de juillet 1830 248 251
révolution de 1848 249
révolution russe 273
revues 345
Revue des deux-mondes 256
rex 60
rhétorique 158
Rhétoriqueurs 142 290
rhéto-roman 51
Rhin 59 66
Rhône (vallée du) 58 62
rhumatisme 169
rhume 169
Riahi Zohra 412
Richard Jean-Baptiste 449
Richardot 419
Richelet 188 217 440 441
Richelieu 177 182 187
Richer Ernest 470
Richter Elise 464

ridicule 114
Rigaud André 457 464
Rimbaud 293 319 450
rime 39 120 130 258 294 344
rix 60
Robbe-Grillet Alain 358 359 360 363
Robert Paul 343 467

Roberts L. 422
Robespierre 233 236
roche 428

Rochefort Christiane 359

roi 76 77 84 85 88 89 141 155 176 177 185 247 404
rois d'Angleterre 140
roi (gaulois celtique) 60
roide 191
Roland (chanson de) 83 87
Rolland Romain 298 299 300 303 324
Romains 9 35 50 63 67 94 404
Romains Jules 294 298 302 332
roman 89 238 304 311 (*voir* langues romanes)
roman (genre littéraire) 49 180 220 253 256 259 294 302 369 392 401
Roman d'Alexandre 130
roman d'aventures 357
roman courtois 87
romand 81
romane (langue) 26 54 70 77 81 92 95 100 102 103 105 110 117 121 149 252 314 425 426
roman-feuilleton 301
roman-fleuve 300
roman (nouveau) 358
roman policier 301 357
Roman de Renart 87 136 445
Roman de la rose 87 136
romanche 51
romanes (langues) 21 26 29 30 33 34 38 39 45 50 51 52 53 103 108
romanisation 62 72 108
romantique 176 252 253 254 255 256 257 258 259 291
romantisme 238 252 396 407
Rome 35 36 50 60 176 234
Rome (papauté) 241
Ronjat G. 466
Ronsard 160 165 172 290 418
Roques Mario 285
rosa 42 43
rosse 170
Rosetti A. 427
Rosset Théodore 440 443
Rostaing Ch. 432
Rostand Edmond 301
Rotrou 194
Roubaud Jacques 363
Rouget de Lisle 240 245
roumain 51 52
Roumain Jacques 358
Roumanie 453
Rouquette Jean 434
Rousseau Jean-Jacques 220 223 226 230 238 253

Rousselot Pierre 285
Roussillon 80 181 452
route 178 218
royauté 76 77 84 140 141 159 177 181 219 221 234 248 254 404 405
ruche 65
Rucken G. 468
runes 31
rup 399
russe 30 32 37 312 316 339
russe (grand-) 312 316 339
Russie 34 37 222
Rutebeuf 131
rythme 39 41
rythmique 49 258 293 294 368

s 37 39 40 95 97 98 99 100 109 116 144 164 166 206 209 223 224 308 348 349 377 436
-s 111 113 115 117 119 120 145 146 193 211 252 348 385 436
š 40 94 95 98 105 109 110 116 145 206 308
s long 131 223
sabir 64 311
Sadoul Georges 451
Sagan Françoise 357 388 455
Sainéan Lazare 438 459
Saint-Cloud (école normale de) 354
Saint-Denis (abbaye de) 85
Saint Eloi 71
Saint-Empire 77 89
Saint-Exupéry Antoine 455
Saint-John Perse 294 328 450
Saint-Just 233 236 245
Saint Louis 88
Saint-Pierre (Bernardin de) 238 253
Saint-Simon (comte de) 249
Saint-Simon (duc de) 253
saintongeois 81
Salacrou Armand 359
sale 69
Sale (Antoine de la) 143 154
Salem 453
Salin E. 430
salon 178 187 219 249
samoyède 21 34
sana 399
Sand George 249 250 256 297 317
Sandfeld Kr. 460
sans-culotte 236
sans-culottide 236

sanskrit 25 26 30
Sarah Bernhardt 301
Sardaigne 31
sarde 51
Sarraute Nathalie 358 362
Sartre Jean-Paul 300 329 359
Saulnier V. L. 434
Sauro Antonio 415
Saussure (Ferdinand de) 420
Sauvageot Aurélien 459 466 468
savant 91 129 147 150 164 169 184
226 237 345
Savoie 265
savoyard 81
saxon 31
sc (orthographe) 164
scandinave 31 32 69 312
Scarron 290
Scève 172
Schiller 253
Schlauch Margaret 430
Schneider 266 267
Schoell Frank L. 453
Schöne Maurice 449 459
Schönhage Annemarie 445
Schricke P. 460
Schwan-Behrens 435
science 10 90 178 180 182 220 221
223 227 235 265 397 402 407
scolaire 38 111
scribe 83 88 94 106 152
Scudéry (Mlle de) 180
sculpture 291
scythe 30
Sechehaye C.-A. 413 420
secondaire (enseignement) 241 242
250 277 278 280 281 284 286 287
310 313 337 339 342 346 398
Sécurité sociale (*voir* Assurances sociales)
Séguin Jean-Pierre 439
Séguy Jean 452
seigneur 77
sémantique 19 126 127 395
semi-auxiliaire 213
sémitique 21 28 30 34 39 40
semi-voyelles 38 95 101 102 205 206
Sénat (Rome) 62
Sénat 265
sens 44 113 126 127 226 395 (*voir*
sémantique)
serbe 33
serbo-croate 33

serf 76 77
Sergievskyi M. V. 414
serment 144
Serments de Strasbourg 57 71 72 73
74 431 432 446
sermon 180
Serres (Olivier de) 168 171
servage 76
service militaire obligatoire 270
Sève André 455
Sévigné (Mme de) 180
šfal 378
Shakespeare 255 302
Shaw Bernard 302
Sibérie 34
Sicile 89
— 7e siècle 31
— 6e siècle 31
— 4e siècle 31 59
— 1er siècle 60
1er siècle 59 64
2e siècle 57 64 173
3e siècle 31 64 66 67
4e siècle 65 67 76
5e siècle 31 33 63 66 70
6e siècle 31 67 75
7e siècle 31 33 70 75
8e siècle 31 70 75
9e siècle 31 32 57 75 76
10e siècle 69 76 82 97 98 101 115
11e siècle 69 75 76 82 84 86 87 90
101 106 107 108 110 111 113 131
132 143 405
12e siècle 69 74 75 76 82 84 85 86
87 88 91 97 101 106 107 108 110
111 113 115 120 121 129 132
13e siècle 51 75 77 82 84 87 88 97
98 100 101 106 107 108 110 129
131 139 140 142 145 146 157
14e siècle 52 117 139 140 141 142
143 145 146 153 157 194 226 227
15e siècle 139 140 142 143 151 153
156 157 163 164 170 226 311 405
16e siècle 32 52 96 127 155 156 158
159 161 162 163 164 165 166 167
168 169 170 174 185 189 190 191
192 193 194 196 224 226 227 290
405 406
17e siècle 106 139 158 159 165 166
167 169 175 176 181 183 184 185
186 189 190 191 192 193 194 195
196 197 205 208 209 211 217 221
223 225 226 238 251 255 257 259

284 289 290 309 310 311 377 381 383 389 406
18ᵉ siècle 33 38 100 131 140 175 176 183 192 196 218 220 222 224 225 226 233 238 241 242 253 259 265 277 284 287 289 290 304 309 378 382 400 406
19ᵉ siècle 32 52 80 83 158 170 176 183 190 206 227 235 239 249 250 253 263 265 266 276 277 279 281 282 284 285 289 290 294 301 306 312 313 315 316 317 369 374 376 377 378 382 386 400 407 460
20ᵉ siècle 190 263 272 287 298 300 301 302 304 316 317 343 349 369 382
sifflante 206
sigle 72 95 399 400
signe 18 38 39 40 41
simplification 115 120 144 145 196 224
singulier 26 41 42 44 111 112 113 115 116 117 118 119 145 146 147 189 193 211 212 213 315 380 385 388 392
sinse 308
sis 144
situation 458
six 25 144
siz 144
slave 22 25 26 29 32 33 53 54
slavon 32
slovaque 32
slovène 33
social 42 50 51 84 87 124 125 126 155 156 197 235 247 249 263 267 272 276 314 333 334 374 401
socialisme 249 263 274 278 282
socialiste 264 269 273
société 18 36 37 42 176 186 191 218 247 251 263 271 422
société (bonne) 378 382
société (conditions sociales) 9 10 17 19 92 125
société (romaine) 18
sociéte de la 3ᵉ république 271
sociolinguistique 19
sociologie 10 374
sociologues 226
Sofer Johann 428
soigné (*voir* tenu)
soldat 77
solidité 149

solutionner 403
Somaize (Beaudeau de) Antoine 441
son 7 15 38 39 40 93 94 110 126 152 164 196 205 210 286
sonnet 356
sonore 16 97 99 100 102 206 377 384
Sorbon Robert 90
Sorbonne 162 248 271 282 284 307 339
sourd(e) 16 97 102 113 206 378
sous 402
sous-alimenté 403
soutane 169
soutenu (*voir* tenu)
soviet 316
spirante 16 37 95 97 102 206
Spire André 293 451
Spitzer L. 450
sport 276 371
sprint 316
sr 100 378
ss 206
Stangers Jean 431
statistique 148 344 376 402 403 444 452 454 467
Staël (Mᵐᵉ de) 254
Stecker K. 425
Stefanini Jean 437
Steinberg Nadedja 461
Sten H. 465
Stendhal 248 256
sténo 399
Stepanov Iuri 466
Stil André 358 361
Straka Georges 463 464
Strasbourg 181 240
strophe 130
structure (*voir* système)
style 168 188 195 226 257 294 295 385 387 395
style artiste 296
style direct 297 396
style distingué écrit 300
style écrit 298 357 387 390 392
style indirect 195 297
style indirect libre 295 296 297 396 450 466
style journal 298
style noble 223
style parlé 298 358 396
style romantique 258
style rassis 396
style substantif 395

stylistique 19 222
stylo 399
sub 402
subjonctif 46 121 124 387 389
subjonctif futur 388
subjonctif (imparfait) 12 121 225 309
    315 371 387 388 389 390
subjonctif passé 387 388 389
subjonctif plus-que-parfait 12 121 309
    315 371 387 388 389 390
subjonctif présent 387 388 389
subjonctif subordonné 388
subjonction 124 215 397
sub-nordiques 58
substantif 41 44 48 110 115 116 117
    118 144 146 149 169 193 209 211
    212 213 214 216 385 386 392 395
    396 403
substantivation 193
substitution de langue 22 27 63 64 125
substrat 23 27 80 108 109 311
subtil 149
sucre 89
Sue Eugène 255
Suède 222
Suédois 32
suffixe 48 120 126 129 149 150 169
    372 402 403
suffrage censitaire 247
suffrage restreint 448
suffrage universel 263 264 265 268
    289
Suisse 9 32 51 63 287 309 345 452
Suisse romande 306
suisse (adjectif) 181
sujet (du verbe) 44 118 123 145 147
    168 210 211 213 214 215 385 392
sujet (cas) 41 112 113 115 116 117
    123 145 146
sujet (inversion du) 393
Sully 177
super 402
supérieur (enseignement) 280 454
supersonique 403
Supervielle Jules 293 328
supin 47 123
suppositif 120 390
sur 402
surcomposés (temps) 122 387
surréaliste 299
surréalisme 299
suzerain 68 77
syllabaire 30

syllabe 39 40 41 48 95 96 103 104
    110 111 112 113 129 130 208 209
    258 316
syllabe fermée 376 382
syllabe muette 376
syllabe ouverte 376
Sylvestre Anne 356
Sylvius 163
symbolistes 292
sympa 399
synchronique, synchronisme 37
syndicat 270 334 335 368
syndicat de l'enseignement 278
synonymie grammaticale 387
syntaxe 19 110 123 152 216 235 285
    287 315 343 368 369 375 385
syntaxe populaire 393
syntaxe vulgaire 300 373
système linguistique 10 18 35 36 40
    42 92 114 117 124 125 205 213 367
système morphologique 344
système phonologique 344

t 26 37 65 95 96 97 100 107 120 166
    189 206 209 224 252 346 348 392
-t 120 189 193 385
Tabarin 179
tacite 150
taire 150
Talleyrand 447
Talma 237
Tananarive 453
taper (un texte) 400
Taylor Pauline 430
tchèque 32 33 40
tch 98
te 118
-té 149
technique 18 141 156 158 264 397
    407
technique (adjectif) 142 223 402
technique du corps 18 421
télégraphe 265
téléphone 265
télévision 335 350 360 383 397
Teljatnikova A. Kalik 466
Tel quel (revue) 358
telstar 350
temps (verbe) 44 45 46 117 120 121
    147 213
temps composés 44 46 53 121 122
    123 147 194 390

temps (emploi des) 194 195
temps (notion) 18 214
tender 316
Térence 49
termes argotiques 371 374
termes nouveaux 265
terminaison 39 41 42 44
ternaire (vers) 258
Terreur 233
Tesnière Lucien 423 465 466
tête 437
th 97
th grec 169 348
Thabault Roger 462
théâtre 88 90 142 161 179 180 181
    219 220 221 236 251 253 255 301
    302 359 369 382
théâtre d'avant-garde 382
théâtre de boulevard 382
Théâtre national populaire (T.N.P.)
    359
Théâtre des Nations 359
théâtre radiophonique 360
Thérive André 415 458 459
Thermidor 234
thèse 182 242 281
Thibaudet A. 420 449
Thiers 248 268
Thomas Adolphe V. 462
Thomas Antoine 284 287 418
Thomov S. 470
Thorez Maurice 290 331 334
Thurot Charles 284 417 440
tiers état 232
timbre 37 41 104 105 167 192 205
    206 379
tiroi 225
Tite-Live 143
tm 378
Tobias Philip V. 423
Tobler Ad. 415 436
toge 62
Togeby Kurt 461
toi 118
Toiseul 419
tokharien 33
Tolstoï 298
ton 208 209 290 368 383 395 397
tonalité de la langue 376
tongouze 34
Tory Geoffroy 165
toscan 51
Toscane 33

toubib 316
Toulouse 62 452
Toulouse (université) 355
Touraine 160
Tours 67
tout à l'heure 382
tradition 42 94 224 257 344 370 376
    404
traduction 143 220
traduction automatique 344
tragédie 161 220
traité de Verdun 72
traité de Versailles 272 313
traités de 1815 239
tramway 316
transcription 25 38 40
transfert de civilisation 406
transformation (de la langue) 139 143
    224 370 386
transformation des mots 371
transport 265 271 275
travail 18
tremere 65
Trésor de la langue française 343 419
trêve 68
Trévoux 223 446
trieuse 403
Triolet Elsa 358
triphtongue 110
Tristan et Yseut 87
troubadour 87
Troubetzkoy N. 421
trouvère 87
ts 95 97 110 120
T.S.F. 399
tst tsts 210
tu 118 392 393
Tuileries 233
Tunisie 271 351 352
turc, Turcs 34 140
Turcaret 228
turco-tatare 33
tutoiement révolutionnaire 235
ty 377
Tzara Tristan 299 326

u 38 72 94 95 97 98 99 101 102 105
    106 108 109 131 164 165 206 207
    348
ü 40 97 105 106 108 109 167 192 207
    385 386
ŭ 105

ū 105
ue 106
Uhliz Vladimir 464
Ukraine 32
ukrainien 52
Ullmann Stéphane 469
un (graphie de ö) 207 380
un, une 385 386
unification 28 35 79 82 85 86 91 146
unification (force d') 115
unilingue 78
universalité (de la langue française) 222 239
universitaires 283 296 348
université 85 90 141 162 221 239 241 242 278 282 339 340 435
Université ouvrière 11 340
universités populaires 282
Université de Paris 283 285 342
uo 106
Urfé (Honoré d') 180
U.R.S.S. 40 52 274 312 336
us 95
usage 40 42 114 117 123 139 142 143 146 163 168 182 185 186 187 190 191 250 294 368 380 382 389 391 397 402
usage (bon) 186 190 191 195 235 309
usage commun 315 403
usage distingué 225 314
usage écrit 315 375 395
usage des écrivains 225
usage (exclusivité d') 401
usage familier 394
usage parlé 315 386 388
usage parlé tenu 394
usage populaire 375 389 391 393 394
usage vulgaire 316
-usc- 58
usure 42 117
utile 149

v 38 94 95 96 99 102 131 165 206
v lettre 165 196
Väänänen Veikko 425 427
Vadé 221
Vailland Roger 358
Valachie 31
Val d'Aoste 452
Valéry Paul 293 444 450
valet 65 77

valeur 42 113 194 257
Valkhoff M. 469
Vallès Jules 297 320
Vallois Henri-Victor 422 427
Valois 140
Van Daele H. 436 463
Van der Wijk W. 441
Van Gogh 291
vassal 65 77
vassaux 74
Vauban 226
Vassilieva A. K. 462
Vaudelin 440 441 443
Vaugelas 187 190 191
variation 41 42
vélo 400
vélocipède 237
vélo-moteur 400
vélo-taxi 400
Venaille Franck 366
Vendryes Joseph 420
dans le vent 397
vénitien 51
verbal 117 191 193
verbe 41 44 45 48 113 117 118 119 120 123 124 125 145 147 149 167 168 175 193 194 209 210 212 213 214 385 386 390 391 392 395 396 399 402 403
verbe d'existence 396
verbe d'opinion 388
verbe-outil (auxiliaire sémantique) 395
verbe principal 388
énoncé sans verbe 258
Vercingétorix 62
Vercors 358
Vergniaud 236
Verhaeren Emile 293
Verlaine 292 293 318 450
Verlee E. 468
Verne Jules 298 450
vers 39 86 130 131 187 257 258 292 293 294 381
Verschoor J. A. 466
versification 129 292 293 450
vers libre 293 355 356 381
vers ternaire 258
vêture 9
Vian Boris 360
Viardot 250
vibration 206
Vie de Saint Alexis 86

Vie et langage 457 458
Vie de Saint Léger 72
vieilli 195
Viélé-Griffin Francis 293
Vienne 64
Vietnam 351
vietnamien 311 351
vieux français (*voir* ancien français)
Vigny (Alfred de) 255 256 260
vilains francs 77
Vilar Jean 359
Vildé-Lot Irène 440
Vildrac Charles 299
village 77 78 369 405
ville 62 64 68 77 142 180 185 187
    219 249 279 305 369 370 372 373
    404 405
villégiature 275
Villehardouin 88 134
Villers-Cotterets 159 181
Villon 142 154
Vinay J. P. 466
virgule 215 395 397
vitrail 89
vitre 142
vla 382
vocabulaire 23 49 54 65 69 89 93 124
    125 126 127 128 147 148 150 152
    168 169 170 175 195 217 223 226
    227 235 236 257 296 305 308 310
    311 313 315 343 344 368 369 370
    371 372 375 397 399 401 402 403
    407 445
vocabulaires 354 369 398 401
vocabuliste 216 223
vocatif 42 112
voilà 396
Voile C. 441
voile du palais 16
voisé 16
voiture 400
voix 16 17 395 396 397
voix (verbe) 44 213
Volney 243 250 252
volt 401
Voltaire 220 222 223 228 229 290
voltairien 254
Vossler Ch. 413
vote 226
vous 118 392 393
voyelle 16 24 28 30 37 38 41 53 94
    95 97 98 99 100 103 106 107 110
    111 113 118 120 128 129 130 144

147 165 166 167 189 196 205 207
    209 376 377 379 381 382 383 385
    386 391 392 393
voyelle entravée 104 106 113
voyelle libre 104 106 113
voyelle longue 376 384
voyelle nasale 192 207
voyoucratie 227
vulgaire (latin) *voir* latin vulgaire
vulgaire 373 376 377 392
vz 392

w 37 38 99 102 109 110 167 206
ẅ 206
ψ 224
wa 190 191 224 235 271
Wagner R. L. 416 434 436 439 456
    461 466
Wailly (Noël-François de) 447
wallon 81 84 99 110 306 354 355
Wallon Henri 336 420 454
Wartburg (W. von) 414 418 425 429
    431 437 453 461 464
we 106 167 190 235
wê 108
Werner 69
Whitman Walt 293
Weisgerber Léo 428
Wexler Peter 442
Whatmough Joshua 428
Wind Bartina H. 439
Wisigoths 67 80 87
Wulfila 31

x 38 95 164 206 250

y (lettre) 38 95 107 109 164 192 223
    224 348 392
y (semi-voyelle) 38 98 99 100 101
    102 107 109 192 206 315 377 379
y renforcé 377
Yaoundé 453
y compris 395
ye 106 108
yeux 205
yidich 32
yougoslave 32

z 38 95 98 99 100 164 166 206 223
    349 377 383 392
ʒ 96 98 99 102 109 144 206

-z 120 164
Zaïre 228
zéro 89 207
Zola Emile 296 321 391 449 450

zoroastrisme 30
zr 378
Zumthor Paul 434 461
zyriène 34

TABLE DES MATIERES

Préambule 9

Note sur la confection et sur l'usage du livre 11

PREMIÈRE PARTIE

AVANT LE FRANÇAIS

CHAPITRE I. − *La fonction langage.*

1. Mécanisme du langage : sons, gestes 15
2. Langage, pensée et société 18
3. L'étude scientifique du langage 19

CHAPITRE II. − *Les familles de langues et l'origine indo-européenne du latin.*

1. L'espèce humaine et les familles de langues 20
2. La reconnaissance des familles de langues et la méthode comparative 23
3. Application de la méthode comparative à la reconstitution de l'indo-européen 25
4. Destinée de la famille indo-européenne 27
5. Les divisions de l'indo-européen 28

CHAPITRE III. − *Le latin, sa structure, son expansion et son morcellement.*

1. Formation et expansion du latin 35
2. Structure du latin 36
   a) Phonétique et orthographe 37
   b) Grammaire 41
   c) Formation des mots 48
   d) Ordre des mots 48
3. Latin classique et latin vulgaire 48
4. Les langues romanes 50

DEUXIÈME PARTIE

L'ANCIEN FRANÇAIS

CHAPITRE IV. − *La lente formation du français dans le haut Moyen âge.*

1. Les langues de la Gaule avant le gaulois 57

2. Les Gaulois et le celtique   59
3. Romanisation de la Gaule   62
4. Les envahisseurs germains et leur romanisation linguistique   66
5. Premiers témoignages sur le français parlé en face du latin écrit   69
6. Les Serments de Strasbourg et les plus anciens textes littéraires du
   français   71

CHAPITRE V. – *L'ancien français et la période féodale (du 11ᵉ au 13ᵉ siècle).*
1. L'idée de moyen âge ; limites du moyen âge   75
2. La société féodale et les patois   76
3. Les dialectes   78
4. La littérature féodale et les dialectes littéraires français   82
5. Le français et les relations internationales pendant la période
   féodale   89
6. Le latin et la littérature latine pendant la période féodale   90

CHAPITRE VI. – *La structure de l'ancien français et les origines de ses principaux
   traits.*
Considérations préalables   92
1. Orthographe   94
2. Prononciation (phonétique)   95
   a) Consonnes   95
   b) Voyelles et accent 103
   c) Influences étrangères et caractéristiques générales de la prononciation 108
3. Grammaire (morphologie et syntaxe) 110
   a) Substantif, adjectif, article, pronom 110
   b) La conjugaison 117
   c) Ordre des mots et constitution de la phrase 123
4. Vocabulaire 124
5. Versification 129
Textes du 11ᵉ au 13ᵉ siècle 131

TROISIÈME PARTIE

LE MOYEN FRANÇAIS

CHAPITRE VII. – *Le moyen français et l'établissement de l'administration royale
   (14ᵉ et 15ᵉ siècles).*
1. Etablissement définitif des nationalités occidentales 140
2. L'administration royale et la bourgeoisie parlementaire en France . . . 140
3. Arts et techniques 141
4. Extension de l'usage du français en France, littérature 142
5. Transformations de la langue aux 14ᵉ et 15ᵉ siècles 143
   a) Prononciation 143
   b) Grammaire 144

c) Le vocabulaire savant 147
d) Orthographe latinisante 150
Textes du 14ᵉ et du 15ᵉ siècles 153

CHAPITRE VIII. – *Le français au 16ᵉ siècle. La Renaissance.*
1. Evénements politiques 155
2. Techniques et évolution sociale 156
3. Renaissance et Réforme 157
4. Diffusion du français et littérature 159
5. Les études, le latin et le français 161
6. Le français au 16ᵉ siècle 163
   a) Orthographe 163
   b) Prononciation 165
   c) Grammaire 167
   d) Vocabulaire 168
Textes du 16ᵉ siècle 171

QUATRIÈME PARTIE

LE FRANÇAIS MODERNE

CHAPITRE IX. – *Le français classique au siècle de l'autorité (1594–1715).*
Définition du classique 175
1. La société au 17ᵉ siècle 176
2. Lettres et arts 179
3. Extension du français 181
4. Le latin et le français dans l'enseignement et dans les sciences 182
5. Le travail sur la langue 184
6. Faits concernant le français au cours du 17ᵉ siècle 189
   a) Prononciation 189
   b) Grammaire 192
   c) Vocabulaire 195
   d) Orthographe 196
7. La langue fixée 197
Textes du 17ᵉ siècle 199

CHAPITRE X. – *Structure du français.*
1. Prononciation 205
2. Grammaire 210
3. Vocabulaire 216

CHAPITRE XI. – *Le français classique au siècle des idées (1715–1789).*
1. Vie et idées nouvelles 218
2. La littérature des 'Lumières' 220
3. Le français en France et hors de France 221
4. Les travaux sur la langue. L'orthographe 222

5. Transformations dans la langue du 18ᵉ siècle   224
   a) Prononciation   224
   b) Formes grammaticales   225
   c) Phrase   226
   d) Vocabulaire   226
Textes du 18ᵉ siècle   228

CHAPITRE XII. – *Le français pendant la Révolution et sous Napoléon*
(1789-1815).
1. Mouvements sociaux   232
2. Absence de transformations dans le fonctionnement de la langue   234
3. Grands changements dans le vocabulaire   235
4. Enseignement en France : extension du français   238
   a) Français et langages régionaux   239
   b) L'enseignement ; le français et le latin ; la grammaire et l'orthographe   241
Textes de la période révolutionnaire   244

CHAPITRE XIII. – *Le français et le régime bourgeois du suffrage restreint*
(1815-1848).
1. Evénements politiques et société   247
2. Orthographe, grammaire et enseignement   250
3. Le mouvement romantique   252
4. Style romantique en vers et en prose   256
Textes de la période romantique   260

CHAPITRE XIV. – *Le français et le régime bourgeois du suffrage universel*
(1848-1938).
1. Evénements, institutions, vie sociale, techniques   264
   a) Seconde République et second Empire   264
   b) La commune et la troisième République jusqu'à 1914   267
   c) La guerre de 1914-1918 et l'entre deux guerres   272
2. L'enseignement   277
3. Travaux sur la langue   283
4. L'orthographe   287
5. L'usage du français et l'art littéraire   289
   a) Introduction   289
   b) Parenthèse sur la peinture   291
   c) Poésie et versification   292
   d) Le roman et le style   294
   e) Le théâtre, le cinéma, la radio   301
6. Extension et divisions régionales du français   304
   a) Patois ; langues régionales   304
   b) Variations régionales du français   307
   c) Le français dans les anciennes et dans les nouvelles colonies   310
7. Français et langues étrangères ; langues auxiliaires internationales   312
8. Le latin en France   313
9. Transformations du français   314
   a) Prononciation   314

    b) Grammaire (formes et syntaxe) 315
    c) Vocabulaire 315
  Textes du 19ᵉ siècle (seconde moitié) et du 20ᵉ siècle jusqu'à 1939 317

CHAPITRE XV. – *Le français contemporain. La période 1939–1965.*

I. Physionomie de la période 333
  1. Les grands traits des événements politiques et sociaux en France 333
  2. L'enseignement et l'instruction 336
  3. Les travaux sur la langue 342
  4. Préparations à une réforme de l'orthographe 346
  5. Etendue d'emploi du français et études sur ses variations 349
  6. Aperçus sur l'art littéraire 355
    a) La poésie 355
    b) Le roman 356
    c) Théâtre, cinéma, radio-télévision 359
  Textes de 1939 à 1965 361

II. Aspects de la langue.
  1. Les différents langages français 367
  2. Prononciation 376
  3. Formes grammaticales 385
  4. Phrase et style 395
  5. Vocabulaire 397

Coup d'œil d'ensemble 404

Références 411
  A. Instruments d'étude sur l'histoire du français 413
  B. Références et citations classées par chapitres 420

Index 471

Table des matières 509

Figures dans le texte : organes de la parole 17

Cartes : Langues indo-européennes 29
       Dialectes gallo-romans 81

ACHEVE D'IMPRIMER
LE 15 DECEMBRE 1974
PAR INTERDRUCK, A LEIPZIG
POUR LES EDITIONS SOCIALES, A PARIS

N° d'Edition : 1495
Dépôt légal : 4ᵉ trim. 1974